POERI I LYGAD YR ELIFFANT

I Ron am ddangos y llwybr
ac i Carys am ddod gen i

POERI I LYGAD YR ELIFFANT

★ Anturiaethau'r Saint Cymreig
yn y Gorllewin Gwyllt ★

Wil Aaron

Argraffiad cyntaf: 2016

Cynllun y clawr: Sion Ilar
Llun y clawr: *Dancing Elephant and Miner*, 19eg ganrif
© Fine Arts Museums of San Francisco

Mapiau: Elgan Griffiths

Gwnaed pob ymdrech i ganfod deiliaid hawlfraint y lluniau
a gyhoeddir yn y gyfrol hon. Yn achos unrhyw ymholiad
dylid cysylltu â'r cyhoeddwyr

Rhif Llyfr Rhyngwladol: 978 1 78461 271 9

Dymuna'r cyhoeddwyr gydnabod cymorth ariannol
Cyngor Llyfrau Cymru

Cyhoeddwyd ac argraffwyd yng Nghymru
ar bapur o goedwigoedd cynaladwy gan
Y Lolfa Cyf., Talybont, Ceredigion SY24 5HE
e-bost ylolfa@ylolfa.com
gwefan www.ylolfa.com
ffôn 01970 832 304
ffacs 01970 832 782

Rhagymadrodd

ODDI TANAF RHED AFON Missouri. Oddi yma, ar ben Rainbow Point, gwelaf ddinas Omaha gyfan wedi ei thaenu'n flêr dros y dyffryn o'm blaen, y ddau *skyscraper* yn codi o'i chanol fel rocedi ar eu hesgynfeydd. Tu hwnt i Omaha gorwedd y Prairies, y tiroedd glaswelltog, gwyrdd sy'n ymestyn dros 200 milltir i'r gorllewin, a thu hwnt iddynt hwythau y Gwastatir Mawr a mynyddoedd y Rockies, yn ymestyn fil o filltiroedd ymhellach. Ac ar ben draw eithaf y mynyddoedd y mae Dyffryn y Llyn Halen. Yng nghanol y bedwaredd ganrif ar bymtheg, dyma diriogaeth 'yr eliffant'.

Un o greadigaethau'r '49ers' – y mwynwyr a gymerodd ran yn y rhuthr am aur i Galiffornia ym 1849 a 1850 – oedd 'yr eliffant'. Cyhoeddai'r '49ers', cyn gadael ar eu taith beryglus dros y Rockies a'r Sierra Nevada a thrwy anialdir y canolbarth, eu bod 'yn myned i weld yr eliffant'. Yn eu gwersylloedd unig yn y wlad wag tu hwnt i'r Missouri, dychmygent glywed 'trwmpedau'r eliffant' yn eu deffro'r nos, yn gymysg ag udo dolefus y bleiddiaid. Pan ruthrai gyr o fyfflo heibio yn beryglus o agos i'w wageni bregus, credent fod 'yr eliffant yn pasio'. Pan gurwyd hwy gan genllysg maint wyau neu eu sgubo gan gorwyntoedd cynddeiriog y paith, dywedent eu bod wedi 'gweld ôl troed yr eliffant', neu o leiaf wedi 'gwynto ei anadl'. A phe bai rhaid rhoi'r gorau iddi a throi'n ôl oherwydd eira neu afiechyd neu newyn neu ymosodiadau gan Indiaid, dywedent eu bod wedi cael 'cipolwg ar flaen ei drwnc' ac wedi teimlo ei lygaid yn rhythu arnynt. Ymgorfforiad o'u hofnau oedd 'yr eliffant'. Gwyddent ei fod yn aros amdanynt, yn y lluwchfeydd ar ben South Pass, neu yng ngwres y Gwastatir Mawr, neu yn unigrwydd y Prairies. Hen frenin arswyd y paith. Disgrifiai gwlwm cymhleth o emosiynau, nid i gyd yn annymunol o bell ffordd. Ym 1851 agorodd John Ormond, Cymro o Farloes yn Sir Benfro, dŷ bwyta o fath, yma ar lan y Missouri, ar ffin eithaf y taleithiau, yn y wlad wyllt lle cychwynnai Trywydd y Mormoniaid. Bedyddiwyd y lle gan y '49ers' yn 'Dŷ Bwyta'r Eliffant', oherwydd, y mae'n debyg, safon echrydus y coginio a'r profiad bythgofiadwy o fwyta ynddo.

Rhyw brofiad eithriadol, tu hwnt i ddirnadaeth dynion cyffredin, oedd dod wyneb yn wyneb â'r eliffant. Edrychai'r mwynwyr ymlaen at brofi eu hunain yn deilwng o'i gyfarfod. I lawer, 'gweld yr eliffant' oedd profiad mwyaf ystyrlon eu bywyd, arswydus ond bythgofiadwy. Dim ond y dewr a gâi 'edrych i wyneb yr eliffant'. Dim ond y dewraf o'r dewr feiddiai 'boeri i'w lygad'. Llyfr yw hwn am ddynion a merched, llawer ohonynt yn Gymry, a edrychodd i wyneb yr 'eliffant', heb ofn, a phoeri i'w lygad.

Yma, ar Rainbow Point, saif carreg yn coffáu taith Lewis a Clark i fyny'r Missouri ym 1804. Yn Ebrill 1803, gwerthodd Napoleon dros 530 o filiynau o aceri o ganolbarth America i'r Unol Daleithiau am 3c yr acer, a dyblwyd maint y wlad dros nos. Flwyddyn yn ddiweddarach, ar gais yr Arlywydd Thomas Jefferson, cychwynnodd Lewis a Clark ar eu taith arwrol ar draws y cyfandir i'r Môr Tawel. Y daith honno a agorodd lygaid yr Americanwyr i gyfoeth eu hetifeddiaeth newydd. Ond nid Lewis a Clark oedd y dynion gwyn cyntaf i ddod i fyny'r afon hon. Pasiodd John Evans o'r Waunfawr heibio Rainbow Point ym 1795, naw mlynedd ynghynt, yn edrych am yr Indiaid Cymreig, disgynyddion Madog. Tybiai y byddent yn hawdd i'w hadnabod, gyda'u gwallt coch a'u llygaid gleision a'r Gymraeg yn fyw ar eu gwefusau. Ddwy flynedd yn ddiweddarach, daeth heibio'r man hwn eto, ar ei ffordd yn ôl i St Louis, heb weld golwg ohonynt. Er hynny, yr oedd wedi teithio ymhellach i fyny'r afon nag unrhyw ddyn gwyn o'i flaen ac yn ei boced yr oedd y map manwl a fyddai'n gymaint o help i Lewis a Clark.

Ysbrydolodd camp Lewis a Clark hanner canrif o anturio pellach yn y tiroedd newydd. Dilynwyd hwy yn gyntaf gan yr helwyr, yn edrych am afancod neu ddyfrgwn neu unrhyw anifail arall â chroen gwerthfawr. Dyma'r dynion a elwid yn 'Ddynion y Mynyddoedd', pobl fel Kit Carson, Jedediah Smith, Thomas Fitzpatrick a Jim Bridger. Yr oedd un ohonynt o dras Gymreig, sef Bill Williams, disgynnydd i ryw John Lewis a aeth yno o Sir Ddinbych gydag aelod o deulu'r Mostyniaid ym 1675.

Yna daeth y masnachwyr, yn prynu crwyn yr helwyr ac yn gwerthu siwgr a choffi a chwisgi a gynnau i'r dyn gwyn a'r Indiaid yn ddiwahân. Ac ar eu holau hwythau, cenhadon fel y Pabydd y Tad De Smet, a groesodd y cyfandir bedair gwaith yn edrych am eneidiau i'w hachub. Ac yna'r bobl a adwaenir gan yr Americanwyr fel 'yr Arloeswyr'– y dynion gochelgar, gwydn, parod am unrhyw argyfwng, eu gwragedd gwyliadwrus dan gysgod eu bonetau llydan, y plant diofal yn dilyn yn droednoeth; y wageni llwythog gyda'u bwâu o ganfasau gwynion; yr ychen gwargam yn yr iau a'r gwartheg a'r defaid yn dilyn yn y cymylau o lwch. Gadawent y Dwyrain am bob math o resymau: rhai'n edrych am ffordd allan o'u tlodi, am gychwyn newydd, am fywyd gwell i'w plant; eraill yn ffoi o'u methiant, oddi wrth eu herlynwyr, o undonedd eu bywydau; pob un yn gobeithio am Eldorado, rywle yn y Gorllewin.

Yn y blynyddoedd cynnar hynny, Oregon, ar arfordir gogleddol y Gorllewin, oedd y prif atyniad i'r arloeswyr. O ddechrau pedwardegau'r bedwaredd ganrif ar bymtheg, teithiai mintai neu ddwy ohonynt yno bob blwyddyn, dan arweiniad un o 'ddynion y mynyddoedd', ar draws y paith, dros y Rockies ac i lawr afonydd Snake a Columbia i ddyffryn ffrwythlon Willamette ger Fort Vancouver. Ym 1842 croesodd dros fil o bobl i'r Gorllewin. Erbyn 1845, cynyddodd y niferoedd i bum mil. Yr oedd y llifddorau'n dechrau agor. Y mae carreg goffa Lewis a Clark, felly, yn Rainbow Point ar Fryniau Loess uwchben y Missouri, yn cofféu cychwyn y cyfnod rhamantus hwn yn hanes gorllewin America.

Ychydig i lawr y grib, trwy gyd-ddigwyddiad hapus, saif carreg goffa arall, yn edrych i lawr y tro hwn ar Council Bluffs, chwaer-ddinas Omaha. I bob pwrpas, y mae'r ddwy ddinas yn un erbyn hyn, a'r Missouri'n unig yn eu rhannu. Piler o wenithfaen llwyd yw'r gofeb hon, wedi ei gosod yno gan Ferched y Chwyldro Americanaidd, y gymdeithas weithgar honno sy'n gyfrifol am gynifer o gofebion yr Unol Daleithiau, gan gynnwys yr un i'r Tywysog Madog ym Mae Mobile, Alabama, sy'n cyhoeddi'n hyderus iawn fod Madog wedi glanio yn yr union fan hwnnw ym 1170 'gan adael ei ôl, gyda'r Indiaid, yr iaith Gymraeg'. Ar y garreg yn Council Bluffs y mae'r geiriau hyn: 'Codwyd y golofn hon i gofféu ymweliad Abraham Lincoln â Council Bluffs, Awst 19, 1859. O'r man hwn edrychodd allan ar y panorama eang o ddyffryn afon Missouri a dewisodd y ddinas hon i fod yn derminws dwyreiniol rheilffordd yr Union Pacific.' Adeiladu rheilffordd ar draws America oedd un o freuddwydion Lincoln ac fe'i gwireddwyd ar y 10fed o Fai, 1869, bedair blynedd ar ôl ei lofruddiaeth, pan gyfarfu cledrau'r Union Pacific â chledrau'r Central Pacific yn Promontory Summit, Utah. Y diwrnod hwnnw daeth cyfnod yr arloeswyr i ben a diflannodd y minteioedd araf a fu'n britho'r paith gyhyd. Yr oedd y trên, wedi'r cyfan, gymaint yn fwy cysurus a chyfleus a chyflym.

Y mae'r ddwy garreg ar Rainbow Point, felly, fel cromfachau ar bob pen i'r cyfnod sydd dan sylw yn y llyfr hwn, y cyfnod pan agorwyd y Gorllewin. I'r Americanwyr, y mae'n gyfnod eiconaidd, cyfnod arwrol, un o'r cyfnodau cynhyrfus hynny yn eu hanes sydd yn sefydlu eu gwerthoedd ac yn mowldio eu hunaniaeth. Cyfnod y paith yn ei berffeithrwydd ydoedd. Cydgerddai'r ymfudwyr â'r '49ers'. Pasiwyd hwy gan y 'Pony Express'. Cyfarchwyd hwy gan Buffalo Bill a Calamity Jane. Gwyliwyd hwy gan Crazy Horse. Ac o 1847 tan ddyfodiad y trên, chwaraewyd rhan fechan yn y stori ramantus hon gan filoedd o Formoniaid, yn ffoi rhag eu herlidwyr yn y Dwyrain, ar eu ffordd i Ddinas y Llyn Halen, eu dinas sanctaidd yn y Rockies. Yn eu mysg teithiai nifer fawr o Formoniaid Cymreig.

Nid oes sicrwydd faint ohonynt a aeth. Dywedodd F. D. Richards, un o drefnwyr yr ymfudiad yn Lerpwl, fod rhwng 8,000 a 10,000 o Gymry wedi hwylio o Lerpwl o ddechrau'r ymfudiad hyd at 1867, ond y mae'r swm yma yn ymddangos yn uchel. Cofnodwyd 6,351 o enwau ar welshmormon.byu.edu, y wefan wych a grëwyd gan yr Athro Ron Dennis i gasglu gwybodaeth am y Cymry yn Utah, ond nid ydynt i gyd yn arloeswyr oherwydd daeth llawer ohonynt i Utah yng nghyfnod y trên. Ffynhonnell arall yw maniffestau'r llongau a gariodd y Mormoniaid i America. O 1851 ymlaen, nodir cenedligrwydd y teithwyr yn y dogfennau hyn a daw cyfanswm yr enwau a farciwyd ag 'W' am 'Welsh' i ychydig dros 3,000. Ond ni ellir dibynnu ar gywirdeb y ffigwr hwn chwaith oherwydd cymhlethdod y cofnodi, y newidiadau ar y funud olaf, pobl yn tynnu'n ôl, pobl yn cael eu symud o long i long ac yn y blaen, ac, yn sicr, gellid ychwanegu rhai cannoedd at y cyfanswm wrth gynnwys y rhai a adawodd cyn 1850, y rhai a ymfudodd o borthladddoedd heblaw Lerpwl a'r rhai a ymfudodd o ddwyrain Mynwy na chafodd eu cofrestru fel Cymry oherwydd iddynt gael eu gweinyddu o Henffordd. Ac nid oes sicrwydd, wrth gwrs, faint o'r teithwyr hyn a aeth yr holl ffordd i Utah, oherwydd, yn ddiau, temtiwyd llawer ohonynt i aros yn nhaleithiau'r Dwyrain a bu farw eraill cyn cyrraedd pen eu taith. Gwyddom fod y niferoedd yn amrywio'n sylweddol o flwyddyn i flwyddyn, o'r 667 a aeth ym 1856 i'r nesaf peth i ddim a gyrhaeddodd ym 1858. Cwympodd y niferoedd hefyd yn ystod Rhyfel Cartref America. Ond, yn gyffredinol, yr argraff a geir yw bod rhywle rhwng 4,000 a 5,000 o Formoniaid Cymreig wedi cyrraedd Dyffryn y Llyn Halen cyn dyfodiad y trên ym 1869 – nifer bychan, efallai, o'u cymharu â'r 60,000 o Gymry a ymfudodd i weddill America yn yr un cyfnod, ond dwy i dair gwaith mwy na'r nifer a aeth i Batagonia.

Er hynny, ychydig a wyddom ni yng Nghymru heddiw am hanes ein brodyr yn Utah, ac ychydig a ysgrifennwyd amdanynt. Nid yw'r rheswm am hyn yn anodd ei ganfod. O'r cychwyn, bu gelyniaeth ffyrnig rhwng y Mormoniaid a'r capeli anghydffurfiol Cymreig, a phan drodd y cenhadon Americanaidd yn ôl am Utah gyda'u tröedigion, yr oedd y gweinidogion a'r diaconiaid yn falch o'u gweld yn mynd. Tueddwyd i'w hanghofio'n syth a'u dileu o'n hymwybod. Ond y mae eu stori yn werth ei hadrodd ac yn haeddu lle anrhydeddus yn hanes ein gwlad.

1846 a 1847

JOHN BENNION A'I DEULU o Benarlâg yn Sir y Fflint oedd y Cymry cyntaf i gwblhau'r daith yr holl ffordd i Ddyffryn y Llyn Halen. Tenant i Syr Stephen Glynne, sgweier Castell Penarlâg, oedd tad John Bennion, yn talu rhent ar fwthyn a 12 acer. Nid oes dim i'w weld o'r hen gartref erbyn hyn ond y mae'r gŵr sy'n berchen y tir heddiw yn gwybod yn union lle arferai'r bwthyn fod. Safai ar fryn isel uwchlaw afon Dyfrdwy yn edrych allan dros ddyffryn eang yr afon i gyfeiriad y ffin. Gyda'r nos y mae goleuadau Penbedw a Lerpwl yn llenwi'r gorwel gorllewinol.

Ar ddechrau'r bedwaredd ganrif ar bymtheg, pan dyfai John i fyny, datblygodd economi ddiwydiannol lewyrchus yn y gornel hon o Sir y Fflint. Yn y cae lle safai'r bwthyn y mae olion rheilffordd fechan a redai o'r pwll glo yn Mancot i lawr i sianel lydan afon Dyfrdwy, a oedd newydd gael ei hehangu i ganiatáu i longau mawrion ddod i fyny'r afon. Sylwodd ei dad ar y cynnwrf a'r cyni o'i gwmpas a darllenodd yr arwyddion. Deallodd fod y byd yn newid, ei fod yng nghanol cyfnod o chwyldro, ac mai'r injan stêm fyddai'n dod allan ohono'n feistr. Er mai dim ond tenant a thyddynnwr ydoedd, gwnaeth yn siŵr fod John yn cael addysg dda. Anfonwyd ef i'r ysgol leol nes ei fod yn 14 ac yna i'w brentisio at gwmni a adeiladai foeleri stêm.

Yn ei hunangofiant y mae John yn disgrifio cefndir crefyddol y teulu. 'Roedd fy nhad wedi bod yn aelod o gymdeithas Fethodistaidd am rai blynyddoedd,' meddai, 'ac wedi'n trwytho ni blant yn ei foesau cadarn. Ond wrth i mi dyfu i'm harddegau a chymysgu gyda chriw o fechgyn llai crefyddol, dechreuodd yr ysgol Sul a gwrando ar bregethau fynd yn fwrn arnaf. Dewiswn yn hytrach dreulio fy Suliau yn mwynhau fy hun gyda'm ffrindiau. Un pnawn Sul roeddwn yn crwydro'r caeau gyda dau ffrind a'm ci. Daliodd hwnnw gwningen, a daeth cipar atom a'm cyhuddo o botsio, a'r diwrnod canlynol fe'm gwysiwyd i ymddangos o flaen ustus. Gwrthodais gael fy nhrin felly a gadewais fy nghartref a deuthum i Lerpwl.' Aeth at Samuel, ei frawd hŷn, oedd wedi gadael cartref chwe blynedd ynghynt, yn 12 oed, ac wedi mynd i weithio fel pobydd at ei ewythr yn Lerpwl.

Llwyddodd John, oedd eto'n ddim ond 16 oed, i gael gwaith yn adeiladu boeleri yn Lerpwl ac arwyddodd gytundeb tair blynedd am gyflog o ddeg swllt yr wythnos. Cwblhaodd y cytundeb hwnnw yn anrhydeddus ond gwrthododd gynnig o dair blynedd arall o brentisiaeth oherwydd teimlai nad oedd wedi cael hyfforddiant dilys gan ei feistri. Yn lle hynny, cymerodd swydd, unwaith eto yn ymwneud â'r injan stêm, gyda chwmni o'r enw Vernons am gyflog o bunt yr wythnos. Yr argraff a roddir yn ei hunangofiant yw ei fod yn fachgen uchelgeisiol, cydwybodol, hunanhyderus a chadarn iawn ei ddaliadau.

Yr oedd angen dwfn ynddo am grefydd ond teimlai'n anghyfforddus gyda'r Methodistiaid. O'i ddyddiau cyntaf yn Lerpwl bu'n aelod o sect fechan o'r enw 'Cymdeithas Mr Aitken' a bu'n ffyddlon iddi am dros bum mlynedd. Cymysgedd ryfedd o ddaliadau uchel-eglwysig Mudiad Rhydychen ac efengyliaeth Wesleaidd oedd syniadau Mr Aitken. Yr oedd yn bregethwr grymus ac fe gynhyrfai ei gynulleidfaoedd i ddawnsio a gweiddi. Un o'i ddaliadau, a'r un a apeliai fwyaf at John Bennion efallai, oedd bod adferiad yr Eglwys Fore ar y gweill. Hon, meddai Mr Aitken, oedd y wir eglwys, fel yr ordeiniwyd hi gan Dduw ac fel y disgrifir hi yn y Beibl. Credai fod 'y dyddiau diwethaf' wrth law a bod Crist ar ddod yn ôl i berffeithio ei eglwys i'w phurdeb gwreiddiol.

Mae'r gred hon yn debyg iawn i syniadau canolog Mormoniaeth. Craidd eu cred hwy hefyd yw bod Duw wedi cyflwyno i ddynion ei unig, wir eglwys ar wahanol adegau yn eu hanes ond bod dynion, dro ar ôl tro, wedi crwydro oddi wrth y gwirionedd ac wedi colli gafael arno. Cyflwynodd Duw ei eglwys i Adda ac Efa. Fe'i rhoddwyd drachefn i amryw o'r proffwydi, i ddynion fel Noa a Moses. Ond ar ôl eu marw, llaciodd y gafael ar yr hen argyhoeddiadau. Yna anfonodd Duw Iesu Grist i'r byd i adfer yr Eglwys Fore unwaith eto ond, yn ôl y Mormoniaid, pan fu farw'r olaf o'r apostolion collwyd gafael ar yr hen wirioneddau am y trydydd tro. Ym 1830 rhoddwyd y cyfle olaf i ddynion. Trwy enau ei broffwyd, mab fferm ifanc o Palmyra yn nhalaith Efrog Newydd o'r enw Joseph Smith, adferodd Duw y wir eglwys am y tro olaf. Hi, meddai Joseph Smith, oedd yr unig eglwys oedd yn cynnal ac yn cadw gwir athrawiaethau Cristionogaeth. Pwysleisiai bwysigrwydd gwyrthiau ac iachad drwy ffydd a llefaru â thafodau fel y disgrifir hwy yn y Beibl, a chyhoeddodd fod yr amser yn prysur agosáu pan ddeuai Crist yn ôl i'r byd i deyrnasu am y mil blynyddoedd, i farnu'r anghyfiawn ac i arwain ei Saint Mormonaidd i fywyd tragwyddol. Gwyddai hyn, meddai, oherwydd bod Duw wedi ei ddatgelu iddo. Derbyniai, meddai, gynghorion a gorchmynion yn uniongyrchol gan Dduw.

Yr oedd yn gyfnod pan ffynnai syniadau tebyg am 'y dyddiau diwethaf' a 'diwedd y byd' a'r 'mil blynyddoedd' trwy Brydain ac America. Denwyd llawer gan broffwydoliaethau Joanna Southcott, er enghraifft, a phan gyhoeddodd y wraig ryfeddol honno yn Llundain ym 1814 ei bod ar fin rhoi genedigaeth i'r Meseia, er ei bod ymhell dros ei thrigain oed, un o'r ffyddloniaid wrth ei hochr oedd yr ysgolhaig Cymreig William Owen Pughe. O'r un cefndir y deuai John Wroe a'r Israeliaid Cristionogol. Ym 1825 adeiladodd hwn deml ddrudfawr o arian ac efydd â lloriau o dderw caboledig a galerïau o'r mahogani gorau yng nghanol Ashton-under-Lyne, ar gyrion Manceinion. Dyma'r fan a ddewiswyd gan Dduw, meddai, fel Ei ddinas sanctaidd. Cododd bedwar porth i'r dref ac mae un ohonynt yn sefyll hyd heddiw. Daeth diwedd anffodus ar freuddwydion John Wroe. Aeth â saith gwyryf ifanc gydag ef ar daith bregethu a phan ddychwelodd yr oedd un ohonynt yn feichiog. Daeth ei yrfa Brydeinig i ben yn sydyn a bu'n rhaid iddo ffoi i Sydney, Awstralia, lle mae'r Israeliaid Cristionogol yn bodoli hyd heddiw.

O America y daeth y Milleriaid. Credent hwy fod ailddyfodiad Crist i ddigwydd rhwng yr 21ain o Fawrth, 1843 a'r 21ain o Fawrth, 1844 a chyfrent eu dilynwyr yn y miloedd. Ond pan wawriodd yr 22ain o Fawrth, 1844 yn ddiwrnod tawel, digyffro o wanwyn, chwalwyd seiliau'r ffydd hon hefyd. Nid oedd yn beth anghyffredin yn y cyfnod hwnnw i bregethwyr carismataidd, yn arddel syniadau apocalyptaidd, gynhyrfu tyrfaoedd ac ennill dilynwyr. Y gamp oedd eu cadw.

Ym 1837 anfonodd y Mormoniaid eu cenhadon cyntaf o America i Brydain. Yn fuan iawn, llwyddwyd i ddenu nifer o ddilynwyr i'w rhengoedd, gan gynnwys aelodau o Gymdeithas Mr Aitken. Ym

1840, aeth John Bennion i wrando ar bregeth a draddodwyd gan y cenhadwr John Taylor, ac fe'i cyffyrddwyd. 'Penderfynais ymchwilio i'r peth fy hun. A pho fwyaf yr ymchwiliais, y mwyaf y deuthum i gredu nad o ddyn ond o Dduw yr oedd y pethau hyn. Y diwrnod canlynol, mynychais gyfarfodydd y Mormoniaid deirgwaith, bore, pnawn a nos, a gwrando ar eu pregethau a'u tystiolaeth. Erbyn hynny, roeddwn yn hollol argyhoeddedig ac wedi penderfynu ufuddhau i'w galwad. Felly, pan ddaeth y gwasanaeth i ben, euthum, ynghyd ag eraill, i lawr i lan y môr, lle'm bedyddiwyd.'

Un o gredoau'r Mormoniaid bryd hynny oedd bod yn rhaid i aelodau'r Eglwys ymwahanu o'r byd, gadael 'y cenhedloedd' neu'r 'Babiloniaid' (fel y galwai'r Mormoniaid unrhyw rai nad oeddent o'r ffydd) ac ymgynnull yn America gyda'r 'Saint' (fel y galwai'r Mormoniaid ei gilydd). Teimlai John ddyletswydd i ufuddhau. Naw mis yn ddiweddarach, priododd Esther Wainwright, merch a fu unwaith yn gymydog iddo ym Mhenarlâg, a bum niwrnod ar ôl hynny fe hwyliodd y ddau am New Orleans. Bryd hynny, y lle i'r Saint ymgynnull ynddo yn America oedd Nauvoo yn Illinois, fil o filltiroedd i fyny'r Mississippi.

Lle diddorol oedd Nauvoo ym 1841. Dair blynedd ynghynt nid oedd yma ddim ond ychydig gabanau ar benrhyn corslyd yn ymestyn allan i'r Mississippi. Y cyfan a ffynnai yma oedd mosgitos a malaria. Yna, cyrhaeddodd y Mormoniaid. Dair blynedd yn ddiweddarach, hon oedd y ddinas fwyaf yn Illinois, yn fwy hyd yn oed na Chicago, ac yn un o'r ugain dinas fwyaf yn yr Unol Daleithiau. Yr oedd y corsydd wedi eu sychu, dros 1,200 o dai wedi eu hadeiladu a channoedd mwy ar y gweill, gerddi cynhyrchiol o'u cwmpas, strydoedd llydain, siopau ac ysgolion a melinau coed a melinau blawd a thros 7,000 o ddinasyddion. Ar fryn yng nghanol y ddinas codai teml fawr, ar hanner ei hadeiladu. Wedi iddo gael ei orffen, hwn fyddai'r adeilad mwyaf i'r gogledd o St Louis ac i'r gorllewin o Chicago. Ond seren wib o greadigaeth oedd Nauvoo. Ni chafodd y deml erioed ei chwblhau. Bum mlynedd wedyn yr oedd y cyfan wedi'i ddymchwel, y tai wedi eu llosgi, y gerddi'n tyfu'n wyllt, y deml yn adfeilio a'r bobl wedi ffoi.

Y dyn oedd yn gyfrifol am dwf eithriadol y ddinas a'r chwalfa gataclysmig a'i dilynodd oedd sylfaenydd, arweinydd a Phroffwyd y

Mormoniaid, Joseph Smith. Dyn rhyfeddol oedd Joseph Smith, dyn cymhleth, enigmatig a addolid gan rai, ei ffieiddio gan eraill. Bu stori ei fywyd yn destun cyfrolau, ond y mae gan bob cyfrol ddehongliad gwahanol ohono. 'Nid ydych yn fy adnabod,' dywedodd unwaith mewn araith i'w ddilynwyr. 'Nid adwaenoch fy nghalon. Nid oes neb a wybu fy hanes.' Ac y mae hynny'n wir. Ffurfiodd ei eglwys newydd ym 1830, yn nhalaith Efrog Newydd, pan nad oedd ond 24 oed. Erbyn 1844, pan lofruddiwyd ef yn 38 mlwydd oed, yr oedd gan ei eglwys 26,000 o aelodau. Heddiw, y mae ei ddilynwyr yn rhifo 13 miliwn a rhagor, a'r niferoedd yn dal i dyfu'n gyflym. I ni'r 'Babiloniaid', y mae'n ffenomenon anodd ei hesbonio.

Nid oedd dim byd arbennig am Joseph Smith pan oedd yn fachgen. Tyfodd i fyny ar fferm dlawd yn Palmyra, heb lawer o addysg ond yn fachgen llawn hwyl, yn hoff o chwaraeon ac yn boblogaidd gyda'r merched. Yr oedd ganddo ddychymyg byw. Honnai ei fod yn medru cysylltu ag ysbrydion drwy syllu i mewn i beli crisial. Sibrydai'r ysbrydion hynny wrtho, meddai, am drysorau gwerthfawr wedi eu cuddio yn nwfn y ddaear. Am dâl teilwng, yr oedd yn barod i'w darganfod a'u dadorchuddio. Fe'i credwyd gan lawer o drigolion yr ardal. Yn 21 oed, gwysiwyd ef i ymddangos o flaen ei well a chafwyd ef yn euog o fod yn 'afreolus a thwyllodrus'.

Ond i'r Saint, Joseph yw'r llestr a ddefnyddiodd Duw i ailsefydlu Ei eglwys ar y ddaear, i rybuddio'r byd fod yr ailddyfodiad wrth law, i gyhoeddi bod Crist yn paratoi i ddod yn ôl i lywodraethu yn Seion ac i ddatgan mai yng ngorllewin yr Unol Daleithiau yr oedd y Seion honno i'w hadeiladu. Joseph hefyd a ddefnyddiwyd gan Dduw i ddarganfod a chyfieithu a chyhoeddi holl hanes coll y Mormoniaid. Honnai Joseph fod angel o'r enw Moroni wedi dod ato yn dwyn stori ryfeddol am un o lwythau Israel yn gadael y Dwyrain Canol tua 600 CC ac yn croesi'r Iwerydd i greu gwladfa newydd rywle yn America. Llwyddodd yr hen Israeliaid hyn i gadw'r wir eglwys yn fyw lawer hwy na'u brodyr yn Ewrop. Daeth Crist atynt ar ôl Ei atgyfodiad, meddai Moroni, a chyn iddo esgyn i'r nefoedd bu'n pregethu yn eu plith ac yn eu haddysgu. Ond yn y bumed ganrif OC rhwygwyd y llwyth gan frwydrau mewnol a daeth diwedd ar yr Eglwys yn America. Tad Moroni, sef gŵr o'r enw Mormon, oedd y

Proffwyd olaf. Gan wybod bod y diwedd yn dod, casglodd Mormon hanes ei bobl a'i gopïo ar lafnau o aur. Yna, mewn brwydr yn 421 OC, yn agos at fynydd o'r enw Cumorah yn nhalaith Efrog Newydd, lladdwyd ef a choncrwyd ei bobl. Moroni oedd yr unig un o'r llwyth i ddianc yn fyw o'r frwydr. Gosododd y llafnau aur mewn cuddfan ar Fynydd Cumorah a dyna lle buont am 1,400 o flynyddoedd. Yn awr, yr oedd Moroni wedi dod yn ôl ar ffurf angel i arwain Joseph i'r cuddfan hwnnw. Datgelodd fod Mynydd Cumorah ddim ond rhyw dair milltir o'i gartref ac aeth Joseph i'r fan a ddisgrifiwyd gan yr angel a chanfod yno lafnau tenau o aur wedi eu rhwymo fel llyfr. Ar y llafnau torrwyd geiriau mewn llythrennau dieithr. Yn y cuddfan hefyd yr oedd pâr o gerrig crisial wedi eu gosod mewn bwâu o arian. Esboniodd yr angel mai rhyw fath o sbectol oedd y teclyn hwn, a chydag ef gallai Joseph gyfieithu'r geiriau ar y llafnau aur. A'r geiriau a gyfieithodd Joseph yw prif ysgrythur y Mormoniaid heddiw, sef y llyfr a elwir yn *Llyfr Mormon*. Dywedodd Joseph fod 11 o'i ddilynwyr wedi cael gweld y llafnau cyn i Moroni eu hawlio'n ôl ac ar flaen pob copi o *Lyfr Mormon* heddiw cyhoeddir eu tystiolaeth hwy: 'Bydded hysbys i bob cenedl, llwyth, iaith a phobl y delo y gwaith hwn atynt, ddarfod i Joseph Smith, cyfieithydd y gwaith hwn, ddangos i ni y llafnau crybwylliedig, y rhai sydd debyg i aur; a chynifer o'r llafnau ag a gyfieithodd y Smith dywededig, a deimlasom ni â'n dwylo.'

Tystion neu beidio, mae'n stori anodd iawn i rywun nad yw o'r ffydd ei derbyn. Llyfr wedi ei ysgrifennu mewn heiroglyffics annealladwy ar ddudalennau o aur! Pâr o sbectols gwyrthiol! Mae'n swnio fel ffrwyth meddwl 'afreolus a thwyllodrus', yn enwedig gan i'r angel, yn ôl Joseph, gymryd y llafnau o aur a'r sbectol wyrthiol yn ôl ar ddiwedd y cyfieithu. Ond yr hyn sydd yn anwadadwy ydyw i Joseph Smith, y mab fferm di-ddysg, lwyddo o fewn 75 niwrnod, rhwng dechrau Ebrill a dechrau Gorffennaf 1829, i gynhyrchu llawysgrif o 275,000 o eiriau, hanner hyd y Beibl, ac i'r llawysgrif honno newid bywydau miliynau o bobl. Yn eu plith yr oedd John Bennion o Benarlâg. Rhwygwyd John, fel cynifer o rai eraill, o rigol saff ei fywyd a'i yrru yma i lan ddwyreiniol y Mississippi, filoedd o filltiroedd o'i hen gartref, i wynebu sialens enbyd.

Daw hunangofiant John i ben cyn iddo hwylio am America. Y cyfan sydd gennym o'i hanes yn Nauvoo, o ddyddiad ei gyrraedd yno ym 1842 tan y bore pan adawodd ar ei daith i gartref newydd y Saint yn y Rockies ym 1846, yw pedwar llythyr – un at ei frawd Samuel, un at ei dad a dau at ei rieni-yng-nghyfraith.

Ysgrifennodd y llythyr cyntaf fis ar ôl iddo gyrraedd Nauvoo. Yr oedd yn addasu'n gyflym i'w gartref newydd ac yn dechrau cael trefn ar ei fywyd. 'Nid yw yma fel yn Lloegr,' meddai, 'lle gall pawb gadw at ei fywoliaeth ei hun. Yma, mae'n rhaid i ddyn droi ei law at bopeth. Rwyf wedi prynu acer o dir ac wedi adeiladu tŷ arno heb unrhyw help ac yr wyf yn awr yn byw ynddo. Mae'r tir wedi ei aredig. Benthycais ddeuddeg ych i'w agor. Rwyf wedi plannu india-corn a phlanhigion tomato.' Er mor hyderus a gobeithiol yw'r llythyr, y mae ynddo hefyd nodau o anesmwythyd a phryder. 'Beirniadwyd ein pobl yn arw yn Lloegr,' ysgrifennodd John, 'ond yr oedd yr hyn a glywais wrth ddod i fyny'r Mississippi yn llawer gwaeth. Y gri gyffredin yma yw "Gochelwch rhag mynd i Nauvoo, oherwydd yno y mae tlodi a gorthrwm." Mi glywais fod y Mormoniaid yn lladron ac ysbeilwyr ond nid yw hyn yn wir. Dywedir pob math o bethau drwg am Joseph Smith ond anwiredd ydynt i gyd.'

Yr oedd y Saint wedi hen arfer â'r math hwn o erledigaeth. Ble bynnag yr aent, llwyddent i dynnu llid gweddill y boblogaeth ar eu pennau. Dair blynedd ynghynt, yn eu sefydliad cyntaf yn Kirtland, Ohio, aethant i ddyled drom drwy orwario ar adeiladu eu teml gyntaf, ac yna gwaethygu'r sefyllfa trwy greu banc i gynhyrchu arian papur i dalu'r ddyled. Y canlyniad oedd methdaliad mawr, llawer o fuddsoddwyr blin a'r Saint yn ffoi am eu bywydau.

Tra bod hyn yn digwydd yn y Dwyrain, yr oedd carfan arall o Formoniaid wedi teithio hanner ffordd ar draws y cyfandir a sefydlu cymuned yn Independence, ar afon Missouri, sef ffin orllewinol y taleithiau bryd hynny. Heddiw y mae Independence yn un o faestrefi Kansas City. Ar y cychwyn, llwyddodd y Mormoniaid i fyw'n hapus ochr yn ochr â'r 'Babiloniaid' ond o dipyn i beth surodd y berthynas. Y drwg oedd bod y Mormoniaid yn rhy lwyddiannus. Cydweithient yn fwy effeithiol na'u cymdogion. Yr oeddent yn barod i aberthu er lles y gymuned. Yr oedd trefn a phwrpas yn eu gweithredoedd. Yr Eglwys a reolai bopeth yn y gymdeithas, pethau'r byd yn ogystal â phethau'r ysbryd. Uchel swyddogion yr Eglwys oedd y meistri, yn gweithredu'r gyfraith, yn rhannu'r tir, yn trefnu addysg, yn creu diwydiant a rhedeg yr economi. Disgwylient ufudd-dod llwyr ac ymroddiad cyflawn. Cwch gwenyn oedd eu harwyddlun a hoffent gymharu eu trefn hwy â threfn y cwch gwenyn. Yr haid sy'n bwysig, meddent, nid y wenynen unigol. Yn sicr, ar ôl symud i Independence, adeiladwyd eu cartref newydd gydag egni ac effeithiolrwydd eithriadol, yn union fel y gwna gwenyn ar ôl heidio. A dyna graidd y tensiynau a dyfodd rhyngddynt a'u cymdogion. Pa mor wan bynnag fyddai'r gymuned Formonaidd pan symudai i mewn i ardal, ymhen dim byddai wedi tyfu'n rym yn y wlad ac yn peryglu ffordd o fyw yr ymsefydlwyr gwreiddiol.

A phrofodd eu gwleidyddiaeth hefyd yn anathema i'w cymdogion. Credent fod trefn haearnaidd y gymdeithas Formonaidd ac ufudd-dod y Saint i'w harweinwyr yn brawf sicr mai unbennaeth oedd y gymuned Formonaidd. Tueddai'r Mormoniaid hefyd i bleidleisio fel un, yn ufudd i ddymuniad Duw trwy ei Broffwyd, a rhoddai hyn rym sylweddol i Joseph Smith mewn gwleidyddiaeth leol. Yr oedd y cyfan hyn yn gwbl groes i ddaliadau'r rhelyw o gymdeithas y ffin. 'Rhydd i bob dyn ei farn' a 'Pob dyn drosto'i hun' oedd athroniaeth y gorllewinwyr Americanaidd. 'Un dros yr oll a'r oll dros yr un' oedd athroniaeth y Mormoniaid.

Erbyn 1834 yr oedd dros fil o Formoniaid wedi symud i fyw i Independence. Cyn bo hir, byddent yn fwy niferus na'r trigolion gwreiddiol. Trodd y tensiynau a'r ofnau yn ymosodiadau. Ysbeiliwyd a llosgwyd dros 200 o'u cartrefi a gorfodwyd i'r Saint ffoi. Cytunwyd i roi tir iddynt ymgartrefu ynddo mewn sir gyfagos a dechreuodd y Mormoniaid adeiladu tref arall iddynt eu hunain. Daeth llawer o ffoaduriaid Kirtland i fyw yno ar ôl i'r banc ddymchwel, gan gynnwys Joseph Smith ei hun, ond yn fuan dechreuodd yr un hen densiynau gorddi eto. Yn Hydref 1838 arwyddodd Lilburn W. Boggs, llywodraethwr Missouri, orchymyn yn datgan bod y Mormoniaid yn y dalaith naill ai i gael eu gyrru allan neu, os gwrthodent fynd, i gael eu lladd a'u difa. Ymosodwyd ar bentref bychan o'r enw Haun's Mill gan 200 o derfysgwyr afreolus a lladdwyd 17 o'r Mormoniaid oedd yn byw yno. Unwaith eto, yr unig ateb oedd ffoi. Gyda help un o swyddogion mwyaf addawol yr Eglwys, gŵr o'r enw Brigham Young, croesodd y ffoaduriaid ar draws talaith Missouri a chael lloches yn Nauvoo yn ne-orllewin Illinois.

Pan gyrhaeddodd John ac Esther Bennion Nauvoo ym 1842 yr oedd y trigolion wedi rhoi trychineb Haun's Mill y tu ôl iddynt ac wrthi'n brysur unwaith eto yn adeiladu. Fel y mae presenoldeb brenhines mewn cwch gwenyn yn rhoi pwrpas a threfn i'r haid, felly hefyd yr oedd presenoldeb Joseph Smith yn ysbrydoli'r Saint. Cael bod yn agos at Joseph Smith, ei weld yn aml ar strydoedd Nauvoo, gweithio ochr yn ochr ag ef, addoli gydag ef, gwrando ar ei eiriau nid yn unig ar faterion crefyddol ond ar bob agwedd o'u bywydau – dyna un o'r rhesymau pam y daeth John Bennion a'i deulu, fel cannoedd o deuluoedd eraill, i Nauvoo. 'Ddoe fe gynhaliwyd cyfarfod cyhoeddus er mwyn gwella safon ein hamaethu,' meddai John yn ei lythyr. 'Siaradodd Joseph Smith ac eraill ar y pwnc. Disgwyliaf y bydd y syniadau'n cael eu gweithredu. Os felly, bydd y lle yma'n enwog cyn hir.' Yr oedd Duw yn siarad yn rheolaidd gyda Joseph ac ailadroddai ef y negeseuon i'w ddilynwyr yn y gwasanaethau Sul ac yng nghynadleddau'r Saint. Ac fe groniclwyd y negeseuon hyn yn un arall o lyfrau mawr y Saint, sef *Llyfr Athrawiaeth a Chyfamodau.*

Y mae gorchmynion Duw yn y llyfr hwn yn annisgwyl o benodol a manwl a phersonol. Ym 1842, er enghraifft, tua'r amser y cyrhaeddodd John Nauvoo, yr oedd Duw, yn ôl *Llyfr Athrawiaeth a Chyfamodau,* yn awyddus i adeiladu gwesty yn y dref. 'Bydded i'm gwas George, a'm gwas Lyman, a'm gwas John Snider, ac eraill, adeiladu tŷ i'm henw,' meddai Duw, 'megis y dengys fy ngwas Joseph iddynt... A chaiff fod yn dŷ... y gallo dieithriaid o bell letya ynddo; gan hynny, bydded iddo fod yn dŷ da, yn deilwng o bob derbyniad, fel y gallo'r teithiwr blinedig gael iechyd a diogelwch tra byddo yn myfyrio gair yr Arglwydd.' Ac y mae Duw yn gofalu am y manylion yn ogystal â'r bras gynllun. Er enghraifft, y mae'n trafod sut y dylid codi'r cyfalaf a faint ddylai gwerth y cyfranddaliadau fod. 'Ac os defnyddiant unrhyw gyfran o'r eiddo at rywbeth arall, heblaw at y tŷ hwnnw, heb ganiatâd y buddsoddwr, a heb ad-dalu bedair gwaith cymaint am yr eiddo a ddefnyddiasant at rywbeth arall heblaw at y tŷ hwnnw, hwy a felltithir, ac a symudir allan o'u lle, medd yr Arglwydd Dduw, canys myfi, yr Arglwydd, wyf Dduw, ac nis gellir fy ngwatwar yn un o'r pethau hyn.' Ac yna aiff Duw ymlaen i enwi rhai o'r bobl y mae'n gobeithio fyddai'n buddsoddi yn y fenter. Y mae'r cyfarwyddiadau diflewyn-ar-dafod yma a'r cyngor manwl ar bob agwedd o'u bywydau yn nodweddiadol o berthynas Duw â'i Saint.

Ond y cynnwrf mwyaf yn Nauvoo y gwanwyn hwnnw oedd bod Duw wedi penderfynu adeiladu teml. 'Mae'r bobl yma yn brysur yn adeiladu teml i'r Hollalluog Dduw lle caiff ei fawrygu ymysg ei bobl fel y gwireddir y broffwydoliaeth,' ysgrifennodd John. Clywodd y dinasyddion am y cynllun mewn araith gan Joseph ym mis Ionawr. Erbyn mis Ebrill, roedd y seiliau wedi eu gosod. 'Deuwch chwi, gyda'ch holl aur, a'ch arian, a'ch meini gwerthfawr… a chyda haearn, a chopr, a phres, a sinc, a chyda holl bethau gwerthfawr y ddaear, ac adeiladwch dŷ i fy enw, i'r Goruchaf drigo ynddo.' Erbyn i John Bennion gyrraedd, roedd y waliau o garreg galch wen yn dechrau codi, yn amgylchynu, pan oeddent yn orffenedig, arwynebedd o 50,000 troedfedd sgwâr ac yn codi i uchder o 165 troedfedd. Nid oedd adeilad tebyg iddo yn yr holl Orllewin. Ond yr oedd y gost i'r gymuned yn drwm. Disgwylid i bob teulu dalu degwm i'r Eglwys. Bu hyn yn rhan o Formoniaeth o'r cychwyn ac y mae'n dal i gael ei arfer heddiw. Ac os nad oedd yr arian neu'r nwyddau neu'r cynnyrch ar gael ganddynt, gallent dalu drwy weithio i'r Eglwys un diwrnod ym mhob deg.

Er mor soffistigedig oedd eu teml ac er mor gyflym y tyfai eu tref, nid oeddent yn gymuned gyfoethog. Yr oedd llawer wedi gorfod ffoi o'u cartrefi gan adael eu heiddo, nid unwaith neu ddwywaith ond dair, bedair neu bum gwaith. Yn eu dyddiaduron disgrifiant doeau'n gollwng, bwyd yn brin a phlant yn marw. Pan ddeuai'r stormydd – ac yr oedd digonedd ohonynt – byddai'r strydoedd yn troi'n gorsydd mwdlyd. 'Mewn tywydd gwlyb, mae'r ffyrdd yn fudr, ac yma cawsom law trwm a mwy o fellt a tharanau na welais erioed o'r blaen.' Nid oedd moethusrwydd o fath yn y byd yn eu bywydau. Yr unig ffafr y mae John yn ei gofyn i'w rieni-yng-nghyfraith yn ei lythyr yw iddynt ddanfon ychydig anghenion at ei wraig. 'Y mae Esther am i mi ddweud pe baech yn medru anfon pâr o esgidiau bob dydd iddi a phâr o glocsiau a phâr o ffedogau brethyn glas, mi fyddai'n falch iawn ohonynt.' Roedd yn fywyd caled o waith di-dor, ond edrychent ymlaen yn hyderus i'r dyfodol. 'Yn awr, y mae gennym y tir i wneud gardd dda. Gyda hwnnw gallwn ein dau fyw yn gysurus ar ddoler yr wythnos... Trwy drugaredd ein Tad Nefol, yr ydym heddiw mewn llawn iechyd... Ni ddaethom yma i brofi beth sydd gan yr Eglwys hon i'w ddysgu i ni. Gwyddem y gwirionedd hwnnw cyn cychwyn. Ond yn awr, pe cawn y fraint, fe'i traethwn gyda sicrwydd mwy nag a fu gennyf erioed.'

Yn yr ail lythyr, flwyddyn yn ddiweddarach, y mae eu bywydau'n parhau'n llewyrchus heb awgrym fod y cymylau'n casglu o'u cwmpas. 'Rwy'n teimlo mor ddiolchgar i Dduw am fod mor drugarog tuag atom... Pan ddaethom yma gyntaf, ymddangosai popeth yn newydd a dieithr i mi... ond yn awr teimlaf yn gartrefol, medraf gael digon o waith ac rwyf yn hoff o'r bobl.' Ym Mhenarlâg, y mae ei dad, sydd hefyd wedi cael tröedigaeth, wedi bod yn sôn am ddilyn ei fab i Nauvoo a dod â merlen allan gydag ef, ond y mae John yn awgrymu y byddai ci da yn fwy defnyddiol. 'Flwyddyn neu ddwy'n ôl,' meddai, 'yr oedd bleiddiaid yn gyffredin iawn yma ac o ganlyniad mae'r cŵn wedi'u croesi â nhw ac yn dda i ddim.' Y mae'r dref yn dal i dyfu, meddai, 'yn gyflymach nag unrhyw le arall yn yr Unol Daleithiau', ac ar ôl blwyddyn yn Nauvoo y mae'r anghenion y mae John am i'w dad ddod â nhw gydag ef yn adlewyrchu'r gwelliant yn eu safonau byw. Sonia'r tro hwn am gloc a mygiau a chyflenwad o'r stwff glas yr arferent ei roi yn y golch i gael dillad a chynfasau gwyn yn wynnach.

Llythyr at Samuel, ei frawd, yw'r llythyr nesaf, ym mis Chwefror 1844. Yr oedd eu tad wedi cychwyn am New Orleans erbyn hyn a Samuel hefyd yn bwriadu ei ddilyn yn y dyfodol agos. Anoga John ef, yn frwdfrydig, i ddod. 'Yr wyf yn awyddus i chwi a'r oll o'r gweddill o'n teulu fod allan yma. Y bore hwn, buom yn gwrando ar Joseph Smith yn pregethu yn yr awyr agored i gynulleidfa o filoedd. Yr wyf yn llawenhau yn y gwirioneddau a glywaf. Pan osodir gogoniant a mawredd y bydoedd tragwyddol o flaen ein meddyliau fel hyn, anghofiaf am bob profedigaeth a siomedigaeth sydd ar lwybr y Saint. Y mae o'r pwysigrwydd mwyaf ein bod yn cadw'r gorchmynion a roddwyd gan Dduw i'r Saint fel y cawn ddianc rhag y farn sydd yn aros trigolion y ddaear. Fy nymuniad yw y byddo i chwi a mi gyda'n teuluoedd a'n ffrindiau sefyll ar Fynydd Seion lle cawn heddwch a diogelwch.' Ond, o ddarllen rhwng y llinellau, y mae awgrym o ansicrwydd eto. 'Os oes rhai yn dyfod yma i edrych am berffeithrwydd, dylent gofio dod â digonedd gyda hwy. Oherwydd nid yw'r planhigyn hwnnw'n tyfu yma ohono'i hun. Rhaid i ni ei drin â gofal neu ni thyfai o gwbl. Ond y mae'r pridd yn ffrwythlon a digonedd o le iddo dyfu.'

Yr oedd drwgdybiaeth ac amheuaeth o'r Mormoniaid yn Nauvoo wedi dechrau corddi a chynyddu eto ymysg y 'Babiloniaid' yn y trefi oddi amgylch. Y tro hwn, syrthiodd llawer o'r bai ar ysgwyddau'r Mormoniaid eu hunain. Pan ddaeth Joseph Smith gyntaf i Illinois, cafodd ganiatâd gan y dalaith i godi milisia Mormonaidd yn Nauvoo. Tyfodd y lleng i fod yn fyddin o rhwng 3,000 a 4,000 o ddynion, a hynny ar adeg pan nad oedd ond 8,500 o ddynion ym myddin yr Unol Daleithiau gyfan. I'r Americanwyr a oedd wedi eu trwytho yn y syniad fod unben yn beryglus a bod crefydd a gwladwriaeth i'w cadw yn gwbl ar wahân, yr oedd gweld Joseph yn cymryd awenau'r Eglwys a'r llywodraeth a'r fyddin i'w ddwylo ei hun fel hyn yn wrthun ac, i'w tyb hwy, yn wrth-Americanaidd. Hoffai ymddangos yn ymarferiadau'r milisia wedi ei wisgo mewn lifrai lliwgar a phluen estrys yn ei helmed. Hoffai alw ei hun yn gadfridog. Cynyddodd y tensiynau.

Ac eto, er y bluen estrys yn ei het, nid oedd dim byd rhwysgfawr yn natur Joseph Smith. Ei bersonoliaeth ddeniadol oedd yn cynnal a gyrru ac ysbrydoli'r Saint. Yr oedd ei egni a'i gynhesrwydd yn heintus. Credai mewn byw'n dda, hoffai ddawnsio ac ymaflyd codwm. Yr oedd yn ddyn ifanc oedd yn mwynhau ei fywyd, yn gyfeillgar a chymdeithasol, yn cymysgu'n rhwydd ymysg ei bobl ac yn mwynhau eu cwmni. Er ei fwyn, yr oeddent yn barod i ddioddef newyn a chaledi, i roi'r cyfan o'u heiddo i'r Eglwys, i weithio'u hunain i'r eithaf.

Ym Mehefin 1844, torrodd sgandal ddifrifol yn Nauvoo. Deilliodd o ffrae a fu rhwng Joseph ac un o'i gefnogwyr mwyaf selog. Gŵr busnes llwyddiannus yng Nghanada oedd William Law cyn iddo droi at y Mormoniaid. Yn Nauvoo, pan ddechreuodd adeiladu tai a chychwyn diwydiannau bychain, sylweddolodd yn fuan fod Joseph, yn enw'r Eglwys, yn hawlio monopoli ar brynu a gwerthu tir. Dechreuodd amau dawn busnes y Proffwyd a chyhoeddodd hynny ar led. Dechreuodd gystadlu ag ef mewn busnes. Y canlyniad oedd i Joseph ei dorri allan o'r Eglwys. Ymateb Law oedd prynu gwasg a chyhoeddi papur newydd o'r enw *The Nauvoo Expositor*. Yng ngholofn olygyddol y rhifyn cyntaf ymosododd yn ffyrnig ar Joseph, gan ei gyhuddo o elwa'n bersonol o werthu tir yn annheg o ddrud i newydd-ddyfodiaid, o wastraffu arian yr Eglwys ac, yn gyffredinol, o ymwneud yn ormodol â phethau'r byd. Ac ychwanegodd un cyhuddiad arall, cyhuddiad a fu'n ddraenen boenus yng nghnawd yr Eglwys am weddill y ganrif. Ysgrifennodd Law fod ganddo dystiolaeth bendant fod un o broffwydoliaethau Joseph, nad oedd wedi ei gwneud yn gyhoeddus eto, yn caniatáu amlwreiciaeth. Yn wir, yr oedd Joseph wedi dweud wrth rai o'i ffrindiau agosaf fod Duw'n caniatáu iddynt briodi hyd at ddeg gwyryf.

Cynhyrfwyd y gymdeithas i'w seiliau. Ar orchymyn Joseph aeth uned o Leng Nauvoo i swyddfeydd y *Nauvoo Expositor* a dinistrio'r wasg. Bu'n rhaid i Law a'i gyd-gynllwynwyr ffoi i dref gyfagos Warsaw, ac yn y *Warsaw Signal* yr wythnos ddilynol cyhuddwyd Joseph Smith ei hun o fod wedi denu llawer o ferched Nauvoo i'w wely. 'Rhyfel a lladdfa fawr yn anochel!' gwaeddodd penawdau'r *Signal*. 'A fedrwch ganiatáu i'r fath ddiawliaid o uffern ddwyn eiddo eraill heb ddial arnynt? Nid oes gennym yr amser i draethu ar y testun. Gall pob dyn wneud hynny drosto'i hun. Gwnaed hynny â phowdwr a bwledi!'

Nid oedd eisiau llawer o anogaeth ar ddinasyddion Warsaw a Carthage. Dechreuodd grwpiau o ddynion arfog amgylchynu Nauvoo a pharatôdd milwyr y Lleng i'w hamddiffyn eu hunain. Gwyddai Joseph ei bod yn annhebyg y deuai'n ôl yn fyw pe cymerid ef yn garcharor. Er hynny, ar y funud olaf, er mwyn arbed cyflafan waedlyd, gorchmynnodd i'r Lleng osod eu harfau i lawr ac ildio. Cymerwyd ef a'i frawd, Hyrum, i garchar yn Carthage a dri diwrnod yn ddiweddarach ymosododd dynion arfog ar y carchar a saethwyd Joseph a Hyrum yn farw. Yr oedd hyn ar y 27ain o Fehefin, 1844.

Heb eu proffwyd, y farn gyffredin oedd y byddai'r eglwys ifanc yn datgymalu'n gyflym. Ond yr oedd Joseph wedi codi adeiladwaith cadarn ac wedi gosod dynion da i'w gynnal. Yr oedd wedi penodi pwyllgor o ddeuddeg o'i ddilynwyr ffyddlonaf i'w gynghori yn ei waith. Galwai hwynt yn Apostolion. Pan gollwyd Joseph, disgynnodd yr awenau i ddwylo'r deuddeg hyn. Llywydd yr Apostolion oedd gŵr o'r enw Brigham Young.

Bu'r Mormoniaid yn ffodus iawn yn eu harweinwyr cynnar. Yn sicr, daeth Brigham Young i'r fei ar foment dyngedfennol. Yr oedd ganddo lawer yn gyffredin â Joseph Smith. Yr oedd y ddau tua'r un oedran, y ddau'n dod o deuluoedd amaethyddol tlawd, y ddau wedi eu geni yng nghefn gwlad Vermont. Ef oedd y nawfed mewn teulu o 11 o blant. Joseph oedd y pumed o 11. Bu farw mam Brigham yn ifanc ac fe gafodd fagwraeth galed gan ei dad. 'Gair ac ergyd oedd hi,' cofiai, 'ond yr ergyd yn gyntaf bob tro.' Fel Joseph, symudodd teulu Brigham pan oedd yn ifanc i dalaith Efrog Newydd. Fel Joseph, ni chafodd nemor ddim ysgol. Drwy gydol ei oes, yr oedd ei ramadeg yn fratiog a'i sillafu'n flêr. Cychwynna lythyr at ei wraig gyda'r geiriau 'Having a fue minuets I attempt to wright a fue lines to you,' ac yna gorffen drwy ychwanegu 'Please read this and keep it to yourself and not expose my poore righting and speling.' Ond, fel Joseph, meddai ar feddwl miniog a doethineb cynhenid a dysgai'n gyflym iawn yn ysgol galed profiad.

Dyna lle mae'r tebygrwydd yn darfod. Dyn â dychymyg byw a breuddwydion llachar oedd Joseph, yn garismataidd ond heb fod yn orymarferol, fel sydd i'w ddisgwyl mewn proffwyd. Adeiladwr tai oedd Brigham Young, saer coed, peintiwr a gwydrwr. Ac adeiladwr a fu drwy gydol ei oes, er mai adeiladu trefi a chymunedau a gwladfa a wnâi yn ail hanner ei fywyd. Yr oedd ei draed yn soled ar y ddaear a'i lygaid wedi'u hoelio ar bethau'r byd yma. 'Ychydig a bregethaf am dduwiau a'u gweithredoedd rhyfeddol yn y tragwyddol,' dywedodd unwaith, 'ac ni fyddaf yn sôn am sut y gwnaethpwyd hwy nac am bwy a'u gwnaeth, oherwydd ni wn ddim am y pethau hynny.' 'Fy mhwrpas,' dywedodd dro arall, 'yw dysgu pobl sut i fyw i'r foment hon a gadael i'r mileniwm edrych ar ei ôl ei hun.' Os na wyddai am wead y byd a ddaw, gwyddai'n union sut i roi trefn ar y byd oedd ohoni. Dyn annisgwyl i'w ddewis fel proffwyd, efallai, ond profodd yn arweinydd penigamp.

Yr oedd yn ddyn o ewyllys haearnaidd ond, ar y cyfan, yn deg a chyfiawn. Nid oedd ganddo lawer i'w ddweud wrth foneddigion a'r da eu byd. Trwy ei oes, gweithiodd yn gyson i wella byd y tlawd a'r anghenus ac yr oedd yn weithiwr caled dros ben. Cadwyd copïau o 30,000 o'i lythyrau. Y mae 10,000 ohonynt yn atebion i geisiadau am gyngor oddi wrth ei bobl – y ffordd orau o blannu tatws, manteision agor siop, sut i gasglu dyled, sut i ddod o hyd i wraig, sut i adeiladu cartref. Ni ddigwyddai dim yn Seion heb fod Brigham a'i fys rywle yn y brywes. Pan fyddai Brigham yn gwthio, symudai pethau yn eu blaen. Hebddo, deuai'r cwbl i stop. Er mwyn ei Dduw ac i amddiffyn ei bobl yr oedd yn fodlon hwylio'n agos iawn at y gwynt a thorri sawl cornel. Yn bennaf oll, yr oedd yn was ffyddlon hyd at angau i Joseph Smith a'i grefydd newydd.

Yr oedd gan bawb ei stori am Brigham. Gallai ymddangos, ar brydiau, yn anwaraidd o arw. Ei gyngor i sgwad o blismyn wrth iddynt gychwyn ar eu noson gyntaf ar ddyletswydd oedd, 'Os gofyn rhywrai i chwi pa awdurdod sydd gennych, waldiwch nhw â'ch pastwn.' Gallai fod mor gwrs a di-chwaeth â llabwst yn ei ddiod. Ei farn am ddau o'i elynion oedd 'nad oeddent yn ffit i stwffio'u pennau i fyny tin ei was ar ôl i hwnnw fod yn farw am ddeuddeng mis'. Ond gallai hefyd fod 'mor deimladwy a sensitif â morwyn wrth ei phader'. Er enghraifft, yr oedd Gwenllian Williams wedi claddu ei gŵr yn Nowlais cyn iddi ddod i Utah ac yn poeni na châi ei chladdu wrth ei ymyl. Gofynnodd am gael sgwrs am y mater gyda Brigham a daeth i'w thŷ i'w gweld. Gan na fedrai Gwenllian siarad Saesneg yn dda, cynigiodd ei nai gyfieithu ond teimlai Brigham y byddent yn iawn heb gyfieithydd. Rywsut, deallodd y ddau ei gilydd yn berffaith ac ni phoenodd Gwenllian ar ôl hynny. Yr oedd Brigham wedi esbonio iddi, meddai, fod pellter yn ddiystyr ar ôl marwolaeth.

Dro arall, yr oedd Brigham yn arwain cyfarfod y Sul yn neuadd Wellsville, pentref bychan yng ngogledd y dalaith, pan gyrhaeddodd Henry John a'i deulu yno. Ymfudwr o Fathri yn Sir Benfro oedd Henry John, wedi digwydd cyrraedd Wellsville, pen ei daith, ar y bore yr ymwelai Brigham Young â'r lle. Sylwodd Brigham arno'n petruso o flaen drws y neuadd a daeth ato i'w groesawu a'i wahodd i'r cyfarfod. Esboniodd Henry ei fod yn fudr a llychlyd a heb gael amser i ymolchi ar ôl y daith. ''Den ni gyd yn fudr yma,' meddai Brigham, gan afael yn ei fraich a chyd-gerdded ag ef i mewn i'r adeilad.

Weithiau'n swyno, weithiau'n gwylltio, weithiau'n deimladwy, weithiau'n galon-galed. Beth wnaech chi â dyn o'r fath? 'Er mai ef yw y dyn pennaf yma,' ysgrifennodd D. F. Thomas mewn llythyr at ei deulu yng Nghymru, 'ymddarostynga i fod yn was i bawb.' 'Y mae yn dirion a mwyn wrth y rhai gostyngedig a gonest,' ysgrifennodd John S. Davis, 'ac yn llew rhuadwy i'r rhai drygionus. Gweithredoedd dyn a adnebydd o bell ac nid hawdd ei dwyllo mewn dim.'

Erbyn hyn yr oedd tad John Bennion a'i frawd, Samuel, wedi cyrraedd Nauvoo. Ar y 24ain o Dachwedd, 1845, ysgrifennodd John Bennion ei lythyr olaf o Nauvoo at ei rieni-yng-nghyfraith 'nôl yng Nghymru. 'Annwyl rieni, Y mae yn awr yn aeaf oer yma a'r afon wedi rhewi ers llawer wythnos… Byddwch, mae'n siŵr, wedi clywed am y trafferthion sydd wedi ein poeni yn ddiweddar… Ym mis Medi, pan oedd y bobl wrthi yn cynaeafu eu cynnyrch, gwobr eu llafur, casglodd torf afreolus gan ymosod ar gartrefi'r Mormoniaid a'u gorchymyn i adael eu tai o fewn ychydig funudau gan eu bod yn bwriadu eu llosgi. Yr oedd llawer o'r preswylwyr yn wael ac eraill yn fusgrell. Gadawyd hwy yn yr haul poeth ac yng ngwlith llaith y nos heb gysgod, nes i ni fedru eu cael i Nauvoo. Bu rhai o'r bobl farw o ganlyniad.'

Nid oes unrhyw sôn yn y llythyr am y cyhuddiadau difrifol a wnaethpwyd yn erbyn Joseph flwyddyn a mwy ynghynt. Gan fod y cyhuddiadau hynny wedi eu gwneud gan ei elynion ac wedi eu cyhoeddi mewn papurau gelyniaethus, llwyddwyd i argyhoeddi trwch y Saint mai anwireddau maleisus oeddent, heb sail na synnwyr. Ond gwyddai rhai nad felly yr oedd. Parhaodd y sïon i hongian o gwmpas Nauvoo fel arogl drewllyd a chynyddodd y sibrydion ymysg 'y Babiloniaid' fod pethau rhyfedd ac anghristionogol yn digwydd yno. O ganlyniad, amlhaodd yr ymosodiadau a dechreuodd y Saint ystyried symud unwaith eto, tu hwnt i'r mynyddoedd, ymhellach i'r gorllewin. 'Y mae rhyddid mewn lle anghysbell yn llawer gwell na chael ein blino a'n hymlid yn y taleithiau yma a hynny oherwydd ein crefydd. Ystyriwn mai doeth fyddai i ni adael y genedl annuwiol hon.' Dirywiai'r sefyllfa o ddydd i ddydd. Dilëwyd yr hawliau arbennig a roddwyd i Nauvoo gan lywodraeth talaith Illinois a gorfodwyd y Saint i ddirwyn y Lleng i ben. Ym mis Medi ymosodwyd ar ragor o bentrefi a ffermydd anghysbell y Saint yn y wlad o gwmpas Nauvoo. Er mwyn tawelu'r dyfroedd addawodd Brigham y byddai'r Saint yn gadael Illinois 'cyn gynted ag y bo'r borfa yn wyrdd a'r dŵr yn rhedeg'. Ond sut? Ac i ble?

Bu'r Apostolion yn ystyried nifer o bosibiliadau. Dyheuent am fynd i rywle y tu hwnt i ffiniau America, rhywle allan o gyrraedd 'y Babiloniaid', rhywle lle caent adeiladu cymdeithas ac addoli yn ôl eu daliadau unigryw eu hunain. Ond yr oedd llefydd felly yn prinhau. Teimlid bod Oregon a Chaliffornia yn rhy boblog ac anodd fyddai dianc rhag ymyrraeth Prydain Fawr yn y naill le a Mecsico yn y llall. Bu sôn am Texas a Hawaii. Ond y lle a ddenodd fwyaf o sylw o'r cychwyn oedd yr ardal o gwmpas y Llyn Halen.

Ychydig a wyddent am y Llyn Halen bryd hynny. Gorweddai dros fil o filltiroedd i'r gorllewin, tu hwnt i'r Rockies a thu allan i reolaeth yr Unol Daleithiau. Yn gyfreithlon yr oedd yr holl dir i'r gorllewin o'r Rockies yn rhan o diriogaeth Mecsico, ond, ar wahân i Galiffornia, ychydig o ddiddordeb a gymerai'r Mecsicaniaid ynddo. Y farn gyffredin yn America bryd hynny oedd mai anialwch sych, diffrwyth oedd rhwng y Rockies a'r Sierra Nevada a'i bod yn amhosibl i ddyn fyw yno. Ond yr oedd lleisiau eraill yn dechrau dadlau i'r gwrthwyneb.

Arweiniodd John Charles Frémont daith dros y Rockies ym 1842 ac ysgrifennodd ddisgrifiad manwl o'r tirwedd. Credai fod ardaloedd ffrwythlon i'w cael yno, lle, efallai, y gellid amaethu. Yn ei adroddiad ar ei ail daith ar draws y cyfandir ym 1845 yr oedd yn fwy gobeithiol fyth. Pasiodd y Llyn Halen ar ei ffordd yno ac ar ei ffordd yn ôl a chodwyd calonnau'r Apostolion o ddarllen ei ddisgrifiad o'r tiroedd gwyrddion a'r bryniau glaswelltog a welodd yno. 'Yng nghysgod y mynyddoedd ar hyd ochr ddwyreiniol y llyn y mae gwastatir sydd â phridd o ansawdd da ac sydd ar y cyfan yn ffrwythlon ac yn cael ei ddyfrio gan ddelta o nentydd coediog. Fe'i gorchuddir gan laswellt a dylsai gynhyrchu cnydau toreithiog. Byddai hwn hefyd yn lleoliad da i fagu gwartheg.'

Bras-benderfynodd yr Apostolion yn Hydref 1845 mai ardal y Llyn Halen oedd hi i fod. 'Yr ydym ymhlith y miloedd sydd yn bwriadu ymadael â'r llywodraeth hon ac ymfudo i ryw le da rhwng mynyddoedd y Rockies a'r Môr Tawel lle cawn fod yn rhydd o lywodraeth ragfarnllyd a llwgr,' ysgrifennodd John. 'Disgwyliaf mai taith haf fydd hi o tua dwy fil o filltiroedd... Mi fyddwn yn pasio trwy aml i lwyth o Indiaid ar ein ffordd i'r môr, lle rwy'n disgwyl canfod gwlad lawer iachach na hon.' Braidd yn ansicr yw ei ddaearyddiaeth, braidd yn sigledig ei amcangyfrif o'r pellter, ond y mae'r cyfeiriad yn gywir a'r penderfyniad yn amlwg. Cyrraedd 'Y Dyffryn' yw eu gobaith yn awr. Er nad oes sicrwydd o'r hyn sy'n eu haros yno, y mae pawb ar dân i fynd. 'Mae tua dwy fil a hanner o deuluoedd yn paratoi i adael y lle yma ym mis Ebrill neu Fai,' ysgrifennodd John. 'Y mae'r bobl yn brysur yn adeiladu wageni ar gyfer y daith.'

Dwy fil a hanner o deuluoedd! Un peth oedd symud un teulu neu grŵp o deuluoedd dros y paith, peth arall oedd symud dinas gyfan, dinas oedd â'i phoblogaeth erbyn hyn wedi tyfu i dros 17,000. Un peth oedd marchogaeth ceffylau dros y Rockies, peth arall oedd gyrru ychen drostynt yn tynnu cannoedd o wageni trymion. Bwriadai rhai o'r teuluoedd cyfoethocaf, fel teuluoedd John a Samuel, fynd â dwy wagen yr un. Yr oedd eisiau felly rhwng 3,000 a 4,000 o wageni a rhwng 12,000 a 18,000 o ychen i'w tynnu.

Gellid dychmygu'r prysurdeb. 'Troswyd ymron bob gweithdy yn y ddinas yn siop adeiladu wageni,' dywed un adroddiad. 'Defnyddir hyd yn oed y darn anorffenedig o'r deml i'r perwyl hwn.' Hoeliwyd holl egni'r bobl ar y prosiect: y coedwyr yn torri boncyffion a'u sychu'n galed, y seiri'n cynhyrchu olwynion, y gofaint yn amgylchynu'r olwynion â chylchoedd o haearn, pob teulu wrthi'n adeiladu neu'n cryfhau fframiau eu cerbydau, yn prynu miloedd o ychen a'u torri i'r harnais a'u hyfforddi, y gwragedd yn piclo llysiau, halltu cig, sychu ffrwythau. Mewn ymgyrch fel hon yr oedd y Mormoniaid, gyda'u hathrawiaeth o gydweithio trefnus, dan reolaeth eu Heglwys, ar eu gorau.

Amcangyfrifwyd y byddai'r daith yn debyg o gymryd naw mis neu ragor. Ym mis Hydref, cyhoeddodd y *Nauvoo Neighbour* restr o'r hyn y dylai pob teulu ei gario: '1,000 pwys o flawd, pwys o de, pum pwys o goffi, 100 pwys o siwgr, pwys o bupur *cayenne*, pwys o bupur du, ½ pwys o fwstard, 10 pwys o reis, pwys o sinamon, ½ pwys o glofs, 12 nytmeg, 25 pwys o halen, 10 pwys o afalau sychion, 5 pwys o *saleratus* [math o furum], 28 pwys o ffa, pwysi lawer o gig eidion wedi'i sychu neu gig moch wedi'i halltu, 5 pwys o eirin gwlanog wedi'u sychu, 20 pwys o bwmpenni wedi'u sychu, galwyn o alcohol, 20 pwys o sebon.' Hefyd, wrth gwrs, yr oedd eisiau i bob teulu gario llestri bwyd a llestri coginio, pebyll a dillad gwely. Byddai'r wraig a'r plant ieuengaf yn cysgu yn y wageni a'r gŵr a'r plant hynaf a'r gweision yn cysgu mewn pebyll neu o dan y wagen.

Hefyd, gorchmynnodd Brigham fod pob teulu i gario ei siâr o'r offer trwm oedd yn angenrheidiol i agor y tir ac adeiladu eu cartrefi pan gyrhaeddent y dyffryn: 25–100 pwys o arfau a pheiriannau amaethyddol, 25 pwys o rawn had, sawl pwys o hoelion, 15 pwys o haearn sgrap, bachau a leiniau pysgota, yr offer i adeiladu melinau coed a melinau blawd – yr oedd y rhestr yn ddiddiwedd.

Fel pob penteulu, poenai John beth a ddigwyddai i'w dŷ a'i dir yn Nauvoo. 'O ran gwerthu ein heiddo,' ysgrifennodd, 'os medraf, mi wnaf yn llawen, ond os na fedraf, bydd yn rhaid ei adael heb ei werthu. Y mae'r rhan fwyaf o'r bobl yn yr un sefyllfa. Dim ond ychydig sydd wedi gwerthu.' Er cymaint eu treialon, y mae'n gorffen ei lythyr yn obeithiol. 'Ganwyd merch i ni, Ann, ar y 19eg o Dachwedd. Y mae'r plant eraill i gyd yn iach ac yn tyfu'n gyflym. Buoch yn sôn am yn hir am ddod allan yma i Nauvoo,' meddai wrth ei rieni-yng-nghyfraith. 'Byddem yn falch o'ch gweld yn gynnar yn y gwanwyn, mewn pryd i fynd gyda ni i iachach a gwell gwlad lle bydd y bobl hyn yn cychwyn llywodraethu eu hunain. Yr eiddoch yn serchus, J ac E Bennion.' A dyna lythyr olaf John o Nauvoo.

Ond fel y mae un ffenestr ar eu hanes yn cau, y mae un arall yn agor. Yr oedd Samuel, brawd John, wedi cyrraedd Nauvoo ym Mai 1845. Cadwai ef ddyddiadur. Disgrifiodd fel yr aeth ati i ddatblygu tir ac adeiladu cartref pan gyrhaeddodd gyntaf. Prynodd 85 acer a'i ffensio. Gwariodd $1,000 ar 20,000 o frics coch. Adeiladodd dŷ dau lawr, chwe ystafell, hynod o foethus. Ond yn awr, flwyddyn yn ddiweddarach, fel ei holl gymdogion, rhaid oedd iddo werthu popeth mewn marchnad anffafriol ac wynebu colledion mawr. 'Mai 1846. Gwerthais fy nhŷ a'm fferm am $250.' Ac nid dyna ei ofid mwyaf. 'Trwy gydol yr haf, bu fy nhad a minnau a'r ddau blentyn, John R. ac Elisabeth, yn dioddef o'r haint a'r cryd. Ar y 18fed o Fai, 1846, bu farw ein merch fach, Elisabeth.' Yr oedd newydd golli dau fab o'r frech goch yn niwedd 1844, cyn gadael Lerpwl – William yn 2 oed ar yr 20fed o Dachwedd a James yn 3 ar yr 2il o Ragfyr. Ganwyd Elisabeth lai na mis wedyn ac yn awr yr oedd hithau'n farw. Cyn iddynt gael cyfle i ddechrau galaru'n iawn, daeth y gorchymyn i gychwyn. 'Gadawsom ein cartref yn Nauvoo i fynd i rywle yn y Gorllewin. Myfi, fy ngwraig, fy mab, fy nhad, fy mrawd John a'i wraig Esther a'u dau blentyn, Samuel R. a Mary.' Anghofiodd enwi Ann, babi newydd John ac Esther.

Cychwynasant am y Gorllewin mewn pum wagen, Samuel yn gyrru un a'i wraig, Mary, yn gyrru un arall, ei dad yn gyrru un, a John ac Esther hefyd yn gyrru un yr un. Gadawsai 3,000 o Saint am y Gorllewin cyn diwedd Chwefror 1846. Wrth i'r gwanwyn droi'n haf, dilynwyd hwynt gan 12,000 yn rhagor, pobl o bob oedran, teidiau a thadau a phlant, llawer yn wael, llawer yn wan, llawer yn fusgrell, llawer yn feichiog ond pawb a'u golygon ar Seion draw a phawb yn falch o gael gadael Babilon. Gyda hwynt aethant â'u hanifeiliaid: miloedd o wartheg, diadelloedd mawr o ddefaid a cheffylau, moch, ieir, gwyddau a gwenyn. Gadawsant y deml, newydd ei gorffen, i gael ei fandaleiddio a'i llosgi gan y terfysgwyr. Gadawsant y caeau a gerfiwyd ganddynt o dir gwyllt y *prairie*. A gadawsant eu cartrefi. 'Fy ngweithred olaf yn y lle annwyl hwnnw,' ysgrifennodd un ohonynt, 'oedd twtio'r ystafelloedd, brwsio'r lloriau a gosod y brwsh yn daclus yn ei le arferol tu ôl i'r drws. Yna, gyda theimladau dyfnion na fedraf yn awr eu disgrifio, caeais y drws yn dawel a throais i wynebu fy nyfodol ansicr a'm bywyd newydd, gyda ffydd ddiysgog yn fy Nuw.'

Eu gobaith oedd cyrraedd y Dyffryn cyn diwedd yr hydref, ond profodd rhan gyntaf eu taith drwy Iowa dipyn yn fwy anodd na'r disgwyl. Yr oedd y gwair heb ddechrau tyfu a'r porthiant i'r anifeiliaid yn brin. Plymiodd y tymheredd i ddeuddeg gradd o dan y rhewbwynt, lle'r arhosodd am ran helaethaf y mis. Rhewodd y Mississippi a bu'n bosibl am rai dyddiau i yrru'r wageni dros yr iâ. Ystyriwyd hyn yn wyrth ac yn arwydd fod Duw o'u plaid. Ond yn fuan daeth stormydd a llifogydd i'w trethu. Mewn glaw di-baid, brwydrent i symud o gwbl. Glynai'r mwd yn dalpau ar eu holwynion a suddai'r wageni i gorsydd o glai. Chwyddodd y nentydd bychain yn afonydd o ddŵr gwyllt a methai'r ychen gael troedle sicr wrth dynnu eu llwythi trymion i fyny'r glannau. Ymhen ychydig wythnosau, ymestynnai'r Saint yn gadwyn flêr ar draws Iowa, 12,000 ohonynt, heb lawer o syniad i ble'r oeddent yn mynd a heb lawer o obaith o gyrraedd pen eu taith y flwyddyn honno.

Anfonodd Brigham griw o ddynion abl ar y blaen i hwyluso'r daith i'r miloedd oedd i ddilyn. Eu tasg oedd dewis y llwybrau gorau ac adeiladu gwersylloedd lloches ar draws Iowa, llefydd lle câi'r methedig a'r gwan yn y brif fintai aros ac ymgryfhau. Ar y 23ain o Ebrill, cyraeddasant ben draw'r tiroedd datblygedig yn y dalaith. O'u blaenau gorweddai can milltir a hanner o fryndir gwag cyn cyrraedd y Missouri. Penderfynwyd adeiladu un o'r gwersylloedd lloches yn y man hwnnw. Y diwrnod canlynol, ar alwad yr utgorn boreol, cychwynnwyd ar y gwaith. Cant o ddynion i dorri coedydd, hanner cant i'w ffurfio'n foncyffion i wneud cabanau. Rhai'n aredig, rhai'n hau. Un criw i gloddio ffynhonnau, un arall i adeiladu pontydd, un arall i adeiladu cabanau. Ar eu hymadawiad, ddeunaw niwrnod yn ddiweddarach, gadawsant o'u holau bentref gorffenedig o'r enw Garden Grove ynghyd â 300 acer o dir wedi'i glirio, llawer ohono wedi'i aredig a'i blannu, 10,000 o byst ffensio a digon o foncyffion i adeiladu 40 tŷ ychwanegol. Un o'r teuluoedd a gymerodd fantais o Garden Grove oedd y Bennoniaid. Penderfynasant aros yno dros y gaeaf a chychwyn yn gynnar yn y gwanwyn i ailymuno â'r brif fintai. Yr oedd honno wedi gaeafu ar lan y Missouri gyferbyn â Council Bluffs, lle y mae Omaha heddiw, mewn gwersyll a alwyd yn Winter Quarters.

Yn Garden Grove, ym mis Medi, bu farw tad John o ryw afiechyd a ddisgrifir fel 'bilious fever and dumb ague'. Yr oedd yn drigain oed. Claddwyd ef o dan dderwen fawr ym mynwent y pentref. Ym mis Ionawr 1847 ganwyd plentyn arall i Mary a Samuel ac ym mis Ebrill ganwyd merch fach i Esther a John. Gadawsant Garden Grove cyn diwedd y mis. Rywbryd yn ystod y daith, llithrodd wagen Esther oddi ar y ffordd a thaflwyd hi allan. Rowliodd un o'r olwynion dros ei braich a'i thorri. Anodd dychmygu sut driniaeth a gafodd. Nid oedd gan y Mormoniaid lawer o ffydd mewn meddygon ar y gorau. Byddent yn galw ar un o'r henuriaid i ddod i eneinio'r claf ag eli sanctaidd. Efallai fod un o'r fintai wedi arfer trin esgyrn anifeiliaid a bod hwnnw wedi gosod y fraich. Ond nid oedd plastr i gloi'r esgyrn na chyffuriau i leddfu'r dolur. Bu Esther yn dioddef o boen yn ei braich am weddill ei hoes ond gwrthododd gael ei hesgusodi o'i gorchwylion ar y daith. Flynyddoedd wedyn byddai'n adrodd wrth ei hwyrion, gyda balchder, sut y bu iddi yrru'r wagen yr holl ffordd o Nauvoo i Ddinas y Llyn Halen.

Wedi gaeaf anodd yn Winter Quarters, paratôdd y brif fintai

i ailgychwyn eu taith i'r Llyn Halen. Sylweddolai pawb nad ymlwybro'n llafurus a di-drefn wedi eu gwasgaru ar draws gwlad fel y gwnaethpwyd y flwyddyn flaenorol oedd y ffordd orau o deithio. Yr oedd eisiau trefn a rheolaeth. Ar ddechrau 1847 derbyniodd Brigham gyfarwyddyd manwl oddi wrth Dduw. 'Gair ac Ewyllys yr Arglwydd ynghylch Gwersyll Israel yn eu teithiau i'r Gorllewin. Bydded i holl bobl Eglwys Crist o Saint y Dyddiau Diwethaf, a'r rhai a fyddo yn teithio gyda hwynt, gael eu corffoli yn gwmnïoedd, gyda chyfamod ac addewid i gadw holl orchmynion a deddfau yr Arglwydd ein Duw. Corffoler y cwmnïoedd gyda Chapteniaid ar Gannoedd, Capteniaid ar Hanner Cannoedd, a Chapteniaid ar Ddegau, gyda Llywydd a dau Gynghorwr i'w blaenori, o dan gyfarwyddyd y deuddeg Apostol… Myfi yw yr hwn a arweiniodd blant Israel allan o wlad yr Aifft, ac y mae fy mraich yn estynedig yn y dyddiau diweddaf i achub fy mhobl Israel.' Hynny yw, yr oeddent i gael eu rhannu'n grwpiau o gant o deuluoedd, yna rhannu'r cannoedd yn ddau grŵp o hanner cant, a phob hanner cant yn ddegau. Capteiniaid y grwpiau o ddeg fyddai'n gyfrifol am sicrhau bod y wageni'n cael eu cadw mewn cyflwr da, bod yr anifeiliaid yn cael eu trin yn iawn, bod pawb yn tynnu eu pwysau, bod y rheolau'n cael eu cadw a gorchmynion Duw yn cael eu parchu. Pe codai problem tu hwnt i'w gallu i'w datrys, caent ofyn cyngor capten yr hanner cant a hwnnw, os oedd rhaid, yn eu pasio ymlaen i gapten y cant. Ar ben y gadwyn yr oedd y deuddeg Apostol, Brigham Young a Duw. Profodd y trefniadau hyn yn effeithiol iawn a defnyddiwyd hwy gan bob mintai Formonaidd am yr ugain mlynedd nesaf. Dyma gychwyn ymfudiad ddaeth i gael ei gydnabod yn ddiweddarach fel y mwyaf trefnus a disgybledig a llwyddiannus yn holl hanes y Gorllewin Gwyllt.

Gorchmynnodd Duw hefyd iddynt ddanfon mintai fechan o ddynion profiadol ar eu hunion i'r Dyffryn i baratoi'r ffordd ar gyfer y prif gwmni, fel y gwnaethant y flwyddyn flaenorol. 'Detholwch nifer ddigonol o wŷr galluog a medrus i gymeryd gweddeuau, hadau, ac offerynnau amaethyddol, i fyned fel Arloeswyr i baratoi erbyn hau cnydau y gwanwyn. Canys myfi yw yr Arglwydd eich Duw, sef Duw eich tadau, Duw Abraham ac Isaac a Jacob.' Yn nechrau Ebrill 1847 gadawodd Brigham am y Dyffryn. Gydag ef aeth â 144 o'i ddynion gorau gyda'r bwriad, fel wrth groesi Iowa y flwyddyn cynt, o baratoi'r llwybrau gorau ar gyfer y brif fintai. Yr oedd y 144 i fod i gynrychioli 12 llwyth Israel, 12 dyn i bob llwyth. Gwelai Brigham ei hun fel Moses yn arwain yr Israeliaid drwy'r diffeithwch. Ond ar y funud olaf tanseiliwyd ei gynllun pan wrthododd un o'r gwragedd adael i'w gŵr fynd hebddi, a bu'n rhaid mynd â dwy wraig arall wedyn i gadw cwmni i honno, ac mi fynnodd un ohonynt ddod â'i dau blentyn gyda hi. Mae'n siŵr fod Moses hefyd wedi cael trafferthion tebyg.

Fel yn y flwyddyn cynt, paratowyd y ffordd ar gyfer y miloedd oedd i ddilyn trwy farcio'r trywydd, adeiladu pontydd, torri coed, unioni llwybrau a chodi cerrig milltir i ddynodi'r pellter o'r Missouri. I fesur y milltiroedd cyfrifent droadau olwyn un o'r wageni. Yr oedd gan yr olwyn hon amgylchedd o 14 troedfedd ac 8 modfedd yn union, felly gwyddent y byddai 360 tro yn filltir. Dyfeisiwyd olwyn ddanheddog i gyfri'r troadau a'r canlyniad oedd, flwyddyn yn ddiweddarach, iddynt fedru cyhoeddi'r map gorau a'r mwyaf cywir o'r ffordd i'r Gorllewin. Gadawsant negeseuon wedi eu clymu i goed neu wedi eu hysgrifennu ar benglogau byfflo i rybuddio'r ail fintai o unrhyw beryglon ar eu llwybr. Yn aml, braidd yn siomedig oedd cynnwys y negeseuon. 'Ebrill 29. Yr arloeswyr i gyd yn iach. Glaswellt yn fyr, digonedd o frwyn, tywydd yn braf, gwyliwch am Indiaid.' Heblaw am yr Indiaid, gallasent fod yn gardiau post o Builth Wells.

O'u blaenau, ar draws y tir a elwir heddiw yn Nebraska, ymestynnai dyffryn llydan afon Platte. Bwriadai Brigham ei dilyn am 600 milltir cyntaf y daith. Afon od yw afon Platte. Ar adegau, yn enwedig yn nechrau Mehefin, pan ruthrai dŵr tawdd yr eira i lawr o'r Rockies, yr oedd bron yn amhosibl ei chroesi. Ar adegau eraill, medrai plentyn gerdded drwyddi. A hithau'n chwe milltir o led mewn mannau a chwe modfedd o ddyfnder mewn mannau eraill, cafodd ei galw'n bopeth dan haul gan yr arloeswyr. 'Rhy fwdlyd i'w hyfed, rhy ddyfrllyd i'w haredig.' 'Dim pysgod, digonedd o nadroedd.' 'Gormod o liw i fod yn ddŵr golchi, dim digon i fod yn baent.' Er hynny, yr oedd yn gwmni da. Tyfai glaswellt yn borfa i'r anifeiliaid ar hyd ei glannau a choed yn danwydd i'r gwersyllwyr ar ei hynysoedd. A deuai'r byfflo a'r ceirw i lawr ati i yfed.

Afon Platte oedd y briffordd i'r Gorllewin. Ddau gant a hanner o filltiroedd o'r Missouri, ymrannai'n ddwy, gyda'r fraich ddeheuol yn troi i lawr i gyfeiriad Colorado a'r fraich ogleddol yn dal ei chwrs am y Gorllewin. O'i dilyn, arweiniai'r fraich ogleddol yn syth at South Pass, yr unig fwlch yng nghrib y Rockies lle'r oedd yn bosibl i ychen a wagen groesi. Yn y blynyddoedd hynny, blynyddoedd y 'Manifest Destiny', pan ddechreuodd America gredu bod ganddi'r hawl i ymestyn o fôr i fôr, dibynnai llawer o'i chynlluniau ar fodolaeth South Pass. Oni bai am y bwlch hwn drwy'r Rockies, bwlch lle nad oedd na chlogwyni na chreigiau yn sefyll yn ffordd minteioedd yr ymfudwyr, byddai'r dasg o boblogeiddio'r Gorllewin ac uno dau arfordir America wedi bod yn llawer anoddach. Llifai pob un o drywyddion enwog y cyfnod drwy South Pass – Trywydd Oregon, Trywydd Califfornia, Trywydd y 'Pony Express' a Thrywydd y Mormoniaid – cyn gwasgaru eto yr ochr draw i'r bwlch i fynd eu gwahanol ffyrdd.

Gair da yw 'trywydd'. Y mae'n cadw rhywfaint o ramant y gair 'trail' – rhywle i gowbois loncian, er na fyddai cowbois i'w gweld yn loncian ar lannau Platte am ugain mlynedd eto. Nid 'llwybr' mohono, na 'ffordd'. Nifer o rychau trol wedi eu gosod ochr yn ochr yw'r ffordd orau o'i ddisgrifio. Wrth groesi gwastatir gallasai'r trywydd fod yn filltir neu fwy o led ond yn y mynyddoedd, mewn adwy gul, fe'i gwasgwyd i un pâr dwfn o rychau. Ar adegau, ar ddechrau'r tymor ymfudo, byddai'n anodd ei ddilyn drwy'r glaswellt uchel. Ar adegau eraill, yn enwedig yn y 1850au a'r 1860au, byddai i'w weld yn torri drwy'r tirwedd fel traffordd.

Cyd-redai Trywydd Califfornia a Thrywydd Oregon ar lan ddeheuol yr afon. Ym 1847 amcangyfrifwyd fod rhwng 4,000 a 5,000 o ymfudwyr yn defnyddio'r ddau drywydd yma – ffermwyr gan mwyaf a'u bryd ar fod yn berchen ar eu tir eu hunain yn y Gorllewin. Penderfynodd y Saint nad oeddent am rannu'r un trywydd â'r 'Babiloniaid' colledig hyn. Gwell ganddynt oedd cadw'n glir o'r 'cenhedloedd' (un arall o'u henwau am rai nad oeddent yn Saint) a'r holl anghredinwyr eraill, felly torasant lwybr newydd iddynt hwy eu hunain ar lan ogleddol yr afon a'i alw'n 'Drywydd y Mormoniaid'.

Prif bwrpas y flaen-fintai oedd cyrraedd y Dyffryn mewn pryd i blannu hadau a chael cynhaeaf y flwyddyn honno. Yr oedd cryn ansicrwydd o hyd ynglŷn â ffrwythlondeb y Dyffryn. A oedd y pridd yn ddigon cynhyrchiol yno? A oedd digon o wres? A oedd digon o ddŵr? A oedd yr eira'n toddi'n ddigon cynnar i ganiatáu tymor llawn o dyfiant? Dim ond trwy blannu a chynaeafu y gallent fod yn hollol siŵr o'r atebion. Yn y cyfamser, gorchmynnodd Brigham i bawb oedd yn bwriadu eu dilyn ddod â digon o fwyd gyda hwynt i'w cynnal am ddeunaw mis. Hyd yn oed pe methai'r cynhaeaf, byddai'r modd ganddynt i drio eto neu i symud ymlaen i le mwy addawol.

Ddeufis a hanner ar ôl i Brigham a'i fintai adael, cychwynnodd y brif fintai, yn cynnwys tua 2,500 o bobl mewn 566 wagen. Yn groes i bortreadau'r sinema, yr ychen oedd fwyaf poblogaidd fel halwyr y wageni. Yr oeddent yn rhatach, yn wytnach, yn fwy amyneddgar ac yn llai tebyg na cheffylau o gael eu dwyn gan yr Indiaid. Gallent hefyd fyw ar borfa wael. Yr oedd eisiau rhwng pedwar ac wyth anifail ar bob wagen, cyfanswm o tua 3,000. Rhannwyd y fintai, yn ôl gorchymyn Duw, i gwmnïau o gant o deuluoedd a gadawodd John a Samuel Bennion a'u teuluoedd gyda'r cwmni cyntaf. Yn ychwanegol i'r ychen yn yr iau, aeth John â phedwar ych, dwy heffer, saith dafad ac un gaseg las gydag ef. Collodd chwech o'i ddefaid cyn cyrraedd pen y daith. Aeth Samuel â chwe ych a dwy fuwch. Collodd yntau ddau o'r ychen a lladdwyd un o'r gwartheg gan yr Indiaid.

Yr oedd ofn mawr o'r Indiaid ar yr arloeswyr cynnar. Yr oeddent wedi eu trwytho mewn straeon brawychus am y pethau difrifol a ddigwyddai i ddynion gwyn a gwympai i ddwylo'r 'barbariaid gwaetgar'. Ym mhapurau newydd a chylchgronau'r dydd darllenent doreth o straeon ffals a sïon disylwedd am erchyllterau'r Indiaid. Dychmygent bob math o anfadwaith: eu gwragedd yn cael eu treisio a'u plant yn cael eu blingo. 'Ofnem yr Indiaid yn fawr,' ysgrifennodd un o'r gwragedd, 'a chadwem wyliadwriaeth drwy'r nos. Gallwch ddychmygu teimladau gwragedd a phlant, yn teithio drwy diriogaeth yr Indiaid, heb wybod pryd yr ymosodai'r barbariaid gwyllt.' Cynghorwyd pob dyn neu fachgen dros 12 oed i gario gwn o ryw fath ynghyd â phedwar pwys o bowdwr a phwys o siot, ac iddo gadw'r gwn wrth ei ochr bob amser. Cariai rhai lawer mwy nag un gwn. Adroddodd un dyn fod gan y 10 yn ei grŵp ef 16 o ynnau yn eu meddiant – naw reiffl, pedwar mwsged a thri phistol – a phob un yn barod i'w danio. Ac mewn cwmni arall cariai'r 46 dyn oedd yn abl i drin gwn 50 reiffl, 7 pistol, 246 pwys o bowdwr a 138 pwys o siot. Hefyd, llusgwyd tri chanon mawr ar draws y paith i'w tanio at yr Indiaid pe bai raid. Er hynny, ddiwrnod neu ddau ar ôl i gwmni John a Samuel gychwyn, ymosododd tri Indiad arfog ar ddau o'r criw oedd wedi gadael y gwersyll ar eu pen eu hunain, gan saethu un ohonynt yn farw. I ychwanegu at eu nerfusrwydd, daethant o hyd i gorff rai dyddiau wedyn wedi hanner ei fwyta gan fleiddiaid. Y casgliad oedd bod hwn hefyd, pwy bynnag ydoedd, wedi ei ladd gan Indiaid. Ac i dynhau'r tensiwn ymhellach, daeth un o'r lloi yn ôl i'r gwersyll ar ôl bod yn pori yn y borfa gyfagos â saeth Indiaidd yn ei ben ôl. Pan dybid bod Indiaid yn agos, cynghorid pawb i gysgu â'u bysedd ar glicied eu gwn. O ganlyniad, lladdwyd llawer mwy o'r arloeswyr cynnar gan eu gynnau eu hunain, yn tanio ar ddamwain, nag a laddwyd gan Indiaid.

Ond wrth iddynt adael yr ardaloedd poblog gerllaw'r Missouri, gwellodd eu perthynas â'r Indiaid. Disgrifiodd un o'r cwmni sut y daeth nifer o Indiaid tuag atynt yn cario baner goch. 'Anfonwyd y faner ymlaen atom ac aeth rhai o'n dynion ni i'w chyfarfod. Cyfnewidiwyd arwyddion o gyfeillgarwch gan ysgwyd llaw a chynnig pibell i'w hysmygu. Yna daeth gwragedd a phlant yr Indiaid ymlaen ac fe ganiatawyd iddynt, gyda'r dynion, ddod i mewn i'n rhengoedd.' Yr oedd pawb yn sefyllian o gwmpas, neb yn siŵr sut i ymddwyn na beth i'w wneud nesaf, nes i'r plant dorri'r ias a dechrau chwarae gyda'i gilydd. 'Cynigiodd un o'r bechgyn y dylwn droi "somersault" i ddiddanu plant yr Indiaid. Yr oeddwn yn ifanc bryd hynny ac yn ystwyth. Casglodd yr Indiaid o'm cwmpas ac fe neidiais a throi tin-dros-ben iddynt. Fe'u rhyfeddwyd. Daethant i sefyll lle'r oeddwn i'n sefyll a neidio i fyny a lawr ar y ddaear i weld oedd rhyw sbonc ynddi. Ar ôl profi ei bod yn soled, daethant ataf a theimlo fy nghoesau a siarad ymysg ei gilydd, wedi eu rhyfeddu'n fawr fod y fath beth yn bosibl.' O hynny ymlaen, deuai'r Indiaid i'r gwersyll yn rheolaidd i werthu mocasins a chrwyn byfflo a gwaith gleiniog ac i brynu bara a siwgr a choffi a phowdwr du i'w gynnau. Ac fe gynhaliwyd cyngherddau, yr Indiaid yn perfformio eu dawnsfeydd rhyfel a'r ymfudwyr yn dawnsio i sŵn y ffeiff a'r drwm.

Er y gwelliant yn y berthynas, yr oedd yr Indiaid yn lladrata o'r gwersylloedd bob cyfle a gaent. Diflannai nid yn unig anifeiliaid ond sosbenni a chyllyll, dillad o bob math, darnau o haearn a gweddillion prydau bwyd. Cymerent unrhyw beth oedd ar gael. Ond yr oedd hynny dipyn gwell na gorfod eu hymladd. Polisi Brigham Young o'r cychwyn oedd bod yn hael tuag atynt. 'Mae'n rhatach eu bwydo,' meddai, 'na'u hymladd.'

Saith can milltir o'u blaenau, yr oedd Brigham a'r flaen-fintai erbyn hyn ar gymal olaf eu taith, dim ond 200 milltir o'r Dyffryn. Yr oeddent wedi mynd drwy South Pass ac wedi gadael yr Unol Daleithiau. Wrth iddynt agosáu at afon Little Sandy, gwelsant dri dyn yn dod tuag atynt. Un ohonynt oedd Jim Bridger, un o hen lawiau enwocaf y mynyddoedd. Bu Bridger fyw am chwarter canrif yn y mynyddoedd, gan fynd yn ôl i daleithiau'r Dwyrain ddim ond dwywaith. Gwyddai fwy am y Gorllewin nag unrhyw ddyn byw. Yr oedd wedi trigo yno gyhyd, allan o gyrraedd gwareiddiad y dyn gwyn, fel ei fod wedi esblygu yn rhyw 'heibrid' hanner Indiaidd, hanner Americanaidd. Darllenai'r paith fel anifail gwyllt. Er na fedrai ysgrifennu, siaradai nifer o ieithoedd – Sbaeneg a Ffrangeg ac ieithoedd yr Indiaid – gan gynnwys iaith arwyddion. Yr oedd ganddo ddwy neu dair 'squaw' yn wragedd, a theulu o blant wedi eu magu'n dyner a chariadus. Arferai wneud bywoliaeth dda yn hela'r afanc a gwerthu'r crwyn i farchnatwyr a ddeuai o'r Dwyrain bob blwyddyn i'w cyrchu. Ond yn y 1840au diflannodd ei fywoliaeth. Aeth yr afanc yn brin, wedi ei or-hela, ac yn Ewrop aeth hetiau o groen afanc allan o ffasiwn a daeth hetiau silc yn fwy poblogaidd. Yn ffodus, tua'r un adeg dechreuodd yr ymfudiad mawr i'r Gorllewin ac agorodd gyrfa newydd o flaen Bridger. Adeiladodd storws ac efail a siop tu hwnt i'r Rockies i elwa o'r ffrwd o ymfudwyr a ddefnyddiai'r trywydd o 1843 ymlaen. Tyfodd Fort Bridger i fod yn 'oasis' pwysig ar y daith i'r Gorllewin.

Ym 1824, pan nad oedd ond 20 oed, darganfyddodd y Llyn Halen a daeth i adnabod Dyffryn y Llyn Halen yn well na'r un dyn byw. Arhosodd gyda Brigham dros nos a bu holi mawr arno ond ni chafwyd llawer o synnwyr oherwydd yr oedd wedi bod yn yfed, a'i sgwrs, o ganlyniad, braidd yn garbwl. Ond fe'i clywyd gan nifer o'r Mormoniaid yn dweud y rhoddai fil o ddoleri i unrhyw un a fedrai dyfu ŷd yn y Dyffryn. Cynyddodd yr ofnau mai diffeithwch diffrwyth oedd yn eu haros ar ben eu taith.

Yn y cyfamser, yr oedd cwmni John a Samuel yn gadael erwau breision y *prairie* ac yn cyrraedd tiroedd sychion y paith, y Gwastatir Mawr, tiriogaeth y byfflo. Un noson, galwyd hwy o'u gwelyau. Yr oedd gyr mawr yn agosáu a'r fintai mewn perygl. 'Fe'n deffrowyd gan ddwndwr isel, ddim yn annhebyg i sŵn gwynt mewn fforest fawr.' Arllwysodd y gwŷr, y gwragedd a'r plant o'u wageni, rhai ar hanner eu gwisgo, a gorchmynnwyd i bawb wneud sŵn gyda beth bynnag oedd wrth law – tanio gynnau, clecian chwipiau, curo sosbenni a phadelli tun a phwnio ochrau'r wageni er mwyn troi'r byfflo oddi wrthynt. Ar y funud olaf, gwyrodd y gyr i ffwrdd a chroesi ymhellach i lawr yr afon.

Ar noson arall, deffrowyd y gwersyll eto gan sŵn anifeiliaid yn carlamu heibio – nid byfflo y tro hwn ond eu hychen hwy eu hunain. Stampîd! Dyma un arall o hunllefau'r arloeswyr. Ofnid stampîd bron gymaint ag ymosodiad gan Indiaid. Gallasai'r peth lleiaf gychwyn stampîd – ci'n cyfarth, lliain yn cyhwfan neu daran yn rwmblan. Digwyddent weithiau pan fyddai'r anifeiliaid mewn harnais ac yn tynnu wageni ac arweiniai hynny'n aml at wageni'n cael eu dymchwel a'u malu a phobl yn cael eu lladd. Rhedai'r anifeiliaid am 10 neu 15 milltir cyn blino a dod i stop, a golygai hynny oriau, weithiau ddyddiau, o chwilota a chorlannu a thrwsio cyn medru ailgychwyn y fintai. Yr oedd y stampîd cyntaf yn fwy o gomedi nag o drasiedi. Deffrowyd y cwmni fel pe gan ddaeargryn. Rhuthrodd pawb allan yn blith draphlith, y gwragedd yn eu dillad nos a'r dynion yn eu dillad isaf. Yn y cynnwrf a'r tywyllwch, meddyliodd un bachgen mai Indiaid oedd yn ymosod a dechreuodd danio at bopeth a symudai. Yn ffodus, methodd daro unrhyw beth; daeth yr anifeiliaid i stop yn fuan ac aeth pawb yn ôl i'w gwelyau. Ond yr oedd yr ail yn fwy difrifol. Collwyd 51 o'r anifeiliaid ac er chwilio'n ddyfal am ddyddiau ni ddaethant o hyd iddynt. Y canlyniad oedd bod prinder ychen i dynnu'r wageni. Gwthiwyd gwartheg a bustych i'r iau a bu'n rhaid benthyg a begera o'r cwmnïau eraill i gael digon o anifeiliaid i symud ymlaen. I wneud pethau'n waeth, lladdwyd nifer o'u hanifeiliaid gan ryw bowdwr gwyn, gwenwynig a orchuddiai'r glaswellt mewn mannau yn y mynyddoedd. Mewn blynyddoedd i ddod, fel y cawn weld, profodd y powdwr hwn yn un o brif beryglon y trywydd.

Ym mintai'r Bennioniaid, ac ym minteioedd eraill y flwyddyn honno, yr oedd prinder dynion. Dengys cyfrifiad o'r Mormoniaid a wnaethpwyd yn Winter Quarters yng ngaeaf 1851/52 fod 2,983 ohonynt yn wragedd a phlant a dim ond 500 yn ddynion. Y rheswm am hynny oedd bod 550 o ddynion wedi ymadael am Galiffornia, i ymladd ar ochr yr Americaniaid yn y rhyfel yn erbyn y Mecsicaniaid, er mwyn ennill arian i brynu bwyd i'w teuluoedd. Treuliasant 12 mis yno cyn dod yn ôl at eu teuluoedd yn y Dyffryn. Ac yr oedd 144 arall wedi mynd gyda Brigham Young ddeufis ynghynt. Y mae un o'r dyddiadurwyr ym mintai John a Samuel yn nodi bod 30 o'r 87 wagen yn y fintai heb ddynion i'w gyrru. Felly bwriodd y gwragedd iddi i ddysgu'r grefft. 'Gan ein bod yn deulu niferus a help yn brin,' meddai un ohonynt, 'penderfynodd dwy ohonom y gallem drin gwedd o anifeiliaid heb drafferth. Er mai mewn dinas y bûm yn byw a heb arfer â'r bywyd yma, heb erioed weld ychen mewn iau, eto teimlwn y gallwn wneud beth bynnag a wnâi unrhyw wraig arall. Felly, â'm chwip ar fy ysgwydd, gyrrais allan o Winter Quarters ac yn fuan medrwn drin fy ngwedd gystal â neb.' Bu'n rhaid i wragedd y Bennioniaid hefyd yrru wageni dros y paith. Y mae'n glir fod braich Esther yn dal i'w phoeni ond ni chafodd ei hesgusodi o'r gwaith.

Nid mater o eistedd yn gysurus mewn wagen a thynnu yn yr awenau yn awr ac yn y man yw gyrru wagen ag ychen. Nid yw'n bosibl rheoli ychen trwy roi genfa rhwng eu danedd. Rhaid cerdded wrth eu hochr, gafael yn eu cyrn, curo'u ffroenau, chwipio'u hochrau, gweiddi cyfarwyddiadau a'u hyfforddi i ufuddhau. 'Wrth fynd i lawr allt, daliwn yr ych chwith wrth ei gorn a waldio'r dde ar ei drwyn gan weiddi "Whoa back, whoa back," ysgrifennodd un o'r gwragedd. 'Daliwn fy anadl nes i ni gyrraedd y gwaelod. Yno byddwn yn stopio, cymryd anadl ddofn o ryddhad, gwneud yn siŵr fod popeth yn ei le ac yna symud ymlaen eto, oherwydd gwyddwn fod wageni eraill ar fy nghynffon.' Cofiai Mary Jane Tanner ei mam yn gyrru ar y trywydd. 'Yr oedd y llwybr yn garegog ac, yn aml, neidiai fy mam i lawr i arwain yr ychen a'u cadw rhag gwylltio. Gwrthodai un o'r ychen ddal yn ôl ac yr oedd yn rhaid iddi ddal yn ei gorn ag un llaw a'i ffustio ar ei drwyn â'r llall.' Y mae'n siŵr i Esther, gyda'i braich doredig, gael amser caled.

Ar ben hyn, amcangyfrifwyd fod 20 y cant o'r gwragedd a

groesodd y paith mewn wageni yn feichiog. Ni chaent unrhyw ofal arbennig. Disgwylid iddynt goginio a golchi a gofalu am y plant yn ogystal â gwneud eu dyletswyddau ychwanegol fel gyrru wageni. Mae George Whitaker, un o ffrindiau agosaf Samuel a John Bennion, yn disgrifio genedigaeth ei fab. 'Neithiwr bendithiwyd fy ngwraig a minnau â bachgen nobl. Ni fedrem symud ymlaen y diwrnod wedyn oherwydd bod rhai o'r ychen yn wael. Tipyn o lwc i'm gwraig oherwydd yr oedd eisiau seibiant arni hithau hefyd.' Gyrrodd gwraig arall yng nghwmni John a Samuel wagen yr holl ffordd i'r Dyffryn. Ganwyd merch fach iddi bum niwrnod ar ôl iddi gyrraedd a daeth y ddwy, mam a merch, drwy'r profiad yn fyw ac yn iach.

Yn teithio yng ngharfan Jedediah Grant, capten un o'r grwpiau o gant o deuluoedd, yr oedd merch o'r enw Martha Jane Williams. Gydag enw fel yna gallasai'n hawdd fod yn Gymraes ond wyddom ni ddim o'i hanes. Ni wyddom o ble y daeth na beth a ddigwyddodd iddi wedyn. Y mae hi'n un o'r miloedd hynny sydd wedi llithro trwy rwyd yr haneswyr. Yr unig beth a wyddom amdani yw ei bod yn 17 oed ac yn feichiog. Ddeufis i mewn i'r daith, ysgrifennodd Jacob Gates yn ei ddyddiadur fod y babi wedi dechrau dod. 'Tua hanner dydd, cymerwyd y chwaer Martha Williams yn wael mewn man lle nad oedd na dŵr na choed na phorfa. Aethom yn ein blaenau dros lwybrau geirwon hyd nes iddi nosi. Erbyn hyn yr oeddem mewn trafferth, gan ein bod ymhell tu ôl i weddill y fintai ac yn cario llwyth trwm a heb olau na matsien i gynnau tân, a hithau yn y fath gyflwr peryglus. Aethom yn ein blaenau eto mor gyflym ag y medrem, nes i ni ddod o fewn milltir i'r gwersyll. Daeth bydwraig i'n cyfarfod yn cario golau. Ychydig cyn hanner nos, cyrhaeddom y gwersyll. Yr oedd y babi'n farw.' Ond o leiaf daeth Martha Jane ei hun yn fyw drwy'r profiad. Nid felly wraig Jedediah. Bu hi a'i phlentyn newydd-anedig farw 75 milltir o'r Dyffryn. Y noson honno adeiladwyd ei harch a gosodwyd hi ynddi wedi ei lapio mewn lliain gwyn. Cyn i'r wawr dorri'r bore wedyn gadawodd Jedediah y fintai a gyrru am y Dyffryn gyda'i gargo trist. Fe'i claddwyd hi yno, y wraig wen gyntaf i'w chladdu yn Utah.

Y mae'n glir o ddyddiaduron a chofiannau mintai John a Samuel mai'r diwrnod mwyaf cofiadwy ar y daith oedd y diwrnod yn nechrau Medi pan ddaeth Brigham Young i mewn i'w gwersyll ar ei ffordd yn ôl o'r Llyn Halen i Winter Quarters. Yr oedd wedi gadael y rhan fwyaf o'i gwmni yn y Dyffryn ac yn dychwelyd er mwyn arwain mintai arall allan ym 1848. Pan gyfarfu â mintai John a Samuel daeth â'r newyddion da bod y Dyffryn yn ymddangos yn ffrwythlon ac yn gartref delfrydol i'r Saint. Roedd hyn yn rhyddhad mawr i bawb. Penderfynwyd dathlu'r newyddion. Lladdwyd bustych.

Ond nid oedd dathlu yn wagen John Bennion. Yr oedd Ann, ei ferch fach, yn wael iawn. Yn y pnawn dechreuodd fwrw eira a chyn hir gorweddai trwch o wyth modfedd ar lawr. Dechreuodd rhai boeni bod y gaeaf yn cau amdanynt ac na chaent fyth ddianc o'r mynyddoedd. A'r pnawn hwnnw, bu Ann farw. Nid oes esboniad sut iddi farw, dim ond ychydig eiriau moel mewn llythyr oddi wrth John at ei chwaer-yng-nghyfraith, Hannah. 'Anfonais lythyr atoch ar y 7fed o Fedi yn adrodd peth o hanes ein taith o Garden Grove i leoliad ein profedigaeth, oherwydd yno collwyd ein merch fach.' Nid yw llythyr y 7fed o Fedi wedi goroesi. Erbyn nos, cliriodd yr eira.

Holwyd Brigham yn fanwl am y Dyffryn. Cychwynnwyd aredig, meddai, o fewn dwy awr i'r fintai gyrraedd. Wyth niwrnod wedyn yr oedd 35 acer wedi eu hagor a'u plannu. Cyn i Brigham adael, gwelodd yr ŷd wedi tyfu tair modfedd a'r tatws a'r ffa yn ffynnu. O'r diwedd gallai'r Saint deimlo bod pen draw i'w holl grwydro a bod y Seion a addawyd iddynt gan Dduw o fewn eu cyrraedd. Tynnwyd llestri gorau'r fintai o'r wageni a chafwyd gwledd a dawns.

Cymysgedd ryfedd o emosiynau fyddai'n corddi'r teulu yn wagen Esther a John y noson honno. Gohiriwyd angladd Ann. 'Fe gariwyd ei chorff gyda ni y diwrnod canlynol am 13 milltir,' ysgrifennodd John, 'ac yna fe'i claddwyd ar fore'r 9fed, yn agos at y gwersyll a elwir yn "Pacific Springs" ar ochr chwith y ffordd. Torrais ar ei bedd y geiriau a ganlyn: "Ann Bennion, bu farw ar y 7fed o Fedi, 1847, yn 1 mlwydd, 9 mis ac 19 diwrnod oed."' Pacific Springs oedd y ffynhonnau cyntaf ar lethrau gorllewinol y Rockies, tarddiad y dŵr cyntaf a redai i'r Môr Tawel. Ar ôl croesi'r grib, byddent wedi dod i diriogaeth Mecsico. Efallai iddynt gario ei chorff i'r man hwnnw er mwyn ei chladdu tu hwnt i gyrraedd eu gelynion yn y Taleithiau neu, efallai, er mwyn i'r bedd gael golygfa draw i'r gorllewin, i gyfeiriad

Seion. Annhebyg fod yr ing o golli plentyn yn llai bryd hynny nag ydyw heddiw, ond roedd yn brofiad mor erchyll o gyffredin fel bod nifer o'r teuluoedd yn y fintai yno i rannu yng ngalar John ac Esther ac i'w cysuro.

O'r diwedd, dros gan niwrnod wedi gadael Winter Quarters a'r Missouri, cyrhaeddodd John a Samuel a'u teuluoedd ben eu taith. 'Nid anghofiaf fyth y profiad o weld y Dyffryn am y tro cyntaf,' ysgrifennodd un o'r fintai. 'Yr oedd siafft fy ngherbyd wedi torri ac wedi ei chlymu gan gortyn. Yr oedd fy olwynion mor simsan â dwn i ddim be. Disgwyliwn weld yr hen gerbyd yn datgymalu ac yn cwympo'n ddarnau yn y man a'r lle. Ond fe lwyddodd rywsut i gyrraedd pen y daith mewn un darn, a phan welais yr olygfa hyfryd, O! fel y llamodd fy nghalon. Medrwn fod wedi chwerthin ac wylo, y fath gymysgedd o deimladau ni fedraf eu disgrifio. Llanwyd fy enaid gan ddiolchiadau i Dduw am ddod â ni i le mor heddychlon – ein cartref.'

Y gwirionedd oedd mai lle garw a llwm oedd eu cartref newydd. Y mae dros 95 y cant o Utah yn fynydd-dir neu'n ddiffeithwch. O gwmpas yr ychydig dir ffrwythlon y mae eangderau maith o wacter sych. A heblaw am yr ychydig helwyr a llwyth neu ddau o Indiaid, nid oedd yr un enaid arall yn byw am gannoedd o filltiroedd i bob cyfeiriad. Ond, wrth gwrs, dyna ddymuniad y Mormoniaid, dyna a'u denodd i'r fan yn y lle cyntaf. 'Ni fydd ein gelynion yn genfigennus ohonom yn y lle hwn ac ni ddônt fyth i'n haflonyddu,' ebe Brigham Young mewn araith i'w bobl. 'Cyhyd â'n bod yn cadw ein gafael ar y Dyffryn ac ar yr ychydig bocedi eraill o dir ffrwythlon, ni fydd yma le i ymfudwyr eraill ymgartrefu o'n cwmpas.'

Gwireddwyd yr addewidion i John a Samuel. Cawsant fyw heb ymyrraeth a heb erledigaeth. Ysgrifennodd John yn ddiweddarach, 'Os trig heddwch mewn unrhyw fan yn y byd, yma y mae. Ac yma y triga pobl hapusaf a mwyaf ffyniannus y ddaear, yn mwynhau tir rhad, awyr bur a'r rhyddid i foliannu Duw fel y mynnant.' Am weddill eu hoes bu'r berthynas rhwng y ddau frawd a'u teuluoedd yn rhyfedd o agos, yn rhannu tŷ a chydweithio a chydaddoli. Trodd y gaseg las, yr wyth ych, yr un fuwch, y ddwy heffer a'r un ddafad ddaeth i'r Dyffryn gyda'r ddau frawd yn gant o geffylau,

1,600 o wartheg a thua 7,000 o ddefaid. Buddsoddodd y ddau mewn melinau blawd a gwlân, mewn siopau ac mewn sawl busnes llwyddiannus yn Ninas y Llyn Halen ac yn Utah a daethant yn ddynion cyfoethog iawn.

Ym 1872, yn ŵr cefnog a phwerus, aeth John ar daith genhadu yn ôl i Benarlâg. Yr oedd Catherine, chwaer y sgweier, erbyn hyn wedi priodi Mr Gladstone, y prif weinidog, ac ymgartrefai'r ddau yn y castell. Un diwrnod aeth John am dro gyda'i gyfnither drwy barc y stad a phwy ddaeth heibio yn ei choets ond Mrs Gladstone. 'Arhosodd i siarad â ni ac fe'm cyflwynwyd iddi,' ysgrifennodd John. 'Dywedodd ei bod yn fy nghofio fel mab bychan Betty Bennion pan arferai ymweld â ni yn y bwthyn 45 o flynyddoedd ynghynt. Gwahoddwyd ni i'r castell i gael te.' Dyna beth oedd braint! Mab un o'r tenantiaid yn cael gwahoddiad i de gan deulu'r plas! Ond na! Nid te gyda Mr a Mrs Gladstone yn y 'sitting room' oedd yn eu haros. Yn hytrach, te yn y gegin gyda'r gweision. Wedi'r cyfan, tenant oedd tenant yn oes Fictoria. Trech gwaed nag unrhyw ffortiwn, yn enwedig ffortiwn Americanaidd, Formonaidd. Gwyddai John ei le. Nid oes dim i gofio amdano ym Mhenarlâg heddiw.

Ond fe adawodd ef a Samuel eu marc ar America. Y mae Dinas y Llyn Halen yn frith o sefydliadau ac arweddion daearyddol a enwyd ar eu holau. Allan ar gyrion y ddinas y mae Bennion Hill a thu hwnt i hwnnw, uwchben un o 'ranches' y teulu, Bennion Creek a Bennion Canyon. Yn ne-orllewin y ddinas, lle buont yn ffermio drwy'u hoes, yr oedd maestref Bennion, sydd heddiw'n rhan o faestref Taylorsville. Ond y mae Bennion Park yn bodoli o hyd, a Bennion Boulevard, Bennion Junior High, Bennion Elementary ac yn y blaen. A chofir cyfraniad y teulu i hanes cynnar y ddinas yn amgueddfa'r faestref, y Bennion Heritage Centre.

1848

UN O'R YCHYDIG GYMRY y gwyddom amdanynt ar y trywydd ym 1848 oedd Sarah Price o Hanmer ym Maelor Saesneg. Sarah hefyd oedd un o'r Cymry cyntaf i glywed neges y Mormoniaid yng Nghymru ac y mae'n ddigon posibl iddi ei chlywed o enau Brigham Young ei hun. Anfonwyd ef ac wyth arall i genhadu ym Mhrydain gan Joseph Smith yn Ebrill 1840. Gweithient yn bennaf yn ninasoedd diwydiannol gogledd Lloegr, ym Manceinion a Preston a Lerpwl, ond, ar adegau, crwydrent i bregethu a dosbarthu pamffledi mewn ardaloedd y tu hwnt i'w dalgylch arferol. Yn nechrau hydref 1840 croesodd Brigham Young i Gymru ar un o'r teithiau hyn, gan alw yn Cloy, rhes o dai tu allan i Owrtyn Fadog (Overton) ym Maelor Saesneg. Yr unig gofnod o'i ymweliad yw'r ychydig frawddegau mewn llythyr a anfonodd at ei wraig yn Nhachwedd y flwyddyn honno. 'Daeth neges o Gymru lle bu'r Brawd Kimball a minnau yn cenhadu yn ddiweddar. Teimlai llawer o'r bobl yno yn flin nad ufuddhasant i'r efengyl pan fuom yno. Dywedasant fod gennym yr un pwerau â'r hen apostolion. Llwyddasom i wella un dyn ieuanc a oedd yn bur wael drwy arddodi dwylo arno a gweddïo ar i'r salwch ei adael. Arddodwyd dwylo hefyd ar hen wraig ddall a daeth ei golwg yn ôl yn syth.' Ar ôl ymweliad Brigham anfonwyd dau genhadwr arall o Fanceinion i ardal Owrtyn a chawsant lwyddiant ysgubol. Erbyn mis Chwefror 1841 yr oedd ganddynt dros gant a hanner o aelodau yn yr ardal.

Ond yr hyn sy'n hynod am gangen Owrtyn Fadog yw iddi ddiflannu'n gyfan gwbl yn weddol fuan ar ôl ei chreu. Pan anfonwyd y cenhadon nesaf i ogledd Cymru ym 1845, nid oes sôn amdani. Y tebygrwydd yw bod mwyafrif y gangen, fel Sarah, wedi gadael am America a bod y gweddill wedi ymuno â changhennau eraill dros y ffin.

Ym 1843 yr oedd Sarah yn 21 oed. Ar y 3ydd o Ionawr y flwyddyn honno priododd â Charles Smith, brodor o Swydd Gaer, a ddau ddiwrnod wedyn yr oeddent ar fwrdd y *Swanton* yn harbwr Lerpwl yn paratoi i adael am Nauvoo. Cadwai Charles ddyddiadur sydd wedi goroesi. Dyn gofalus ydoedd, ychydig yn swil efallai. Defnyddiai law-fer Pitman i gadw'r nodiadau yn ei ddyddiadur yn breifat. Awgryma ei fedrusrwydd â'r llaw-fer iddo gael addysg dda ond ni warantodd hynny swydd gysurus iddo yn Nauvoo. Cronicl o lafur caled, di-dor sydd yn y dyddiadur, yn gyntaf yn y gwaith brics ac yna yn y rhafflan, yn gweu rhaffau o gywarch (*hemp*). Er hynny, nid yw Charles yn cwyno. Y mae wrth ei fodd yn gwrando ar Joseph Smith yn pregethu, y mae'n falch o fod yn aelod o seindorf bres y dref, y mae'n ddiolchgar am y cyfrifoldebau di-dâl a roddwyd iddo o fewn yr Eglwys ac y mae'n dyfynnu adnod o'r Salmydd i gysuro ei hun. 'Cesglwch, fy saint, ynghyd ataf i, y rhai a wnaethant gyfamod â mi trwy aberth.'

Ym 1844 ganwyd mab iddynt ond bu farw yn fuan wedyn. Yn hydref 1845 gwnaeth Charles ei ran yn amddiffyn Nauvoo yn erbyn ymosodiadau'r 'cenhedloedd', ond pan ddaeth yn amser iddo ef a Sarah adael am y Llyn Halen yng ngwanwyn 1846 nid oedd ganddynt y modd i dalu am ychen a wagen a'r bwyd a'r nwyddau angenrheidiol, felly bu'n rhaid iddynt aros ar ôl yn Nauvoo. Ym mis Awst ganwyd mab arall iddynt, Edward. Trwy gydol 1846 a 1847 bu Charles yn gweithio i geisio ennill digon i groesi i'r Dyffryn. Aeth i lawr i St Louis deirgwaith i edrych am waith. Bu'n cadw siop, yn gyrru wagen ac yn gweithio ar agerfad o'r enw *Iron City* ar y Mississippi. Yr oedd wedi adeiladu caban ar lain o dir yn Nauvoo a phenderfynodd ei werthu i godi arian. Costiodd y caban $47 i'w adeiladu ond bu'n rhaid iddo ei werthu am $10. Erbyn gwanwyn 1848 yr oedd wedi cynilo digon i brynu buwch a dau ych, llenwi wagen â bwyd ac offer a gadael gyda Sarah a'r bachgen am y Missouri. Yno ymunasant â'r ddwy fintai fawr oedd i groesi i'r Dyffryn y flwyddyn honno, y gyntaf dan ofal Brigham Young ac yn cynnwys 1,220 o bobl a'r ail dan ofal Heber Kimball, yn cynnwys 662. Trwy gyd-ddigwyddiad, dyma'r union ddau ddyn ddaeth i bregethu i Cloy wyth mlynedd ynghynt. Rhoddwyd Sarah a'i gŵr ym mintai Kimball.

Parhaodd Charles i gadw'i ddyddiadur ar y daith ond nid yw'n ddyddiadurwr da na chyson. Yn achlysurol, cawn berl bach o ddisgrifiad ganddo, fel y noson honno pan fu ond y dim i Sarah ac Edward ac yntau gael eu llosgi'n fyw yn y wagen. 'Pan ddaeth yn amser noswylio aethom â llond rhaw o farwydos gyda ni i'r wagen i gadw'n gynnes. Yna i'r gwely. Rywbryd yn ystod y nos, cododd y gwynt gan chwythu gwreichion o gwmpas y lle. Aeth nifer o bethau ar dân gan gynnwys fy nhrowsus. Deffrowyd fi gan arogl mwg a chodais mewn ofn a diffoddais y tân.' Ond, ar y cyfan, anniddorol yw'r cynnwys. Dim ond y pellter a deithiwyd bob dydd a lleoliad y gwersyll bob nos y tuedda Charles i'w cofnodi. 'Dydd Sul 3ydd. Gadawsom Pacific Springs. Drannoeth cyraeddasom afon Little Sandy. Y diwrnod wedyn i Big Sandy. Y diwrnod wedyn lawr Big Sandy 17 milltir. Y diwrnod wedyn i'r Werdd.' Ac yn y blaen.

Ond nid oes prinder dyddiadurwyr eraill yn y fintai. O'r cychwyn cyntaf, gwyddai'r Saint y byddai hanes yr arloeswyr ar y trywydd, eu dewrder a'u ffydd drwy'r holl dreialon, yn ysbrydoliaeth ac yn esiampl i'w disgynyddion. Ystyrid cadw dyddiadur, neu 'gof-lyfr', yn ddyletswydd grefyddol. Yn ôl *Llyfr Mormon*, pan ddaeth yr Iesu i America ar ôl ei groeshoeliad, gorchmynnodd i'w ddilynwyr 'ysgrifennu y pethau a welsoch ac a glywsoch, canys allan o'r llyfrau a ysgrifennir y bernir y byd'. 'A ydyw gweision Duw wedi bod yn ffyddlon yn y peth hwn?' gofynnodd cyfrannwr i gylchgrawn y Mormoniaid yng Nghymru ym Mehefin 1850. 'Annwyl frodyr, os ydym wedi bod yn ddioglyd hyd yn hyn ac wedi esgeuluso gorchymyn ein Harglwydd, na fydded i ni fod yn ddioglyd nac yn esgeulus o hyn allan. Pryned pob un lyfryn gwyn bychan ac ysgrifenned ynddo ei lafur ei hun a phob digwyddiad neilltuol perthynol i waith Duw ag y sydd yn dyfod o dan ei sylw.' Haul neu law, storm neu hindda, dyletswydd gyntaf y dyddiadurwr cydwybodol ar y trywydd, ar ôl codi'r babell a dyfrio'r ychen a thrwsio'r wagen a chynnau'r tân, oedd estyn am ei bensil. 'Codaf yn y nos, pan mae fy mabi a phawb arall yn cysgu,' ysgrifennodd un ohonynt, 'goleuaf gannwyll a dechrau ysgrifennu.' 'Ysgrifennaf yng nghanol sŵn mawr a miri,' ebe un arall. 'Esgusodwch yr holl gamgymeriadau a'r ysgrifen wael,' ysgrifennodd trydydd. 'Mae'r gwynt yn chwythu'r wagen fel ei bod bron yn amhosibl i mi ysgrifennu.' Y canlyniad yw bod cannoedd o ddisgrifiadau o'r daith i Ddinas y Llyn Halen wedi eu cadw, llawer ohonynt gan Gymry, rhai ohonynt, fel dyddiadur Charles Smith, yn arwynebol ac anniddorol, ond eraill yn llawn rhamant a hiwmor a disgrifiadau bywiog o'r daith. Gyda'i gilydd, ffurfiant balet o liwiau cyfoethog sydd wedi galluogi'r haneswyr i baentio hanes yr ymfudiad yn fanwl a chofiadwy.

Yr oedd pump o ddyddiadurwyr da yn teithio gyda Charles a Sarah ym mintai Kimball a goroesodd tua deg o ddyddiaduron o fintai Brigham Young. Yn ogystal, casglwyd dros bedwar ugain o gofiannau neu hunangofiannau gan neu am aelodau o'r ddwy fintai. Wrth gwrs, nid yw'r cofiannau hyn mor ddibynadwy â'r dyddiaduron. Ffrwyth edrych yn ôl ar ddiwedd oes yw'r rhan fwyaf ohonynt. Ysgrifennwyd hwy'n aml hanner can mlynedd neu ragor ar ôl y digwyddiadau a ddisgrifir ynddynt ac, yn naturiol, wrth adrodd ac ailadrodd y stori i'w plant ac i'w hwyrion, aeth yr eira'n ddyfnach a'r bleiddiaid yn ffyrnicach a'r Indiaid yn fwy gwyllt. Ond o roi'r pymtheg dyddiadur a ysgrifennwyd ar y paith ym 1848 at ei gilydd a defnyddio'r atgofion i lenwi'r bylchau, y mae'n bosibl creu argraff go dda o sut brofiad fu croesi'r paith i Sarah a Charles. Heddiw y mae'r dyddiaduron a'r cofiannau i gyd wedi eu casglu a'u cadw yn archif yr Eglwys yn Ninas y Llyn Halen ac ar gael i'w darllen ar wefan Llyfrgell Hanes yr Eglwys. Casglwyd eraill o rai'r Cymry ar wefan werthfawr arall, sef welshmormon.byu.edu, ffrwyth llafur y cawr ym myd astudiaethau Mormonaidd Cymreig, yr Athro Ron Dennis.

Yn y gwersyll ymgynnull ar lan y Missouri, paratowyd y dibrofiad ar gyfer y treialon a'u hwynebai ar y trywydd. Rhannwyd hwy i gwmnïau, esboniwyd y rheolau iddynt, dysgwyd hwy sut i goginio yn yr awyr agored, sut i godi pebyll a sut i lwytho wageni. Ond yn bennaf, dysgent sut i reoli gwedd o ychen a sut i'w cael i'r iau ar ddechrau dydd, tasg oedd yn drech na'r mwyafrif ohonynt ar y cychwyn. Yr oedd Alexander Baird wedi bod yn y llynges drwy'i oes. 'Nid oeddwn erioed wedi gweld iau o ychen yn fy mywyd o'r blaen ac ni wyddwn fwy amdanynt hwy nag a wyddent hwythau amdanaf innau. Yn wir, y tebygrwydd yw eu bod yn gwybod mwy amdanaf i.' Yr oedd yn rhaid cael yr ych cywir i'r iau cywir ac ar ochr gywir yr iau. Waeth heb â chlymu ych chwith yr iau blaen ar ochr dde'r iau ôl. A rhaid oedd meistroli'r chwip i gael yr anifeiliaid i symud. 'Bu'n oes cyn i mi fedru taro'r hyn yr anelwn amdano â'r chwip, sydd yn rhan mor hanfodol o sgiliau'r gyrrwr. Gadewais aml i gwt poenus ar fy ngwar wrth ddysgu.' Dysgwyd sut i weiddi 'Gee' os am gael yr ychen i droi i'r dde, a 'Ho' os i'r chwith, gan alw enw'r ych gyda phob gorchymyn. Ond anodd oedd cofio p'run oedd p'run yng ngwres y foment. 'Wrth i ni agosáu at gorneli troellog yn y ffordd, ymchwyddai'r "Geeiau" a'r "Hoiau" i gresiendo aflafar, pawb yn gweiddi am y gorau, a'r ychen druain mewn dryswch llwyr.' Ond ymhell cyn diwedd y daith byddent yn 'geeio' a 'hoio' gyda'r gorau, a chlecian y chwipiau fel meistri. 'Cyn i mi gyrraedd Dinas y Llyn Halen, medrwn blicio pryfyn oddi ar glustiau'r ych blaen heb iddo deimlo dim.'

Ar ddiwedd dydd byddai'r dynion yn gyrru'r anifeiliaid at ddŵr ac yna allan i'r *prairie* i bori. Rhedent y wageni yn gylch a'u clymu i'w gilydd i ffurfio corlan i grynhoi'r ychen a'r gwartheg dros nos. Yn y cyfamser byddai'r gwragedd yn coginio. Ar y cychwyn, cymerent awr neu fwy i baratoi pot o goffi. Yr oedd yn rhaid nôl y dŵr, casglu'r tanwydd, cynnau'r tân a rhostio'r ffa ac yna eu malu. Gwae hwy os byddai'n wyntog neu'n lawog. 'Er nad oes llawer i'w goginio, y mae'n waith llafurus ac araf. I fyny a lawr i'r wagen yn ddiddiwedd, ar ein cwrcwd o flaen y tân, yn ôl a blaen i'r afon drwy gyda'r nos, golchi'r llestri heb unlle i'w draenio, paratoi bwyd ar gyfer y bore.' Bara a chig moch oedd y prif fwydydd, y bara'n debycach i grempog galed nag i dorth, a gallasai 'cig moch' ar y paith fod yn unrhyw ddarn o'r mochyn, cyhyd â'i fod wedi'i halltu. Bwyd arall cyffredin oedd 'mush', math o uwd gwan wedi ei wneud o flawd india-corn. Yr oedd ffa o bob math yn boblogaidd gan eu bod yn cadw gystal ar ôl eu sychu: ffa Ffrengig, ffa pinto, ffa duon, ffa lima. 'Byddem yn coginio mewn sgilet, math o badell ffrio ar dair coes gyda chaead soled o haearn bwrw. Llenwyd ef â bara sych a chig a ffa ac ychydig ddŵr a rhoi'r caead drosto a'i osod yng nghanol y tân. Yna pentyrrwyd marwor drosto. Ar nosweithiau gwyntog byddem yn cynnau'r tân mewn pant a thorri sianel gul i'r gwynt gyrraedd ato.'

Cynghorwyd yr ymfudwyr i fynd â buwch gyda hwynt i gael llefrith ffres yn ddyddiol. Wrth gychwyn yn y boreau clyment gan o hufen wrth gefn y wagen ac erbyn amser cinio byddai wedi ei gorddi gan ysgytwadau'r wagen yn dalp o fenyn melyn. Llwyddai rhai teuluoedd, os oedd ganddynt helwyr da, i ychwanegu anifeiliaid ac adar gwylltion i'w cawl – ceirw ac elc, hwyaid, gwyddau ac ieir y paith. Yn ddiweddarach, ar ôl pasio Grand Island, 250 o filltiroedd o'r Missouri, deuent i diriogaeth y byfflo a byddai stêcs ar y fwydlen. Amrywiai'r farn am eu blas. 'Y mae meddwl am olwyth o gig byfflo yn ddigon i dynnu dŵr o'm dannedd,' ysgrifennodd un. 'Y cig mwyaf annymunol i mi ei fwyta erioed,' oedd barn un arall. 'Nid wyf yn credu bod unrhyw gig gwell.' 'Amhosibl i'w fwyta.' 'Toddi yn fy ngheg.' '*Chef-d'oeuvre* o gegin y Diafol.' Dysgodd yr ymfudwyr yn fuan fod tafod y byfflo a'r cig ar yr asennau ac yn y crwb ar ei gefn yn llawer mwy brau a blasus na'r gweddill. Sychent y cig fel y gwnâi'r Indiaid, ei dorri'n stribedi hir a'i glymu am ddiwrnod neu ddau yn rhubanau pinc, gwaedlyd ar ochrau eu wageni. Wedi iddo sychu byddai'n cadw am weddill y daith.

Ychydig ddyddiau cyn gadael y gwersyll ymgynnull, nododd Charles yn ei ddyddiadur ei fod wedi mynychu cyfarfod trefnu'r fintai. Cynhelid cyfarfodydd tebyg ar ddechrau pob taith er mwyn cytuno â'r rheolau a chymeradwyo'r swyddogion a ddewiswyd ar eu cyfer. Er bod gan bob dyn yn y fintai yr hawl i bleidleisio yn erbyn y dewisiadau, anaml iawn y gwnaent hynny. Os oedd yr Apostolion a'r Proffwyd wedi penderfynu ar eu rhan, pwy oeddent hwy i anghydweld? Cadarnhawyd Heber Kimball fel capten y fintai a chymeradwywyd yr is-gapteiniaid a'r is-is-gapteiniaid a ddewiswyd yn ôl y drefn a osodwyd gan Brigham flwyddyn ynghynt.

Yr oedd capten da yn cyfrannu'n sylweddol at lwyddiant y daith. Disgwylid iddo arwain drwy esiampl, ar y blaen wrth groesi afonydd, y cyntaf i wynebu unrhyw berygl, yn gadarn mewn argyfwng. Cadwai gysylltiad â'r minteioedd eraill a gyd-deithiai'r trywydd ochr yn ochr â'i fintai ef. Arno ef yr oedd y cyfrifoldeb o ddewis y lleoliadau gwersylla, gan ofalu bod dŵr a phorfa dda yn gyfleus i'r anifeiliaid. Rhaid oedd iddo fod yn gyfarwydd ag arferion yr Indiaid, gan wybod pryd i anwybyddu eu bygythiadau a phryd i'w cymryd o ddifrif. Ei gyfrifoldeb ef oedd paratoi'r fintai ar gyfer peryglon y paith, dysgu'r dynion i drin eu harfau fel na thanient ar ddamwain a dysgu'r plant i gadw'n glir o'r olwynion. A'i brif gyfrifoldeb oedd ennyn parch ei fintai a'i chydweithrediad. 'Y mae arwain pum cant o Saint ar daith o fil o filltiroedd trwy anialwch gwag yn ddigon i drethu amynedd y gorau o ddynion,' ysgrifennodd un o'r capteiniaid, 'yn enwedig pan fo'r pum cant rheini o wahanol genhedloedd, pob un â'u gwahanol arferion a rhai heb unrhyw brofiad o deithio gydag ychen.' 'Er bod plant Israel yn griw digon ystyfnig a swnllyd yn y diffeithwch,' ebe un arall, 'doedden nhw'n ddim o'u cymharu â 'nghriw i.'

Yng nghyfarfod trefnu Charles a Sarah cytunwyd ar wyth o reolau:

(1) Codi am 4.30 ar alwad y corn boreol.

(2) Cyfarfod gweddi am 5.30 ar alwad y corn.

(3) Ni chaniateir chwarae cardiau.

(4) Cŵn i gael eu clymu i'r wageni dros nos.

(5) Ni chaniateir iaith anweddus.

(6) Pob dyn i helpu yn ei dro i yrru'r anifeiliaid rhydd (sef y gwartheg a'r defaid a'r moch).

(7) Yr ychen i gadw cyflymder o 3 milltir yr awr.

(8) Pob sŵn a chynnwrf yn y gwersyll i dawelu ar ôl 8 o'r gloch y nos.

Amrywiai'r rheolau o fintai i fintai yn ôl mympwy'r capteiniaid. Dyma, er enghraifft, reolau'r drydedd fintai y flwyddyn honno, rheolau sydd yn llawer mwy manwl a phenodol:

(1) Pob teulu i gael teithio ar flaen y fintai yn eu tro. (Yr oedd hyn i sicrhau bod pawb yn cael osgoi llwch y fintai am gyfnod.)

(2) Eiddo coll i'w roi yng ngofal capten yr hanner cant.

(3) Cŵn i gael eu clymu dros nos.

(4) Neb i adael y gwersyll ar ei ben ei hun heb ganiatâd y capten.

(5) Pob dyn i ddyfod i'r cyfarfod gweddi teuluol gyda'r hwyr ar alwad y corn.

(6) Y gwylwyr nos i gyfnewid lle â cheidwaid y gyr o 8.30 p.m. tan y corn boreol.

(7) Pawb i godi ar alwad y corn boreol.

(8) Pawb yn barod i gychwyn erbyn 7.30.

(9) Ufudd-dod i'r swyddogion yn hanfodol.

(10) Pob dyn i fod yn gyfrifol am ddod â'i geffylau neu ei fulod ei hun i mewn i'r gorlan ar y machlud.

(11) Gyrwyr y wageni i fod yn gyfrifol am gael eu hychen i'r gorlan bob nos.

Y capten a benderfynai ar y cosbau o fewn ei fintai. Amrywient hwythau'n fawr hefyd. Mewn un fintai, er enghraifft, chwipiwyd gwylwyr yr anifeiliaid os cysgent ar eu gwyliadwriaeth. Mewn un arall, dyblwyd eu horiau gwylio'r tro nesaf. Ac mewn un arall eto, y gosb oedd gorfod cerdded dair gwaith o amgylch y gwersyll mewn het wedi ei haddurno â'r geiriau 'Sleepy-head'. Torrwyd rhai lladron allan o'r Eglwys a'u gadael ar ganol y paith, ond pan rwygodd Henry Carroll ei drowsus wrth dorri bedd i hen wraig, gan ddatgelu ei fod yn gwisgo trôns yr oedd wedi eu dwyn oddi ar frawd arall, cosbwyd ef trwy ei daflu i afon Platte a'i orfodi i orymdeithio o gwmpas y gwersyll am sbel gyda phwysau trwm ynghlwm wrth ei ffêr.

Ar ddiwedd y cyfarfod yr oedd gan Kimball ychydig eiriau o gyngor i'w rhoi i'w gwmni. Dywedodd ei fod yn disgwyl i'r brodyr arwain eu teuluoedd mewn gweddi ddwywaith y dydd, gan ofyn bendith hefyd ar yr anifeiliaid a'r wageni a'r gwersyll a'r swyddogion. Gofynnwyd iddynt hefyd gadw eu hiaith yn lân ac, yn olaf, gofynnwyd iddynt beidio caniatáu i'w gwragedd grwydro'r gwersyll gyda'r hwyr yn ymweld â ffrindiau, ond yn hytrach dreulio'r amser yn tacluso eu wageni a chadw eu plant yn lân. Cynghorwyd hwy hefyd i fynd i'r gwely'n gynnar.

Ar fore'r 7fed o Fehefin, rhoddwyd y gorchymyn o'r diwedd i'r wageni ddechrau symud. 'Yr oedd gweld y cwlwm yn ymddatod yn raddol a dechrau ymestyn yn araf a throellog fel neidr dros y paith yn olygfa llawn cynnwrf a rhamant,' meddai un o'r dyddiadurwyr. Ar y blaen yr oedd y capten yn marchogaeth. Yn ei ddilyn, cerddai'r gwragedd a rhai o'r plant hŷn yn casglu gwair a'i fwydo i'r anifeiliaid wrth iddynt basio. Yna deuai'r wageni, eu gyrwyr gyda'u chwipiau hirion yn clecian gorchmynion i'r anifeiliaid goddefgar. Ynddynt teithiai rhai o'r plant ieuengaf gyda'r hen a'r methedig, ond yr oedd y ffordd yn rhy garegog ac anwastad iddynt fod yn gysurus yno am yn hir, felly cerddai'r rhan fwyaf. Cyfrifwyd troadau'r olwynion gan glerc y fintai er mwyn mesur y pellter a deithiwyd. Ac yn y cefn deuai'r anifeiliaid rhydd a'u gwarchodwyr anffodus yn y llwch a'r baw. 'Yr oedd yn olygfa tu hwnt o brydferth,' cofiodd un o'r hen ymfudwyr. 'Pawb yn cadw'i le a phopeth mewn trefn, y wageni a'r gweddau yn gwau eu ffordd ar draws afonydd, ar hyd ochrau'r mynyddoedd, ar eu hynt i Utah, trwy gopaon y mynyddoedd, i'r lle yr addawodd Duw osod ei Deyrnas yn y Dyddiau Olaf, byth eto i'w dymchwel.'

Yr oedd Brigham a'i fintai wedi gadael ddiwrnod ynghynt ond yn fuan daliodd Kimball i fyny â hwy ac am gyfnod bu'r ddwy fintai yn cyd-deithio, 600 o wageni yn ymestyn dros bum neu chwe milltir ar hyd y trywydd, pob un yn dilyn o fewn 100 i 200 troedfedd i'r un o'i blaen.

Yn ogystal â'r 1,882 o unigolion, yr oedd hefyd 904 o ieir, 645 o ddefaid, 237 o foch, 134 o gŵn, 131 o geffylau, 54 o gathod, 44 o fulod, 11 o golomennod, 5 hwyaden, 5 cwch gwenyn, 3 gafr, un wiwer, 2,012 o ychen mewn harnais a 1,317 o wartheg godro a lloi. Y mae'n sicr fod Brigham Young a Kimball ar adegau'n teimlo'n fwy fel Noa na Moses.

Ar ddiwrnod arferol, teithient o hanner awr wedi saith y bore tan hanner dydd. Yna, saib er mwyn i'r anifeiliaid gael pori ac i'r Saint gael cyfle i fwyta pryd ysgafn a phendwmpian yng ngwres canol dydd, ac yna ymlaen eto am awr neu ddwy yn y pnawn nes i'r capten benderfynu ar le addas i wersylla. Ar ddiwrnod da llwyddent i deithio 15 milltir neu ragor. Ar ddiwrnod gwael, oherwydd salwch neu olwyn doredig neu anifeiliaid coll, ni symudent o gwbl. Cychwynnai pawb, wrth gwrs, mewn hwyliau da. Byrlymai'r hiwmor a'r tynnu coes o fewn y minteioedd. Hoffai'r holl ymfudwyr, y Mormoniaid a'r 'Babiloniaid', addurno'r cynfas a orchuddiai eu wageni â sloganau a symbolau a dywediadau doniol. Paentiwyd lluniau o eryrod a byfflo a llewod a jiraffod arnynt mewn golosg neu baent du. Ysgrifennwyd dywediadau bachog arnynt megis 'Never Say Die', 'Patience and Perseverance' neu 'Have You Seen the Elephant?' mewn llythrennau mawr bras. Arferai'r ymfudwyr i Galiffornia neu Oregon roi enwau eu minteioedd a'u rhif yn y fintai ar eu gorchudd: '21 Wolverine Rangers' neu '40 Pittsburgh and California Enterprise Co.'. Ar wageni'r Mormoniaid yr oedd tinc crefyddol i'r sloganau: 'Truth Will Prevail', 'Zion's Express', 'Blessings Follow Sacrifice' neu 'Merry Mormons'. Gwnâi hyn y wageni yn hawdd i'w hadnabod o bell.

Yr oeddent wrth eu boddau o fod, o'r diwedd, ar gymal olaf eu taith hir i Seion, taith a gychwynnodd, i rai, fisoedd, os nad flynyddoedd, ynghynt. Mwynheuent ddechrau'r daith yn fawr. 'Wedi tair wythnos, nid oedd neb yn y cwmni yn hapusach na mi,' ysgrifennodd un ferch ifanc. 'Llenwodd godidowgrwydd natur fi â theimladau diolchgar.' 'Edmygem y blodau a dyfai mor doreithiog mewn mannau. Casglem lond dwylo ohonynt i addurno'n wageni a llonni'n plant.' Ac ychwanegodd Charles Smith ei geiniogwerth o werthfawrogiad hefyd. Nododd yn ei ddyddiadur ar ddydd Sul y 18fed o Fehefin ei fod ef a Sarah wedi cael 'diwrnod pleserus iawn'.

Nid oedd prinder porthiant i'r anifeiliaid ar gychwyn y daith. Ffynnai glaswellt iraidd y *prairie* am 200 o filltiroedd a mwy yr ochr draw i'r Missouri. Yn y dyddiau cynnar hynny, tyfai'r glaswellt yn ddi-dor i'r gorwel, mor uchel mewn mannau fel bod dyn ar gefn ceffyl yn gorfod sefyll yn ei gyfrwy i weld drosto. Ysgubai gwyntoedd cryfion mewn tonnau drwyddo gan wneud i'r ymfudwyr deimlo eu bod yn ôl eto ar yr Iwerydd. Ychydig o goed oedd i ymyrryd â hynt y gwynt, dim ond clwstwr fan hyn a fan draw, yn bennaf ar yr ynysoedd niferus yn yr afon lle caent gysgod rhag yr anifeiliaid a'r tanau gwyllt a ysgubai'r paith o dro i dro. Ac yr oedd anifeiliaid ac adar newydd i ddal sylw'r ymfudwyr. Y 'prairie dog', er enghraifft, sy'n debycach o lawer i wiwer neu lygoden fawr nag i gi ac sy'n byw yn eu miloedd mewn dryswch o dwnelau yn ymestyn am filltiroedd ar hyd y trywydd. 'Daethom i wlad yn llawn o'r anifeiliaid bach yma. Gwnaent i'r mynyddoedd atsain drwy'r nos gyda'u cyfarth. Eisteddent wrth eu tyllau yn eu cannoedd, yn iepian a chyfarth nes i'r bechgyn ddod bron o fewn cyffwrdd iddynt ac yna troi ar eu cynffonnau a diflannu i'w tyllau.'

A'r byfflo. Edrychai pawb ymlaen at weld y byfflo cyntaf. Eu niferoedd oedd y rhyfeddod mwyaf. Nid oes unrhyw sicrwydd faint o fyfflo a grwydrai ganolbarth America bryd hynny. Deugain miliwn meddai rhai, can miliwn meddai eraill. 'Weithiau gwelem y gwastatir yn ddu gan fyfflo am ddeng milltir i bob cyfeiriad ac fe gymerai oriau iddynt fynd heibio i ni, i gyd ar garlam.' Amcangyfrifodd un dyddiadurwr ei fod wedi gweld rhwng 50,000 a 100,000 mewn un gyr. 'Annhebyg iawn y gall unrhyw un sydd heb weld y paith yn ddu gan fyfflo fyth gredu fy amcangyfrif o'u niferoedd.' 'Rwy'n gwybod bod miliwn yn swm enfawr,' ysgrifennodd Horace Greeley, golygydd y *New York Tribune* ar wibdaith yn y Gorllewin, 'ond gwn i mi weld dros filiwn o fyfflo ddoe.' Yn dilyn y byfflo deuai'r bleiddiaid, yn edrych am lo wedi colli'i fam neu hen anifail oedd yn methu cadw cyswllt â'r gyr. A thu ôl iddynt hwythau, y *coyotes* rheibus, 'ceiliogod y paith'. Hwy fyddai'n deffro'r ymfudwyr bob bore gyda'u corws dolefus ar doriad gwawr.

Mewn aml i lecyn tyfai blodau dienw yn garped dan draed.

Rhoddwyd enwau iddynt cyn hyfryted â'u lliw: pys aur y *prairie*, eira ar fynydd ac anadl babanod. Llenwir nifer o'r dyddiaduron gan ddisgrifiadau o harddwch y golygfeydd. 'Cawsom ein hunain yng Ngardd yr Arglwydd. Yr oedd aceri lawer o'n cwmpas heb ddim i'w weld ond y blodau mwyaf perffaith – pinc, melyn a gwyn liw'r eira, fel pe bai Fflora yn disgwyl amdanom ac wedi paratoi arddangosfa wych ar ein cyfer.' Ar bob llaw tyfai llwyni o fwyar a grawnwin a chyrens. Teimlent ar adegau eu bod yn troedio paradwys. 'Meddyliwn nad oedd troed dyn erioed wedi rhodio yma o'r blaen, mor lân oedd y gwersylloedd, y glaswellt mor wyrdd, y blodau gwyllt mor hyfryd.'

Ond yr oedd yn brydferthwch nad oedd i barhau. Pan ddarganfuwyd aur yng Nghaliffornia a phan gychwynnodd y rhuthr i'r Gorllewin, sathrwyd prydferthwch y trywydd dan draed y '49ers', y miloedd ar filoedd o fwynwyr a groesodd y Rockies a'r Sierra Nevada y flwyddyn honno i edrych am ffortiwn yn y Gorllewin. Yr oedd y teithwyr ar y trywydd ym 1848, felly, yn freintiedig. Cawsant groesi'r Prairie a'r Gwastatir Mawr pan oeddent ar eu gorau, eto'n ffres a glân a dilychwin.

Tueddai pob dyddiadurwr a dyddiadurwraig i fynd drwy'r un dilyniant o emosiynau ar y trywydd. Ar ôl y dyddiau hwyliog cyntaf, buan y pasiodd yr iwfforia a'r hwyl. Pethau bychain a ddaeth i'w blino i gychwyn. Yr oedd y mosgitos yn boen beunydd. 'Miliynau ar filiynau ohonynt yn heidio o'm cwmpas, yn curo yn erbyn gorchudd y wagen fel glaw caled mewn storm,' ebe un. 'Cadwyd fi yn dawnsio tan oriau mân y bore i fiwsig y gerddorfa fawr,' ebe un arall. Brathent trwy grysau, brathent trwy ffrogiau. Dim ond dillad o'r lledr a elwid yn 'buckskin' oedd yn eu gwrthsefyll. 'Y mae eu brathiad lawer ffyrnicach na brathiad eu cefndryd gwareiddiedig yn y Dwyrain.' Gweryrai'r anifeiliaid yn eu poen drwy'r nos ac yn y boreau byddai'r gwaed yn llifo i lawr eu hystlysau. Edrychai'r plant fel pe baent yn dioddef o'r frech goch a chwyddai wynebau eu rhieni fel pwdin cyrens. Gwnaent unrhyw beth i geisio dianc. Llosgent dail byfflo tu mewn i'w wageni gan obeithio y byddai'r mosgitos yn ffoi cyn i'r mwg drewllyd eu tagu hwythau. 'Tynnais fy nhraed ataf,' ebe un, 'a stwffio fy mhen i siôl drwchus ac eistedd yno yn fy wagen fel anifail mewn caets, wedi dychryn am fy mywyd.'

Profodd y llwch hefyd yn artaith cyson. Llwch tail anifeiliaid ydoedd, wedi ei sychu'n grimp gan yr haul a'i falu'n fân gan filoedd o olwynion. Chwipiwyd ef yn gymylau gan y gwyntoedd cryfion. 'Ni wyddoch, yn ôl yn y taleithiau, ddim byd am lwch,' medd un ymfudwraig. Gweithiai ei ffordd rhwng pob gwnïad o'u dillad, llenwai eu ceg a'u ffroenau, gwnâi eu llygaid yn llidiog a'u gwallt yn glymog. 'Y mae'r awel ysgafnaf yn ddigon i'w godi fel ei bod yn anodd gweld y wageni ychydig lathenni o'n blaenau,' medd un arall. 'Ymddengys yn aml fod yr ychen ar farw o ddiffyg anadl.' Yr oedd ei flas ym mhob bwyd ac arnofiai ar bob diod. Achosai i lygaid yr ymfudwyr chwyddo ac ymfflamychu ac i'w croen sychu. Wedi ei gymysgu â chwys, caledai i ffurfio crachen wen fel masg dros yr wyneb. Gwisgwyd 'goggles' i geisio lleihau ei effaith. 'Y llwch, yn bendifaddau, yw melltith fwyaf y daith hon!'

A phoenwyd hwy hefyd gan y stormydd sydyn a ddisgynnai arnynt yn ddirybudd o wybren glir; gwyntoedd a chwythai'r pebyll i'r llawr; glaw oedd mor drwm fel bod y wageni'n llenwi â dŵr; cenllysg a amrywiai o faint 'wyau colomennod' i faint 'wyau ieir'. Mewn stormydd fel hyn 'yr oedd yn amhosibl gorwedd i lawr heb foddi,' meddai un teithiwr, 'ac yn amhosibl sefyll ar eich traed heb gael eich taro gan fellten.' Ac meddai un arall, 'Goleuwyd y ffurfafen mor aml gan y mellt fel y byddai'n bosibl i ni godi pìn oddi ar lawr y Prairie, pe bai un yno.' Bu'n rhaid i Sarah a Charles a'u criw gerdded am filltiroedd, dro ar ôl tro, mewn dillad gwlybion a mynd i'w gwelyau yn aml heb fwyd cynnes. 'Yr oedd hyn,' meddai Charles, yn un o'i nodiadau cynnil, 'yn annymunol.'

Ond y broblem fwyaf oedd blinder. 'Ni ŵyr neb, oni bai iddynt gael y profiad eu hunain, gymaint o straen yw gyrru wagen drwy'r dydd a bod ar wyliadwriaeth drwy'r nos,' ysgrifennodd un ymfudwr. 'Cyn gynted ag y bo'n corlan wedi'i ffurfio,' ysgrifennodd un arall, 'byddem yn tynnu'r ychen o'r iau, casglu coed a chynnau tân. Weithiau, yr oedd yn rhaid mynd filltir neu ragor i nôl dŵr, a dro arall yr oedd yn rhaid cloddio ffynnon. Y peth nesaf oedd nôl y gwartheg a'u godro ac yna gosod stanciau i glymu'r anifeiliaid wrthynt. Tua'r amser hyn deuai'r gyr i mewn, wedi gorffen pori, a chlymwyd yr ychen i'r stanciau. Gofalai pob deg am eu hanifeiliaid eu hunain a byddai pob dyn a bachgen yn eu gwarchod yn eu tro, ac yr oedd yn rhaid gwarchod y gwersyll hefyd. Yr oedd y bugeilio a'r gwarchod ar ben y tasgau dyddiol yn flinderus ac yn fy llethu'n llwyr. Yr oedd y gwragedd hefyd mor lluddedig â'r dynion.' Ysgrifennodd un am 'y syrthni truenus sy'n gafael ynof ar y daith farweiddiol hon'. 'Byddaf yn pendwmpian drwy'r dydd,' ysgrifennodd un arall. 'Bore 'ma syrthiodd pawb yn y wagen i gysgu gan adael i'r anifeiliaid fynd â ni lle y mynnent.' Ac yn sgil y blinder, deuai diffyg gofal, a damweiniau. Rhedodd wagen dros goes Lucy Groves a'i thorri mewn dau le. Gosodwyd yr asgwrn gan Brigham Young ei hun.Cwympodd Lucretia Cox, 6 oed, o'i wagen a rhedodd dwy o'r olwynion drosti a'i lladd.

Damwain gyffredin oedd hon. Mor hawdd oedd baglu wrth esgyn neu ddisgyn o'r wageni trymion. Nid oedd modd rheoli ychen mor sydyn â cheffylau. Cymerai amser i'r anifeiliaid ddod i stop. Nid dim ond plant fyddai'n cael eu lladd o dan yr olwynion. Collwyd gwragedd hefyd ac, yn aml, eu sgertiau hirion oedd ar fai. 'Yr oedd y wraig ar fin neidio i'r wagen pan newidiodd ei meddwl,' cofiodd un ymfudwr. 'Camodd yn ôl yn sydyn a baglu dros waelod ei sgert, oedd wedi'i rhwygo. Cwympodd o flaen y wagen a rhedodd yr olwynion drosti.' Cydiai eu sgertiau hefyd yn y drain a'r llwyni pigog ar y trywydd a'u baglu i lwybr y wageni. Caent eu dal yn yr olwynion a'u sugno i mewn iddynt. Storïau cyffredin iawn. Y mae sôn am ferched yn gwisgo 'bloomers' ar y paith. Nid y dilledyn isaf a wisgai ein neiniau oedd hwn ond math o drowsus llac wedi ei glymu o gwmpas y ffêr a sgert fer i'r pen-glin wedi'i gwisgo drosto. Yn ninasoedd arfordirol y Dwyrain ac yn Ewrop, ffasiwn newydd, beiddgar oedd y 'bloomer' ond, ar y paith, dilledyn ymarferol. Plediai'r wasg Formonaidd yng Nghymru yn gryf o'i blaid. 'Mae'r menywod yn dechrau myned i wisgo llodrau,' meddai. 'Mae llawer o'r ystlen deg i'w gweled yn yr America yn eu gwisg newydd. Llwyddiant iddynt i gael rhywbeth yn well na'r hen wisg, fel y gallont ddilyn y gwrywod trwy y llaid yn fwy didrafferth nag yn bresennol.' Ond nid oes sôn bod merched y Saint Cymreig wedi arddel y ffasiwn. Onid oedd Deuteronomium 22, adnod 5 yn gwahardd hynny? 'Nid yw gwraig i wisgo dillad dyn, na dyn i wisgo dillad gwraig; oherwydd y mae pob un sy'n gwneud hyn yn ffiaidd gan yr Arglwydd dy Dduw.'

Pan ddigwyddai damweiniau ac afiechydon ar y paith, cyntefig iawn oedd y meddyginiaethau. Pan frathwyd merch ifanc gan neidr ruglo (*rattlesnake*), er enghraifft – digwyddiad digon cyffredin – arllwyswyd dognau helaeth o wisgi i mewn iddi a llwyddwyd, yn ôl y dyddiadurwr, i 'niwtraleiddio'r gwenwyn'. Pan frathwyd un o'r brodyr, gosodwyd powltis o sudd baco a thyrpentein ar y briw a rhoddwyd joch ar ôl joch o alcohol iddo, a dosiwyd ef i'w gael i chwydu. Bu'r claf yn eithaf sâl am rai oriau ac mewn tipyn o boen. Cwynai fod ei fol yn llosgi a'i dafod yn sych a'i olwg yn niwlog. Ond gwellodd ymhen dau ddiwrnod – o'r brathiad ac o'r driniaeth. Yn naturiol, nid oes cymaint o sôn am y methiannau. 'Pe caech unrhyw broblem ddifrifol,' ysgrifennodd un ymfudwr, 'y canlyniad, fel arfer, oedd marwolaeth.'

Ymddiriedai'r arloeswyr, Mormoniaid a 'Babiloniaid', yn effeithiolrwydd powdr du fel cyffur i wella dyn ac anifail, oddi mewn ac oddi allan. Pan frathwyd merch ifanc arall, yn ogystal ag arllwys y wisgi i mewn iddi, rhwbiwyd powdr du a saim ar y briw. A phan suddodd un o ychen gŵr o'r enw John Davis i'w liniau yn y tresi ar ôl yfed dŵr gwenwynig, stwffiwyd chwarter pwys o bowdwr du i lawr ei wddf, ynghyd â chwarter pwys o halen wedi ei doddi mewn llefrith cynnes a phwys a hanner o gig moch. Ymhen dim, cododd y creadur ar ei draed ac ailddechrau gweithio.

Ond ni lwyddai'r powdwr du bob tro. Pan ddatblygodd chwydd poenus yng nghymal bys un o'r gwragedd, ceisiwyd agor y croen a chrafu'r pydredd allan ond i ddim pwrpas. Gwaethygodd ei phoen. Yna lapiwyd powltis o bowdwr du o amgylch y bys. Rai nosweithiau wedyn, wrth iddi baratoi bwyd, symudodd y wraig yn rhy agos at y tân a ffrwydrodd y powdwr du gan chwythu ei llaw i ffwrdd. Ni fu'r bys yn broblem iddi ar ôl hynny.

Ond yr oedd gan y Saint linyn arall i'w bwa meddygol. Ymddiriedent hefyd yn effeithiolrwydd eneiniad a gweddi – y driniaeth a ddisgrifir yn Epistol Iago. 'A oes rhywun yn glaf yn eich plith? Galwed ato henuriaid yr eglwys, i weddïo trosto a'i eneinio ag olew yn enw yr Arglwydd. Bydd gweddi a offrymir mewn ffydd yn iacháu y sawl sydd glaf.' Pan drawyd mab gŵr o'r enw Richard Ballyntyne ym mintai Brigham yn wael iawn, gweddïodd ei dad ar Dduw i arbed bywyd ei fab. Pe adferid ei iechyd, addawodd y byddai'r plentyn yn cael ei fagu 'yn ofn yr

Arglwydd ac yn ufudd i'w orchmynion.' Yna cymerodd botel o olew sanctaidd ac eneiniodd ei fab yn enw'r Arglwydd ac fe wellodd y plentyn. Ysgrifennodd Joseph Hovey am fachgen bychan yng nghwmni Sarah a Charles a gwympodd oddi ar wagen y teulu. 'Rhedodd dwy olwyn drosto. Arllwysodd y gwaed o'i geg. Gelwais ar un o'r Brodyr i ddod i'w eneinio ac fe gafodd wellhad.' Ar y 3ydd o Fehefin, dim ond wythnos i mewn i'r daith, adroddodd Thomas Bullock yn ei ddyddiadur fod tri yng nghwmni Brigham Young wedi cwympo o dan yr olwynion. Yr achos mwyaf difrifol oedd achos Mary Anne Perkins, 9 oed. 'Rhedodd wagen yn cario 2,500 pwys drosti, dwy olwyn yn mynd dros ei brest. Eneiniwyd hi gan un o'r Brodyr ac o fewn hanner awr cwympodd i gysgu. Ni thorrwyd yr un o'i hesgyrn. Gwyrth.'

Yr oedd y driniaeth hon yr un mor effeithiol ar anifeiliaid. Yn ei chofiant dywed Rachel Field, ymfudwraig a deithiai yn yr un cwmni â Sarah a Charles, fod ych ei Modryb Smith wedi ei daro'n wael ac ar farw. 'Ond arllwysodd fy nhad yr eli arno a gweini'r defodau. Gorweddodd yn hollol lonydd am ychydig funudau, yna cododd, ysgydwodd ei hun a bwytaodd ychydig laswellt. Yna rhoddodd fy nhad ef yn ôl yn yr harnais ac yr oedd yn iawn wedi hynny.' Ar adegau gallasai effaith y driniaeth fod yn sydyn ac yn syfrdanol. Eneiniwyd dyn wedi iddo dorri esgyrn yn ei gefn. Dywedodd y gwylwyr iddynt 'glywed sŵn ei esgyrn yn clecian yn ôl i'w lle fel sŵn hen fasged wiail yn cael ei gwasgu'.

Beth oedd yr olew sanctaidd rhyfeddol hwn a sut roedd cael gafael arno? Ceir yr atebion mewn sgetsh ddifyr a doniol sydd i'w darllen yn nhudalennau *Prophwyd y Jubili*, sef cylchgrawn cyntaf y Mormoniaid Cymreig. Cyhoeddiad syber a pharchus oedd y *Prophwyd*, lle annisgwyl i ganfod triniaeth ysgafn o fater o'r fath bwys. Sgwrs rhwng dau hen ffrind yw'r sgets, sef Dafydd, sy'n rhegwr mawr, yn dipyn o ddihiryn ac yn casáu Mormoniaid, a Morgan, gŵr mwy cymedrol.

DAFYDD. A glywaist ti, Morgan, am y dyn a laddwyd gan yr hen Seintiau melltigedig yna? Mae eisiau eu transporto, bob copa ohonynt.

MORGAN. Naddo i; sut lladdasant ef?

DAFYDD. Trwy roddi iddo'r hen olew yna sydd ganddynt i ladd pobl. Nad beth fyddo yr afiechyd, yr un hen stwff drewllyd sy'n cael ei roi i bawb gan y diawliaid. Damo nhw! Bum gyda'r doctor neithiwr yn adrodd eu hen drics cythreulig ac yr oedd ef yn penderfynu mynnu *inquest* arno, fel y gallai dransporto cymaint â dwsin ohonynt. Ond, diawl, mae hynny yn llawer rhy fach yn ôl barn gyfiawn ein gweinidog ni, myn Duw.

Yna daw Mormon o'r enw Wil y Sant heibio ac ânt ato i gael mwy o wybodaeth am 'yr hen olew yna'. Mae gan Wil botelaid ohono yn ei boced.

WIL. Dyma botelaid a brynais yn awr gyda'r druggist. Yr oedd morwyn ein meistr yno yr un pryd yn prynu dwy botelaid o'r un peth iddo ef erbyn ei ginio. Ei enw yw y *best olive oil*, neu *sweet eating oil*. Profwch lymaid ohono eich dau; mae'r gwŷr mawr i gyd yn ei ddefnyddio gyda gwahanol lysiau sydd ar eu bordydd.

DAFYDD. A fyn y cythraul ein lladd ninnau hefyd? Damno'i enaid ef! Dere oddi wrth y ffŵl, Morgan.

Ond y mae Morgan yn aros ac yn cael gwybod mwy am sut i ddefnyddio'r olew yn yr 'ordinhadau'.

WIL. Yr unig beth sydd i gael ei wneud i'r olew cyn ei roddi i'r claf, yw bod yr henuriaid i'w fendithio trwy weddi; wedi hynny eneiniant y claf, ar ei ddymuniad, yn enw'r Arglwydd; ac os bydd yr afiechyd oddi fewn, rhoddant lwyaid neu ddwy iddo'i yfed. Yna, gan osod eu dwylaw ar ei ben, gweddïant eilwaith, yn enw Iesu Grist, ar i Dduw iachau'r claf, yn ôl ei addewid.

Bythefnos i mewn i'r daith, dechreuodd y tirwedd newid. Heb yn wybod iddynt, yr oeddent yn gadael y Prairies ac yn dod i dir sychach a hinsawdd grasach y Gwastatir Mawr. Diflannodd y dolydd gwelltog a daeth anialwch tywodlyd yn eu lle. Ychydig iawn a dyfai ynddo, dim ond llwyni chwerwlys (*sagebrush*) a'r glaswellt byr a elwid yn 'laswellt y byfflo' a llwyni creosot. Diflannodd y coed a chaent drafferth yn awr i gynnal eu tanau liw nos. Ond fel y diflannodd un tanwydd, daeth un arall i gymryd ei le. O'u cwmpas ar bob llaw gorweddai tunelli o ddail byfflo wedi sychu'n grimp yn yr haul. Gwir ei fod yn llosgi'n gyflym a bod rhaid i'r gwragedd a'r plant gasglu llond llawer ffedog ohono cyn cael digon i goginio swper. Gwir hefyd ei fod yn cynhyrchu lludw di-ben-draw a bod hwnnw'n ychwanegu at y llwch yn eu bwyd ac yn yr awyr a anadlent. Ond hebddo, heb fwyd cynnes a heb wres gyda'r nos, byddai bywyd ar y paith wedi bod bron yn amhosibl. Cytunwyd fod y lludw yn ychwanegu at flas y bwyd a diolchwyd i Dduw am ofalu amdanynt unwaith eto.

Gyda'r dydd, llosgai'r haul arnynt yn ddidrugaredd. Yr oedd y gwres yn sychu pren y wageni, gan ei blygu a'i wyro. Y pethau cyntaf a ddeuai'n rhydd oedd y cylchoedd haearn a amgylchynai'r olwynion. Dywed Charles yn ei ddyddiadur i'r fintai gael dau ddiwrnod o saib – diwrnod i'r gof wneud golosg a diwrnod iddo gynnau tân ei efail a thrwsio'r olwynion. Yn ôl ar y trywydd, suddai'r olwynion yn ddwfn i'r twyni tywod a rhaid oedd dyblu a threblu'r ychen yn yr harnais i symud y wageni. Erbyn yr ail fis, suddai ysbryd yr ymfudwyr hefyd, yn ddyfnach na'r olwynion. Undonedd oedd yn eu blino yn awr, undonedd y tirwedd, undonedd eu llafur, undonedd eu dyddiau. Yr oeddent erbyn hyn yn nhiriogaeth Nebraska, ac nid yw Nebraska, ar ei gorau, ymysg y prydferthaf o daleithiau America. Dywedir fod y Cadfridog Custer, pan sylweddolodd fod Crazy Horse wedi amgylchynu ei fyddin ar y Little Bighorn a bod y diwedd ar ddod, wedi galw ei ddynion ynghyd. 'Ddynion,' meddai, 'mae gen i newyddion da i chi a newyddion drwg. Y newyddion drwg ydi bod pob un ohonom yn mynd i farw. Y newyddion da ydi na fydd raid i ni fynd 'nôl drwy Nebraska.' Yr oedd teithio mewn wagen araf, ar ddiwrnod poeth, ar drywydd llychlyd, ar hyd undonedd Nebraska yn trethu amynedd y duwiolaf o'r Saint. 'Y mae'r tir yn ddiffaith a thywodlyd, gwlad wir druenus,' ysgrifennodd un dyddiadurwr, 'yr un gorwel pell bob dydd, yr un gwres, yr un ychen ystyfnig, yr un blinder diddiwedd, yr un mân gwerylon. Stormydd sydyn, dillad a blancedi gwlyb, dim lle i ddianc rhag eich cymdogion, dim lle i fod ar eich pen eich hun.'

Yr oeddent yn agosáu yn awr at Chimney Rock, y golofn ryfeddol o graig sy'n codi i binacl 470 troedfedd uwchben afon Platte ac sy'n weladwy o dros 40 milltir i ffwrdd. Y mae'r dyddiadurwyr i gyd yn sôn amdani. 'Y rhyfeddod mwyaf i mi ei weld erioed', 'fel tŵr eglwys gosgeiddig a'i gopa'n disgleirio'n euraid yn y machlud', 'fel gwddf estrys', 'fel hen gastell godidog wedi dadfeilio'. Ar y 15fed o Orffennaf, gwersyllodd Charles a Sarah yn ei gysgod. Y bore wedyn, gan ei bod yn ddydd Sul, rhoddwyd y gorau i deithio ac, yn ôl eu harfer, daeth y ddwy fintai at ei gilydd. 'Siawns i'r ychen gael hoe fach ac i'r gwragedd olchi dillad a gwneud bara,' ysgrifennodd un o'r dynion. Pregethodd Brigham Young bregeth syml, yn llawn cyngor ymarferol. 'Y mae Mormoniaid da,' meddai, 'i'w hadnabod yn y ffordd y rhwymant eu wagen at ei gilydd yn y gorlan. Dylsent glosio'u wageni mor agos â phosibl at wageni eu cymdogion a'u rhwymo'n dynn, fel na fedr dim eu rhannu. Fel yna mae ffurfio corlan gadarn – ac fel yna mae ffurfio cymdeithas gadarn hefyd.'

Wedi bwyta, goleuent gannwyll neu ddwy ym mhob un o'r 600 wagen a chasglent o gwmpas eu tanau. Ymddangosai holl oleuadau'r gwersyll o hirbell fel goleuadau tref fawr a dyfodd yn sydyn o dywod y gwastatir. Anogwyd y Mormoniaid i ddod ag offerynnau cerdd gyda hwy ar y daith a darllenir am sawl ffliwt a chorn a ffidil yn arwain y gân a chodi'r ysbryd. Byddai dawnsio yn dilyn a hoffai Brigham ei hun ymuno yn y ddawns. I orffen y noson, gwahoddid storïwr difyr i'r cylch i gadw meddyliau pawb oddi ar ddiflastod y paith a threialon y bore trannoeth. 'Wedi'r weddi hwyrol, aent i noswylio. Deuai sŵn y gwartheg a'r defaid yn brefu i'w clyw yn gymysg â gweryru'r ceffylau. O'r bryniau pell deuai sŵn udo'r bleiddiaid a'r *coyotes* yn gymysg â gwaedd y gwarchodwyr, bob hanner awr, "Popeth yn dda, popeth yn dda."'

Ar nosweithiau fel hyn, nid peth doeth oedd gadael cynhesrwydd y tân a chwmnïaeth eu cymdogion a chrwydro allan i'r tywyllwch o'u cwmpas. Profai gwacter y paith a mudandod oer y sêr uwchben yn boen enaid iddynt, yn enwedig i'r rhai na chafodd amser i dyfu crachen galed dros eu hiraeth. Yr oedd y nerfau a'r gwythiennau a rwygwyd wrth ffarwelio â'u cartrefi am byth yn frau a phoenus o hyd. 'Ar adegau fel hyn, allan ar eangderau'r paith, y mae rhyw deimlad annisgrifiadwy, rhyw ddigalondid dudew yn ymlithro dros enaid dyn.' Sonient am sŵn y gwersyll yn diflannu i'r tawelwch. Disgrifient y don o hiraeth am deulu a ffrindiau a hen gariadon a dorrai drostynt. 'Deuai llif o atgofion am gartref i'm poeni, gan chwyddo'n greulon yn unigrwydd llethol y paith, yn udo'r bleiddiaid ac yn sŵn nadroedd yn ffoi ar ffrwst drwy'r tyfiant sych.' Cofient lwybrau plentyndod a chymunedau clòs eu hen ardaloedd ac yr oedd yn edifar ganddynt ganwaith iddynt erioed feddwl am adael. 'Gofynnais i'm hunan, ai dyma pam y ffarweliais â'm rhieni a'm teulu a'm ffrindiau, i farw'n unig yn yr eangderau didramwy hyn?' Yr oedd yr 'eliffant' yn agos iawn ar nosweithiau fel hyn.

Ar ddydd Llun y 24ain o Orffennaf, ysgrifennodd Charles eu bod wedi cyrraedd Fort John ar lan afon Laramie. Ymhen y flwyddyn byddai Fort John wedi ei brynu gan lywodraeth yr Unol Daleithiau, wedi newid ei enw i Fort Laramie ac yn prysur ddatblygu i fod yn un o leoliadau mwyaf rhamantus y Gorllewin Gwyllt. Ond pan basiodd Charles a Sarah, dim ond canolfan fasnach fechan oedd yno. Meibion y 'squaws' fu'n cyd-fyw â 'dynion y mynyddoedd' oedd y marsiandïwyr – hanner Sioux, hanner Americanaidd neu Ganadaidd-Ffrengig – yn prynu crwyn oddi wrth yr helwyr ac yn gwerthu wisgi a reifflau i'r Indiaid. Ymgartrefai teuluoedd o Sioux o gwmpas y gaer a daeth dwsin ohonynt draw i'r gwersyll at y Saint. Yn groes i'r disgwyl, yr oeddent yn hynod o gyfeillgar a phrynwyd mocasins a chrwyn byfflo ganddynt. 'Y mae rhai o'r "squaws" yn eithaf prydferth a'r dynion yn dal ac ystwyth eu symudiadau. Carlamant o'n cwmpas yn llawn sbri, mor annibynnol â'r gwynt, mor rhydd â'r adar sy'n gwibio dros y paith.' Cyfnewidiodd Caroline Barnes dafell o fara am bar o focasins. 'Roeddent yn barod i werthu popeth oedd ganddynt, hyd yn oed eu gwragedd,' meddai. 'Ceisiodd un ohonynt fargeinio amdanaf i, gan gynnig gwraig ifanc i'm gŵr yn fy lle. Yr oedd eraill am brynu fy mhlant.' Yn y blynyddoedd cynnar hyn, cyn i'r Indiaid sylweddoli nad oedd diwedd i'r llif o ddieithriaid a arllwysai i'r Gorllewin a chyn i'r dynion gwynion ddechrau plannu gwreiddiau yn eu tiroedd, datblygodd dealltwriaeth dda rhwng y Sioux a rhai o'r ymfudwyr, yn enwedig y Mormoniaid. Cofiai John Clarke iddo ef a'i ffrindiau dreulio noson o gwmpas y tân yng nghwmni criw o Sioux yn dangos ffotograffau iddynt o'u cariadon a'u gwragedd. Yr oedd yn rhaid cadw llygad barcud ar yr anifeiliaid pan oedd Indiaid yn y parthau, a pharhaent i ddwyn pob math o fân bethau o'r gwersyll, ond cyfnewidiwyd sawl ffafr a sawl caredigrwydd hefyd, yn enwedig rhwng y mamau. Yr oedd ganddynt fwy yn gyffredin na'u gwŷr. Rhannent y llafur caled o fagu eu plant a bwydo'u teuluoedd. 'Rwy'n cofio un "squaw" a gymerodd ffansi at ein merch,' ysgrifennodd un fam. 'Daeth yn ôl y diwrnod wedyn gyda phâr o focasins wedi eu haddurno'n gain a'u rhoi ar draed fy merch a gwrthod unrhyw dâl.' Gwylltiodd Susan Harris pan sylwodd ar un o'r gwŷr yn hamddena'n braf gan adael i'w 'squaw' wneud y gwaith trwm i gyd. 'Teimlais mai fy nyletswydd oedd ymyrryd ac euthum at y bonheddwr coch i brotestio. Ond och fi! Cwympodd fy ngeiriau ar dir caregog.'

'Bûm yn eu gwylio yn sychu cig byfflo a thrin y crwyn,' ysgrifennodd gwraig arall. 'Gwneuthum arwyddion i'w holi am y plant a dangoswyd imi mewn arwyddion pwy oedd plentyn pwy. Mewn pabell arall, roeddent yn paratoi bwyd. Edrychai yn fwytadwy iawn ac ystyried mor gyntefig oeddent. Tynnodd un hen wraig sylw'r gwragedd eraill at y ffaith nad oedd gennyf ddannedd. Ymddangosai hyn yn fater o ryfeddod iddynt. Yr oedd ganddynt hwy lond ceg o ddannedd da bob un.'

Y mae'r gaer ar afon Laramie dros hanner ffordd i'r Dyffryn ond yr oedd y gwaethaf eto i ddod. Yr oeddent yn agosáu yn awr at ddarn peryclaf eu taith. Yn yr hanner can milltir rhwng afonydd Platte a Sweetwater y mae dŵr yn brin a llawer o'r ffynhonnau yn beryglus. Hidlai halenau alcalïaidd gwenwynig o'r creigiau gan sychu yn yr haul a gadael haen farwol o bowdwr gwyn ar y borfa. 'Dros ddarnau helaeth o'r llwybr gorchuddir yr wyneb gan "salaratus" neu "saltpetre", sydd yn wenwynig iawn i'r ychen. Bwytânt ef drwy bori'r glaswellt. Collwyd llawer ohonynt o ganlyniad. Yn wir, ni allwch fynd ymhell heb weld carcas ac esgyrn anifeiliaid ar bob llaw.' 'Awst 13. Er mai'r Sabath yw hi heddiw,' ysgrifennodd Charles, 'penderfynwyd teithio ymlaen gan fod y dŵr yma yn wenwynig.' Ceisiwyd cadw'r anifeiliaid yn glir o'r ffynhonnau ond llithrodd sawl un drwy'r rhwyd.

Ar y 15fed o Awst, ar lannau Sweetwater, daethant at y graig enwog sy'n codi o'r paith fel rhyw feddrod enfawr o'r cynamser. Adwaenid hon gan yr ymfudwyr i Galiffornia fel Independence Rock, oherwydd, os oeddech am groesi'r Sierra Nevada cyn stormydd cyntaf y gaeaf, rhaid oedd ei phasio cyn Diwrnod

Annibyniaeth America, sef y 24ain o Orffennaf. Yr oedd yn draddodiad ei dringo gyda'r nos a chynnau tân ar y copa a chael bwyd yno ac ychydig fiwsig a dawnsio. Yr oedd yn draddodiad hefyd i'r ymfudwyr gerfio eu henwau ar y graig ac y maent yno o hyd, deng mil a rhagor ohonynt, yn gofrestr o grwydriaid y trywydd. Ond yr oedd pethau eraill ar feddwl Charles a Sarah y noson honno. 'Ar y diwrnod hwn, bu farw un o'm hychen,' ysgrifennodd Charles, 'a dim ond gyda thrafferth fawr y llwyddais i gyrraedd y gwersyll.' O'u cwmpas dioddefai'r teuluoedd eraill golledion tebyg. Ar y 23ain ysgrifennodd Charles eto. 'Bwriadem deithio 16 milltir heddiw ond methodd un arall o'r ychen a bu'n rhaid rhoi'r gorau iddi ar ôl 12 milltir.' Erbyn hyn yr oedd deugain wagen yn y fintai wedi dod i stop oherwydd y bylchau cynyddol yn y gweddau.

Mewn argyfyngau fel hyn yr oedd minteioedd y Mormoniaid ar eu gorau. Ar y 25ain ysgrifennodd Charles, 'Ceisio symud ymlaen eto. Wrth ddringo i fyny rhiw serth daeth brodyr o'r cwmnïau blaen i'n cyfarfod yn gyrru ychen i helpu'r teuluoedd na fedrent symud. Gan fod fy ngwedd yn wan cefais fenthyg iau o anifeiliaid i'm tynnu i'r gwersyll.' Yr oedd Brigham, gyda'i ragwelediad a'i ofal arferol, wedi trefnu bod ychwaneg o ychen i'w hanfon o'r Dyffryn i'w cyfarfod. Cyrhaeddodd dros 250 ar y 3ydd o Fedi ac yr oedd mwy i ddilyn. Erbyn y 5ed yr oedd y rhan fwyaf o'r wageni yn symud eto ac yn croesi South Pass.

Ymddangosai fod y gwaethaf y tu ôl iddynt. Cododd calonnau pawb wrth iddynt adael yr Unol Daleithiau a rowlio'n gyflym i lawr ochr orllewinol y Rockies. Yng nghefn un o'r wageni, rhoddod Eliza Lyman enedigaeth i blentyn. 'Ni fu llawer o bleser i mi ar y daith hon,' ysgrifennodd, 'ond y mae popeth yn iawn. Yr ydym yn gadael gwlad ein gormeswyr. Cawn fagu ein plant i ofni'r Arglwydd mewn gwlad lle na chânt fyth ddioddef o law ein gelynion fel y bu'n rhaid i ni. Y mae popeth yn iawn.'

Gwyddai'r Saint cyn gadael y byddai'r daith yn her ac yn sialens iddynt. Disgwylient gael eu profi ar y trywydd. 'Rhaid i'm mhobl gael eu profi ym mhob peth,' meddai *Llyfr Athrawiaeth a Chyfamodau*, 'a'r hwn ni oddefo gerydd, nid yw deilwng o'm teyrnas.' Ceisiodd John S. Davis, brodor o Gaerfyrddin, ddisgrifio'r pethau a 'ddysgodd trwy brofiad' ar y paith. 'Digon fydd dweud fod y daith yn bell, y tywydd yn lled dwym, yr ychen yn ystyfnig, y dynion weithiau yn ystyfnicach, y cymwynaswr yn cael ei dalu ag angharedigrwydd, y gwas weithiau yn troi yn feistr, y forwyn yn feistres. Ond y mae'r cyfan yn iawn. Tuedda'r oll i brofi a pherffeithio'r Saint.' Gadawsant y Missouri yn gymysgedd anghymharus o genhedloedd ac ieithoedd, darnau bratiog o frethyn amrywiol, a chyraeddasant y Dyffryn wedi eu gwau yn un tapestri tyn.

Yr unig eiriau yn nyddiadur Charles Smith ar yr 22ain o fis Medi yw 'Dros ben Big Mountain.' O gopa Big Mountain caent weld y Dyffryn am y tro cyntaf, profiad a gynhyrfai'r rhan fwyaf o ddyddiadurwyr y Saint i hyrddiau o emosiwn tanboeth a pharagraffau o'r porffor dyfnaf. 'Chwifiwyd hetiau llychlyd a bonedau wedi eu llwydo gan yr haul, rhedodd dagrau o lawenydd i lawr sawl hen rudd greithiog.' 'Yr oedd y gymhariaeth rhwng y paith llwm, diddiwedd a'r dyffryn hyfryd hwn, fel blaguryn rhosyn yn y diffeithwch yn aros llaw'r garddwr i'w alw i ffrwythloni a blodeuo, ynghlwm â theimladau o heddwch a diogelwch rhag ein gormeswyr, yn cynhyrfu'r enaid.' Ond ni chynhyrfwyd enaid Charles. Nid yw'n sôn am y profiad o gwbl. Y diwrnod wedyn cofnododd un sylw swta, sef 'Mynd i mewn i'r ceunant olaf.' Arafodd yr unedau blaen i ganiatáu i Brigham a'i fintai ddal i fyny â hwy. Twtiodd pawb eu hunain a chymryd un saib olaf. Ac yna arweiniodd y Proffwyd y 2,000 ohonynt i mewn i'r Ddinas yn orfoleddus, gan ddyblu'r boblogaeth dros nos. 'Daethom i'r Dyffryn,' oedd unig sylw Charles.

Profodd taith 1848 yn un o'r teithiau lleiaf trafferthus yn holl hanes yr ymfudiad i Utah. Ac yng Nghymru, pan ymddangosodd yr adroddiadau yng ngholofnau *Prophwyd y Jubili* y gaeaf hwnnw, ysbrydolwyd llawer i feddwl am ymfudo. Nid ffolineb bellach oedd breuddwydio am ffoi o Fabilon i heddwch y ddinas sanctaidd ym mynyddoedd y Gorllewin. Yr oedd yn opsiwn ymarferol, o fewn cyrraedd glowyr o Ferthyr, ffermwyr o Lanybydder neu seiri maen o Abergele. 'Mae ysbryd yr ymgasgliad wedi ymafael yn rymus yn y Saint yng Nghymru,' cyhoeddodd un o'u harweinwyr ym Merthyr. 'Pwy sydd yn barod i gychwyn adref? Wedi hir ddisgwyl, wedi mynych ofyn, mae'r amser disgwyliedig wedi dod i'r Cymry hefyd gael gwaredigaeth rhag gormes, trais, erledigaeth, newyn a barnau dinistriol. Pwy sydd yn barod gofynnwn?' Atebodd dros 300 yr alwad y gaeaf hwnnw, gan baratoi i adael yn y gwanwyn. Ond iddynt hwy, profodd y trywydd yn anodd a chaled a chreulon.

1849

ER BOD JOHN BENNION a Sarah Price wedi eu geni a'u magu yng Nghymru, mae'n annhebyg eu bod yn siarad Cymraeg. Daethant i gysylltiad â'r Mormoniaid drwy'r genhadaeth Seisnig, yn Lerpwl a Swydd Gaer, gan barhau, hyd y gwyddom, i dderbyn arweiniad o Loegr hyd nes iddynt ymfudo. Gwahanol iawn oedd hanes y Cymry nesaf i adael am y Dyffryn. Yr oedd dros 300 ohonynt, nifer fawr yn Gymry uniaith, y mwyafrif ohonynt heb fod allan o Gymru o'r blaen. Fe'u harweiniwyd gan ddyn bychan, bywiog, yn byrlymu Cymraeg rhugl, ar dân dros ei wlad, yn benboeth dros ei grefydd ac yn barod i amddiffyn y ddau, pe bai raid, gyda'i ddyrnau. Hwn oedd y Capten Dan Jones, y cenhadwr mwyaf llwyddiannus yn hanes y genhadaeth Gymreig ac, yn ôl llawer, y cenhadwr mwyaf llwyddiannus yn hanes Mormoniaeth.

Daeth i'r amlwg gyntaf mewn cyfarfod syber o'r Saint a gynhaliwyd ym Manceinion ym 1845 i drafod camau nesaf y genhadaeth ym Mhrydain. Safodd ar ei draed a thraddodi araith gofiadwy. Cychwynnodd drwy ddweud bod y Diafol wedi ceisio ei gadw gartref y bore hwnnw drwy osod salwch poenus arno. Nid oedd y Gŵr Drwg eisiau iddo annerch y cyfarfod, meddai. Ond yr oedd yn benderfynol o gyflwyno ei dystiolaeth am y Cymry iddynt, waeth pwy oedd yn ei erbyn. 'Yr wyf yma i siarad am genedl enwog mewn hanes,' meddai, 'un o genhedloedd hynafol y ddaear, un na choncrwyd fyth ac un yr wyf yn gobeithio cael y fraint o gludo iddi'r newyddion gogoneddus am waith Duw yn y dyddiau diwethaf.' 'Siaradodd mewn dull a brofodd frwdfrydedd ei gariad tuag at wlad ei dadau,' ysgrifennodd y clerc. 'Ymhelaethodd ar gymeriad ei bobl gyda'r huodledd rhyfeddaf.' 'Deuthum yma i bregethu Mormoniaeth,' rhuodd Dan, 'ac mi fynnaf gael fy nghlywed tra bod ynof chwyth, er gwaethaf holl gynddaredd y Diafol, holl udo'r offeiriaid a holl luoedd Baal.' 'Rhaid i mi ddweud ei bod yn hollol amhosibl i mi wneud cyfiawnder ag araith Capten Jones,' ychwanegodd y clerc, 'oherwydd gymaint ei effaith arnaf i ac, mi gredaf, ar eraill.

Rhoddais y gorau i ysgrifennu a gadael i'r emosiwn a gynhyrfwyd ganddo lifo drosof.'

Dyn lliwgar dros ben oedd Capten Dan, pendant ei farn a chyflym i'w datgan. Yr oedd angen dyn felly i arwain y Mormoniaid Cymreig drwy'r stormydd o ragfarn ac enllib a'u hwynebai yn niwedd y 1840au. Ganwyd ef ym mhentref Caerfallwch, hanner ffordd rhwng Helygain a Llaneurgain yn Sir y Fflint, ym 1810, yn chweched plentyn i Ruth a Thomas Jones. Glôwr oedd ei dad, gŵr crefyddol a blaenor gyda'r Methodistiaid. Cyn gadael cartref a mynd i'r môr yn 16, y mae'n debyg i Dan weithio yn y lofa gyda'i dad. Yn 26 oed, daeth yn ôl i briodi Jane Melling o dref Dinbych ac yn fuan wedyn ymfudodd y ddau i America. Yn nechrau 1841 yr oeddent yn St Louis, canolfan fasnach brysur pum afon – Tennessee, Ohio, Illinois, Missouri ac, yn bennaf, Mississippi – a phrif borthladd agerlongau enwog yr afonydd hynny. Gweithiodd am gyfnod fel peilot ar un ohonynt ac yna ceisiodd ymuno ym mwrlwm busnes bywiog y porthladd drwy adeiladu ei agerlong ei hun, y *Ripple*.

Hon oedd oes aur agerlongau'r Mississippi. Amcangyfrifwyd fod 500 ohonynt yn gweithio allan o St Louis. Cariai'r rhan fwyaf ohonynt dros 400 o deithwyr a 700 tunnell o gargo, ond nid felly y *Ripple*. Disgrifiwyd hi mewn papur lleol fel un o'r llongau lleiaf ar yr afon, 38 tunnell o'i chymharu â'r cewri o 1,000 o dunelli neu ragor a oedd yn cystadlu â hi. Yn niwedd 1841, ychydig fisoedd ar ôl ei hadeiladu, daeth ei gyrfa fer i ben. Ymddangosodd paragraff yn y *Warsaw Signal*, y papur a ymosododd ar Joseph Smith yn Nauvoo ym 1844, i'r perwyl bod y *Ripple* wedi taro craig ger New Boston, rhyw 65 milltir i fyny'r afon, ac wedi suddo. Flwyddyn ar ôl yr anffawd yr oedd Capten Dan wedi adeiladu agerlong arall, y *Maid of Iowa*, ddwywaith maint y *Ripple* ond bychan iawn o hyd o'i chymharu â lefiathanod y Mississippi.

Wrth basio i fyny ac i lawr yr afon, y mae'n siŵr iddo weld a synnu at y deml ddramatig a dyfai ar y corsydd yn Nauvoo. Darllenai yn y wasg leol am y Saint a'u credoau hynod a gwyddai gymaint oedd y casineb tuag atynt. Er hynny, ymddiddorodd yn eu neges a gwelodd ystyr a gobaith ynddi. 'Ni fodlonwyd fy meddwl wedyn nes cael gafael ar un o'r Mormoniaid,' meddai, 'ac wedi ei gael, nid dwy na thair noson yr arhosom ar ein traed i ymchwilio i'r gwahanol farnau oedd rhyngom am yr efengyl. Ac er fy syndod mawr, canfyddais fy mod braidd yn gyfan oll yn Formon eisoes, yr hyn pan ddeallais a'm dychrynodd yn fawr, canys rhagwelwn fy mhoblogrwydd wedi darfod y funud y cawn yr enw dirmygus hwn arnaf, ac o ganlyniad, fy mywoliaeth a'm cyfan.' Er hynny, penderfynodd ymuno â hwynt a bedyddiwyd ef yn nyfroedd rhewllyd y Mississippi yn Ionawr 1843.

Yn fuan wedyn llogwyd y *Maid of Iowa* a'i chapten gan y Mormoniaid i gludo 300 o'u hymfudwyr o St Louis i Nauvoo. Hwn oedd y tro cyntaf i Dan lanio yn ninas y Saint. 'Pan gyrhaeddom daeth torf fawr o bobl barchus yr olwg i'n cyfarch yn groesawgar iawn,' ysgrifennodd. 'Y fath siglo dwylo a chusanu ymhlith y menywod a'r fath "hearty welcome" wrth gwrdd â'i gilydd a'm synnodd i beth. Trewais fy llygaid dros y dorf am y proffwyd a ddarluniaswn ond methais weld neb yn debyg. Daeth dyn mawr a golygus ataf ar y bad gan gydio yn fy llaw a'i gwasgu'n garedig gan ddweud "God bless you, brother" fwy nag unwaith. Cyn i mi gael gofyn ei enw aeth o'r golwg. Ac yna daeth heibio drachefn, pryd y deallais fod fy llygaid am yr ail dro wedi gweld Joseph Smith, y proffwyd Mormonaidd. Canfyddais ynddo bopeth oedd yn groes i'r disgwyl. Ei wyneb glân a'i ruddiau siriol a diddichell a'm hargyhoeddasant nad efe oedd y dyn cyfrwys a dichellgar a glywswn amdano. Y cariad rhyfeddol a'r parch a ddangosai pawb ato, a'i ostyngeiddrwydd yntau, a'm gorfododd i gredu nad dyma'r gormeswr creulon hwnnw a ystyriai fod pawb yn gaethion iddo. Ie, mewn gair, buan y'm hargyhoeddwyd mai camgyhuddiadau oedd llawer o'r hyn a glywswn am y dyn hwn.' Gwahoddodd Joseph Smith ef i'w gartref a'i gyflwyno i'w fam a'i wraig a'i blant. Daethant yn ffrindiau da a chyn bo hir yn bartneriaid mewn busnes. Prynodd Joseph hanner y *Maid of Iowa* a defnyddiwyd y llong o hynny ymlaen at waith yr Eglwys.

Wedi iddo fod yn aelod o'r Eglwys am ychydig fisoedd yn unig, derbyniodd Dan alwad i fynd i Gymru fel cenhadwr. Nid oedd ganddo unrhyw lais yn y penderfyniad i'w anfon yno. Yr arfer ymysg y Saint oedd bod Joseph Smith, neu, yn ddiweddarach, Brigham Young, yn cyhoeddi, yn y cyfarfodydd wythnosol, pwy oedd wedi eu dewis i fod yn genhadon ac i ble yr oeddent i fynd. Disgwylid i'r dethol rai fod yn barod i adael yn syth. Nid oeddent i ddisgwyl unrhyw help ariannol gan yr Eglwys. Yr oeddent i dalu am eu teithiau a'u cynhaliaeth o'u pocedi eu hunain. Disgwylid iddynt dreulio dwy flynedd neu ragor yn gwasanaethu'r Eglwys cyn y caent eu rhyddhau i ddychwelyd at eu teuluoedd.

Cynllun gwreiddiol Dan oedd gwerthu ail hanner y *Maid of Iowa* i Joseph a chyda'r pres brynu gwasg yng Nghymru i gyhoeddi llyfrau a chylchgronau i hybu'r achos. Ond drylliwyd ei gynlluniau gan lofruddiaeth Joseph. Y noson cyn iddo farw yr oedd Dan gydag ef yn y gell yn Carthage, nid fel carcharor ond fel ffrind, yn cadw cwmni iddo. Rywbryd yn oriau mân y bore trodd Smith ato a gofyn iddo a oedd arno ofn marw. 'Wyt ti'n meddwl bod yr amser wedi dod?' gofynnodd Dan. 'Na,' atebodd y proffwyd. 'Cei weled Cymru eto cyn dy farw, a chyflawni'r genhadaeth a ordeiniwyd i ti.' Dyna, meddai Dan, oedd ei broffwydoliaeth olaf. Y bore wedyn, gadawodd Dan y carchar i gludo neges i lywodraethwr y dalaith. Cafodd ei gornelu gan giwed o'r gelyn ond llwyddodd i ddianc. 'Pan oeddent yn ffraeo gyda'i gilydd, a'm ceffyl innau yn barod wrth law, ysbïais fy siawns ac nid hir wedi i mi neidio i'r cyfrwy cyn yr oedd y ceffyl a minnau o'u golwg yng nghanol cwmwl o lwch a'r bwledi yn chwibanu i bob man ond lle dymunent.' Ond cyn iddo ddychwelyd, torrodd hanner dwsin o derfysgwyr i mewn i gell Joseph a'i saethu ef a'i frawd, Hyrum, yn farw. Ddeufis yn ddiweddarach, yr oedd Dan a'i wraig ar eu ffordd i Gymru.

I gychwyn, bu'n gweithio yn ardal Wrecsam. O fewn tri mis yr oedd wedi ysgrifennu a chyhoeddi *Yn Farw wedi ei Chyfodi yn Fyw: neu'r Hen Grefydd Newydd*, llyfryn 48 tudalen yn cyflwyno gwirionedd y Mormoniaid i'r Cymry yn Gymraeg. Ynddo cyhoeddodd fod yr unig wir Eglwys wedi ei sefydlu ar y ddaear eto a bod galluoedd yr hen broffwydi a'r saint, fel iacháu trwy ffydd a siarad â thafodau, proffwydo a chyflawni gwyrthiau, yn awr wedi eu hadfer a'u hadfywio unwaith yn rhagor. Braidd yn llugoer a difater oedd ymateb y gogleddwyr. Tri ohonynt yn unig a fedyddiwyd mewn wyth mis o genhadu.

Ond ar ôl y cyfarfod syfrdanol ym Manceinion y cyfeiriwyd ato ar ddechrau'r bennod, symudwyd Dan Jones i Ferthyr a'i wneud yn brif ddyn y genhadaeth yng Nghymru, 'gan mai'r Brawd Jones,' fel y cyfaddefodd clerc y cyfarfod, 'yw'r unig ddyn sydd gennym sydd yn medru siarad, darllen, ysgrifennu a chyhoeddi yn yr iaith Gymraeg'.

Yr oedd angen y Gymraeg i genhadu ym Merthyr bryd hynny. Tref Gymreig oedd hi o hyd, gydag 88 y cant o'r boblogaeth wedi eu geni yng Nghymru. Y Gymraeg oedd iaith ei chapeli a'r Gymraeg oedd iaith ei heisteddfodau a'i chyngherddau. Ffynnai cymdeithasau fel y Cymmrodorion a'r Cymreigyddion. Rhan o'r rheswm am lwyddiant rhyfeddol Dan Jones oedd ei ddefnydd cyson o'r iaith.

Hefyd yr oedd Merthyr Tudful ym 1845 yn lle da ac yn amser da i chwilio am eneidiau anniddig. Roedd hi'n ddiwedd cyfnod o newid mawr, cyfnod y Siartwyr a Beca, cyfnod o chwyldro, cyfnod o gynaeafau gwael a phrinder, cyfnod o anhrefn cymdeithasol yn sgil y cynnydd aruthrol yn y boblogaeth a'r mudo o gefn gwlad i'r trefi. A Merthyr a threfi eraill blaenau'r Cymoedd oedd prif gyrchfan y boblogaeth symudol hon. Ym 1840, gwaith haearn Dowlais oedd y gwaith haearn mwyaf yn y byd, yn cyflogi 5,000 o weithwyr. Yr ail fwyaf oedd gwaith haearn Cyfarthfa, dair milltir i lawr y ffordd. Cynyddodd poblogaeth y dref yn hanner cyntaf y ganrif o 7,705 yng nghyfrifiad 1801 i 46,378 yng nghyfrifiad 1851. Dyma Galiffornia Cymru, yn denu meibion a merched y ffermydd bychain i chwilio am aur ar ei strydoedd.

Ond lle budr ac afiach oedd Merthyr. Nid oedd na charthffosiaeth yn ei strydoedd na dŵr glân yn ei chartrefi. Teiffws oedd yn gyfrifol am un o bob naw o'r marwolaethau. Ym 1832, daeth y colera i Brydain am y tro cyntaf, gan anelu'n syth am Ferthyr a lladd 160 o'r trigolion. Gwelent farwolaeth o'u cwmpas ar bob llaw a phoenent am gyflwr eu heneidiau. Drwy gydol hanner cyntaf y ganrif ffrwydrodd un diwygiad ar ôl y llall yng Nghymru. Ym 1800 amcangyfrifwyd fod 10 y cant o bobl Merthyr yn anghydffurfwyr. Erbyn 1851, o'r 60 y cant a ystyriai eu hunain yn grefyddol, yr oedd 90 y cant ohonynt yn anghydffurfwyr. Yn y cynnwrf hwn corddwyd syniadau newydd a dyheadau newydd a gadawyd llawer o'r boblogaeth mewn dryswch, yn ansicr pa eglwys, pa enwad, pa sect oedd yr un iddynt hwy. Edrychent am arweiniad ac ymbalfalent am graig gadarn o dan eu traed. Yr oedd Dan Jones yn y lle iawn ar yr adeg iawn.

Edrychai am y broc môr a olchwyd i'r lan ar ôl y stormydd

crefyddol hyn, dynion chwilfrydig ac annibynnol eu barn ond heb wreiddiau dwfn mewn enwad nac eglwys. Yn eu dyddiaduron a'u hatgofion cawn ddisgrifiadau dramatig o deithi meddwl rhai o'r pererinion hyn. Dynion fel Daniel Edward Williams. Ganwyd ef ym Mhenalun (Penally) yn Sir Benfro ym 1802. Dysgodd ddarllen pan oedd yn blentyn a dywed yn ei hunangofiant ei fod yn poeni bryd hynny am gyflwr ei enaid. Yn 12 oed, dechreuodd fynychu ysgol Sul yr eglwys ym Mhenalun. Aeth i wrando hefyd ar yr Annibynwyr a'r Wesleaid ond penderfynodd nad oeddent yn cynnal ordinhad y bedydd fel y'i disgrifir yn y Testament Newydd. Trodd felly, yn 17 oed, at y Bedyddwyr a bu'n ffyddlon iddynt hwy am ymron i 20 mlynedd. Ond yr oedd y cecru a'r cweryla rhwng y Bedyddwyr a'r enwadau eraill yn boen iddo a daeth yr hen aflonyddwch yn ôl. Gadawodd y Bedyddwyr a ffurfiodd gymdeithas fechan o ddynion o'r un farn ag ef ei hun. Ond siomiant oedd y gymdeithas hon hefyd. 'Cymdeithas o barablwyr oeddem,' meddai, 'yn medru datgymalu pob cyffes ffydd ond yn methu adeiladu yr un yn eu lle.' Ym 1838 symudodd i Lynebwy i weithio yn y gwaith haearn ac yno, heb lawer o frwdfrydedd, ailgysylltodd â'r Bedyddwyr. 'Ond nid oeddwn yn hapus,' meddai, 'oherwydd credwn eu bod wedi crwydro o symlrwydd Efengyl Crist ac ni fedrwn ganfod yn eu crefydd hwy unrhyw beth tebyg i'r grefydd honno fel y disgrifir hi yn y Testament Newydd.' Daeth i gysylltiad â'r Mormoniaid ym 1846 ac fe'i hargyhoeddwyd yn syth.

Gŵr o Sir Benfro oedd George Adams hefyd. Bu'n was fferm am gyfnod ond yn 20 oed aeth i weithio yn un o'r gweithfeydd haearn ym Merthyr. Teimlai fod y gweithiwr cyffredin yn cael ei gam-drin gan y meistri. Cefnogai'r Siartwyr a dymunai weld ffyniant yr undebau. Galwai ei hun yn ddëist a gwrthodai dderbyn unrhyw arweiniad oddi wrth eglwys nac enwad. Ond ym 1849 ymwelodd y colera â phen y Cymoedd a theimlodd George y byddai ei enaid yn fwy diogel y tu mewn i furiau eglwys. Ymunodd â'r Methodistiaid Cyntefig, sect a roddai bwysau mawr ar frwdfrydedd swnllyd ac ar gyfarfodydd awyr-agored mawrion. Ond po fwyaf y darllenai George am yr Eglwys Fore yn y Testament Newydd, y lleiaf a welai ohoni yn naliadau'r Methodistiaid Cyntefig. Yn fuan wedyn ymunodd â'r Mormoniaid oherwydd cynigient iddo, yn ei dyb ef, yr Eglwys Fore yn ei phurdeb fel y disgrifir hi yn y Beibl.

Gŵr o Gaersŵs oedd Edward Ashton, o deulu di-Gymraeg. Yn 8 mlwydd oed, wrth weithio mewn ffatri wlân o 6 y bore tan 9 y nos am dair ceiniog y dydd, daliwyd ei law dde mewn peiriant a bu ond y dim iddo'i cholli. Yn 10 oed aeth yn brentis at grydd ond profodd hwnnw'n ddyn sadistaidd, bwystfilaidd ac mae'n glir i Edward gael ei guro a'i gam-drin yn ddifrifol. Aeth gerbron llys a dangos ei friwiau i'r ynad a chael ei ryddhau o'i brentisiaeth. Aeth i lawr i Dredegar a chael gwaith mewn ffatri esgidiau. Syrthiodd i gwmni afradlon a bu ond y dim iddo gael ei sugno i fywyd ofer o yfed a gamblo ond achubodd ei hun drwy adael y dref a mynd i weini ar fferm naw milltir tu allan i Dredegar. Bu yno am ymron i ddeng mlynedd. Mynychai wasanaethau'r Eglwys Wladol yn achlysurol ond âi hefyd at y Methodistiaid Calfinaidd a dysgodd Gymraeg er mwyn cymryd rhan yn eu cyfarfodydd, ond ni chafodd foddhad o'r naill na'r llall. Ym 1849 ymunodd â'r Mormoniaid ac ym 1850 aeth i America.

Nid aelodau o ddosbarth isaf cymdeithas oedd y dynion hyn. Yn yr ardaloedd diwydiannol, hwy oedd y dynion a wyddai sut i 'drin y ffwrnes a darllen y wythïen'; yng nghefn gwlad, hwy oedd y gofaint a'r cryddion a'r seiri. 'Y mae Mormoniaeth yn ennill tir yn gyflym,' ebe erthygl yn yr *Athenaeum*, un o gylchgronau llenyddol Llundain, 'yn enwedig yn yr ardaloedd diwydiannol. Y mae hefyd yn llwyddo yng Nghymru. Y mae'r rhai sy'n cael eu ceisio a'u hennill gan apostolion y Mormoniaid yn fecanyddion a siopwyr, pobl sydd ag ychydig o arian wrth gefn, pobl o gymeriad dilychwin.' O Sir y Fflint a dwyrain Sir Ddinbych daeth adeiladwyr a seiri maen. O lannau Cothi a Tywi ymunodd nifer o ffermwyr bychain. Dynion synhwyrol a chydwybodol a gweithgar a dynion a boenai am gyflwr eu heneidiau.

Taflodd Dan Jones ei hun ben ac ysgwydd i'r ymgyrch i'w hachub. Ef oedd Howell Harris y Mormoniaid, y siaradwr huawdl a ddaliai gynulleidfa yng nghledr ei law am oriau. Gwelai waith y Diafol o'i gwmpas bob dydd a rhuthrai i'w herio. Teithiai'n ddiflino dros Gymru. Arllwysai orfoledd y cadwedig i'w bregethau. Yn ystod ei dair blynedd yng Nghymru cyhoeddodd ymron i ddeugain pamffled o'i waith ei hun, i gyd yn Gymraeg. Cyhoeddodd hefyd lyfr emynau yn Gymraeg a llyfr am hanes Mormoniaeth, o'r cychwyn hyd at lofruddiaeth Joseph Smith, y cyntaf o'i fath mewn unrhyw iaith. Cychwynnodd y cylchgrawn misol *Prophwyd y Jubili* i hyrwyddo'r gwaith cenhadol a llanwodd ef â'i weledigaeth danbaid:

'Anerchiad y Cyhoeddwr at ei gydgenedl, Ddarllenydd annwyl, wele ddechreuad cyfnod newydd yn ein hoes ni! Ie, un o'r hynotaf a fu erioed, mwyaf rhyfeddol yn ei ddarpariadau, daionus yn ei weithrediadau, a gogoneddus yn ei effeithiau, o bob oes flaenorol! Unwaith yn rhagor ymddiriedwyd i ddynion yr allweddau euraid o'r nef, er agor pob trysor, datgloi pob dirgelwch, a datrys pob cyfeiliornad ym mhlith dynion. Llawenyched preswylwyr y ddaear a rhodded pob Cymro glust o ymwrandawiad i'r newyddion da o lawenydd mawr a udgeinir drwy yr udgorn diweddaf hwn.'

Ond, fel Howell Harris, yr oedd yn ŵr cythryblus, ei fywyd yn llawn helbulon a chynnwrf. Gwnâi elynion yn hawdd, a'i elyn pennaf yn y dyddiau cynnar ym Merthyr oedd y Parch. W. R. Davies, gweinidog y Bedyddwyr yn Nowlais. Clywch Dan yn taranu, yn ei iaith flodeuog, yn erbyn y gelyn hwn. 'Cofus gennym pan yn fachgen am orlifiad eirias andwyol Etna a Stromboli, pan chwydent o'u "crater" afonydd o dân a brwmstan, nes difa pob blodeuyn, glaswelltyn, a phob peth byw yng nghyrraedd eu cynddeiriog donau tanawg! Erioed ni welsom efelychiad tebycach o'r pethau uchod nad ydyw gorlifiad ymysgaroedd aflan [y Parch. W. R. Davies] drwy'r wasg a'r pwlpud, yn erbyn ei gymdogion diniwed, oherwydd eu crefydd!' Ac yn y blaen, ac yn y blaen. Y mae, yn y geiriau, sŵn dyn wrth ei fodd yn cyflawni gwaith yr Arglwydd trwy lambastio un o 'ellyllon y fall a dihirod Beelzebub', sef yr anffodus Mr Davies.

Fel y gellid disgwyl, yr oedd yn gas gan yr enwadau traddodiadol y Mormoniaid. 'Edrychid arnynt gyda chryn ddirmyg fel lloerigion,' ysgrifennodd colofnydd yn *Cymru* O. M. Edwards. Ni chredai'r capelwyr fod Mormoniaeth yn grefydd Gristionogol o gwbl. Ni dderbynient mai'r un Crist oedd Crist y Mormoniaid â'u Crist hwy. Iddynt hwy, yr oedd y Drindod yn Un, nid yn Dri hanfod ar wahân fel i'r Mormoniaid. Iddynt hwy, Crist oedd unig anedig fab Duw, nid un o nifer fawr o blant, fel i'r Mormoniaid. Ac yn sicr, nid ymwelodd eu Crist hwy erioed ag America. Testunau gwawd i'r anghydffurfwyr oedd hanesion y Saint am y llafnau aur a'r sbectols sanctaidd. Yn ôl *Yr Arweinydd*, papur a gyhoeddwyd ym Mhwllheli gan Tegai, un o weinidogion yr Annibynwyr, 'Cymysgfa ydyw [Mormoniaeth] o baganiaeth, Judasiaeth, Cristionogaeth, Mahomedaniaeth, eilun addolaeth ac anffyddiaeth.' Ymosodai'r cylchgronau enwadol yn ffyrnig arnynt gan eu pardduo a'u condemnio'n ddidrugaredd:

Beth yw Seintiau crefydd Mormon
Onid cwter chwydfa'r byd,
Tomen scybion yr eglwysi,
Gwartheg culion Pharo nghyd,
Melltith teulu, pla cymdogaeth,
Llwyth yn rhegi llwythau Duw,
Gweision enllib, deistiaid diras,
Un gymdeithas pryfed byw?

Gwylltiwyd y capeli ymhellach gan honiadau'r Mormoniaid mai hwy oedd yr unig wir eglwys. Pan ddeuai Crist i farnu dynion, rhywdro tua diwedd y ganrif, meddent, ni fyddai gwaredigaeth i breswylwyr y 'Babilon Fawr'. Nid oedd lle yn y nefoedd i Fedyddwyr nac Annibynwyr na Methodistiaid nac unrhyw grefyddwyr eraill. Yn y Jerusalem newydd, dim ond y Saint fyddai'n gadwedig.

Duw sy'n galw'n uchel heddiw
Ar ei blant o Babilon
Draw i'r wlad sydd mewn addewid
Lle cânt drigo oll yn llon.
Dewch o Babel.
Buan y dinistrir hon.

A chynddeiriogwyd hwy gan lwyddiant y Mormoniaid. Gwelent nifer o'u haelodau yn gadael i ymuno â hwy. Dan Jones oedd yn bennaf cyfrifol am hynny. Amcangyfrifwyd fod tua 500 o Formoniaid yng Nghymru pan gychwynnodd ar ei genhadaeth. Yn fuan, dechreuodd y nifer gynyddu'n ddramatig. Ym Merthyr Tudful yn unig, ymunodd tuag 20 aelod newydd bob mis trwy gydol 1845. Ym 1846, cynyddodd y nifer ddwywaith ac, ym 1847, deirgwaith eto. Ac o ganol 1847 tan ganol 1849 bedyddiwyd ar gyfartaledd dros

140 y mis. Broliai Dan fod cynifer o wrandawyr yn Nowlais 'nes i'r neuadd oedd gan y Saint fynd yn rhy gyfyng ac y maent yn pregethu yn awr yn neuadd gyfleus y "Marquis of Bute", yr hon sydd orlawn o wrandawyr boneddigaidd ar y Sul'. Ac yng Nghymanfa Sir Fynwy bu'n rhaid gosod 'props' o dan lawr y neuadd rhag iddo ddymchwel o dan bwysau'r gynulleidfa. Ar ddydd Sul y Cyfrifiad Crefyddol ym 1851 yn ardal Merthyr Tudful mynychodd 1,190 o Saint y moddion, dim ond 647 yn llai na'r nifer a fynychodd wasanaeth nos Eglwys Loegr. Ac yng Nghymru gyfan amcangyfrifwyd, yn Rhagfyr 1851, fod gan y Mormoniaid 5,244 o aelodau, a thua 30,000 ym Mhrydain gyfan.

Ond yr hyn a boenai'r capeli yn fwy na dim oedd mai'r cam nesaf ar ôl ymuno â'r Mormoniaid oedd gadael Cymru ac ymfudo i America. Nid yn unig yr oedd y grefydd estron hon yn dwyn aelodau ffyddlon o'u capeli a'u henwadau ond, yn fwy anfaddeuol, yn eu dwyn o'u cartrefi a'u teuluoedd hefyd. 'Dewch i fyny i adeiladu tŷ yr Arglwydd, O chwi Saint, o bedwar cwr y ddaear,' galwai Brigham Young, 'canys fel y casgla iâr ei chywion, y mynn yr Arglwydd Iesu Grist eich casglu chwithau hefyd yn y dyddiau diwethaf hyn.' 'Pwy sy'n barod i gychwyn adref?' oedd cri Dan Jones. 'Ymgasglwch ynghyd! Ymgasglwch!' Nid gwahoddiad oedd hwn ond gorchymyn. 'Casglwch eich hunain ynghyd, O chwi blant y deyrnas, i'r fan lle addawodd yr Arglwydd waredigaeth.' A'r man hwnnw oedd America, 'y wlad a ddewiswyd gan Dduw fel lle o ddiogelwch i'w bobl yn y dyddiau diwethaf hyn, pan fyddo fflangellau Ei ddigofaint yn dinistrio'r cenhedloedd ac yn dadboblogi y ddaear oherwydd anghrediniaeth gynyddol a ffieidd-dra ei phreswylwyr'.

Canlyniad y casineb oedd erledigaeth. Ymosodwyd ar genhadon y Mormoniaid ymhob cornel o Gymru. Yn Llanymddyfri fe'u curwyd yn greulon. Yr un oedd y stori yn Abergele, lle curwyd a thaflwyd cerrig atynt. Yn Sir Benfro clymwyd Thomas Evans wrth bont uwchben yr afon gerfydd ei wallt. Bu bron i dorf afreolus grogi Hugh Roberts, y crydd, yn Eglwys-bach, Dyffryn Conwy, a chwipiwyd David Williams yn Aberhonddu a'i dynnu trwy'r llaid. Nid oedd unrhyw un yn saff. 'Yr oedd bywyd ein hannwyl frawd Capt. Jones yn y fath berygl, fel yr ymosodid ar ei dŷ bron bob nos am wythnosau cyn cychwyn o Ferthyr.' Nid rhyfedd felly fod cynifer o'r Saint yn awyddus i adael eu mamwlad.

Mae teulu cas y gelyn du
Mewn llid a malais atom ni.
Gwnawn ffoi o'u plith, eu dial ddaw.
Am hynny ffown i Seion draw.

Ym mis Ionawr 1848, cyhoeddodd Dan Jones yn fuddugoliaethus yn *Prophwyd y Jubili* fod Brigham Young wedi llwyddo i gyrraedd y Dyffryn. 'Yn awr, chwi Saint hoff drwy Gymru,' meddai, 'dyma newyddion ar y disgwyliasoch lawer am eu clywed! Wele'r fan wedi ei gael, yr hwn fydd o hyn allan yn ganolbwynt i holl blant Seion o bob llwyth, iaith a gwlad i dynnu tuag ato. Pwy sydd barod i gychwyn yno?' Y mis wedyn, disgrifiodd y llwybr y byddent yn ei ddilyn. 'Y ffordd a gymeradwyir yw trwy Orleans Newydd, i fyny'r afon Mississippi, a'r Missouri, i Council Bluffs, oddi yno dros y tir mewn pedrolfeni, hyd ben y daith.' ('Pedrolfeni' yw gair Dan Jones am wageni pedair olwyn.) Erbyn mis Hydref yr oedd yn dechrau casglu enwau ac ernesau. 'Dymunir ar bob person neu deulu o Saint ag sydd yn meddwl am fyned ac yn alluog i hynny, i anfon i mi eu henwau, wedi eu hysgrifennu yn eglur ac yn gyflawn, ynghyd ag oedran pob gŵr, gwraig a phlentyn. Anfonent bunt o ernes gogyfer â phob un, hen ac ieuanc.' Yr oeddent i deithio gyda'i gilydd. 'Bwriadwn gael llond llong o Gymry i fyned gyda'i gilydd os bydd oddeutu tri chant yn barod erbyn mis Ionawr.' Gwyddai Dan fod y rhan fwyaf o'i gwsmeriaid yn Gymry uniaith ac yn ansicr o'u hunain ymysg Saeson. 'Nid oes raid i mi eu hysbysu y bydd yn llawer mwy pleserus a manteisiol iddynt fynd gyda'i gilydd... yn enwedig oherwydd yr iaith.' Ni fedrai fod yn hollol sicr o'r gost. Byddai croesi'r Iwerydd, meddai, 'yn ddim llai na dwy bunt a phum swllt a dim mwy na phum punt'. Yr oedd costau eraill, wrth gwrs, fel y gost o fynd i fyny'r Mississippi a'r Missouri, a'r gost o brynu wagen ac ychen a'r offer angenrheidiol ar gyfer y daith ar draws y paith. Yma eto, gallai'r Eglwys yn America helpu trwy logi'r cyflenwyr mwyaf dibynadwy a bargeinio'r prisiau gorau ar eu cyfer.

Yn yr un rhifyn o *Prophwyd y Jubili*, nododd Dan fod y 'Cholera Morbus' yn agosáu. Nid oedd eto wedi cyrraedd ffiniau Cymru ond yr oedd wedi croesi'r Sianel o Ffrainc ac yn creu difrod a dychryn yn Llundain, Hull, Birmingham a Glasgow. Gwyddai ei ddarllenwyr beth i'w ddisgwyl. 'Hyn a obeithiwn,' ysgrifennodd Dan, 'y paratoa cynifer o Saint ag a allont ddianc o Gymru i'r man lle y gwyddent fod gwaredigaeth ar gael.'

Daw heintiau a phlâu ym Mabilon fawr
A brenin pob dychryn i ruo yn awr;
Ond draw ni fydd heintiau na phlâu na phoen
Bydd pawb yn gysurus yn caru yr Oen.
Saint, Saint, annwyl Saint.
O, deuwch i Seion, yr holl ffyddlon Saint.

Ym mis Tachwedd y mae'r cyfarwyddiadau yn fanylach. Rhoir gwybodaeth am y stemar, y *Troubadour*, oedd wedi ei llogi i'w tywys o ddociau Abertawe i Lerpwl i ddal y llong. Cynghorir hwy sut i osgoi'r 'sharpers' a'r 'dodgers' fyddai'n frith ar y cei yn Lerpwl, yn edrych am deuluoedd diniwed o gefn gwlad i'w hysbeilio. 'Na wrandewch ar gynigion y dieithriaid, pa rai, fel haid o gacwn, a'ch cylchynant tra yno.' Trafodir faint o ddillad isaf fyddai eu heisiau arnynt a faint o fwyd oedd ei angen ar y fordaith.

Yn niwedd Chwefror 1849 ymgasglodd 326 o Saint Cymreig yn y doc yn Lerpwl. Gan fod cynifer ohonynt wedi dod, bu'n rhaid llogi llong ychwanegol ar y funud olaf. Hwyliodd 249 ohonynt ar y *Buena Vista* ar y 26ain o Chwefror a'r gweddill ar yr *Hartley* wythnos yn ddiweddarach. Yn ôl *Udgorn Seion* (sef y teitl newydd a roddwyd ar gylchgrawn yr Eglwys ar ddechrau 1849), parhaodd 'lluoedd Babilon' i geisio ennill yn ôl eu haelodau coll tan y funud olaf. Daeth y Parch. Henry Rees, hoelen wyth y Methodistiaid a phregethwr grymusaf yr oes, gyda nifer o'i gyd-weinidogion i lawr i'r doc ac ar fwrdd y *Buena Vista* i geisio achub unrhyw bererinion oedd am newid eu meddwl ar yr unfed awr ar ddeg. 'Hyd yn hyn,' broliodd yr *Udgorn*, 'methasant oll ddylanwadu ar gymaint ag un. Diau fod Cymru fach fel crochan berwedig gan chwedlau anwireddus amdanom a llawer a broffwydir am ddrylliad ein llong.' Taenwyd straeon fod Dan

Jones yn bwriadu galw yn Cuba er mwyn gwerthu ei ddilynwyr, yn enwedig y merched, i gaethwasiaeth. 'Eu servo yn right fyddai hynny,' oedd barn *Seren Gomer*, 'am mor lleied o barch sydd ganddynt i Lyfr Crist. Lled debyg y cant dalu yn hallt am eu twyll.'

Daeth lliaws o'u cyd-Formoniaid i'r doc i ffarwelio. Wrth i'r llong baratoi i adael, clywid y Cymry yn canu eu ffarwél. Yn ei henaint, cofiai Sarah Peters yr olygfa fel pe bai ddoe. 'Rwy'n cofio gafael yn llaw fy nhad ac yntau'n chwifio ei hances boced a gweiddi "Ffarwél" a "Bendith arnoch" i'w ffrindiau wrth iddynt ymadael. Edrychais i fyny at y llong a gwelais yno John Parry yn arwain y canu ac Edward Parry yn chwarae ei delyn fawr.'

Cyfeillion sy'n annwyl a cheraint sy'n agos
A'r wlad lle ein ganwyd sy'n felys i'n bryd;
Er hynny ymfudwn, yn ôl y gorchymyn
I gael etifeddu rhan arall o'r byd.
Plant ydym a anwyd i deyrnas y nefoedd.
Ni pherthyn gwlad Cymru ddim mwyach i ni.
Ar dir yr Amerig y mae'n hetifeddiaeth,
Cans yno mae'r Arglwydd yn galw ei lu.

Gwyddai'r rhan fwyaf ohonynt na welent y ffrindiau a'r teulu ddaeth i ffarwelio byth eto. Wrth iddynt ganu, codwyd y bompren a llithrodd y llong i'r llif. Wythnos yn ddiweddarach, gadawodd yr *Hartley* gyda gweddill y Cymry.

Ychydig a wyddom am y rhan fwyaf o'r teithwyr ar fyrddau'r ddwy long ond gadawodd un neu ddau ohonynt ddyddiaduron a chofiannau gwerthfawr. Y mwyaf diddorol, efallai, yw hunangofiant David (Dafydd) D. Bowen. Morwr ifanc oedd Dafydd. Bum mlynedd ynghynt bu ond y dim iddo golli'i fywyd ar fordaith rownd yr Horn yn cario glo i Valparaíso a llwyth o *guano* yn ôl i Gymru. Ar y ffordd adref dechreuodd ei long ollwng fel gogor a rhedwyd hi i'r lan rywle ar arfordir Chile a'i gadael yno i bydru. Daeth Dafydd yn ôl i Gymru ar long gopr oedd yn cario mwyn i'w smeltio yn Abertawe. Ar ddydd Nadolig 1845 priododd â Mary Davis, hithau'n 20 oed ac yntau'n 23. Ar ôl priodi, penderfynodd adael y môr er mwyn byw gyda'i wraig. Aeth i weithio at ei frawd mewn pwll glo rywle yn Sir

Forgannwg a chael, i'w syndod, ei fod yn ennill cyflog da dros ben, llawer gwell nag a enillai ar y môr. 'Derbyniwn dri swllt y dydd neu bunt a swllt bob wythnos oherwydd byddem yn gweithio ar y Sul hefyd. Medrwn gynilo hanner fy nghyflog.' Ganwyd mab iddynt ac fe'i galwyd yn Morgan ar ôl ei dad-yng-nghyfraith. 'Yr oeddwn yn hapus bryd hynny ac yn byw yn gysurus.' Ond yna dechreuodd ei gydwybod ei gnoi.

'Dechreuais boeni nad oeddwn yn byw bywyd crefyddol. Ni fedrwn benderfynu i ba le i droi na pha enwad i ymuno ag ef. Cefais fy magu gyda'r Bedyddwyr ond fe'u gadewais oherwydd nad oedd eu hathrawiaeth yn cyfateb i'r hyn a ddarllenwn yn y Beibl.' Daeth hen ffrind i aros a hwnnw'n un o'r Saint. 'Gyda'i ddadleuon treiddgar a'i wybodaeth fanwl o'r Ysgrythurau, llwyddodd i'm hargyhoeddi ei fod yn nes at y gwirionedd nag unrhyw un o'r enwadau eraill.' Bedyddiwyd Dafydd yn yr afon a redai wrth ochr y pwll glo am ddeg o'r gloch y bore ar y 19eg o Fehefin, 1847. Wythnos wedyn bedyddiwyd Mary, ei wraig, ac yn nechrau Medi trowyd ef o'i waith oherwydd ei ddaliadau crefyddol. Yr unig ddewis iddo yn awr oedd mynd yn ôl ar y môr. Edrychodd am long a fyddai'n caniatáu iddo ddod adref at Mary a'r babi yn rheolaidd a dewisodd y *Jane*, brìg oedd yn hwylio rhwng Llanelli a Portsmouth. Ond pan gyrhaeddodd Portsmouth ar ei fordaith gyntaf, deallodd mai porthladd nesaf y *Jane* oedd Archangel yn Rwsia. Ni ddaeth adref am chwe mis ac erbyn hynny yr oedd ei ail blentyn wedi ei eni. Yn fuan wedyn penderfynodd mai yn America, gyda'r Saint, yr oedd ei le, a gadawodd ar yr *Hartley* gyda Mary a'r plant, a'i dad- a'i fam-yng-nghyfraith.

Un arall o'r teithwyr ar yr *Hartley* y gwyddom rywbeth o'i hanes yw John Ormond. Yn teithio gydag ef yr oedd pump o'i blant. Gadawodd hwn ei gartref ym Marloes, Sir Benfro, heb ffarwelio â'i wraig Elizabeth. Yr oedd Elizabeth wedi gwrthod derbyn y ffydd newydd ac yn gryf yn erbyn ymfudo. Yn greulon iawn, cynlluniodd John i'w gadael heb ddweud gair wrthi, gan gipio cynifer ag a fedrai o'r plant i fynd â hwy gydag ef. Ar y bore penodedig, felly, aeth gyda'i fab i'w waith yn ôl ei arfer. Yn ystod y bore, ymadawodd Elizabeth am y farchnad gyda'i bachgen ieuengaf, Charles, gan adael Dorothy, y ferch hynaf, i ofalu am ei dwy chwaer fach a'r babi, Elinor. Wedi iddi fynd, daeth John a'i fab yn ôl o'u gwaith ac erbyn i Elizabeth ddychwelyd o'r farchnad gyda Charles yr oedd pawb, gan gynnwys y babi, wedi diflannu. Welodd hi fyth mohonynt wedyn.

Un arall a deithiai ar y *Buena Vista* oedd John Parry o Drelogan, y cyntaf mewn olyniaeth hir o seiri maen ac adeiladwyr o fri a aeth allan i Utah o'r ardal honno. Hwn oedd y dyn a arweiniai'r canu ar fwrdd y llong wrth iddi adael y doc, dyn diwylliedig, cerddor dawnus, chwaraewr y ffliwt a'r delyn, a chynganeddwr da. Ar ddechrau ei yrfa bu'n fawr ei barch yn yr Eglwys Wladol cyn gadael i ymuno â'r Bedyddwyr ac yna gadael eto i fod yn weinidog yn Lerpwl ar un o eglwysi'r sect Americanaidd a elwid yn 'Campbellites', pobl a gredai, fel y Mormoniaid, fod rhaid adfer yr Eglwys Fore. Ym 1846 daeth John Parry i gysylltiad â chenhadon y Saint ac ni fu'n hir cyn ymuno â hwy. Yn Utah fe'i cofir heddiw fel y dyn a ffurfiodd, ar gais Brigham Young, y côr a ddaeth yn fyd-enwog fel 'Côr Tabernacl y Mormoniaid'.

Dyn wedi ei godi i fod yn weinidog oedd Thomas Jeremy o Lantrenfawr, ger Llanybydder. Ac yntau'n fab i ffermwr llewyrchus, cafodd addysg dda a bwriadwyd ef i fynd i bulpud y Bedyddwyr. Ond un diwrnod yn gynnar ym 1846, curodd Dan Jones ar ddrws y fferm gan newid cwrs ei fywyd. Dechreuodd Thomas gynnal cyfarfodydd Mormonaidd yng nghegin y fferm a phan hwyliodd i America gyda'i arwr, gadawodd bedair cangen ffyniannus o Saint ar ei ôl yn ardal ei febyd. Talodd gostau teithio tri o'i gymdogion i ddod gydag ef. Wedi cyrraedd Dinas y Llyn Halen bu'n un o arweinwyr pwysicaf y Cymry. Gydag ef ar y *Buena Vista* yr oedd ei wraig, Sarah, ei ddau fab a'i bum merch.

Un arall a dalodd gostau rai o'i chyd-deithwyr oedd Elizabeth Lewis, tafarnwraig y Llew Gwyn yng Nghydweli, tafarn sy'n dal i fodoli. Clywodd yn gyntaf am neges Joseph Smith ar draws y bar wrth siarad â'i chwsmeriaid. 'Daeth fy nhafarn yn gyrchfan i henaduriaid,' meddai, 'a chefais fy erlid yn gyson gan gymdogion.' Ymunodd â'r Mormoniaid yn erbyn ewyllys ei gŵr a phenderfynodd ymfudo hebddo. Ond nid oedd Elizabeth am adael heb ei siâr o'r busnes. Yr oedd ganddi hawl, y mae'n debyg, i gyfran ohono. Gorfodwyd Mr Lewis i werthu'r dafarn a chymerodd Mrs Lewis y rhan fwyaf o'r arian a'i ddefnyddio i dalu costau teithio chwech o'i phlant a nifer o'i chymdogion. Hawliai Mr Lewis ei bod wedi cymryd mwy na'i siâr ac yn ôl un fersiwn o'r stori dilynodd hi ar draws yr Iwerydd i Ddinas y Llyn Halen a mynd â'i gŵyn at Brigham Young ei hun, gan orfodi ei wraig i dalu peth o'r arian yn ôl. Beth bynnag fo'r gwir, yr oedd hon, y mae'n glir, yn fenyw eofn a phenderfynol.

Yr hynaf o'r teithwyr ar fwrdd y *Buena Vista* oedd Evan Jones, yn 92 oed. 'Ceisiodd llawer ei ddigalonni i beidio dyfod,' ysgrifennodd Dan, 'gan broffwydo na chyrhaeddai dros y môr a llawer o bethau eraill. "Ond yr wyf i," meddai, "am brofi drwy nerth Duw mai gau broffwydi ydynt." Yr oedd wedi colli ei wallt i gyd oddieithr i ychydig o wallt gwyn fel yr eira,' meddai Dan, 'ond erbyn hyn y mae ganddo gnwd toreithiog o wallt newydd fel gwallt plentyn a dywedai ei fod yn teimlo'n ieuengach o hyd.'

Mwynhaodd Dan y daith dros yr Iwerydd yn fawr. 'Cawsom dywydd hyfryd a gwynt teg fynychaf bob dydd. Mewn gwirionedd yr oedd yn llawer mwy hyfryd arnom nag a feddyliais y byddai. Yr oedd canol Mawrth fel canol Mehefin. Braf oedd gweld y plant yn chwarae hyd y dec ac yn difyrru eu rhieni. Rhai yn canu yma, rhai yn chwedleua neu yn darllen draw, rhai yn cerdded braich ym mraich, tra eraill yn darparu bwydydd o gynifer fathau ag a geir mewn *cookshop*.' Wedi 50 diwrnod ar y môr, cyrhaeddwyd New Orleans. Yno llogwyd agerlong i'w tywys i fyny'r Mississippi ar gymal nesaf eu taith, ac ar ei bwrdd ysgrifennodd Dan Jones lythyr at William Phillips, ei olynydd yng Nghymru. 'Y mae'r colera yn ddrwg iawn yn New Orleans ac y mae llawer o farwolaethau yn yr agerfadau ar hyd yr afonydd,' meddai, 'yn enwedig ymysg yr ymfudwyr. Mewn un bad a aeth o'n blaenau bu 42 farw o'r colera ac mewn un arall, 19 y cant o'r teithwyr. Ond nid Saint oeddent.' Parhâi Dan Jones yn argyhoeddedig bod y Saint yn saff oherwydd bod Duw yn eu gwarchod.

O'u blaenau yr oedd taith o 10 niwrnod i St Louis, lle byddai'n rhaid newid i agerlong lai i gwblhau'r daith i Council Bluffs ar y Missouri. Ar bob llaw yr oedd golygfeydd na welodd y Cymry eu tebyg o'r blaen. Ymddangosai'r glannau yn fwrlwm o fywyd, sŵn adar dieithr a fflachiadau o blu lliwgar, miloedd o hwyaid a gwyddau yn codi'n gynhyrfus a swnllyd o flaen y llong a disgyn yn dawel o'i hôl. Deuai arogleuon na chlywsant erioed o'r blaen o'r gwyrddni toreithiog o'u cwmpas ac, yn awr ac yn y man, pasiwyd dociau prysur lle rowliai dynion duon fwndeli o gotwm a theisi o gywarch a chasgenni o driagl siwgr i lawr i'r afon. Ar adegau, arllwysai mwg du o gyrn y llong ac ewyn gwyn o'i holwynion wrth iddi ymladd ei ffordd i fyny'r afon yn erbyn y llif. Ar adegau eraill, bron nad oedd llif o gwbl a theithiai fel pe bai ar lyn. Cadwodd y colera draw drwy gydol y daith.

Ond yn St Louis, nid oedd dianc i fod. Cyraeddasant yno ar yr 28ain o Ebrill, yr amser gwaethaf posibl. Yn yr wythnos flaenorol dim ond 26 o drigolion y dref a fu farw o'r colera, ond yn yr wythnos pan gyrhaeddodd y Cymry neidiodd y niferoedd i dros 500. Creulondeb colera yw'r ffordd y mae'n taro mor sydyn ac yn rhedeg ei rawd mor gyflym. 'Dylid deall nad oes neb yn cael eu hystyried yn marw o'r colera os na fyddant farw o fewn pedair awr ar hugain,' esboniodd yr *Udgorn* wrth gyfrif marwolaethau Merthyr yn gynharach yn y flwyddyn. Brysiodd Dan Jones i logi bad arall i'w tywys i fyny'r afon, allan o afael y pla. Dewisodd agerlong o'r enw *Highland Mary* – dewis trychinebus. I lawr yng ngwaelodion y llong, yn y bynciau rhataf lle cysgai'r rhan fwyaf o'r Mormoniaid, wedi eu gwasgu rhwng y cargo a'r injan, lle disgwylid iddynt baratoi eu bwyd eu hunain ac yfed dŵr yn syth o'r afon, yr oedd yr haint yn stelcian. Yno, ym mudreddi chwyslyd eu cabanau, disgynnodd arnynt fel gordd.

Rhwng St Louis a Council Bluffs collwyd 20 y cant o'r Cymry ar yr *Highland Mary*. Bu farw pump cyn gadael St Louis. Jenkin Williams, peiriannydd 20 oed o Aberdâr, oedd y cyntaf, a Benjamin Francis, gof o Lanybydder, oedd yr ail. Lloriwyd yr iach a'r heini yn ogystal â'r methedig a'r gwan, a chipiwyd pobl o bob oed, o fabanod newydd eu geni i Evan Jones, yr hen ŵr 92 oed. Gorweddai gwŷr a gwragedd yn ddiymadferth ar y dec a neb yn abl i'w helpu. Ysgrifennodd Sarah Jeremy fod 'eu cegau a'u tafodau'n sych, a theimlai pob un fel bod tân yn ei losgi'. Mewn llyfr poced bychan, cadwodd Thomas, ei gŵr, restr ddyddiol o'r rhai fu farw ar yr agerfad, cofnod torcalonnus sydd yn awr yn archif Saint y Dyddiau Diwethaf yn Ninas y Llyn Halen. Ar y 6ed o Fai ysgrifennodd enwau dwy o'i ferched bychain ef ei hun yn y llyfr, a drannoeth ychwanegodd un arall. Claddwyd y tair ar lan y Missouri, dwy ohonynt yn rhannu'r un arch fechan. Collodd David a Mary Phillips dri o'u pedwar plentyn mewn tridiau, a

Margaret Francis hefyd, gweddw Benjamin y gof o Lanybydder, collodd hithau dri phlentyn mewn tridiau. Gadawyd i'r cyrff orwedd mewn pentyrrau ar y dec nes i'r capten fedru tynnu i'r lan i'w claddu. 'Ychydig o seremoni a gynhaliwyd wrth eu claddu. Byddai'r llong yn dod i stop. Agorai'r criw ffos a gosod y cyrff ynddi, ochr yn ochr. Yna, yn frysiog, eu gorchuddio. Ni adawyd unrhyw farc i ddynodi eu gorweddfan olaf.'

Ar ddechrau'r mis Mai ofnadwy hwnnw cyrhaeddodd yr *Hartley*, ail long y Cymry, New Orleans wedi taith ddidrafferth dros yr Iwerydd, 'mwy fel taith bleser' yn ôl un o'r teithwyr. Ond dyna lle daeth eu pleser i ben. Ymosododd yr haint â'r un ffyrnigrwydd arnynt hwythau hefyd, a chyn cyrraedd Council Bluffs yr oedd o leiaf 20 o'r cwmni gwreiddiol o 77 yn farw. Ar fwrdd yr *Hartley* teithiai William Owens, ffermwr o Ffestiniog, a'i wraig a'u saith plentyn. Bu farw Jane, un o'r merched, ar ddydd Llun. Yna dau arall o'r plant, William ac Alice, ar y dydd Mawrth, Ellenor, ei wraig, ar y dydd Mercher, William ei hun ar y dydd Gwener a mab arall, Richard, ar y dydd Gwener canlynol. Daeth Nathaniel Eames, un arall o gangen Ffestiniog, ar y fordaith gyda'i fab o'i briodas gyntaf, ei ail wraig a'i ddau blentyn o'r ail briodas. Ar yr Iwerydd, ganwyd merch fach arall iddynt. Mewn llai nag wythnos ar y Mississippi bu farw pob un ohonynt heblaw am fab y wraig gyntaf. Daeth galar i deulu rhwygedig John Ormond hefyd. Bu farw'r plentyn ieuengaf, Elinor, a gipiwyd mor greulon o dan drwyn ei mam, ac un arall o'r merched, Laetitia.

Marwolaeth hyll a budr yw marw o'r colera. Cyfog du a dolur rhydd di-baid a phoenau arteithiol drwy'r corff. Does dim rhyfedd i ffydd rhai o'r Saint wanhau a thorri o dan faich y fath ddioddef. Ar ôl colli ei wraig ac un plentyn, gadawodd Thomas Davis yr Eglwys a mynd i ffermio yn Missouri. Trodd David Jones a'i wraig Emma, hefyd, eu cefnau ar y Saint, a Benjamin Jones a'i deulu, ond yn eu hachos hwy credir iddynt fanteisio ar y Mormoniaid o'r cychwyn er mwyn cyrraedd America yn rhad. Arhosodd tua hanner teithwyr yr *Hartley* yn St Louis, rhai ohonynt i edrych ar ôl y cleifion, eraill i edrych am waith i dalu am gymal nesaf y daith i'r Dyffryn.

Yn ei ddyddiadur disgrifiodd y morwr Dafydd D. Bowen ei dreialon creulon. 'Mai 12. Glaniwyd yn St Louis gyda llawer o gleifion ar ein bwrdd. Trawyd fy ngwraig yn wael iawn ddau neu dri diwrnod ynghynt, ac ar y bore y daethom i'r lan ymosododd y colera yn ffyrnig ar fy mam-yng-nghyfraith hefyd, fel y bu'n rhaid i mi chwilio am ysbyty i'r ddwy. Gadewais fy mam-yng-nghyfraith yn yr Ysbyty Elusennol, gyda'i merch ieuengaf, Rachel, i'w gwarchod. Pan adewais yr oedd yn anymwybodol. Gwrthodwyd lle i'm gwraig yno oherwydd dywedwyd nad colera oedd arni. Euthum â hi i Ysbyty'r Ddinas sydd dair milltir ymhellach i ffwrdd. Gadewais hi yno ymysg dieithriaid a mynd yn ôl i'r llong at fy mhlant a'm tad-yng-nghyfraith. Fore trannoeth euthum eto i'r Ysbyty Elusennol at fy mam-yng-nghyfraith. Cefais, i'm syndod, ei bod wedi marw ac wedi ei chladdu cyn i mi gyrraedd. Ni chefais gyfle i'w gweld. Yna euthum i'r ysbyty arall a chanfod yno fy ngwraig yn wan a musgrell iawn. Dywedodd na chafodd ddim i'w fwyta nac yfed heblaw ychydig ddŵr a phlediodd arnaf i fynd â hi i ffwrdd o'r fath le diflas. Gwneuthum yn ôl ei dymuniad. Bu'n rhaid i mi ei chario ar fy nghefn y rhan fwyaf o'r ffordd o'r ysbyty i'r llong drwy ganol dinas St Louis.

Mai 23. Gyda'r wawr y bore yma yr oedd fy ngwraig yn wael dros ben eto a thua phedwar o'r gloch eisteddodd i fyny a phwysodd ei phen yn ôl yn erbyn y wal a marw mewn eiliad heb ddweud gair. Yr oedd yn 24 mlynedd, 3 mis a 23 niwrnod oed. Fe'i claddwyd ym mynwent Blue Ridge yn nhalaith Missouri. Aeth fy merch fach yn wael yn syth ar ôl i'm gwraig farw, gan waethygu a gwaethygu, ac ar Fehefin 20 bu hithau farw hefyd yn yr un tŷ â'i mam ac fe'i claddwyd hithau yn yr un bedd.'

Criw dolurus a briwiedig a gyrhaeddodd Council Bluffs bedwar mis wedi gadael Lerpwl. Yn halen ar eu briw, gwrthododd y Saint ar y lan gynnig unrhyw help iddynt, gymaint oedd eu hofn o'r colera. 'Ddaeth neb yn agos atom,' ysgrifennodd Isaac Nash. 'Gadawyd ni ar lan yr afon gyda'n meirw.' Bu'n rhaid i George A. Smith, un o'r deuddeg Apostol a phrif ddyn y gwersyll, fygwth cosb waeth na'r colera. 'Anfonodd y Brawd Smith air at y bobl i ddweud os na chymerent ni i mewn a rhoi lloches i ni, yna byddai'r Arglwydd yn siŵr o ddial arnynt. Ni fu'n hir cyn i'r wageni a'r anifeiliaid gwedd ddod i lawr atom gan gymryd gofal ohonom i gyd.'

Wedi cyrraedd Council Bluffs penderfynodd mwyafrif y Cymry

na fedrent symud ymlaen i'r Dyffryn y flwyddyn honno. Yr oeddent wedi eu gwanhau gymaint gan y profiad ar y Missouri fel nad oedd ganddynt y nerth i ailgychwyn eu taith. Ym mis Tachwedd ymddangosodd llythyr yn *Udgorn Seion* oddi wrth William Morgan, arweinydd y rhai a arhosodd yn Council Bluffs. 'Yr ydym wedi ymrannu yn ddau ddosbarth,' meddai, 'un dosbarth wedi myned ymlaen tua gwastadedd y Llyn Halen, sef 22 o wagenni dan lywodraeth y brawd Dan Jones, a'r dosbarth arall yn aros yma i'r diben o osod sefydliad Cymreig ar ei draed.' Y gobaith oedd prynu tir ac adeiladu pentref bychan a chreu lloches i ymfudwyr Cymreig y dyfodol, hanner ffordd i'r Dyffryn, lle caent amser i ymgryfhau ar ôl treialon y fordaith dros yr Iwerydd ac i fyny'r afonydd. 'Yr ydym oll, rhwng pobl mewn oed a phlant, yn 113 o rifedi. Y mae'n tiroedd bron i gyd nesaf at ei gilydd ac y mae y brawd Jones wedi prynu tir sydd yn 150 neu ragor o erwau ar bwys ein tiroedd ni ac wedi ei roddi dan fy ngofal i, fel anrheg i'r Cymry.' Cyflogwyd y Cymry llai cefnog fel gweision gan eu cyd-wladwyr cyfoethocach. Rhoddai hyn gyfle iddynt ennill digon i dalu am weddill eu taith i'r Dyffryn. Yn ystod y gaeaf, pan nad oedd gwaith ar y ffermydd, aent yn ôl i St Louis i weithio yn y pyllau glo.

Yr oedd gan William Morgan gynlluniau i adeiladu man cyfarfod i'r Cymry yn y gymuned newydd. 'Yr ydym yn bwriadu adeiladu tŷ cwrdd cyn gynted ag y gallwn ac yr ydwyf yn meddwl na fydd hynny'n hir oherwydd y mae'r gwaith trwm ar ben, ein cynhaeaf gwenith heibio, y cwbl yn yr ydlan.' Gorffennwyd yr adeilad hanesyddol hwn yn ystod y gaeaf a bu'n gyrchfan i'r Cymry hyd nes i'r olaf ohonynt adael am y Dyffryn ym 1853. Rywbryd yn y blynyddoedd wedi hynny, golchwyd yr adeilad i ffwrdd gan lifogydd y Missouri.

Byddai croeso, meddai William Morgan yn ei lythyr, 'i long-lwyth o Gymry ddyfod drosodd y Gwanwyn nesaf. Os na allant fyned ymhellach byddant mewn tair blynedd, neu ddwy efallai, â digon o ychen ac o wartheg i fyned yn eu blaen. Sicr ydwyf o hyn, fod rhai yn y cwmni, oedd heb yr un geiniog yn glanio, yma yn awr yn berchen gwartheg a lloi; ie, ac ni wn i am unrhyw deulu yn y wlad yma heb fuwch neu ddwy.' Yn y wladfa fechan newydd hon, Cymraeg fyddai'r iaith. 'Bydd hyn yn fanteisiol i'r Cymry uniaith,' ebe Morgan, 'oherwydd nid oes ond Saeson yma am rai cannoedd o filltiroedd, ninnau yn ddyrnaid bach o Gymry yn eu plith.' Dros y ddwy flynedd nesaf, profodd y bywyd cysurus yn y wladfa fechan Gymreig hon yn demtasiwn fawr i'r rhan fwyaf o'r Cymry. Bu'n rhaid i Brigham Young eu ceryddu'n llym cyn iddynt gytuno i symud ymlaen i'r Dyffryn.

Allan ar y paith, yr oedd Dan Jones a'r 83 o Gymry a benderfynodd ei ddilyn yr holl ffordd i Ddinas y Llyn Halen y flwyddyn honno yn ei chael hi'n anodd. Er mai dim ond ychydig fisoedd oedd rhwng eu taith hwy a thaith hamddenol Charles a Sarah y flwyddyn cynt, cawsant fod newidiadau mawrion wedi digwydd ar y trywydd. Ym 1848, ychydig dros 400 o ymfudwyr a aeth i'r Gorllewin, y mwyafrif i Oregon, yn edrych am dir i'w ffermio a bywyd gwell i'w teuluoedd. Ym 1849 chwyddodd y nifer i dros 20,000. Yn ystod y tymor ymfudo, rhwng Ebrill a Medi, heidiodd bwrlwm gwyllt o bobl ar hyd glannau Platte a thros lwybrau'r Rockies, pob un ohonynt a'u bryd ar un peth, sef mynd i Galiffornia i wneud eu ffortiwn. 'Mae'n olygfa nas anghofiaf fyth,' ysgrifennodd un o'r ymfudwyr. 'Ymddangosai fel petai'r ddynoliaeth gyfan wedi gosod eu gwedd tua'r gorllewin.'

Ar ddechrau 1848, nid oedd Califfornia ond cornel flinedig, ddibwys o ymerodraeth flêr y Mecsicaniaid. Trigai ynddi lai nag 800 o ddynion gwynion. Yna, ar fore'r 24ain o Ionawr cerddodd gŵr o'r enw James Marshall ar hyd glannau Coloma, nant fechan a redai i mewn i afon Sacramento yng ngogledd y dalaith. 'Daliwyd fy llygad gan rywbeth yn disgleirio yng ngwaelod y ffos,' ysgrifennodd. 'Estynnais i lawr i'w godi a neidiodd fy nghalon yn fy mrest oherwydd gwyddwn yn sicr mai aur ydoedd. Yna gwelais ddarn arall.'

Ar yr 2il o Chwefror, naw niwrnod wedi i Marshall ddarganfod yr aur, arwyddwyd y cytundeb a ddaeth â dwy flynedd o ymladd rhwng yr Unol Daleithiau a Mecsico i ben. Ildiwyd i'r Unol Daleithiau yr oll o'r gorllewin pell yr ochr draw i'r Rockies – darn anferth o dir yn ymestyn o Arizona i Oregon, ac o'r Llyn Halen i Galiffornia. Nid oedd gobaith bellach i'r Mormoniaid ddianc o grafangau'r 'cenhedloedd' a'r 'Babiloniaid' Americanaidd. Yr oedd awdurdod yr Unol Daleithiau yn ymestyn yn awr 'o fôr i fôr', dros y cyfandir cyfan.

Yn y misoedd gwyllt ar ôl i'r newyddion am yr aur dorri, daeth enw Califfornia yn adnabyddus drwy'r byd. Yn ôl ym Merthyr yn Nhachwedd 1848, cyn gadael am America, disgrifiodd Dan Jones y 'cyffroad anarferol' yn San Francisco i ddarllenwyr ei gylchgrawn. 'Mae tair rhan o bedair o'r tai yn y dref wedi eu gadael yn wag. Hyd yn oed y cyfreithwyr a gaeasant eu llyfrau, ac a ymfudasant ar frys, rhaw yn y naill law a phadell bren yn y llaw arall, i ymgyfoethogi drwy olchi allan aur o raean afon Sacramento.' Erbyn i'r tymor ymfudo gychwyn y flwyddyn wedyn yr oedd y 'cyffroad anarferol' wedi troi'n rhuthr a Thrywydd y Mormoniaid a Thrywydd Califfornia bob ochr i afon Platte yn ddu gan '49ers'. 'Ymddangosent fel byddin anferth,' ysgrifennodd un o'r Mormoniaid. 'Symudent mewn dwy golofn drwy'r ehangder mawr, gan araf weu eu llwybr tua'r gorllewin.' 'Yn y pellter eithaf,' ysgrifennodd un arall, 'lle diflannai'r colofnau i dawch y gorwel, gwelwn gymylau o lwch yn dynodi bod un arall o'r carafannau enfawr o ddynion ac anifeiliaid ar eu ffordd.' 'Gan mor wastad y wlad medrem weld y minteioedd hirion o wageni a'u toeau gwynion yn ymestyn am filltiroedd o'n blaenau ac o'n hôl. Nid wyf yn meddwl i mi erioed weld cymaint o dyrfa o'r blaen.' Disgrifiodd Dan Jones y trywydd 'yn wyn gan wagenni'r ymfudwyr, megis colomennod yn hedfan i'w ffenestri o bedwar ban byd'.

Oherwydd y cynnydd aruthrol yn y niferoedd ar y trywydd, sefydlodd y llywodraeth ddwy gaer ar y paith y flwyddyn honno a gosod milwyr ynddynt i gadw llygad ar yr Indiaid. Un oedd Fort Kearny yn agos i Grand Island ar afon Platte a'r llall oedd yr enwog Fort Laramie wrth droed y Rockies. Lle cynt ni welai'r ymfudwyr wyneb gwyn nes cyrraedd Fort Bridger, canolfan yr hen heliwr Jim Bridger yr ochr draw i'r Rockies, yr oedd yn awr ddwy *oasis* arall ar y trywydd. Ynddynt caent help petai'r wagen angen ei thrwsio neu un o'u cleifion angen doctor. Ynddynt caent loches petai'r Indiaid yn ymosod arnynt. Cychwynnwyd y broses o wareiddio'r trywydd. Ond ychydig o ddiddordeb a ddangosai'r Mormoniaid mewn sefydliadau 'Babilonaidd' o'r fath. Cadwent i'w hochr hwy o'r afon a brysio ymlaen i Seion.

Gymaint oedd y niferoedd oedd yn gwthio'u ffordd i Galiffornia fel y bu'n rhaid i '49ers' cyntaf y tymor giwio am ddau neu dri diwrnod cyn cael fferi i'w cario dros y Missouri. Gweithiai'r cychod ddydd a nos ond dal i dyfu a wnâi'r llif o ddynion ar y glannau dwyreiniol. Erbyn i'r fintai gyntaf o Formoniaid groesi yn nechrau Mehefin yr oedd yn rhaid ciwio am saith niwrnod. 'Y mae ymladd i gael bod ar y blaen yn beth cyffredin,' ysgrifennodd un o'r '49ers'. 'Ddiwrnod neu ddau'n ôl, yn un o'r cwerylon yma, lladdodd dau yrrwr ei gilydd â phistolau.' Hanner ffordd i'r Dyffryn, lle croesai'r miloedd dros afon Platte am y tro olaf, dim ond un fferi fechan oedd yno i'w helpu. 'Cyrhaeddodd y wageni blaen ar y 3ydd o Fehefin,' ysgrifennodd un ymfudwr. 'Erbyn y 6ed, yr oedd 60 yn aros i groesi; erbyn y degfed, 175; ac erbyn y 14eg yr oedd y dagfa mor soled fel bod cwmnïau yn gwersylla am ugain milltir i lawr yr afon.' Ceisiai rhai osgoi'r ciw drwy adeiladu eu rafftiau eu hunain. 'Oddi ar y badau simsan hyn, collir dynion yn ddyddiol. Os cânt eu dymchwel, boddir pawb arnynt.' Mor gryf oedd y llif ac mor oer y dŵr 'fel nad oes un mewn mil, waeth pa mor gryf, sy'n medru achub ei fywyd trwy nofio. Collodd un cwmni chwech o'u dynion.' 'Ychydig cyn i ni gyrraedd,' ysgrifennodd un arall, 'boddwyd bachgen o'r enw Brown o Missouri wrth geisio nofio'i warteg drosodd. Nid ymddangosodd i'r ddamwain greu mwy o gynnwrf na phe bai ci wedi'i golli.'

Ymysg yr 20,000 a weai eu ffordd yn llafurus i'r gorllewin yr oedd pedair mintai o Formoniaid: 1,500 o ddynion, gwragedd a phlant yn cynnwys Dan Jones a'r Cymry. Rhoddwyd y Cymry i deithio yn y fintai olaf, mintai yr Apostol George A. Smith. Dyn hwyliog a difyr oedd George Smith, y mwyaf lliwgar o holl Apostolion y Saint. Mesurai ychydig dros bum troedfedd a naw modfedd o daldra a phwysai ddeunaw stôn. Gwisgai wig flêr, anargyhoeddiadol ar ei ben a defnyddiai honno'n aml i sychu'r chwys oddi ar ei dalcen. Pan welodd yr Indiaid ef yn tynnu nid yn unig ei wallt ond ei ddannedd a'i sbectol hefyd, rhoesant iddo'r enw 'Non-choko-wicher' sef 'Y-dyn-sydd-yn-tynnu-ei-hun-yn-ddarnau'. Ond yr oedd yn ddyn dewr a phoblogaidd ac yn arweinydd da a bu'r Cymry yn lwcus o'i gael i'w harwain.

Yn naturiol, parhâi'r Cymry i deimlo ôl-effeithiau'r erchyllterau a ddioddefasant ar y Mississippi a'r Missouri. Bu Dan yn dawedog iawn am gyfnod. 'Digon tebyg fod llawer o'n darllenwyr, fel ninnau, yn synnu paham y mae llythyr yn hir yn dyfod oddi wrth Capt. Dan Jones,' cwynai'r *Udgorn*. Ond wrth i'r amser ymadael agosáu, cododd ei hwyliau eto. Y mae'r llythyr a ysgrifennodd ar ddiwrnod y cychwyn yn llawn o'r cyffro a'r bwrlwm sydd mor nodweddiadol ohono. 'Ar frys, a chyn braidd yr agora un ci ei safn yn y gwersyll, yr achubaf y cyfle boreol hwn i anfon atoch ychydig linellau. Nid oes amser i bortreadu'r olygfa o'm hamgylch nac i ragymadroddi, canys y mae y moskitoes yn brathu, yr haul ymron codi, a minnau yn disgwyl galwad i gychwyn gyda 50 o wagenni i'r eigion gorllewinol, allan o ororau eithafol pob gwlad wareiddiedig, i blith pobl gochion y goedwig.' Yr oedd ar bigau'r drain i gael mynd.

Gadawsant y Missouri ar y 14eg o Orffennaf, bythefnos yn hwyrach na'r olaf o finteioedd mawrion y blynyddoedd cynt. Yr oedd yn beryglus o hwyr yn y tymor i gychwyn. Yr ofn, wrth gwrs, oedd y caent eu dal gan stormydd y gaeaf a'u cau i mewn gan eira ar y Rockies. Ond yr oedd manteision sylweddol o gychwyn yn hwyr hefyd. Yn gyntaf, yr oedd y gwaethaf o'r rhuthr drosodd. Oherwydd bod gan y '49ers' gymaint yn bellach i'w deithio na'r Mormoniaid, arferent gychwyn yn gynharach yn y flwyddyn. Ychydig ohonynt oedd ar lannau Platte ym mis Gorffennaf ond yr oedd eu hôl ym mhobman. Ysgrifennodd Dan fod y borfa mewn cyflwr gwael, 'ond pan ystyrioch fod o chwech i saith mil o wagenni, bob un yn cael eu tynnu gan o dair i chwech iau o ychen, heblaw rai miloedd o wartheg, defaid, mulod a cheffylau, wedi pasio ar hyd y ffordd hon yn ystod yr haf,' nid oedd yn syndod. 'Parodd hyn i ni ymbwyllo a bodloni ar deithio o ddeg i ddeuddeg milltir y dydd.' Nid oedd yn ddoeth gorweithio'r anifeiliaid os oedd eu bwyd yn brin. 'Nid oes nemor ddiwrnod nad ydym yn canfod ysgerbydau ychen ar ymylau'r heol, yn gofadail i ffoliebp [y '49ers'] yn teithio yn rhy gyflym ar ddechrau taith mor faith â hon.'

Hefyd, ni fyddai croesi'r afonydd yn gymaint o broblem iddynt yn hwyrach yn y tymor. Yr oedd y dŵr tawdd wedi pasio a'r afonydd wedi gostegu i'r graddau ei bod yn bosibl cerdded eu hanifeiliaid a'u wageni drwyddynt.

Yn bwysicach, chwythodd y colera ei blwc cyn iddynt gychwyn. Yn gynharach yn y tymor bu'r haint yn rhemp ar y paith. Ni ddioddefai neb yn fwy na'r Indiaid. Heb imiwnedd aent yn ysglyfaeth barod i'r afiechyd. Erbyn i'r Cymry gychwyn yr oeddent wedi ffoi am eu bywydau. 'Ni welsom ond hanner dwsin o Indiaid oddi ar i ni adael

Winter Quarters,' ysgrifennodd George Smith. 'Maent yn ofni'r colera ac yn cadw'n glir o lwybrau'r dyn gwyn.' Ond nid pawb fedrai ffoi. Adroddwyd stori arswyd o amgylch y tân yng ngwersylloedd yr ymfudwyr yr haf hwnnw, am y dywysoges hanner byw, hanner marw a'i gwarchodlu ffyddlon o feirwon a orweddai mewn tipi ar gyrion Ash Hollow, un o'r mannau gwersylla poblogaidd ar afon Platte. Daethpwyd ar ei thraws ar ddechrau'r tymor. O gwmpas ei thipi safai pedwar tipi arall. Ynddynt gorweddai naw corff wedi pydru'n ddrwg, wedi eu rhwymo mewn crwyn byfflo a chyfrwyau cain a chyda thrysorau drudfawr wedi eu gosod o'u cwmpas. Ond yr oedd ei thipi hi yn fwy coeth ac addurnedig na'r un. Ynddo gorweddai'r dywysoges, merch ieuanc tuag 16 oed, wedi ei gwisgo'n gyfoethog a'i haddurno'n hardd. Yn wahanol i'r lleill, nid oedd ei chorff yn dangos unrhyw arwydd o bydredd. Yr oedd yn lân a dilychwin, heb staen o unrhyw fath arni. Lledodd y stori am y dywysoges arallfydol i fyny ac i lawr y trywydd a gwnaeth argraff ddofn ar y '49ers'. Ond yr oedd esboniad syml. Caewyd y ferch yn ei thipi a'i gadael i farw ar ei phen ei hun gan ei theulu, gymaint oedd eu hofn o'r afiechyd. Newydd ddigwydd yr oedd hyn pan gyrhaeddodd yr ymfudwyr cyntaf ac ni chafodd ei chorff amser i bydru fel y meirwon eraill o'i chwmpas. Erbyn i'r Saint ddod heibio dri mis yn ddiweddarach, dim ond esgyrn a phenglog ac un neu ddau o'r crwyn byfflo oedd i'w gweld yn y tipi ond yr oedd stori'r dywysoges annirywiedig yn dal i grwydro i fyny ac i lawr y trywydd. Pasiodd y Cymry nifer fawr o feddau rhwng y Missouri a Fort Laramie a dywedwyd fod dros 2,500 wedi marw o'r afiechyd ar y trywydd y flwyddyn honno, ond ni chollwyd yr un ohonynt hwy. Yr oedd yr haint wedi rhedeg ei rawd am y tymor.

Er yr holl argoelion ffafriol o gychwyn yn hwyr, ni fu'n daith hapus i'r Cymry. Corddai rhyw anniddigrwydd ynddynt. Cyn cychwyn, galwodd George A. Smith gyfarfod i drafod y rheolau arferol. Codi am bedwar, neb i adael y gwersyll heb ganiatâd, cŵn i'w clymu dros nos ac yn y blaen. Gan mai ychydig o'r Cymry oedd yn siarad Saesneg, bu'n rhaid cyfieithu'r araith ar eu cyfer. Gorffennodd Smith drwy siarsio'r cwmni i fod 'yn ofalus o'ch gynnau fel na saethwch eich gilydd yn ddamweiniol. A dysgwch fyw'n gytûn. Ac yn bwysicaf oll, byddwch yn ufudd i'ch arweinwyr.' Tybed a synhwyrai nad oedd popeth yn dda yn eu mysg? Tybed a wyddai fod rhwyg yn y rhengoedd?

Dechreuodd y cecru rhwng y Cymry cyn gadael Council Bluffs. Mewn atgofion a ysgrifennwyd flynyddoedd yn ddiweddarach, dywed Isaac Nash, gŵr o Gydweli a gof y fintai, fod Dan Jones ac yntau wedi ffraeo ynglŷn â wagen Mrs Lewis, y dafarnwraig. Yr oedd Isaac yn un o'r criw yr oedd Mrs Lewis wedi talu eu costau teithio i Council Bluffs. Y mae'n honni bod Mrs Lewis wedi gwrthod talu ei gostau am weddill y daith i'r Llyn Halen a'i fod yntau felly wedi gwrthod helpu i baratoi ei wagen. Yna daeth Dan Jones ato, meddai, a thynnu cleddyf a'i orfodi i wneud fel y dymunai. Nid oes sôn am yr anghydfod hwn yng nghofnodion swyddogol y cwmni ond y mae stori Isaac Nash yn ddigon credadwy. Gwyddom fod Dan yn edmygu Mrs Lewis yn fawr, oherwydd unwyd y ddau mewn priodas amlwreiciol yn fuan wedi iddynt gyrraedd y Dyffryn. Digon tebyg mai perthynas Dan â Mrs Lewis oedd asgwrn y gynnen ymysg y Cymry. Yr oedd Dan wedi gadael ei wraig ar ôl yng Nghymru. Yn ôl Isaac Nash eto, 'Yr oedd y Chwaer Jones ar fin esgor ar ei phlentyn cyntaf ac ni fynnai Jones aros amdani oherwydd yr oedd ganddo gytundeb i hwylio gyda Mrs Lewis.' Nid dyna fersiwn Dan o'r stori. Dywed ef yn ei lythyrau ei fod wedi gorfod gadael ar frys heb ei wraig oherwydd y bygythiadau i'w fywyd. 'Paham yr holl erlid? Paham gorfod gwylio fy annedd am wythnosau? Paham nad diogel fy einioes? Paham na chawn ffarwelio â'm hannwyl wraig a'm plant?' Ac ychwanegodd, braidd yn or-emosiynol, 'Chwi engyl glân, gorchmynnaf i chwi ofalu am fy ngwraig a'm baban. Ymlaen yn wrol yr af. Gofalwch am ei chynnal hyd nes dychwelaf. Gwerthfawr yw i'm henaid. Am hynny neidia'r Wyddfa fawr i'r môr cyn byth yr anghofiaf hi.' Ni ddisgwyliai neb beth ddigwyddodd nesaf. 'Tua thridiau wedi i ni adael Cymru,' ysgrifennodd Isaac, 'ganwyd y plentyn' i Jane, gwraig Dan, 'a phenderfynodd y fam groesi'r môr gyda'r babi a dod i fyny'r afon atom i Council Bluffs.' Yr oedd Jane, yn amlwg, yn wraig benderfynol iawn, mor benderfynol bob tamed â Mrs Lewis. Yn ôl Isaac Nash, ni phlesiodd hyn Dan Jones o gwbl. 'Yr oedd ef a Mrs Lewis wedi eu synnu i'w gweld hi yno,' meddai, 'ac wedi eu siomi hefyd ei bod hi wedi eu dilyn. Dyma gychwyn y drafferth a barhaodd yr holl ffordd ar draws y paith.' Ond yn ôl Dan, nid oedd unrhyw ddrwgdeimlad rhyngddo ef a Jane. 'Cyrhaeddodd fy annwyl wraig a'm baban yma yn iach ychydig ddyddiau yn ôl, ac mewn pryd i fynd ymlaen gyda ni.' Ni phrofodd yn daith hapus iddynt. 'Yr oedd gan Mrs Lewis wagen gysurus,' meddai Isaac Nash, 'a dymunai Dan Jones i'w wraig deithio yn honno. Ond gwrthododd hi. Dywedodd y byddai'n well ganddi gerdded na theithio gyda Mrs Lewis.' Cynigiodd Isaac sêt iddi yn ei wagen ei hun a gwaethygodd hynny y berthynas rhyngddo ef a Dan. Yr oedd digon o danwydd yno i gynnau coelcerth. Dim ond y fatsien oedd ei heisiau.

Teithient gyda 366 o Saeson a Sgandinafiaid. Yn ôl y cofnodion swyddogol, cydweithiai pawb yn braf. 'Mae'r fintai Gymreig gyda ni, a'r Capten Dan Jones yn eu plith. Maent yn hapus ac wrth eu bodd, ac yn gwneud i'r gwersyll adleisio â'u hwyrol gân. Maent yn mwynhau iechyd ac ysbryd da ac yn ddiddadl y maent wedi eu bendithio.' Ond o ddarllen rhwng y llinellau y mae arwyddion nad oedd y daith yn un mor ddidrafferth. Yn aml byddai'r Cymry'n llwyddo i wylltio clerc swyddogol y fintai, Americanwr o'r enw William Appleby. Disgrifiodd yntau y 23ain o Awst fel 'Diwrnod y Damweiniau Cymreig'. 'Rywle rhwng 10 i 20 milltir i'r dwyrain o Ash Hollow. Tywydd yn boeth iawn. Y ffyrdd yn anodd dros dwyni tywod. Ychen wedi blino'n arw, rhai bron â rhoi'r gorau iddi. Trodd un o wageni'r Cymry ar ei hochr wrth groesi ffos. Bu ond y dim i un arall gael ei thynnu i'r afon. Gwasgwyd troed un o wragedd y Cymry yn stwnsh. Cnowyd Cymraes arall gan gi'r Brawd Simmons.' Y mae'n arwyddocaol fod William Appleby wedi adnabod y ci ond heb adnabod y Gymraes. 'Dyna ddigon o ddamweiniau am un diwrnod,' ysgrifennodd. Ond bum niwrnod yn ddiweddarach yr oedd y Cymry mewn trafferth eto. '28 Awst. Teithiwyd 13 milltir dros ffyrdd tywodlyd a llychlyd. Tywydd yn boeth. Y borfa yn llwm, ddim cystal ag y bu. Taniwyd gwn ar ddamwain y bore yma yn wagen un o'r Cymry. Ni wnaeth lawer o niwed. Crafodd y fwled goes un o'r brodyr Cymreig ac aeth darnau o siot trwy het un arall.'

Bythefnos wedyn daeth un o'r Cymry â'r fintai gyfan i stop. 'Medi 9fed. Neithiwr crwydrodd Huw Davies o'r gwersyll. Dyn gweddol eiddil, tua 70 mlwydd oed. Buom yn chwilio amdano tan dri o'r gloch y bore, ar gefn ceffylau a chyda lanternau, ond heb lwc. Y bore yma aeth y rhan fwyaf o'r gwersyll allan eto i chwilio amdano yn y mynyddoedd, ond yn ofer. Yna tua hanner dydd daeth neges oddi wrth fintai Capt. Richards, rhyw 5 milltir o'n blaenau, fod y Brawd Davies wedi dod i'r fei yn saff.' Bron na ellir clywed y clerc yn rhegi iddo'i hun rhwng ei ddannedd. 'Y Cymry ddiawl 'na eto!'

Ac nid oedd gan Bathsheba, gwraig George A. Smith, lawer o feddwl o'r Cymry chwaith. Cwynodd eu bod yn cadw sŵn gyda'r hwyr yn y gwersyll. 'Gwersyllai nifer o deuluoedd o Gymry tu ôl i'n wagen ni ac ar ôl iddi dywyllu byddent yn chwerthin a siarad gymaint nes fy nghynhyrfu'n lân.' Gwyliodd griw ohonynt yn ceisio gosod iau ar eu hychen. 'Gafaelai dau ohonynt yng nghyrn yr ych, un arall yn ei gynffon a cheisiai eraill roi ei ben yn yr iau. Nid oedd gan yr ych druan unrhyw syniad beth oedd eisiau ganddo, gan nad oedd yn deall sŵn gyddfol yr iaith Gymraeg.' Rhoddai'r bai am un stampîd yn gyfan gwbl ar ysgwyddau'r Cymry. 'Torrodd y gwartheg allan o gorlan Capt. Dan Jones a rhuthro i ganol ein hanifeiliaid ni ac i ffwrdd â nhw i gyd. Datblygodd stampîd go iawn, yr anifeiliaid yn gwasgaru i bob cyfeiriad, y brodyr yn gweiddi. Doniol ond difrifol hefyd.'

Yng nghanol y trafferthion hyn i gyd, eisteddodd Dan Jones i lawr un noson i gyfansoddi llyfryn bychan ar y cyd â George Smith ac Ezra Benson, un arall o swyddogion y fintai. Llyfryn ydyw dan y teitl *Cyfarwyddiadau i'r Ymfudwyr tua Dinas y Llyn Halen*, yn llawn cynghorion defnyddiol ac ymarferol ar gyfer ymfudwyr y dyfodol. Cyhoeddwyd ef yn yr iaith Gymraeg yn unig. Anfonwyd y llawysgrif at William Morgan, yn Council Bluffs, ac anfonodd hwnnw ef i Ferthyr, lle cyhoeddwyd ef y flwyddyn ganlynol a'i werthu am geiniog. Dim ond un copi sydd wedi goroesi yng Nghymru ac y mae hwnnw yn Llyfrgell Salisbury ym Mhrifysgol Caerdydd. Y mae pedwar copi yn bodoli mewn gwahanol lyfrgelloedd yn yr Unol Daleithiau.

Y mae'n gyfrol unigryw. Tybed a oes cyfrol arall yn yr iaith Gymraeg wedi ei chyfansoddi mewn amgylchiadau mwy rhamantus? Yr oeddent wedi gwersylla yng nghysgod Independence Rock. Rhedai afon Sweetwater gerllaw, afon fach sydd ddim llawer mwy nag afonydd Rheidol neu Ystwyth. Ysgrifennent yng ngolau'r gannwyll, y lleuad yn ariannu'r gorwel, sŵn ymgom o'r wageni, rhieni yn mwmian wrth eu plant, yr ychen yn cnoi cil gerllaw a bleiddiaid yn udo yn y pellter.

'Gwersyll Israel, ar fryniau y Dyfroedd Melys,
yn agos i Graig Annibyniaeth,
649 milltir o Winter Quarters.
Medi 21, 1849

Annwyl Frodyr,

Er ein bod ni y pellter hwn oddi wrthych, ystyriasom yn beth addas i gynnig i'ch sylw rai pethau y darfu i ni eu dysgu trwy brofiad, y rhai a fyddant er budd i chwi.'

Y mae'r cynghorion yn amrywio o bethau hollol ymarferol i'r ystyriaethau moesol dyfnaf. 'Adeiladwch eich wagenni o ddefnyddiau da, yn gryf ac yn ysgafn a'r olwynion yn chwe modfedd yn uwch nag ydynt yn gyffredin. Atebant yn well i groesi afonydd trwy gadw'r dŵr allan o'ch ymborth. Y llwyth mwyaf cyfleus yw pedwar can pwys ar ddeg ar wagen ysgafn a chref, a dwy iau o ychen da. Aiff y cyfryw lwyth dros leoedd llaith, heb suddo fel y mae rhai trymach yn debygol o wneud. Yn newisiad eich anifeiliaid, cynghorem ni chi i fynnu rhai sydd wedi arfer â'r iau ac yn hawdd eu trin, heb fod dros ddeg na than bum mlwydd oed.'

Y mae'n eu cynghori i beidio gorchwipio'r anifeiliaid. 'Yr ydym yn credu fod gwŷr y mwyn aur wedi colli mwy o'u hanifeiliaid oherwydd y chwip a chamdriniaethau eraill nag oherwydd eu llwyth, na'u taith na gwenwyn y tarddiant alkalaidd. Y mae esgyrn eu hanifeiliaid yn wasgaredig ar hyd y ffordd y tramwywn ac y mae yn syndod meddwl am y golled wrth edrych arnynt.' A mwy na dim, meddai, dylid osgoi gwylltio'r anifeiliaid a chreu stampîd. 'Y mae torf o anifeiliaid, wedi gwylltio, yn ddychrynllyd ac yn arswydus i edrych arnynt. Bygylu, rhedeg, y ddaear yn crynu, cadwyni yn trystio, iau yn clecian, wagenni yn briwio, gwylwyr yn cael eu sathru, rhai efallai yn cael eu lladd, eraill eu clwyfo.'

Poena hefyd am y defnydd a wnâi'r Cymry o alcohol. 'Y maent yn dyfod o wlad bell le mae gwirod yn brin ac yn anhawdd i neb eu cael ond y gwŷr mawr, ac felly anfynych y defnyddir hwynt gan y tlodion. Ond ar eu dyfodiad i America, lle y mae gwirod mor rhad, a hwythau heb arfer a'i ddylanwad meddwol, y maent yn debygol iawn o wneud gormod defnydd ohono er niwed a cholled fawr iddynt eu hunain. Am hynny, cynghorwch bawb dan eich gofal i lwyr ymatal, ond yn unig pan fyddo yn angenrheidiol yn achos clefyd.'

Ychwanegwyd rhai tudalennau gan William Morgan yn Council Bluffs yn nodi pa nwyddau y byddai'n werth eu cludo o Gymru a pha rai oedd yn rhatach i'w cael yn America. 'Fy marn i yw mai gwell i bawb brynu llestri llaeth, sef y rhai tin, yng Nghymru. Mae rhaffau yr hen wlad yn well nag ydyw rhaffau'r wlad hon yn gyffredinol.' Byddai hefyd yn werth dod â chyllyll a ffyrc, megin i'r tân a chanwyllbrennau pres o Gymru ond yr oedd bwyeill Americanaidd gystal â'r rhai gartref. A chyngor i'r merched a'r gwragedd: 'I'w gwarchod rhag yr haul byddai yn beth o'r gorau i'r sawl a allont, brynu parasols. Nid yn aml y gwelir y benywod yn rhodio yma hebddynt, hyd yn oed rhai o'r Cymry.'

Yna i orffen ychwanegwyd cyngor i gariadon a phobl ifainc. 'Gwell i bawb sydd mewn cyfamod i briodi, i ryddhau ei gilydd cyn cychwyn o Gymru.' Nid oes gan Dan lawer o ffydd yn hirhoedledd dyweddïadau Cymreig yn America. 'Mae'r môr yn rhydd, y wlad y maent yn dyfod iddi yn rhydd a rhwng rhyddid y môr a rhyddid y tir y mae cyfamodau yn cael eu torri, hyd yn oed gan y rhai sydd yn cyd-deithio.' Yn America, meddai, peth anghyffredin iawn yw dyweddïad hir. Gwlad newydd yw hon. Gwlad ar frys. Nid yw moesau nac arferion yr hen wlad yn gweddu iddi, a gorau po gynted y dealla'r ymfudwyr hynny. 'Yr ydym yn cynnig yr awgrymiadau hyn er lles i chwi a phawb arall a fyddo yn ymfudo.'

Yn niwedd Awst, ar lethrau'r Rockies, wrth i'r teithio fynd yn fwy anodd, dechreuodd y tywydd droi. Noson oer iawn oedd y 29ain. Y bore wedyn yr oedd modfedd o rew yn y bwcedi. Ar fore'r 1af o Fedi sylwyd ar y llwch gwyn alcalïaidd yn y borfa a thrawyd un o'r ychen yn wael. Y pnawn hwnnw, cwympodd dafad o dan olwynion un o'r wageni, a bu'n rhaid ei difa. A'r un noson dechreuodd y Cymry gwffio gyda'r Saeson.

Ychydig o sôn sydd yn y dyddiaduron am achos y ffrwgwd. Y mae'n debyg bod dadl wedi cychwyn wrth fynd â'r gwartheg i lawr i'r afon i yfed. Ymosododd Cadwalader Owens ar Robert Berrett ac ymunodd tad Berrett yn y sgarmes, a'r noson honno ymddangosodd y tri o flaen llys y gwersyll. Yr oedd gan bob mintai lys i wrando achosion a phennu dedfryd a chosb. Cafwyd y tri yn euog o ymladd ac fe'u cosbwyd drwy ychwanegu at eu horiau gwarchod. Y bore wedyn, ailfedyddiwyd y tri. Yr oedd hyn yn arfer gan y Mormoniaid wedi i ddyn dramgwyddo a chyfaddef ei fai. Golchai'r ail fedydd y llechen yn lân. Ond yn annisgwyl y bore hwnnw, ailfedyddiwyd pump arall yn ogystal â'r troseddwyr.

Yna, yn y pnawn, ailfedyddiwyd 17 yn ychwaneg, yr oll ohonynt yn Gymry. Yn eu mysg yr oedd Dan Jones ac arweinwyr eraill y garfan Gymreig, pobl fel Thomas Jeremy a Daniel Daniels, dynion syber a mawr eu parch. Tybed ai cerydd am gweryla ymysg ei gilydd oedd hyn? Y mae awgrym pellach mai dyma oedd wrth wraidd y drwg mewn llythyr a anfonwyd at yr *Udgorn* gan William Morgan. Dywed iddo dderbyn llythyr oddi wrth Dan Jones o Fort Laramie. Nid yw'n sôn am gynnwys y llythyr ond mae'n annog ei gyd-wladwyr i gydweithio â Dan ac yn pwysleisio pwysigrwydd ufudd-dod. 'Dywedaf eto,' meddai, 'cofiwch gyngor yr Arglwydd Iesu Grist, sef, gwrandewch ar lais eich bugail. Os felly gwneir, bydd llwyddiant ar y daith.'

Aeth yr hinsawdd yn oerach eto. Yn South Pass, un o'r mannau uchaf ar eu taith, dros 7,000 o droedfeddi i fyny'r Rockies, dechreuodd fwrw eira'n drwm. Bu'n bwrw'n ddi-baid am ddiwrnod a noson. Swatiodd pawb yn eu wageni yn gwrando ar y gwynt yn rhuo drwy'r bwlch heb fodd i gynnau tân na pharatoi bwyd cynnes. Pan beidiodd yr eira cafwyd fod 24 ych a llawer o'r ieir a'r moch wedi rhewi i farwolaeth. Yr oedd haf byr y Rockies ar ben. Yn ffodus, cynhesodd ychydig wedi'r storm a llwyddodd y fintai i lithro drwy'r bwlch a disgyn i lawr yr ochr draw. Ond cael a chael fuodd hi.

Wrth iddynt nesáu at Ddinas y Llyn Halen ailgychwynnodd y cweryla. Anfonwyd llwyth o ffrwythau a llysiau oddi wrth ffrindiau yn Ninas y Llyn Halen i'w croesawu i'r Dyffryn ond, am ryw reswm, ni rannwyd dim i'r Cymry. Honnai rhai mai anrheg bersonol i George Smith a'r cenhadon eraill yn y fintai oddi wrth Brigham Young oedd y bwyd ond credai Dan Jones mai anrheg i'r fintai gyfan ydoedd a bod y Cymry wedi cael cam. Ar fore'r diwrnod olaf, pan oeddent ddim ond ychydig oriau o derfyn eu taith, galwodd gyfarfod brys o'r Cymry i drafod y mater. Profodd yn gyfarfod hir

Darn o'r trywydd gwreiddiol ger Muddy Creek, Wyoming.

Rhychau dyfnion yn y trywydd a dorrwyd gan filoedd o wageni, ger Guernsey, Wyoming.

Undonedd y paith – yr un gorwel pell bob dydd, yr un gwres, yr un ychen ystyfnig, yr un blinder diddiwedd.

Agosáu at y diwedd, ddeng milltir ar hugain o Ddinas y Llyn Halen.

Un o wersylloedd y Mormoniaid ar y paith. Nebraska, 1866.

Teulu Mormonaidd ar y paith.

Gwraig yn casglu tail byfflo, wedi'i sychu'n grimp yn yr haul, i'w ddefnyddio fel tanwydd.

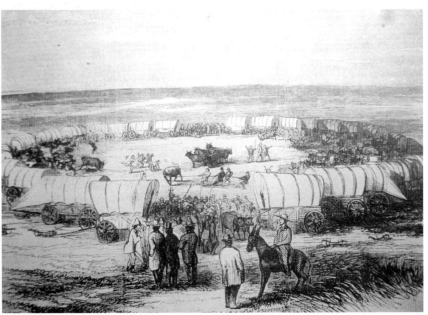

'Y mae Mormoniaid da i'w hadnabod yn y ffordd y rhwymant eu wageni at ei gilydd yn y gorlan. Dylsent glosio'u wageni yn agos at wageni eu cymdogion a'u rhwymo'n dynn, fel na fedr dim eu rhannu. Fel yna mae ffurfio corlan gadarn – a chymdeithas gadarn hefyd.' (Brigham Young)

'Nid oeddwn erioed wedi gweld iau o ychen yn fy mywyd o'r blaen ac ni wyddwn fwy amdanynt hwy nag a wyddent hwythau amdanaf i. Yn wir, y tebygrwydd yw eu bod yn gwybod mwy amdanaf i.'

'Yr oedd yn olygfa tu hwnt o brydferth, pawb yn cadw'i le a phopeth mewn trefn, y wageni a'r gweddau yn gweu eu ffordd ar draws afonydd ac ar hyd ochrau'r mynyddoedd.'

Mewn stormydd fel hyn 'yr oedd yn amhosibl gorwedd i lawr heb foddi, ac yn amhosibl sefyll ar eich traed heb gael eich taro gan fellten'.

Yn ei fraw, y mae'r mwynwr wedi gollwng ei gaib. Wrth ei draed y mae sgerbwd un o'i ragflaenwyr. Pan fydd perygl wrth law, dyma pryd yr ymddengys yr eliffant.

Grŵp o Formoniaid o'r Dyffryn a anfonwyd i genhadu ym Mhrydain. Dan Jones yw'r ail o'r dde yn y llinell ganol.

Nauvoo, Illinois, dinas sanctaidd y Saint cyn iddynt ymfudo i'r gorllewin. Y mae'r deml bron â'i gorffen yn y llun hwn. Dim ond y tŵr sydd eto i'w adeiladu.

Y Proffwyd Joseph Smith (1805–1844): 'Y llestr a ddefnyddiodd Duw i ailsefydlu ei eglwys ar y ddaear.'

Brigham Young. 'Er mai ef yw y dyn pennaf yma, ymddarostynga i fod yn was i bawb.'

Thomas Jeremy a'i wraig, Sarah, dau o'r 248 a hwyliodd gyda Dan Jones ar y *Buena Vista*.

Mrs Elizabeth Lewis, tafarnwraig y Llew Gwyn yng Nghydweli a 'Brenhines y Cymry', un arall a deithiodd ar y *Buena Vista*.

William W. Davies, ceidwad 'Teyrnas Nefoedd'.

Arthur Davies, mab William W. Davies ac Iesu Walla Walla.

Daniel Daniels, saer maen o Sir Gâr a smyglwr gynnau ar draws America.

Thomas Giles o Dredegar,
Telynor Dall Utah.

Telyn Thomas Giles yn
Amgueddfa Merched
Arloeswyr Utah yn Ninas y
Llyn Halen.

Un o'r degau o gerfluniau o drolwyr sydd wedi eu codi ar y trywydd ac ar draws Utah.

Gwersyll un o'r minteioedd troliau. Y mae'r dynion ar y chwith wrthi'n trwsio un o'r troliau.

'Gwelais bobl mewn adfyd a chyni gwaeth na welais cynt nac wedyn. Ymestynnai'r fintai dros dair neu bedair milltir. Yr oedd cannoedd ohonynt eisiau help a dim ond dau ohonom ni. Beth gallem ei wneud?'

Margaret Griffiths yn ôl unwaith eto rhwng tresi ei throl yn dangos i'w hwyresau sut y llusgodd hi am fil o filltiroedd dros y Rockies.

Dinas y Llyn Halen ym 1853. Ysgythriad o waith gwreiddiol Frederick Piercy.

Y fferi dros afon Loup ym 1853. Ar y chwith y mae wageni yn aros eu tro; yn y canol, cartref y fferiman; ac ar y dde, y fferi yn cael ei thynnu drwy'r afon.

Yr enigmataidd Elias Morris o Lanfair Talhaearn.

Cyflafan Mountain Meadows. Awr dduaf Mormoniaeth.

Y gofeb, y dorch, y rhosyn plastig mewn pot jam a'r nodyn o ymddiheuriad.

'We are forever sorry for this very tradgic event in Mormon history. A Very Sad L.D.S. Descendant.'

Dywed rhai bod melltith
Duw ar Mountain
Meadows.

Chimney Rock, y golofn
ryfeddol o graig sy'n
esgyn i binacl o 470 o
droedfeddi uwchben
afon Platte ac sy'n
weladwy o dros 40 milltir
i ffwrdd.

a dramatig. Yr unig dystiolaeth sydd gennym o'r hyn a drafodwyd yw atgofion Isaac Nash. 'Rhoddodd y Brawd Jones bregeth hir i ni,' meddai, 'gan ein cynghori i lynu at ein gilydd ac i groesi i ochr bellaf afon Iorddonen [sef yr afon sy'n rhedeg trwy ganol y Dyffryn] ac ymsefydlu yno, fel cenedl annibynnol, gyda Mrs Lewis yn frenhines arnom. Galwodd Jones am bleidlais. Pawb oedd o blaid croesi'r Iorddonen a sefydlu cenedl annibynnol i godi'u dwylo. Cododd pawb eu dwylo heblaw Ned Williams a minnau. Yna gofynnodd Jones i mi pam na phleidleisiais gyda'r gweddill. Atebais fy mod wedi cael digon o'r Cymry a'm bod am drio bod yn Americanwr am dipyn. Dywedodd yntau y byddwn yn cael fy nhorri allan o Lyfr y Genedl am byth. Gyda hynny, gadewais y cyfarfod gan fynd ar fy union at y Brawd George Smith ac adrodd iddo bopeth a wnaethpwyd ac a ddywedwyd. Aeth ef draw i'r cyfarfod yn syth. Pan gyrhaeddodd, yr oedd Jones yn dal i siarad. Gofynnodd Jones iddo a oedd am ddweud gair ac meddai ef, "Frodyr a chwiorydd, y mae'r tatws a'r winwns a'r pethau eraill yma ar eich cyfer chwithau yn ogystal â'r Americaniaid. Nid oes raid i chwi groesi'r Iorddonen a ffurfio cenedl annibynnol oherwydd y mae pawb yn rhydd yn Nyffryn y Mynyddoedd. Nid oes gorfodaeth yn Seion."' Gyda hynny o eiriau, yn ôl Isaac Nash, llwyddodd Smith i dawelu eu hofnau a'u hargyhoeddi bod lle dethol iddynt oll ymysg y Saint a daeth gwrthryfel Dan Jones i ben.

Y mae'n stori od ac anodd ei chredu o ystyried ffyddlondeb a chariad mawr Dan Jones tuag at bopeth yn ymwneud â'r Eglwys. Dim ond Isaac Nash sy'n crybwyll yr hanes ac nid oedd hwnnw'n ffrind i Dan. Ond ar y llaw arall, yr oedd cariad mawr hefyd gan Dan tuag at y Cymry a phopeth Cymreig, ac o adnabod ei natur fyrbwyll a'i dueddiad i ruthro i bob brwydr heb bwyllo a meddwl nid yw'n anodd credu ei fod wedi ystyried y posibilrwydd o greu brenhiniaeth Gymreig ar wastadeddau Dyffryn y Llyn Halen gyda'i ddarpar ail wraig yn frenhines. Yr oedd herio awdurdod, wrth gwrs, yn drosedd ymysg y Saint ac ni chafodd Dan ddianc yn ddi-gosb. Anfonwyd ef yn syth, y noson honno, at Brigham Young yn Ninas y Llyn Halen. Y gosb, os cosb hefyd, oedd cael ei alw, o fewn wythnos o gyrraedd yn ôl i'r Dyffryn, ar genhadaeth lafurus arall. Cenhadaeth oedd hon i chwilio am y Madogwys, disgynyddion y Tywysog Madog.

Fel y rhan fwyaf o Gymry'r oes, yr oedd Dan yn argyhoeddedig o fodolaeth y Madogwys. 'Dymuniad mwyaf fy enaid ers mwy nag ugain mlynedd yw eu cael i lygaid haul a gwybodaeth.' Credai eu bod yn byw rywle ar lannau afon Colorado a redai drwy dde Utah. Casglai dystiolaeth o'u bodolaeth yno. Clywodd am bobl oedd wedi eu cyfarfod, gan gynnwys un dyn a 'ddeallai ambell i air o Gymraeg, a'r hwn a dystiai mai Cymraeg a siaradai'r brodorion hyn!' Tystiodd un arall bod eu dillad 'yn debyg iawn i wisg y dyn cyffredin yng Nghymru'. Yr oedd 'dau ddyn o gymeriad da', meddai, wedi ymweld â'u pentrefi ar lannau Colorado. 'Ni wn faint o ymddiried a ddylem roi ar yr holl hanesion,' ysgrifennodd Dan, 'eto nid ydynt yn anhygoel i mi. Nid aml y gwelir cymaint o fwg ag sydd yn cuddio'r Madogwys o wyddfod eu cydgenedl o oes i oes, heb ei fod yn tarddu o beth tân, debygaf.'

Pan oedd yng Nghymru flwyddyn neu ddwy ynghynt, ysgrifennodd lythyr at Brigham yn adrodd hanes Madog ac yn sôn wrtho am argyhoeddiad y Cymry fod llwyth llygatlas, pengoch o'i ddisgynyddion yn crwydro canolbarthau America o hyd. Pe medrai Brigham gael gafael ar un neu ddau o'r Madogwys hyn, meddai, a'u hargyhoeddi o wirioneddau Mormoniaeth a'u hanfon yn genhadon i Gymru, byddent yn siŵr o greu'r cynnwrf rhyfeddaf. 'Pe cawn un neu ddau ohonynt i bregethu'r efengyl i grefyddwyr tanbaid gwlad eu tadau, byddai hynny yn wir yn beth newydd is yr haul a thyrrai'r genedl gyfan i'w clywed.' Ymddiddorodd Brigham yn yr hanes. Un o gredoau Mormoniaeth oedd bod yr Indiaid hefyd yn ddisgynyddion un o lwythau coll Israel, ond eu bod wedi crwydro oddi ar lwybrau'r gwirionedd ac wedi colli'u ffydd. Y mae darnau sylweddol o *Lyfr Mormon* yn ymwneud â'u hanes. 'Ar ôl iddynt fethu mewn anghrediniaeth,' meddai'r *Llyfr*, 'aethant yn bobl dywyll ac atgas a ffiaidd, yn llawn segurdod a phob math o ffieidddra.' Proffwydodd Joseph Smith y byddai'r felltith hon yn cael ei chodi cyn ailddyfodiad Crist. Byddai darganfod llwyth o Indiaid soffistigedig, deallus, felly, yn siŵr o hybu'r dasg o ailwareiddio'u brodyr a phrysuro'r Ailddyfodiad. Aeth y ddau, Brigham a Dan, ati gyda'u brwdfrydedd arferol i gynllunio sut i gael gafael arnynt.

Ar yr 22ain o Dachwedd, yng nghanol gaeaf caled, ymunodd Dan â mintai o Saint oedd ar eu ffordd i'r tiroedd ar ffin ddeheuol

Utah. Eu pwrpas oedd edrych am leoliadau addas i'r Mormoniaid ymsefydlu ynddynt ond tybiai Dan fod modd lladd dau aderyn â'r un garreg. Cadwodd ddyddiadur o'r daith. Disgrifiodd fel y daeth ar draws llwyth o Indiaid, 'amryw ohonynt yn glaf o'r frech goch. Gwnaethom a allem iddynt. Rhoddwyd copi o *Lyfr Mormon* i'r "chief" a dywedodd hwnnw ei fod wedi clywed cryn lawer trwy draddodiad eu tadau am ryw lyfr o waith eu hynafiaid, yr hwn a ddisgwylient ei gael trwy ddwylaw dynion gwynion; eu bod hwy yn deall eu hachau a'u hynafiaeth, a'u bod yn bobl wynion, gywrain a da gynt; eithr trwy droseddau ac anufudd-dod eu tadau, i'r dirywiad hwn ddod arnynt.' Gellid dychmygu Dan Jones yn cynhyrfu drwyddo. 'Dywedodd eu bod yn addo ufuddhau i'r Mormoniaid yn yr oll a geisient ganddynt, a thrwy hynny eu bod yn disgwyl y gwareiddid hwynt, y deuent yn bobl gryfion, gywrain a dedwydd, ac y deuent yn wynion a hardd eto megis gynt.' Ond ni fedrent siarad Cymraeg. Ac nid oedd eu llygaid yn leision na'u gwallt yn goch.

Aeth y parti yn eu blaenau a darganfod gwlad ffrwythlon ac ir yn yr ardal lle mae Cedar City a Parowan heddiw. Darganfuwyd haenen o lo hefyd ac arwyddion addawol o fwyn haearn. Cyn troi am adref, cynhaliwyd cinio i ddathlu llwyddiant y daith. 'O gwmpas y bwrdd eisteddai tua hanner cant o feibion gwrol Seion, mewn undeb a chariad bob un.' Areithiwyd yn hir ac yn wresog, taniwyd canon, a chanwyd cân a gyfansoddwyd yn arbennig ar gyfer y dathliad. Y mae un o'r penillion yn sôn am Dan Jones a Madog:

Perhaps these solitudes contain
A remnant who in Maddocks reign
From Wales came o'er the main, so far, far away.
O come, Captn Jones! Your kindly heart is yearning
O'er kindred dear. Let's find them here! O come, come away!
Six hundred years they've dwelt alone,
To friends and kith and kin unknown,
Arise! Your kindred own, and bring them away.

Y diwrnod hwnnw, yn dathlu a gwledda gyda'i ffrindiau, yng nghanol mynyddoedd pellennig Utah, yn gwrando ar ganeuon am yr Indiaid Cymreig ac yn adrodd eu hanes i'w gyd-anturiaethwyr, y mae'n siŵr i Dan deimlo'n agosach nag erioed at y Madogwys.

Ar y ffordd yn ôl, trwy ganol stormydd Ionawr, bu ond y dim iddynt i gyd golli'u bywydau. 'Eira yn lluwchfeydd, weithiau hyd 8 neu 9 troedfedd o drwch, heb ddim i'w fwyta ond bara a chig. A gorwedd yn yr eira gyda'r nos, yr hwn erbyn y bore a'n gorchuddia yn droedfedd o drwch.' Aeth yr amodau yn drech na'u hanifeiliaid. 'Bob dydd methai rhai o'r ceffylau fynd yn eu blaenau. Caent eu gadael i drengi yn yr eira.' Bu'n rhaid iddynt adael chwe cheffyl un bore, 'y rhai truain a ragwelent eu perygl ac a weryrent ar ein hôl'. Bu'n rhaid iddynt gerdded wedyn, heb bebyll a heb flancedi. Gorffennwyd y bwyd a hwythau dros 50 milltir o Ddinas y Llyn Halen. Dioddefodd Dan ddallineb eira ac, am gyfnod, collodd ei olwg yn gyfan gwbl. Rhewodd traed a dwylo eraill o'r criw. Ond o'r diwedd cyrhaeddwyd adref, heb weld yr un Indiad Cymraeg! 'Yr wyf yn flin na chyflawnwyd holl amcanion y daith y tro hwn,' oedd ymateb Dan, 'eto credaf y cwblheir hynny cyn hir.'

Ym 1852 anfonwyd Dan eto i Gymru i genhadu am dair blynedd arall. Bedyddiwyd dros 2,000 yn ystod ei ail genhadaeth a daeth â 700 o Gymry yn ôl gydag ef i Utah ym 1856. Cawn glywed am eu treialon hwy yn y lle priodol yn y stori. Un o'r paragraffau olaf iddo ei ysgrifennu i'r *Udgorn* cyn gadael Cymru am y tro olaf oedd apêl i'w gyd-wladwyr am help i ddarganfod y Madogwys. Yr oedd am fynd i chwilio amdanynt eto, meddai. 'Er cymaint yr amheua eraill yr hanes, cawsom ni brofion cadarnhaol yn ein hymchwiliadau dros y cyfandir am yr "Indiaid Cymreig" yn ystod yr ugain mlynedd diwethaf. A chan ein bod wedi penderfynu cychwyn eto ddiwedd y mis hwn ar ymchwiliad di-droi'n-ôl i ddarganfod os ydynt ar dir y byw, crefwn ar y sawl a fedd eu hanes i'n cynorthwyo, nid a'u harian, ond a'u hanesion.' Yr oedd yr hen dân yn dal i losgi yn Dan, yr hen chwilen yn dal yn ei ben a'r hen argyhoeddiad fod yr Indiaid Cymreig yn bodoli, rywle yn nhiroedd anial Utah, yn ei gorddi o hyd. Nid oes sicrwydd iddo gychwyn ar y daith olaf hon cyn ei farwolaeth o'r diciáu ym 1861.

Ni ddaeth diddordeb Brigham Young yn y Madogwys i ben wedi methiant Dan Jones. Ym 1858, anfonodd barti arall i dde'r diriogaeth yn bennaf i genhadu ond hefyd i edrych am yr Indiaid Cymreig. Y tro hwn, llwyth yr Hopi oedd dan sylw. Aethant â Chymro o'r enw James George Dariris Davis gyda hwynt a buont yn byw gyda'r Hopi am flwyddyn, heb glywed gair o Gymraeg.

Ni ddylem adael y dargyfeiriad byr hwn i hanes y Madogwys a'r Mormoniaid heb sôn ychydig am Llewellyn Harris. Y mae'n haeddu cael ei gofio. Ganwyd ef rywle yn ardal Llanymddyfri. Collodd ei dad yn ifanc iawn. Ym 1840, pan oedd tuag 8 oed, ymfudodd ei fam i America ac ymgartrefu yn Efrog Newydd. Bu hi farw yn fuan ar ôl cyrraedd, gan adael Llewellyn yn amddifad ac ar ei ben ei hun. Aeth i weithio i ryw ffermwr Cymreig a chael ei gam-drin ganddo. Rhedodd i ffwrdd ac yn 10 oed yr oedd yn ddigartref, yn gwerthu papurau dyddiol ar strydoedd Efrog Newydd. Crwydrodd i Chicago ac yna i Washington, gan barhau i ennill ei damaid drwy werthu papurau newydd. Yna, yn 15 oed, cafodd waith ar stemar oedd yn hwylio rhwng Texas ac Efrog Newydd. Yn 18 oed gadawodd y môr i ymuno â'r fyddin a chafodd ei hun yn un o gaerau'r fyddin allan ar y paith. Yno daeth i gysylltiad am y tro cyntaf â'r Indiaid. Edmygai eu ffordd o fyw a chafodd ei hun yn gysurus yn eu cwmni. Dihangodd o'r fyddin oherwydd na fedrai oddef ymddygiad sarhaus a chreulon ei gyd-filwyr tuag atynt, ac am dair blynedd bu'n byw gyda'r Indiaid ar y paith. Yna clywodd fod Cymry wedi ymsefydlu ger y Llyn Halen ac aeth i fyw atynt a chael ei fedyddio'n Formon a dechrau gweithio fel cenhadwr ymysg yr Indiaid. Am ddeng mlynedd ar hugain ef oedd y cyswllt rhwng Brigham Young a nifer o lwythau de Utah. Medrai siarad mwy nag ugain o'r ieithoedd brodorol ynghyd â Sbaeneg, Saesneg a Chymraeg. (Cymraeg, medden nhw, oedd ei hoff iaith.) Ym 1878, wrth weithio ymysg y Zuni yn New Mexico, credai ef hefyd ei fod wedi darganfod y Madogwys. Gwrandawodd ar eu chwedlau am gyndeidiau gwynion a ddaeth o'r Dwyrain a chlywodd yn eu parabl, meddai, ychydig eiriau a fedrai fod yn Gymraeg. 'Y mae pobl yn credu be maen nhw eisiau'i gredu,' oedd sylw swta un hanesydd Americanaidd, 'yn enwedig os ydyn nhw'n Formoniaid neu'n Gymry.'

1850

ER MAI'R '49ERS' YW'R enw a roddir ar y llif o ddynion a groesodd i'r Gorllewin yn ystod Rhuthr Aur Califfornia, tecach fyddai eu galw'n '50ers', oherwydd croesodd dwywaith gymaint ohonynt yn y flwyddyn honno. 'Clywid y gri o "Aur! Aur! Aur!" yn atsain drwy'r wlad,' ebe un o bapurau San Francisco. 'Gadawyd caeau ar hanner eu haredig a thai ar hanner eu hadeiladu.' Yr oedd bod ar y trywydd ym 1850, yn ôl un o'r '49ers', 'fel bod ar Pearl Street neu Broadway yng nghanol Efrog Newydd'. Cyfrwyd dros fil o wageni yn pasio Fort Kearny mewn diwrnod. Ciliodd yr unigeddau mud a'r gorwelion distaw ac yn eu lle clywid 'brefu'r ychen, gweryru'r ceffylau, cyfarth y cŵn yn gymysg â chlebran di-baid y lleisiau dynol. Ychwanegir sŵn ffidil a chorn a thambwrîn a chlarinét ac i gwblhau'r gerddorfa, clecian di-baid pistolau a reifflau, yn cyd-chwarae â miwsig olwynion y cerbydau yn rhygnu a chrensian wrth basio.' Diflannodd yr hen frawdgarwch a'r gofal am ei gilydd a fu'n gymaint rhan o fywyd y paith yn y blynyddoedd cynnar ac yn eu lle datblygodd hunanoldeb cignoeth a chystadleuaeth ffyrnig. Pe bai un o'r wageni yn ddigon anlwcus i dorri echel neu fynd yn sownd mewn ffos, ceisiai pawb arall wasgu heibio. 'Yn gyntaf byddai gweiddi a chlecian chwipiau a rhegi, ac yna dechreuent gwffio,' cofiai un o'r '49ers', 'dau neu dri dyn yn cael eu llorio ac ugain gwn yn cael eu tynnu o'r wageni.' Nid yr unigedd a'r gwacter a boenai'r ymfudwyr y flwyddyn hon ond y ras ddyddiol am y borfa orau i'w hanifeiliaid a'r sgrym wyllt bob nos am leoliad da i'w gwersyll.

O blith yr 50,000 o ymfudwyr ar y trywydd ym 1850 yr oedd tua 5,000 yn Formoniaid. Ond trigolion gwersyll Winter Quarters ar lan y Missouri oedd y rhan fwyaf ohonynt. Ychydig iawn a groesodd yr Iwerydd y flwyddyn honno. Dim ond dwy long yn cario 741 o deithwyr a logwyd yn Lerpwl gan yr Eglwys y gwanwyn hwnnw, a dim ond 96 o'r Saint arnynt oedd yn Gymry, yn teithio gyda'i gilydd eto mewn un grŵp. Yn ôl *Udgorn Seion*, yr oedd y rhybudd i ymbaratoi wedi bod yn rhy fyr. Mwy credadwy yw Dan Jones pan ddywed mai ofn y colera oedd yn cadw pobl gartref. Ac wedi cyrraedd America, ni ddangosodd y Cymry yr awydd lleiaf i fynd ymhellach na'r Missouri. Dywed Abel Evans, un o'u harweinwyr, mewn llythyr o Council Bluffs, fod saith ohonynt wedi marw ar y daith, 30 wedi aros i weithio yn St Louis a 57 wedi aros gydag ef yn y gymuned Gymreig yn Council Bluffs. 'Cawsom dderbyniad croesawus, ymhell tu hwnt i'n disgwyliadau,' meddai. 'Mae pawb oedd a modd ganddynt wedi cymryd tai a thiroedd a daw'r lleill yn abl i wneud yr un peth [mewn byr amser]. Mae'r oll a ddaeth gyda mi yn aros yma ond David Evans a'i wraig, y rhai sydd yn myned yn eu blaen.'

Ac nid dim ond y newydd-ddyfodiaid a wrthododd symud ymlaen y flwyddyn honno. Ni symudodd dilynwyr William Morgan chwaith, y 113 a arhosodd i ffurfio'r gymuned Gymreig y flwyddyn cynt. Y gwir oedd bod bywyd y Cymry ar y Missouri yn profi'n gysurus iawn. Yn eu gwladfa Gymreig ifanc yn Council Bluffs yr oedd llawer ohonynt, am y tro cyntaf yn eu hoes, yn dechrau gwneud bywoliaeth dda ac yn gyndyn o godi'u gwreiddiau unwaith eto. Gwyddent fod arian mawr i'w wneud yn Council Bluffs yn hwyrach yn y tymor ymfudo, pan gyrhaeddai'r '49ers'. Gwnaeth nifer o'u cymdogion elw sylweddol y flwyddyn cynt drwy brynu anifeiliaid a bwyd yn rhad yn y gaeaf, a'u gwerthu am grocbris yn y gwanwyn i'r miloedd a ddeuai drwy'r dref ar eu ffordd i Galiffornia. Yn ystod y rhuthr, cododd pris yd o 20¢ y bwsiel i $3. Eleni, gobeithiai'r Cymry wneud elw tebyg eu hunain. 'Disgwylir i'r aur-gloddwyr ddyfod yma yn y gwanwyn yn dorfeydd,' ysgrifennodd William Morgan yn Rhagfyr 1849. 'Os deuant, bydd lle i wneuthur "dollars" yn lled rhwydd. Mae rhai yn gwneuthur oddeutu $400 mewn ychydig fisoedd trwy brynu pethau i'w gwerthu i'r aur-gloddwyr. Y dydd cyntaf i mi osod fy nhroed ar dir y Bluffs gwneuthum $49 i mi fy hun trwy werthu iddynt.' Erbyn iddo ysgrifennu ei lythyr nesaf i'r *Udgorn* ym mis Mai, yr oedd y rhuthr i Galiffornia yn ei anterth. 'Mae ein tref y dyddiau hyn fel crochan berwedig ac mor llawn â marchnad Merthyr ar ddydd Sadwrn. Nid yw'n bosibl gyrru wagen ar yr heolydd heb orfod stopio. Pobl yr aur ydynt, ac y maent yn gadael peth o'u haur ar ôl.' Pasiodd dros 5,000 o wageni drwy'r dref, a chymaint oedd y dagfa fel y bu'n rhaid i rai aros wythnosau cyn cael lle ar y fferi dros y Missouri. Yn ystod misoedd yr haf cododd pris india-corn o 20¢ y bwsiel i $3 y bwsiel. Pa ryfedd fod y Cymry yn Council Bluffs ym 1850 yn anfodlon gadael eu cartrefi newydd a'i mentro hi ar y paith?

Er hynny, croesodd un neu ddau o Saint Cymreig i'r Dyffryn ym 1850. Pobl oeddent oedd wedi byw yn America am beth amser ond heb fod yn rhan o'r wladfa Gymreig; pobl fel Ann Roberts. Yr oedd hi wedi treulio saith mlynedd yn America yn barod. Ganwyd hi yn Nyffryn Clwyd ym 1819. Ym 1842 ymunodd â'r Saint ac ychydig fisoedd yn ddiweddarach, ar y 3ydd o Ionawr, 1843, priododd â bachgen o'r enw Joseph Griffiths yn Lerpwl. Ni wyddom ddim o'i hanes ef cyn iddo gyfarfod ag Ann. Bythefnos wedi'r briodas, hwyliodd y pâr ifanc am America. Ymhen 41 diwrnod daethant i New Orleans ac ymhen 37 diwrnod arall i St Louis. Yno, huriwyd y *Maid of Iowa* i'w cyrchu hwy a gweddill yr ymfudwyr ar ddarn olaf eu taith i Nauvoo. Tybed a sylweddolodd Ann fod y capten yn dod o Helygain, ychydig filltiroedd i'r dwyrain o'i chartref? Peryglwyd taith y *Maid of Iowa* gan y talpiau o rew a ruthrai i lawr yr afon a threuliwyd 11 diwrnod yn cyrraedd Nauvoo, digon o amser efallai i Ann gael aml i sgwrs gyda Dan am eu hen gynefin. Ar ddiwedd y daith hon y gwelodd Dan Joseph Smith am y tro cyntaf, yn aros i'w croesawu ar y lanfa, fel y disgrifiwyd yn y bennod ddiwethaf. Gwelodd Ann ef hefyd a daeth draw i'w chyfarch hithau, ac ysgwyd ei llaw a'i bendithio.

Ond cyn iddi hi a'i gŵr gael amser i gael eu traed oddi tanynt yn eu cartref newydd, daeth y dyddiau blin. Lladdwyd Joseph Smith, ymosodwyd ar Nauvoo gan y terfysgwyr gwrth-Formonaidd a gadawodd y rhai oedd yn berchen ar ychen a wagen a'r adnoddau angenrheidiol am y Dyffryn – pobl fel John a Samuel Bennion a'u teuluoedd. Ond nid Ann a Joseph. Nid oedd ganddynt hwy'r modd i symud ymlaen. Bu'n rhaid iddynt aros yn Nauvoo, gyda'r tlodion a'r henoed a'r methedig, yn disgwyl bob dydd am ymosodiad arall gan y 'Babiloniaid' ac yn ofni'r gwaethaf. Erbyn hyn yr oedd ganddynt dri o blant bychain.

'Lle gwirioneddol unig a llwm yw Nauvoo,' ysgrifennodd un hen wraig mewn llythyr at Brigham Young yr haf hwnnw, haf 1846. Yr oedd hi'n weddw, yn un o'r mil a adawyd ar ôl yn Nauvoo, a

Brigham oedd ei hunig obaith am achubiaeth. 'Hoffwn gyngor ar beth y dylwn wneud. A ddylwn aros yma ymysg "y cenhedloedd"? Mae fy nghorff wedi ymlâdd yn llwyr yn fy ymdrech i gadw to uwch fy mhen. Dywedwch wrth fy ffrindiau fy mod yn fyw o hyd a bod fy ffydd yn yr efengyl mor gadarn â'r mynyddoedd tragwyddol. Os mai eich barn chwi yw y dylwn ddod oddi yma, dywedwch sut y medraf ddod atoch. Cynghorwch fi fel petawn yn blentyn i chwi, neu'n chwaer, a beth bynnag a ddywedwch wrthyf, mi a'i gwnaf.'

Yn ôl yr hanes a groniclwyd yn ddiweddarach gan aelodau o deulu Joseph ac Ann, ymunodd Joseph â'r 100 neu 150 o ddynion a oedd yn abl i amddiffyn y dref. Yn eu herbyn yr oedd rhwng 1,500 a 2,500 o'r gelyn, dynion afreolus, awchus am ysbail, wedi eu harfogi'n dda. Ym mis Medi 1846 ymosododd y 'Babiloniaid' ar y ddinas. Bu pum niwrnod o ymladd, llawer o saethu gwyllt a llawer o amddiffyn arwrol, ond dim ond un canlyniad fedrai fod. 'Ar yr 17eg o Fedi, ildiwyd y ddinas i'r ymosodwyr,' meddai'r hanes teuluol, 'a rhuthrodd y gelyn i mewn, gan lwyr anwybyddu'r holl delerau heddwch y cytunwyd arnynt. Ysbeiliwyd y tai a'u llosgi a chafodd y trigolion eu cam-drin. Torrodd y terfysgwyr i mewn i dŷ Ann a Joseph a thaflu'r celfi allan i'r stryd a'u llosgi.' Y noson honno gorfodwyd hwy i ffoi gyda gweddill y Mormoniaid ar draws y Mississippi ac am ymron i dair wythnos buont yn byw fel ffoaduriaid ar lan orllewinol yr afon, mewn newyn ac oerfel mawr, heb fodd i symud ymlaen. Llechai tua 600 o bobl yno, Ann a Joseph a'u plant yn eu mysg, y mwyafrif yn wan a musgrell, mewn gwersyll annigonol. Ceisiodd un o'r gwersyllwyr, Thomas Bullock, ddisgrifio eu dioddefaint. 'Yr oedd llaweroedd heb wagen na phabell i'w cysgodi rhag y stormydd didrugaredd. Crybwyllaf un enghraifft. Gwraig dlawd yn sefyll ymysg y prysgwydd, yn lapio ei chlogyn o gwmpas ei thri phlentyn amddifad, i'w cysgodi, orau fedrai hi, rhag y dymestl.' Nododd mai dim ond 17 pabell ac 8 wagen oedd yn gysgod rhyngddynt i gyd. Nid oes sicrwydd faint fu farw yno. Yn y diwedd, wedi iddynt dreulio tair wythnos yn aros, achubwyd hwy gan fintai a anfonwyd gan Brigham Young o Winter Quarters.

Wrth i Ann a Joseph a'r gwersyllwyr eraill baratoi i ymadael, digwyddodd un o'r 'gwyrthiau' hynny sy'n cael eu cofio gan y Saint fel arwydd o ofal Duw drostynt, hyd yn oed yn eu horiau tywyllaf. Disgynnodd haid o soflieir (*quail*) ar y gwersyll. 'Daliwyd hwy gan y methedig ac fe'u cymerwyd yn fyw yn nwylo plant bychain,' ysgrifennodd un o'r gwersyllwyr. Llenwyd pob crochan a chafodd pawb eu gwala'r noson honno. 'Aeth rhai i mewn hyd yn oed i wageni'r cleifion, gan brofi drwy arwydd o'r goruchaf, er i ni gael ein herlid gan ddynion, ei fod Ef heb ein hanghofio.' Drannoeth, cychwynnodd Ann a Joseph ar eu taith i Garden Grove ac yno y treuliasant weddill y gaeaf.

Bu'n aeaf caled. Ysgubodd ton ar ôl ton o afiechydon drwy'r gwersyll – malaria, teiffoid, dysentri, niwmonia. Yr oedd bwyd yn brin a thanwydd yn anodd ei gael. Yn y gwanwyn symudwyd hwy i Winter Quarters, prif wersyll y Saint ar y Missouri. Nid oedd bywyd yn Winter Quarters lawer gwell nag yn Garden Grove. Crafu byw wnaent yno hefyd, gan fynd o argyfwng i argyfwng. Adeiladwyd y gwersyll yn yr hydref y flwyddyn cynt pan sylweddolodd Brigham nad oedd gobaith symud ei bobl ymhellach cyn y gaeaf. Codwyd 631 o gabanau bychain, rhai o foncyffion a brics ond y mwyafrif o dyweirch. Pan gyrhaeddodd Ann a Joseph yr oedd 3,483 o bobl yn byw yno a bron i 3,000 ohonynt yn wragedd, yn ferched neu'n blant. Gadawodd llawer o'r dynion, fel y nodwyd eisoes, am y Dyffryn gyda Brigham neu am Galiffornia gyda'r fyddin Americanaidd. Yr oedd bwyd yn brin o hyd, a thanwydd yn brinnach, a heblaw am fwydo'u hunain yr oedd yn rhaid iddynt baratoi'r tir ar gyfer ei hau, gwarchod y 30,000 o warteg a'r diadelloedd o ddefaid, torri coed a chasglu tanwydd a mynd allan i'r cymunedau eraill ar lannau'r Missouri i chwilio am waith. Daeth yr un hen heintiau ac afiechydon i'w poeni. Bu farw dros fil ohonynt cyn i'r gwersyll gael ei wagio. Buont yno am flwyddyn yn aros am help i groesi i'r Dyffryn. Ym 1848, symudwyd y gwersyllwyr yn ôl i Council Bluffs ar ochr ddwyreiniol yr afon. Ni wyddom ddim am hynt a helynt Ann a Joseph a'u plant am y ddwy flynedd nesaf yn Council Bluffs ond rywsut fe ddaethant drwyddi ac yng ngwanwyn 1850 yr oedd gobaith y caent adael y gwersyll a chychwyn am y Dyffryn.

Yn y flwyddyn hon gosodwyd tiroedd y Mormoniaid o dan lywodraeth ganolog yr Unol Daleithiau. Gwnaethpwyd hwy yn 'diriogaeth', y cam cyntaf ar y ffordd i fod yn 'dalaith', a galwyd hwy yn 'Utah'. Llwyddodd y Mormoniaid i gadw'r rhan fwyaf o'r grym yn eu dwylo eu hunain. 'Dymunwn hysbysu,' ebe'r *Udgorn*, 'yr hyn a fydd yn llawenydd mawr i'r holl frodyr, sef i ni dderbyn llythyr yn ein hysbysu fod Brigham Young wedi ei ddewis fel llywodraethwr ar y diriogaeth newydd.' Ond gwyddai Brigham fod y statws newydd yn debyg o ddenu llawer nad oeddent yn Formoniaid i Utah a bod rhaid cryfhau'r gymdeithas Formonaidd i'w gwrthsefyll. 'Mae arnom eisiau dynion. Frodyr, dewch o'r Taleithiau, o'r gwledydd tramor, dewch!' Cafwyd dau gynhaeaf toreithiog yn y Dyffryn. Profwyd fod yno ddigon o ddŵr a phorfa i gynnal llawer mwy o ymfudwyr. 'Dewch i'n helpu i adeiladu a thyfu, hyd nes y medrwn ddweud "Dyna ddigon, mae dyffrynnoedd Ephraim yn llawn."'

Yn Winter Quarters yr oedd miloedd o Saint fel Ann a Joseph yn barod i ateb yr alwad ond heb y modd i wneud hynny. Ar eu cyfer hwy a'u bath y creodd Brigham Young 'Y Drysorfa Ymfudo Barhaus', sef cronfa y gallai aelodau tlawd yr Eglwys fenthyg ohoni i dalu eu costau teithio. Disgwylid i'r brodyr cyfoethog gyfrannu'n hael i'r gronfa ac i'r brodyr llai cyfoethog, a gymerai fantais ohoni, ad-dalu eu benthyciad wedi iddynt gyrraedd y Dyffryn. Gobeithiai Brigham y byddai arian yn y gronfa, felly, am flynyddoedd i ddod, i helpu tlodion o bob cwr o'r byd i ddyfod i'r Dyffryn. Profodd yr arbrawf yn hynod lwyddiannus ac o'i herwydd, dros y blynyddoedd, llwyddodd miloedd o Formoniaid tlawd i ddyfod i Utah, gan gynnwys nifer sylweddol o Gymry. Ond yn gyntaf, yr oedd Brigham am helpu'r tlodion ar y Missouri. Darparwyd $5,000 i brynu ychen a wageni a bwyd ar eu cyfer a'r tebygrwydd yw fod Ann a Joseph a'r plant ymysg y rhai a ddewiswyd i dderbyn y nawdd hwn ym 1850.

Llwybr annymunol iawn i'w droedio oedd Trywydd y Mormoniaid ym 1850. Gadawodd y '49ers' lanast echrydus o'u hôl. 'Ni fedraf ddisgrifio mor ofnadwy oedd lleoliadau rhai o'r gwersylloedd,' ysgrifennodd un o'r teithwyr. 'Mewn rhai lleoedd yr oedd milltiroedd o fatresi plu, carthenni, cwiltiau a dillad o bob math wedi eu gwasgaru dros y paith.' Gadawyd pob math o sbwriel ar y trywydd – bwyd wedi pydru, anifeiliaid marw a charthion y gwersylloedd. 'Llwythi o gig moch, hanner tunnell ar y tro, pentyrrau o fara sych, tomenni o flawd, plwm a phowdwr.' Yn lle ffresni a lliw y blynyddoedd cynt, crëwyd un slym fawr.

Diffyg profiad y '49ers' oedd yn fwyaf cyfrifol am y llanast mochynnaidd hwn. Nid oedd ganddynt, cyn cychwyn, y syniad lleiaf faint y medrai ychen ei dynnu'n gysurus. Eu tueddiad bob tro oedd gorlwytho'r wageni. Pan droeai'r llwybrau'n fwd neu pan groesent dwyni dyfnion o dywod, dysgent eu gwers yn gyflym. O'r diwrnod cyntaf, dechreuasant daflu allan eitemau dianghenraid. Cludwyd llawer peth dieisiau cyn belled â Fort Laramie yn y gobaith o'i werthu neu ei gyfnewid yno, ond anaml y profai hyn yn bosibl, a'r canlyniad oedd bod milltiroedd o'r trywydd yr ochr draw i Fort Laramie hefyd yn un domen sbwriel ddiddiwedd. 'Ar hyd y gwaelodion eang gorweddai gweddillion y gwersylloedd – dillad, esgidiau, hetiau; plwm, haearn, tun; cigoedd, olwynion, echelau, wageni, offer mwyngloddio ac yn y blaen.' Daeth Joseph Berrien, un o'r '49ers', i Fort Laramie yn gymharol gynnar yn y tymor, cyn i'r fflyd fawr gyrraedd, ond, er hynny, amcangyfrifodd fod dros 20,000 o bwysi o gig moch wedi eu gadael i bydru o amgylch y gaer. Man drwg arall oedd 'Glyn Cysgod Angau', y tir anial rhwng afonydd Platte a Sweetwater lle rhedai'r dŵr alcali, y gwenwyn a laddai'r ychen. Os byddai'r ychen farw, rhaid oedd ysgafnhau'r wageni a chael gwared ar ragor o'u llwythi. Yn aml, rhaid oedd gadael y wagen hefyd. Dywedodd gohebydd y *St Louis Republican* ei fod wedi cyfrif dros fil o wageni wedi eu llosgi neu eu difrodi ar y trywydd. Mwy annymunol na'r sbwriel oedd celanedd yr ychen yn pydru ac yn drewi yn y gwres, wedi eu rhwygo ar agor a'u hanner bwyta gan y bleiddiaid.

Cafwyd gwared o'r pethau rhyfeddaf. Einionau trymion, erydr a gynnau di-rif, sêff fawr a chloch blymio (*diving bell*)! 'Ar hyd y trywydd y mae amrywiaeth mawr o lyfrau,' sylwodd un teithiwr. 'O'r llyfrgell estynedig hon byddaf yn benthyg llyfr yn aml, ei ddarllen, a'i roi 'nôl.' 'Ar gyrion ein gwersyll,' medd un arall, 'gwelais gwpwrdd llyfrau Gothig hardd, newydd sbon. Datgymalwyd ef yn fuan a'i losgi i ferwi ein tecell.'

I'r Mormoniaid yn Ninas y Llyn Halen profodd afradlonedd yr ymfudwyr yn fendith. Allan ar y trywydd gorweddai llwythi o'r union bethau yr oedd fwyaf eu heisiau arnynt: 'trosolion, driliau, cynion, bwyeill, rhawiau, erydr, cerrig hogi, stofiau dirifedi, offer tŷ o bob math, barilau, harneisiau, dillad', pethau fyddai wedi costio'n ddrud iawn i'w cludo'r holl ffordd o'r Missouri. Yng Ngorffennaf ac Awst 1849, wedi i'r rhuthr fynd heibio, anfonodd Brigham wageni lawer allan i'r paith i gasglu'r cynhaeaf annisgwyl. 'Powdwr du, tybaco, hoelion, coffi, siwgr, haearn, plwm', i gyd yn rhad ac am ddim!

Ym 1850 croesodd y Saint o'r Missouri i'r Llyn Halen mewn deg mintai. Yr oedd colera yn rhemp unwaith eto ond bu rhai cwmnïau'n lwcus. Llwyddodd y cwmni cyntaf, cwmni Milo Andrus, i osgoi'r haint bron yn gyfan gwbl, er iddynt weld tystiolaeth o'i fileindra ar bob llaw. Cofiai Joseph Fish fod ei dad wedi ceisio cyfrif y beddau wrth iddynt fynd heibio ond ei fod wedi rhoi'r gorau iddi ar ôl cyfrif mil. Ac fe fu'r ail fintai, mintai Benjamin Hawkins, yn lwcus hefyd, er iddynt hwy fod yn gyfrifol am rywfaint o'u lwc. Fel pob cwmni yn nyffryn Platte, cymerent eu dŵr yfed naill ai'n syth o'r afon neu o'r cannoedd o dyllau dyfnion, chwe throedfedd a mwy o ddyfnder, a gloddiwyd ar hyd y glannau gan eu rhagflaenwyr. Pwrpas y tyllau hyn oedd caniatáu i ddŵr mwdlyd yr afon hidlo drwy'r tywod cyn cael ei gasglu i'w yfed. Y gobaith oedd y byddai'r dŵr yn lanach o'r herwydd, ond y gwir oedd ei fod yn llawer butrach. Yr oedd degau o filoedd o '49ers' wedi defnyddio'r mannau gwersylla ac wedi eu llygru'n llwyr, nid yn unig â'u sbwriel a'u carthion ond â chyrff eu meirwon. Diferai'r amhurdeb a'r aflendid hwn i'r dŵr yn y tyllau. Ac mewn dŵr felly, a fu'n sefyll am wythnosau yn y gwres, y mae bacteria o bob math yn ffynnu. Ond yng nghwmni Hawkins, gwrandawyd ar farn dyn o'r enw Thomas Johnson. 'Peidiwch â mynd ar gyfyl y tyllau; yfwch ddŵr yn syth o'r afon,' oedd ei gyngor. 'A pheidiwch yfed dim heb ei ferwi'n gyntaf.' Dyna a wnaethpwyd, a dihangodd y fintai yn gymharol ddianaf. Dyn o flaen ei amser oedd Thomas Johnson. Ni chyhoeddwyd yr ymchwil arloesol am y cysylltiad rhwng dŵr budr a cholera tan 1854, er bod llawer o'r gwaith ymchwil wedi ei gwblhau cyn 1850. Tybed a wyddai Johnson, cyn gadael Lloegr, am sail wyddonol ei gyngor?

Ni fu'r pum cwmni nesaf mor lwcus. Erbyn iddynt hwy adael, yr oedd colera yn sgubo drwy'r minteioedd. Mintai Warren Foote gafodd hi waethaf. 'Dridiau wedi i ni adael yr afon,' ysgrifennodd un o'r cwmni, 'trawyd ni â'r haint mwyaf difrifol i daro teulu dyn erioed. Y cyntaf i ddangos arwydd o'r clefyd oedd Alfred Brown, yr hwn a adawodd y fuchedd hon ddwy awr wedi i'r afiechyd melltigedig afael ynddo. Fore trannoeth, wedi i ni ei gladdu, aeth y cwmni yn ei flaen. Yn ystod y diwrnod, trawyd tri arall. Bu un ohonynt farw ar y trywydd a'r ddau arall wedi i ni osod ein gwersyll. Yn hwyrach y noson honno, cymerwyd fy mhlentyn yn wael a bu farw cyn y bore. Cychwynnodd y ddeg wagen gyntaf ar eu taith fore trannoeth tra oeddem ni'n claddu ein meirw. Wrth i ni osod ieuau ar yr ychen a'u rhoi yn yr harnais, aeth saith o rai eraill yn wael, gan ei gwneud ymron yn amhosibl i ni symud.' Gwelodd y dyddiadurwr Franklin Langworthy lawer o wageni wedi eu gadael ar y paith oherwydd marwolaeth eu perchnogion. 'Safent ar ochr y trywydd, gyda'r bwyd a'r dillad ynddynt o hyd, a'r ceffylau a'r gwartheg yn crwydro'n ddigyfeiriad o'u cwmpas.' Gwelodd gleifion a adawyd i farw gan eu cyd-deithwyr, heb neb i'w cysuro yn eu munudau olaf. Ceisiodd nodi pob bedd a welsai ond rhoddodd y gorau iddi'n fuan. 'Mae'r beddau mor gyffredin, byddai cynnwys sylw ar bob un yn gwneud fy llith yn ddiflas.' Yr oedd yr ofn o'r haint bron mor ddifrifol â'r haint ei hun. 'Ni welais erioed bobl wedi dychryn am eu bywydau gymaint â rheini yn fy Neg i.'

Yn dilyn y minteioedd, yn enwedig y minteioedd â'r colledion mwyaf, yr oedd y bleiddiaid. Byddent yn prowlan o amgylch y gwersyll wedi iddi nosi, yn chwilio am anifail methedig neu gorff newydd ei gladdu. Dywed un o'r dyddiadurwyr, a'i ddychymyg efallai yn rhedeg reiat, fod sŵn cannoedd ohonynt, 'mwy na thebyg 500', i'w glywed yn y tywyllwch o amgylch ei wagen. Wrth i'r wagen olaf adael y gwersyll yn y bore, deuai'r bleiddiaid i mewn ar drywydd yr ysbail. 'O'r cyfnos hyd y wawr, bu cnud o fleiddiaid ffyrnig a gwancus yn hofran o gwmpas ein gwersyll,' ysgrifennodd ymfudwr arall. 'Ni fedrem ddeall y rheswm nes i olau dydd ddangos ein bod wedi codi'n pebyll ar y man lle'r oedd y creaduriaid yn gobeithio gwledda, sef yng nghanol man claddu rhyw 50 neu 60 o gyrff.' I wneud pethau'n waeth, yr oedd y bleiddiaid wedi tyrchu rhai o'r cyrff o'r pridd ac ar hanner eu bwyta. 'Y mae'n amhosibl dirnad unrhyw beth mwy ofnadwy.'

Yn ogystal â cholera, dioddefodd y bumed fintai un o'r stampîds enwocaf yn hanes yr ymfudiad. Y mae'n enwog nid oherwydd unrhyw golli gwaed ofnadwy ond oherwydd y disgrifiad gwych ohono a groniclwyd yn nyddiadur y capten, Wilford Woodruff. 'Ni fedr unrhyw rai sydd heb fyw drwy'r fath brofiad fyth ddisgrifio'n gywir holl erchyllterau peth fel hyn,' meddai. 'Nid yw gweld deg ar hugain neu ddeugain gwedd o ychen, rhwng dau a phump iau ymhob gwedd, pob un yn tynnu wagen yn llawn gwragedd a phlant a nwyddau trymion, i gyd mewn chwinciad yn colli pob synnwyr a sens, wedi eu llenwi â rhyw banig gwallgof, yn saethu i ffwrdd yn bendramwnwgl, pob un i'w gyfeiriad ei hun, yn rhuo a chroch-frefu a phowlio drwy'i gilydd gan ddymchwel cerbydau a chwalu olwynion a thaflu gwragedd a phlant i lwybr y wedd y tu ôl iddynt, i'w sathru dan draed wrth iddynt ruthro heibio – nid yw hyn yn beth hawdd i'w ddisgrifio.' Yr oedd gan Woodruff ddau gerbyd yn y stampîd: y wagen deuluol oedd yn cael ei thynnu gan ychen a'i gyrru gan ei wraig, a choets ysgafn oedd yn cael ei thynnu gan geffyl a'i gyrru gan ei ferch, Susan, a'i ffrind, Rhoda. Am ei wraig y poenai fwyaf. 'Y mae ceffyl mewn stampîd gymaint yn llai peryglus nag ych. Gellir rheoli ceffyl i raddau trwy dynnu ar yr enfa yn ei geg ond y mae'r ych yn hollol afreolus. Rhuthrais i ganol y ffrwgwd i geisio achub fy ngwraig a chynifer o rai eraill ag y gallwn ond cefais drafferth i achub fy mywyd fy hun. Dymchwelwyd dwy o wageni'r Brawd Petty a rhedodd ein wagen ni dros un ohonynt. Rhedodd wagen arall dros un o'i blant. Rhedodd wagen y Brawd Badlam dros un o blant Samuel Hardy a lloriwyd Prescott Hardy gan ei wedd ei hun. Lle bynnag y gwelwn wragedd neu blant mewn perygl ceisiais wneud y gorau a fedrwn drostynt ond ychydig a allwn wneud yn y fath ddryswch. O'r diwedd, pan na fedrwn wneud mwy, brysiais yn ôl at fy nheulu fy hun. Yr oedd Rhoda wedi ei thaflu o'r goets a Susan yn gorwedd ar ei gwaelod yn sgrechian yn uchel gyda'i thraed yn hongian allan rhwng yr olwynion. Gwaeddais arni i ddal ei gafael a llwyddais i gydio yng ngenfa'r ceffyl, dod ag ef i stop ac achub Rhoda.' Aeth Woodruff drwy'r fintai wedyn i weld pwy oedd yn fyw a phwy oedd yn farw. 'Fe'm rhyfeddwyd i ddarganfod na laddwyd yr un ohonom ac mai dim ond un a anafwyd yn ddrwg.' Ond torrwyd coes ei hoff geffyl. 'Bu'n rhaid i mi ei saethu i'w roi allan o'i boen a bu hynny'n loes fawr i mi. Ond, diolch i Dduw, arbedwyd bywydau fy ngwraig a'm plant.'

Gwyddom fod mwyafrif y Saint a dderbyniodd nawdd y Drysorfa

Ymfudo Barhaus wedi teithio gyda'r minteioedd olaf. Rhoddwyd Ann a Joseph yn y fintai olaf ond un, mintai Shadrach Roundy. Cawsant daith ddidrafferth, heb afiechydon na damweiniau peryglus, heb gwerylon na thywydd caled. Ym mintai Roundy, yn ôl ei ddyddiadur, dim ond un farwolaeth fu. Sicrhau porfa dda i'w hanifeiliaid oedd eu poendod mwyaf ac yr oedd hyn i'w ddisgwyl ar ddiwedd y tymor prysuraf o ymfudo yn hanes y trywydd. Rhannwyd y fintai yn unedau llai, a theithiasant ar wahân wedi gadael tiriogaeth yr Indiaid, er mwyn taenu'r gyr dros gymaint o dir pori â phosibl.

Ychydig a wyddom am fintai Roundy. Dim ond gwaith un dyddiadurwr di-fflach sydd gennym, ac ychydig baragraffau o atgofion dwy hen wraig a oedd yn blant ar y trywydd. Ar y 6ed o Awst, yn y wlad greigiog tu hwnt i Fort Laramie, nododd y dyddiadurwr, 'Broke waggon of Griffeths on Red Sand.' Beth yn union dorrodd ar wagen Ann a Joseph, ni chawsom wybod ond ni fu'n rhwystr mawr iddynt. Y diwrnod canlynol symudodd y fintai yn ei blaen fel arfer. Gwyddom iddynt ddioddef stampîd, ond dim byd tebyg i stampîd Woodruff. Gyda hwynt teithiai hen gwpwl ecsentrig mewn cerbyd bychan dwy olwyn ag un tarw bychan, swnllyd yn ei dynnu. Yr oedd y tarw yr un mor ecsentrig â'i feistri. Ymunodd yn y stampîd ond, wedi cael ei hwyl, daeth yn ôl atynt yn dawel ac ailgymryd ei le yn ddidrafferth rhwng siafftiau'r cerbyd. Gwyddom fod helwyr da yn y cwmni a bod y gwersyllwyr i gyd wedi cael cyflenwad cyson o gig byfflo. 'Ni fedrwch ddychmygu gymaint o fyfflo oedd ar y paith bryd hynny,' cofiodd un o'r hen wragedd. 'Cyn belled ag y gwelech, nid oedd dim ond byfflo. Nid yw'n ymddangos yn bosibl eu bod wedi'u lladd i gyd.' Er cyn lleied a wyddom am hanes Ann a Joseph ar eu taith, gwyddom iddynt hwy a'u plant gyrraedd Dinas y Llyn Halen yn saff, 80 diwrnod wedi gadael y Missouri ac wyth mlynedd wedi gadael Cymru. Yn ystod y deng mlynedd nesaf, ganwyd 11 plentyn arall iddynt, gan gynnwys pum pâr o efeilliaid. Bu Joseph farw ym 1860, yn 44 mlwydd oed, a threuliodd Ann weddill ei hoes yn Ninas y Llyn Halen. Bu farw ym 1895, yn 76 mlwydd oed, gan adael 50 o wyrion a 21 o or-wyrion.

1851

DAETH DIWEDD Y RHUTHR aur mor sydyn â'i ddechrau. Nid oedd aur i'w ganfod bellach yn dalpiau rhydd ar lawr neu'n llwch hawdd ei olchi o'r nentydd. Yr oedd yn rhaid cloddio'n ddwfn amdano a gwario'n drwm ar offer arbenigol i'w gyrraedd. Yn llythyrau'r mwynwyr a gyhoeddwyd ym mhapurau newydd y Dwyrain, yr un oedd y neges, sef bod y rhuthr wedi chwythu'i blwc ac nad oedd y wobr bellach yn cyfiawnhau peryglon y daith. Cwympodd niferoedd y mwynwyr o 50,000 ym 1850 i ychydig gannoedd ym 1851. Gwelwyd llawer mwy o wragedd a phlant ar y trywydd, teuluoedd cyfan yn lle unigolion, y rhan fwyaf ohonynt a'u bryd ar ymsefydlu'n barhaol, nid yng Nghalifformia ond yn Oregon. Aildyfodd y blodau, glanhawyd y dyfroedd a disgynnodd tawelwch eto dros y trywydd.

Unwaith eto, yr oedd yn bleser bod ar y paith. Digon o borfa, gwersylloedd glân, y colera yn cadw draw a chydweithrediad hapus rhwng yr ymfudwyr, boed yn Saint neu'n 'Fabiloniaid o'r byd'. 'Rydym wedi bod yn trafod y posibilrwydd o wneud tarten gwstard i swper,' ysgrifennodd y Mormon Mary Augusta Snow yn ei dyddiadur. 'Y mae wyau ar gael a chynigiodd yr ymfudwyr i Oregon beth o'u llefrith hyfryd i ni, yn gyforiog o arogleuon y glaswellt ir, dim ond i ni odro eu gwartheg. Oddi ar i ni gychwyn, ni fuom allan o'u golwg. Buont yn hael iawn gyda'u holl fenthyciadau. Y cyfan oedd ei eisiau arnaf oedd rhywle i rowlio'r crwstyn. Trwy osod sêt y wagen ar ben dau focs, ffurfiais fwrdd braf oedd yn destun cenfigen ar bob llaw.'

O'r 10,000 o bobl a gerddodd y trywydd i'r Gorllewin ym 1851 yr oedd bron eu hanner yn Formoniaid ar eu ffordd i Seion. Tlodion a hen bobl a fu'n aros yn Winter Quarters am help i groesi i'r Dyffryn oedd y mwyafrif ohonynt. Unwaith eto, talwyd eu costau gan y Drysorfa Ymfudo Barhaus. Bu'n flwyddyn lwyddiannus arall yn y Dyffryn a chyfrannwyd swm sylweddol i'r gronfa, yn rhannol oherwydd y cynhaeaf da, ond yn bennaf oherwydd yr arian a'r nwyddau a adawyd yn y Dyffryn gan y 'Babiloniaid' ar eu ffordd i Galifformia. Arhosodd niferoedd ohonynt yn Ninas y Llyn Halen yng ngaeaf 1850/51, rhai'n rhy flinedig i fynd yn eu blaenau, eraill yn wael ac eisiau gofal, rhai am roi'r gorau i'w wageni a phrynu ceffylau, eraill am gyfnewid eu hanifeiliaid blinedig am rai iachach a mwy bywiog, pob un ohonynt wedi byw ar gig moch a bara sych oddi ar iddynt adael y Missouri ac yn awchu am lysiau a ffrwythau ffres. Nid oedd Brigham Young yn or-hapus i'w gweld yn ei ddinas. Wedi'r cyfan, dianc o'r byd oedd holl bwrpas yr ymfudiad i'r Dyffryn. Ond, gyda'i bragmatiaeth arferol, cytunodd i ddiwallu eu hanghenion i gyd, am bris.

Sylweddolodd y Saint yn Ninas y Llyn Halen, fel y Cymry yn Council Bluffs, fod ffortiwn i'w gwneud o'r '49ers'. Yn y Dyffryn yn fuan ar ôl cynhaeaf 1849 yr oedd 100 pwys o flawd yn gwerthu am $10. Ar ddechrau Mehefin 1850, pan gyrhaeddodd yr ymfudwyr cyntaf, cododd y pris i $50, ac i $100 cyn diwedd y mis. Erbyn yr hydref yr oedd wedi llithro'n ôl eto i $10. A thra bod prisiau bwydydd a phrisiau anifeiliaid y Saint yn codi i'r entrychion, plymio i'r dyfnderoedd wnâi prisiau'r hyn oedd gan yr ymfudwyr i'w werthu. Wageni a brynwyd yn St Louis am $150 yn gwerthu am $5.50, harneisiau a brynwyd am $30 yn gwerthu am $2. Y mae hanes George Morris, un o drigolion y ddinas, yn nodweddiadol o'r math o fargeinio a fu yr haf hwnnw. Yn ystod y gaeaf, crwydrodd dau o'i ychen ifainc a phan ddaeth yn wanwyn aeth allan i chwilio amdanynt. Ar ei ffordd yn ôl, wedi cael gafael ar ei anifeiliaid, daeth ar draws gwersyll o fwynwyr mewn argyfwng. Prin y gallent symud eu wageni gan mor flinedig a gwan oedd eu hychen. Cynigiwyd dau ych blinedig ond llawn eu twf i George am ei ddau ifanc ef. Wedi bargeinio caled, cytunodd George i werthu ei ddau ych am dri o ychen yr ymfudwyr a deg doler yn ychwanegol. Aeth â'i anifeiliaid newydd adref a'u troi allan i bori'r glaswellt ir o gwmpas ei dŷ, ac wedi iddynt atgyfnerthu fe'u gwerthodd drachefn i ymfudwyr eraill am bedwar ych blinedig arall, pymtheg doler a wagen a gostiodd $110 yn St Louis. Erbyn i'r ymfudwyr olaf adael ar ddiwedd y tymor yr oedd George yn berchen ar ddeg ych, pedair buwch, wagen, dillad, esgidiau a bwydydd o bob math, 'digon i'n gwneud yn fwy cysurus nag y buom erioed o'r blaen'. Ar ôl dau dymor o fargeinio fel hyn yr oedd y Mormoniaid yn Utah yn sylweddol gyfoethocach. Casglwyd digon yng nghoffrau'r Drysorfa Ymfudo Barhaus i dalu costau cludo dros 2,500 o dlodion o Winter Quarters i'r Dyffryn y flwyddyn honno. Ymunodd 2,500 arall a dalodd am eu cludiant â hwy, gan wneud ymfudiad 1851 yn un o'r mwyaf llwyddiannus yn hanes yr Eglwys.

Ond unwaith eto, er bod nifer dda o Gymry wedi croesi'r Iwerydd, ychydig ohonynt oedd i'w gweld ar y paith. Hwyliodd y *Joseph Badger* o Lerpwl ar y 18fed o Hydref, 1850, gyda 148 o Saint Cymreig ar ei bwrdd, dan lywyddiaeth y brawd John Morris o Sir Benfro. Yr oedd llong arall o ymfudwyr Cymreig i adael ddechrau Ionawr, 'a bydded i'r rhai a fwriadant ymfudo bryd hynny,' ebe'r *Udgorn*, 'ddanfon eu henwau a'u rhagdaliadau i mewn yn ddi-oed'. Cymerodd 80 o Gymry fantais o'r gwahoddiad hwnnw. Gadawsant mewn da bryd i ymuno â'r minteioedd a fyddai'n gadael Council Bluffs am y Dyffryn yn y gwanwyn, ond penderfynodd bron bob un ohonynt beidio mentro ymhellach na'r Missouri. Yr oedd yn well ganddynt aros gyda'r Cymry yn St Louis neu yng nghysur y gymuned Gymreig yn Council Bluffs na'i mentro hi ar y paith.

Un o'r ychydig Gymry a gwblhaodd y daith i Ddinas y Llyn Halen y flwyddyn honno oedd John Ormond, mab y John Ormond hwnnw a adawodd ei wraig druan yn Hwlffordd ym 1849 a mynd â phump o'i blant i America gydag ef. Ymfudwr o'r iawn ryw oedd y John Ormond ifanc, a chymeriad deniadol dros ben. Yr oedd yn fachgen ymarferol, penderfynol a diwyd. Ni chafodd lawer o addysg a bu'n labro am y rhan fwyaf o'i oes. Ond yn America llwyddodd i wella'i stad ac i greu cartref hapus i'w wraig a'i blant a gadawodd hunangofiant diddorol sy'n rhoi syniad da i ni o galedi bywyd yr arloeswyr.

Ganwyd ef ym mhlwyf Marloes, yn ne Sir Benfro. Gwaith ei dad oedd cario'r post rhwng Dale a Hwlffordd bedair gwaith yr wythnos, a chyn cyrraedd ei 10 oed yr oedd John yn y cyfrwy yn cario post i'w dad. Yna, yn nechrau'r 1840au, gwladolwyd y gwasanaeth post a chafodd John Ormond yr Hynaf ei hun yn ddi-waith. Prynodd wagen a dechrau busnes yn cario nwyddau rhwng Hwlffordd a Merthyr ac unwaith eto yr oedd ei fab yn helpu yn y busnes. Ond yn fuan sylweddolodd hwnnw fod mwy o bres i'w wneud ym Merthyr nag ym Marloes ac, yn 13 mlwydd oed, symudodd i fyw i Benydarren i weithio fel glöwr. Yn y flwyddyn honno, 1845, ymunodd ei chwaer hŷn â'r Mormoniaid a dilynodd ei brawd hi i'r ffydd. Ychydig sydd yn yr hunangofiant i esbonio rhesymau John Ormond yr Ieuengaf dros ymuno. 'Mwynheais fy hun gyda'r Saint,' meddai. 'Llefaru â thafodau a phroffwydo, gwella cleifion a thaflu cythreuliaid allan. Yr oedd yr arwyddion hyn yn gyffredin yn y dyddiau hynny.' Ym 1849, fel y gwelsom, ymfudodd y teulu, heb y fam a'r mab ieuengaf, a hwylio am America yng nghwmni Dan Jones. Yn hwyrach y flwyddyn honno yr oeddent yn ymladd y colera ar y Mississippi a dwy o'r merched yn ildio iddo.

Gwthiodd gweddill y teulu, sef John a'i dad a'i ddwy chwaer, Dorothy ac Elizabeth, yn eu blaenau tuag at Council Bluffs. Gadawsant St Joseph ar yr agerfad *Marmeluke*, ond gyda 100 milltir eto i fynd daeth y llong i stop. Yr oedd ei hinjan yn rhy wan i wthio ymhellach yn erbyn y llif. Gadawodd y capten y llong ac aeth i geisio llety cyfforddus ar y lan dros nos. Y noson honno, trawyd ef â'r colera a bu farw cyn y bore. Penderfynodd y rhan fwyaf o'r Mormoniaid ar fwrdd y *Marmeluke* adael y llong a phrynu ychen a wageni a cherdded y 100 milltir olaf i Council Bluffs ond nid oedd gan John a'i deulu yr arian i wneud hynny. Aethant i bentref cyfagos Savannah i chwilio am waith. Ni fedrai John yr Hynaf gyflawni unrhyw lafur trwm oherwydd bod un o'i freichiau'n ddiffrwyth, wedi ei niweidio mewn damwain yng Nghymru. Cafodd waith mewn gwesty yn y dref a chafodd John yr Ieuengaf waith mewn chwarel. Daethant o hyd i hen adeilad oedd yn dechrau dadfeilio ac atgyweiriwyd ef gan John a'i chwiorydd a'i droi'n gartref. Dechreuodd y merched wneud melysion o bob math a'u gwerthu ac erbyn yr hydref yr oeddent wedi ennill digon i fedru cwblhau 100 milltir olaf y daith i Council Bluffs.

Ar ôl cyrraedd, llogodd y teulu fwthyn ar ddarn o dir filltir a hanner o'r dref ac aeth John ati i'w ffensio a'i baratoi ar gyfer plannu llysiau yn y gwanwyn. Ond ym mis Mawrth, ar gychwyn y tymor ymfudo, pan sylweddolodd gynifer o bobl a fyddai, cyn bo hir, yn pasio drwy'r dref, cafodd well syniad. Adeiladodd gaban pren, 14 troedfedd o hyd ac 8 troedfedd o led gyda drws yn ei ochr, ac yna gosododd ef ar olwynion. Benthycodd ychen a thynnodd y caban o'i gartref i ganol Council Bluffs a'i osod yn daclus ar lain o dir ar ochr y lôn lychlyd a elwid yn Stryd Fawr. Yna, yn y caban, dechreuodd ei chwiorydd ac yntau wneud pasteiod a bwydydd eraill a'u gwerthu. Sonia John yn ei atgofion am fynd allan i saethu moch gwyllt, grugieir, cwningod a gwiwerod. Pethau tebyg, y mae'n siŵr, oedd yn y pasteiod. Erbyn hyn yr oedd ymfudwyr cyntaf y tymor yn dechrau cyrraedd. Daeth ei dad atynt i weini a thyfodd y caban bwyta ar olwynion yn lle poblogaidd i fwyta. Hwn oedd y bwyty a elwid gan y '49ers' yn 'Fwyty'r Eliffant', oherwydd, y mae'n siŵr, fod y profiad o fwyta ynddo mor ysgytwol â chyfarfod â'r creadur mytholegol hwnnw. 'Eliffant' neu beidio, yr oedd yn eithriadol o lewyrchus. 'Buom wrthi'n pobi gan wneud digon, feddyliem ni, i gyflenwi anghenion y lle am ddiwrnod neu fwy. Ond nid oedd yn hanner digon. Bu'n rhaid i'm chwiorydd a minnau weithio ddydd a nos a gwnaethom arian mawr tra bod yr ymfudwyr yn y dref.' Un o'u problemau yn y dyddiau cynnar oedd bod hogiau drwg yn dwyn eu bwyty. 'Pan aeth fy nhad i'r dref ar y trydydd bore, methodd ffeindio'r bwyty,' ysgrifennodd John. 'Yr oedd yr hogiau wedi cael sbri'r noson cynt a'i lusgo i ffwrdd a'i guddio.' Wedi ei ddarganfod, llusgodd John y caban yn ôl i'w briod le ar y brif stryd, ac i rwystro diflaniad arall datgysylltodd yr olwynion a gosod 'Yr Eliffant' ar flociau.

Wedi i'r tymor ymfudo ddod i ben, bu John yn llifio coed ar gontract ac yn bwtsiera anifeiliaid am gyfnod. Yng ngwanwyn 1851 aeth i weithio i ŵr o'r enw David Wilkin a fwriadai, yn hwyrach yn y tymor, yrru cant o heffrod ac wyth wagen o nwyddau i Ddinas y Llyn Halen. Yn nechrau Awst yr oedd mintai Wilkin yn barod i gychwyn. Mintai fechan iawn oedd hi, dim ond Wilkin ei hun ac un teulu mawr o Albanwyr, mam a thad a naw o blant, a John a merch ifanc o ogledd Cymru o'r enw Jane Lloyd. Jane oedd yr unig un o'i theulu i arddel Mormoniaeth, felly teithiai ar ei phen ei hun, er na fedrai fod wedi bod yn fwy na 17 yn gadael ei chartref. Dywed John ei fod wedi ei hadnabod ers dwy flynedd a'u bod wedi cyfarfod gyntaf ar y *Buena Vista* ym 1849, er nad oes sôn amdani ym maniffest y llong. Y mae'n sicr eu bod yn gariadon cyn cychwyn dros y paith. Dim ond 19 oed oedd y ddau.

O flwyddyn i flwyddyn, gwellai cyflwr y trywydd a deuai'n haws i'w deithio. Rhan o ddyletswydd a disgyblaeth pob mintai Formonaidd oedd gwella'r ffyrdd ar gyfer y brodyr a ddeuai ar eu holau. Symudwyd boncyffion a meini mawrion oddi ar y llwybr a thorrwyd ffyrdd i lawr at lannau'r ffosydd. Adeiladwyd pontydd dros nifer o'r ffosydd dyfnaf, pethau amrwd iawn y mae'n wir, yn aml yn ddim mwy na llwythi o brysgoed wedi eu taflu i'r dŵr, ond hwylusent y daith yn fawr. Haf gwlyb oedd hi ym 1851, yr afonydd yn gorlifo a mwd dwfn mewn mannau. Cawsant drafferth gyda'u hanifeiliaid. Deuai'r byfflo ar eu traws wedi iddi nosi, gan gynhyrfu'r heffrod ifainc ac achosi stampîd dro ar ôl tro. A phob tro, byddai rhai o'r wageni yn y gorlan yn cael eu niweidio wrth i'r anifeiliaid, yn eu panig, hyrddio eu hunain yn eu herbyn. A phob bore, wedi stampîd, gwastraffwyd oriau yn chwilio am anifeiliaid oedd wedi rhedeg am filltiroedd.

Ond yr Indiaid oedd y brif broblem ym 1851. Gan nad oedd y colera yn fygythiad yr haf hwnnw, daethant yn ôl eto i'w hen diroedd hela ar lannau afon Platte, a surwyd hwy gan y newidiadau a welsant. Sylwent fod y borfa ar hyd yr afon yn brinnach a bod y byfflo ar y ddwy ochr yn crwydro ymhellach o'r afon i bori. Sylwent hefyd, oherwydd y traffig di-baid ar hyd dwy ochr afon Platte, fod y byfflo wedi eu rhannu'n ddau yrr enfawr, un i'r de o'r afon ac un i'r gogledd. Ni ddaethant fyth yn ôl at ei gilydd wedi hynny a gwnaeth hynny'r dasg o'u hela yn fwy anodd. Daeth yr Indiaid i fod yn wyliadwrus a drwgdybus o'r ymfudwyr. Teimlent fod ganddynt yr hawl i ofyn am iawndal oddi wrthynt. Gwnâi hyn y dyn gwyn yn ddrwgdybus yn ei dro. Dirywiodd y berthynas yn gyflym.

Cadwai Wilkin ei ynnau wrth law drwy'r amser, oherwydd gwyddai fod ei fintai fechan yn darged hawdd a deniadol i'r Indiaid. Hanner ffordd dros y paith gwelsant barti o Cheyenne yn nesáu'n ofalus. 'Yr oedd dau "chief" ar geffylau gwynion yn eu harwain,' cofiai John. 'Daethom i stop ac ysgwyd llaw â nhw, fel yr awgrymwyd i ni wneud. Cyn hir yr oedd y trywydd wedi ei gau gan Indiaid, yn dod i lawr o'r bryniau o bob ochr. Byddent wedi cymryd popeth oni bai i David Wilkin wthio dau hen bistol, un i'w felt ac un arall i'w grys, fel bod yr Indiaid yn credu ein bod wedi ein harfogi'n dda. Gwnaethant arwydd i ni basio a throesant yn ôl i'r bryniau. Aethom yn ein blaenau yn llawn rhyddhad.'

Nid oeddent wedi mynd lawer pellach pan welsant ddau ddyn yn dod tuag atynt, dau ddyn gwyn, rhan o fintai fechan oedd o'u blaenau. Yr oeddent wedi crwydro o'u mintai, a'r Indiaid wedi dod ar eu traws ac wedi dwyn popeth oedd yn eu meddiant. Digwyddodd yr un peth i Orson Hyde, un o'r Apostolion. Ceisiodd ef groesi'r paith y flwyddyn honno mewn grŵp bychan o saith a daeth wyneb yn wyneb â 300 o Pawnees, llwyth oedd yn enwog am ddwyn. 'Collais werth $80 o flancedi, offer gwersylla, dillad, fy ngwn a'm ceffyl.' 'Ysbail' oedd hyn yng ngolwg Hyde, 'iawndal' yng ngolwg yr Indiaid. Ond o leiaf, ni laddwyd neb.

Yr oedd gŵr camera ar y paith ym 1851 yn ceisio creu portread ffotograffig o fywyd yr ymfudwyr. Petai wedi llwyddo, byddai gennym gofnod amhrisiadwy o'r cyfnod arloesol hwn. Ond yn ffôl iawn, teithiodd gyda dim ond pum cydymaith. Cyrhaeddodd cyn belled â Deer Creek, sydd ymhell dros hanner ffordd i'r Dyffryn, ond yno daeth ei grwydro i ben. Cwympodd i ddwylo'r Crows, lladron gwaethaf y paith. Cafwyd ef ar y trywydd yn ddiweddarach yn hollol noeth, heblaw am bâr o focasins am ei draed a thong rownd ei ganol. Yr oedd y camera a'i offer drud a'r casgliad hanesyddol o ffotograffau i gyd, wrth gwrs, wedi diflannu. Ond eto, ni laddwyd neb. Enw'r ffotograffydd eofn hwn oedd Jones. Hoffwn feddwl mai Cymro ydoedd.

Yn wyneb y ddrwgdybiaeth gynyddol yma, penderfynodd y llywodraeth alw'r Indiaid i 'pow-wow', i gladdu'r tomahôc a smocio'r bibell heddwch a thrafod sut i gyd-fyw'n heddychlon. Anfonwyd negeseuwyr i bob llwyth o Ganada i afon Arkansas, o'r Missouri i'r afon Werdd, yn eu galw i Fort Laramie erbyn y 1af o Fedi. Daeth dros 9,000 ohonynt ynghyd – Sioux, Cheyenne, Arapaho, Crow, Arikara ac Assiniboin – y 'pow-wow' mwyaf a gynhaliwyd erioed ar y paith. Daeth Jim Bridger gyda'r Shoshoniaid o'u tiroedd o gwmpas Fort Bridger. O gyrion uchaf y Missouri, daeth y cenhadwr Catholig enwog y Tad De Smet, gyda'r Mandaniaid a'r Gros Ventres. Daethant oll yn eu gwisgoedd amryliw, wedi eu haddurno â phlu eryrod a chroen bleiddiaid a chyrn bychain yr antelop, eu hwynebau wedi eu gorchuddio â chlai gwyn neu fermiliwn, eu gwallt hir, du yn chwipio tu ôl iddynt fel baneri yn y gwynt, a'u 'squaws' a'u 'papoose' a'u tipis yn eu dilyn. Bu llawer o wledda a dawnsio ac arddangos eu hunain yn eu gwychder. Ac ar ddiwedd y gwledda, cafwyd cytundeb. Caniatawyd i'r dyn gwyn ddefnyddio'r trywydd a chadw ei gaerau arno ar yr amod ei fod yn talu $50,000 y flwyddyn i'r Indiaid.

Yr oedd John a'i fintai wedi mynd heibio i Fort Laramie cyn dechrau Medi, felly ni welsant y llwythau yno yn eu holl ogoniant. Ond byddent wedi gweld sawl grŵp ohonynt ar eu ffordd i'r gaer. Fe'u disgrifiwyd gan Jean Baker, er enghraifft, dyddiadurwraig ym mintai Brown a deithiai ochr yn ochr â mintai Wilkin. 'Awst 28. Croesi afon Platte. Daeth rhybudd oddi wrth Capten Brown i ni gadw'r wageni yn glòs at ei gilydd gan fod Indiaid o gwmpas. Edrychais i'r pellter a gwelais fyddin fechan ohonynt tua milltir i ffwrdd yn dod i lawr ochr y mynydd. Llwythodd y dynion eu reifflau i fod yn barod petaent yn ymosod ond wrth i ni nesáu agorodd eu rhengoedd ac fe aethom drwyddynt heb drafferth. Yr oedd un o asiantiaid swyddogol y llywodraeth yn eu mysg, yn teithio mewn trap, a rhwng ei gluniau eisteddai merch y "chief", peth fach brydferth, tua thair blwydd oed. Ymddangosai wrth ei bodd i'n gweld. Esboniodd yr asiant mai Shoshoniaid oeddent a bod 3,000 yn fwy ohonynt yn gwersylla ar lannau Sweetwater, 20 milltir i ffwrdd, ac mai 90 o brif ymladdwyr y llwyth a'u teuluoedd oedd gydag ef, ar eu ffordd i gyfarfod mawr y llwythau. Pasiodd y dynion ar un ochr i ni a'r gwragedd a'r plant ar yr ochr arall, i gyd ar geffylau, wedi eu gwisgo'n lliwgar, eu dillad wedi'u haddurno â chadwyni o leiniau, rhai â phicellau, eraill â bwâu a saethau neu ynnau. Gwnaethant argraff ardderchog.'

Byddai'n rhaid bod y Shoshoniaid hyn wedi pasio mintai John hefyd, ond nid yw'n sôn gair amdanynt yn ei atgofion. Cyrraedd y Dyffryn yn saff oedd ei flaenoriaeth ef erbyn hyn, oherwydd yr oedd mintai Wilkin mewn ychydig o drafferth. Dioddefent yn sgil prinder bwyd. Yr oedd eu dillad yn garpiau amdanynt a'u hesgidiau wedi gwisgo'n ddim. 'Teithiasom ymlaen drwy'r llwyni o chwerwlys,' meddai John, 'yn droednoeth ac wedi llwyr ymlâdd.' Buont heb fwyd am ddeuddydd. Wrth iddynt agosáu at y Dyffryn, penderfynwyd anfon John ar gefn ceffyl i brynu bwyd yn Ninas y Llyn Halen. 'Gellwch fentro imi gyrraedd yno mewn da bryd,' ysgrifennodd, 'a phrynais datws, blawd a chig eidion.' Aeth â'r bwyd yn ôl at y fintai a chwblhaodd y daith yn eu cwmni ar yr 28ain o Fedi.

Parhaodd John i weithio i David Wilkin drwy'r gaeaf, yn gofalu am ei anifeiliaid. Yna, pan ddaeth y gwanwyn, penderfynodd gychwyn ei fusnes ei hun, yn gwneud brics clai. 'Cyn gynted â bod y tywydd yn ddigon cynnes i sychu'r brics, dechreuais eu cynhyrchu ac mi gefais hwyl dda iawn wrthi. Gwerthwn ddigon i dalu am fy nghadw ac i logi gwedd i gario cerrig a phethau eraill i adeiladu tŷ.' Derbyniodd ddau ych a $60 gan David Wilkin fel cyflog; defnyddiodd yr arian i brynu tir yng nghanol y ddinas a gwerthodd yr ychen i brynu coed ar gyfer y tŷ. 'Gwneuthum y rhan fwyaf o'r gwaith fy hun. Yr oedd y tŷ yn mesur 16 x 28 troedfedd. Yr oedd wedi'i blastro ac roedd ganddo dri drws a dwy ffenest. Yr oedd y tir o'i gwmpas wedi'i droi ac wedi'i blannu â thatws ac india-corn.' Ac yn Awst 1852, flwyddyn ar ôl iddynt gyrraedd, priododd â Jane.

Ac yna, flwyddyn yn ddiweddarach, ymron i'r diwrnod, bu Jane farw ar enedigaeth ei phlentyn cyntaf. 'Ar 25 Awst, 1853, gadawyd fi ar ben fy hunan eto. Yr oedd fy nhad a'm dwy chwaer wedi cyrraedd yn ystod y flwyddyn, felly gallwn droi atynt hwy am gysur. Penderfynais werthu'r tŷ a chefais ymron i $500 amdano. Nid oeddwn yn sicr beth i'w wneud yn awr oherwydd gwyddwn pe arhoswn yn sengl y byddwn yn siŵr o wastraffu'r arian i gyd. Felly meddyliais mai'r peth gorau fyddai i mi chwilio am bartner arall. Ni fyddwn wedi brysio gymaint i wneud hynny oni bai bod merched ifainc dibriod mor brin. Fe briodent i gyd ar y cyfle cyntaf a gaent. Felly mi es i gyfarfod â'r fintai nesaf gyda merched ifainc ynddi a siarad gyda'r gyntaf a welais ac ymhen dim mi ddywedodd "Gwnaf" ac mi briodasom.'

Yr oedd pwysau ar ddynion i briodi'n gyflym yn unigeddau Utah oherwydd, fel y dywedodd John Ormond, yr oedd merched cymharus yn brin. Gwnaed arolwg o'r merched dibriod ar y *Josiah Bradlee* a hwyliodd o Lerpwl yng ngwanwyn 1850. Teithiai wyth merch sengl o oedran priodi ymysg yr 80 o Gymry ar ei bwrdd. Priododd y gyntaf ohonynt o fewn chwe diwrnod i adael tir a'r ail hefyd, dair wythnos yn ddiweddarach, ar fwrdd y llong. Priodwyd dwy arall ar y Mississippi ac yr oedd dwy arall mewn carwriaethau sefydlog cyn cyrraedd Council Bluffs. Dim ond dwy o'r wyth, felly, oedd heb eu hawlio cyn diwedd y daith. Ac un noson ar y Mississippi, llofruddiwyd un o'r ddwy olaf hyn gan gariad gwrthodedig. Cawn fwy o'i hanes hi yn ddiweddarach.

Ymysg gwŷr a gwragedd gweddwon yr oedd carwriaethau a phriodasau cyflym yn arbennig o gyffredin. Gadawyd John Williams o Ddinbych, er enghraifft, yn weddw, gyda nifer o blant bychain i'w gwarchod, pan fu farw ei wraig ar y paith ym 1854. 'Ymddangosai yn beth doeth i 'nhad,' ysgrifennodd un o'r teulu, 'edrych am fam i'w blant, yn enwedig gan fod rhai ohonynt yn fychan iawn, heb fedru gwisgo'u hunain. Mewn sefyllfa fel hyn yr oedd angen mawr arno am gymorth. Yr oedd fy nhad yn deall hyn ac yn teimlo mai cartref anhapus am oes fyddai canlyniad methiant. Ond agorodd rhagluniaeth ddoeth y ffordd iddo. Collodd Elizabeth Humphreys ei gŵr ar y paith. Yr oedd y ddau eisiau cartref, felly priodasant â'i gilydd.' 'Nid mater o gariad oedd hi,' meddai Margaret Richards pan briododd David Richards o Nant-y-glo. Cynigiodd ei gŵr sicrwydd a diogelwch iddi, meddai, rhywbeth na chawsai cyn hynny.

Merch i deulu o siopwyr yn Abergwaun oedd Martha Jenkins, gwraig newydd John Ormond. Yr oedd yn 25 mlwydd oed. Teithiai ar ei phen ei hun, ni wyddom paham ond y tebygrwydd yw iddi, fel nifer o bobl ifainc eraill, gweryla gyda'i theulu oherwydd ei daliadau Mormonaidd. Yn aml, y rhieni fyddai'n diarddel y plant mewn sefyllfaoedd o'r fath. Taflwyd Elizabeth Davis, er enghraifft, yn 14 oed, allan o ddrws ei chartref yn Eglwys-bach, Dyffryn Conwy, i'r stryd. Dywed ei disgynyddion yn Utah ei bod wedi cario creithiau'r gamdriniaeth, yn gorfforol ac emosiynol, weddill ei hoes. Y mae llythyr wedi goroesi sy'n cyfleu ychydig o boen teulu arall a rwygwyd fel hyn. Llythyr ydyw a ysgrifennwyd ym 1855, yn Victoria, Glynebwy, gan ryw David Bowen at ei fab, Lewis, a'i deulu. Yr oedd Lewis yn paratoi i ymfudo i Utah. 'Fy annwyl blant a'm hwyrion. Y mae'n amser hir oddi ar i ni weld ein gilydd er nad oes ond saith neu wyth milltir rhyngom. Yr wyt yn hau chwyn Mormoniaeth yn yr ardal, rhywbeth mae dy fam a minnau yn ei ddirmygu i'r eithaf. Oherwydd hyn ni fedrwn ei gael yn ein cydwybod i dy wahodd i'n tŷ. Am un peth, mae dy fam yn rhy wan i wrthsefyll y tristwch rwyt wedi ei achosi iddi. Derbyniaist fanteision a ddylai fod wedi dy ddysgu i wybod yn well nag ymuno â phobl mor ddigywilydd, rhyfygus, twyllodrus a mileinig.' Y mae tudalen neu ddwy o ddadleuon diwinyddol yn dilyn ac yna, i gloi, dywed y tad hyn: 'Ni fedrwn gymdeithasu â thi cyhyd â dy fod yn parhau gyda'r Mormoniaid. Nis gwn os cawn gyfarfod eto cyn fy medd. Os cei fyw mor hir â ni, cei ddeall y boen rwyt wedi'i achosi i ni yn ein henoed ond gweddïaf ar i Dduw faddau'r cwbl i ti.'

Anodd yw amgyffred pa mor ingol o unig y gallasai pobl sengl fod ar y paith, yn enwedig merched ifainc fel Martha. Yr oedd Susan Witbeck yn 17 mlwydd oed ac yn teithio ar ei phen ei hun. Wrth iddi ddod i ben ei thaith ac agosáu at Ddinas y Llyn Halen, paratôdd y cwmni i rannu i'w gwahanol ffyrdd. 'Wrth i ni agosáu at y ddinas, deuai perthnasau rhai o'n criw allan i'w cyfarfod a mynd â nhw 'nôl gyda nhw i gartrefi lle'r arhosai anwyliaid i'w croesawu. Sylweddolais na fyddai neb yno yn aros amdanaf i ac nad oedd gennyf gartref i fynd iddo pan gyrhaeddwn. Dechreuodd yr unigrwydd grynhoi ynof ac ar y noson olaf cyn i ni gyrraedd y ddinas, ni fedrwn guddio fy nheimladau mwy. Crwydrais ymhell o'r gwersyll a thaflu fy hunan i'r llawr ac ildio i'm torcalon.' Ni fedrai Martha Jenkins chwaith wynebu bywyd heb gwmni. Cyrhaeddodd ei mintai y Dyffryn rhwng y 15fed a'r 20fed o Fedi. Priododd John ar y 24ain.

Gweithred syml a chyflym oedd priodas Formonaidd ar y paith. Yn ôl Dan Jones, 'gallai pâr ifanc gyfarfod â'i gilydd am y tro cyntaf erioed am naw o'r gloch y bore ac os byddant yn ewyllysio gallant fod yn ŵr a gwraig yn ôl cyfraith gwlad, ac eglwys hefyd, cyn hanner dydd'. Un bore, wrth adael y gwersyll, meddyliodd y brawd John Gerber ei fod yn hen bryd iddo ef a'i gariad, Mary Knapp, briodi. Aeth i ofyn caniatâd capten y fintai a chael cytundeb parod. Y noson honno, ar ddiwedd taith y diwrnod, 'paratôdd Mary a minnau ein hunain ar gyfer ein priodas ac aethom i'r cyfarfod yng nghanol y gorlan erbyn tua wyth o'r gloch y nos. Ar ôl canu emyn, gwnaeth Capten Hyde ychydig sylwadau yn ymwneud â busnes y gwersyll, yna cyhoeddodd fy mod am briodi Miss Mary Knapp a gofynnodd a oedd gan unrhyw un wrthwynebiad. Gan nad oedd, aethom ymlaen i gyflawni'r ddefod o wneud y Chwaer Knapp a minnau yn ŵr a gwraig. Ar ôl y cyfarfod daeth nifer o'r henaduriaid i'n llongyfarch. Ymneilltuasom i'n pabell a daeth y Brawd a Chwaer Schamm i fwyta swper gyda ni. Euthum gyda'm gwraig i'r gwely tua un ar ddeg. Bu'r tywydd yn braf drwy'r dydd.'

Nid oes unrhyw dystiolaeth fod priodasau sydyn y Gorllewin Gwyllt yn llai llwyddiannus na'r cyffredin. Bu farw gwraig Charles

Derry, er enghraifft, ar y 7fed o Fedi, 1854. Ar y 25ain o Hydref sylwodd Charles ar ferch 'oleubryd, tyner ei hwyneb. Cefais gip ar lygaid gleision, cynnes,' ysgrifennodd yn ei atgofion, 'ac yn y man, fflachiodd i'm meddwl y teimlad mai hon fyddai fy ngwraig.' Aeth ati'n syth a chynnig ei law. 'Y mae gennyf ddau blentyn,' dywedodd wrthi, 'un yn wael. Nid oes cartref gennyf ar hyn o bryd. Gof wyf wrth fy ngalwedigaeth a gobeithiaf fedru gwneud bywoliaeth dda. Os cytunwch i fod yn wraig i mi ac yn fam i'm plant, byddaf i yn ŵr i chwi ym mhob ystyr o'r gair.' Cytunodd y ferch, a dridiau'n ddiweddarach priodwyd y ddau. 'Aeth pedwar deg saith mlynedd heibio oddi ar y diwrnod hwnnw,' ysgrifennodd Charles, 'ond parhâ'r cwlwm heb ei dorri, heb yr un edau frau.'

Profodd priodas John Ormond a Martha Jenkins hefyd yn un hir a hapus. Erbyn 1851, dim ond 5,000 o'r 30,000 yn Utah oedd yn byw yn Ninas y Llyn Halen. Gwasgarwyd y gweddill i bob cornel ffrwythlon o'r diriogaeth, o Ogden yn y gogledd i Parowan yn y de. Aeth John a Martha i fyw i Brigham City yng ngogledd Utah ac yno adeiladodd John dŷ arall iddynt. Bu'n ffermio, yn adeiladu, yn llifio, yn rhedeg injan ddyrnu, yn gweithio ar y rheilffordd ac yn gyrru injan stêm. Ganed iddynt saith o blant, chwe bachgen ac un ferch. Cadw siop oedd bywoliaeth rhieni Martha yn Abergwaun a dyna wnaeth hithau hefyd yn Brigham City. Agorodd siop gelfi gydag un o'i meibion. Agorodd mab arall iddi siop groser. Pan fu farw Martha ym 1904, yn 78 mlwydd oed, aeth John i helpu ei fab yn y siop gelfi. Bu yntau farw ym 1913, yn 81 mlwydd oed.

1852

YM 1852, AILGYDIODD APÊL y Gorllewin ym mhobl America. 'Go West, young man!' oedd slogan yr awr. 'Go West, and grow up with the country!' Teithiodd dros 50,000 ar hyd glannau Platte y flwyddyn honno, nid mwynwyr i gyd o bell ffordd, er bod llawer ohonynt yn bwriadu mynd i weithio am gyflog i un o'r cwmnïau aur mawrion, ac nid amaethwyr i gyd chwaith. Yn hytrach, pobl a'u bryd ar yrfa fusnes oedd llawer ohonynt – siopwyr, masnachwyr, marchnad-arddwyr, diwydianwyr bychain, entrepreneuriaid. Credent fod bywoliaeth dda i'w gwneud yn diwallu anghenion y boblogaeth o 100,000 a mwy a weithiai erbyn hyn yn y Gorllewin. Efallai iddynt ddarllen am y ddwy acer o winwns yng Nghaliffornia a werthwyd am $2,000, a'r afalau a werthwyd yn Nyffryn Sacramento am $1.50 yr un. A chlwysant hefyd fod y trywydd dros y cyfandir yn llai peryglus nag a fu, fod pontydd a chychod fferi dros yr afonydd yn amlhau, a'i bod yn bosibl yn awr i brynu bwyd ac anghenion eraill mewn masnachdai cyntefig ar hyd a lled y paith.

Ymunodd 10,000 o Formoniaid â hwy, y nifer fwyaf o bell ffordd i fod ar y trywydd mewn un tymor. Yr oedd amryw o resymau am hyn. Cafwyd cynhaeaf da arall ym 1851, felly yr oedd digonedd o bres yng nghoffrau'r Drysorfa Ymudo Barhaus. Gyda'i help, symudwyd yr olaf o dlodion hen wersyll Winter Quarters i Utah y flwyddyn honno, rhwng 1,300 a 1,400 ohonynt. Yna trodd Brigham Young ei sylw at y cannoedd o Formoniaid oedd wedi ymsefydlu yn ardal Council Bluffs, yn gysurus eu byd, heb ddangos yr awydd lleiaf i orffen eu pererindod i Utah. Yn eu mysg yr oedd llawer o Gymry. Nid ofnai Young geryddu a dweud y drefn yn finiog wrth ei ddilynwyr pan oedd raid. 'Cawsoch fywyd bras,' meddai, 'yn cyfoethogi fel na wnaethoch erioed o'r blaen ac yr ydych yn gyndyn o adael eich bywydau cysurus. Buoch yn disgwyl y deuai amser pan gaech deithio ar draws y mynyddoedd yn eich cerbydau gwychion, eich wagenni rhagorol a chael pob cysur a ddymunech.' Wel, meddai, nid yw'r amser hwnnw am ddod ac ni chewch aros yn hirach. 'Fy nyletswydd yw procio dynion, nid eu mwytho. Nid eu canmol ond eu rhybuddio a'u hyfforddi a'u hannog i bethau gwell. Am beth disgwyliwch? A oes esgus gennych dros beidio dyfod? Na! Y mae gan bob un ohonoch lawer gwell cyfleusterau nag oedd gennym ni pan gychwynasom ni fel arloeswyr i'r lle hwn. Y mae gennych well anifeiliaid a mwy ohonynt. Y mae gennych gystal ymborth a mwy ohono. Y mae gennych gymaint o nerth corfforol ag oedd gennym ni. Mae ein gwragedd a'n plant ni wedi cerdded yma, ac wedi cael bendith wrth gerdded yma, yn aml yn droednoeth heblaw pan gaent groen gan yr Indiaid i wneud moccassins. Pam na ellwch chwithau wneud yr un modd?'

Nid oedd Brigham Young yn ddyn i'w groesi. Paratôdd y Cymry i adael Council Bluffs ar unwaith. Paratôdd cannoedd o deuluoedd eraill i adael ar yr un pryd ac am yr un rhesymau. Nododd un dyddiadurwr wrth basio trwy'r dref y gwanwyn hwnnw fod 'y rhan fwyaf o'r Mormoniaid ar eu ffordd i'r Llyn Halen' a bod 'tua un o bob tri o dai y dref ar werth'. Yn y *Frontier Guardian*, papur Council Bluffs, ymddangosodd hysbysebion rif y gwlith am arwerthiannau ffermydd. 'Foneddigion, sylwch yma! Bargen arbennig. 160 acer, y cyfan yn gorwedd uwchben y tir gwlyb a heb stwmp i'w weld yn y caeau. Tua 60 acer wedi eu clirio. Cynigir ef am bris isel iawn neu fe'i newidir am ychen o 4 i 7 mlwydd oed neu wagen gref.'

Ond marchnad unochrog oedd hi. Un o'r Cymry a gafodd drafferth i werthu oedd Joseph Parry, aelod o deulu estynedig Parryaid Sir Ddinbych a nai i John Parry, sefydlydd Côr y Tabernacl. 'Yr oedd pawb eisiau gwerthu a neb eisiau prynu,' ysgrifennodd. Prynasai Joseph fferm fechan tu allan i'r dref pan gyrhaeddodd yno ym mis Mai 1850. Yn awr, ddwy flynedd yn ddiweddarach, ar alwad Brigham Young, paratôdd i gychwyn am y Dyffryn. Bu bron iddo orfod gadael ei fferm heb ei gwerthu, ond ar y funud olaf cafodd gynnig gwerth un rhan o bump o'i gwir werth ac fe'i derbyniodd.

Ni fu Samuel Leigh mor lwcus. 'Ni fedrwn werthu fy lle cyn gadael,' ysgrifennodd. Athro ysgol o Lanelli oedd Samuel, gŵr cymharol gyfoethog a fu'n berchen ar ddau dŷ yng Nghymru. Gwerthodd y ddau cyn gadael gyda Dan Jones ar y *Buena Vista* a chyda'r pres prynodd hen fferm yr Apostol George A. Smith, un o'r ffermydd gorau yn Council Bluffs. Ond pan ddaeth yn amser gwerthu, methodd ganfod prynwr. 'Felly gadewais y tŷ a'r iard a'r tir o gwmpas i frawd o'r hen wlad… Yr oedd eisiau pum doler arnom i gael yr anifeiliaid a'r wageni dros yr afon a dim ond pum senten oedd gennyf. Rhoddodd y brawd bum doler i mi.'

Ym mis Mehefin daeth digon o Gymry at ei gilydd yn y gwersyll ymgynnull i ffurfio mintai Gymreig. Un oedd hi o'r 20 mintai a adawodd o'r lle hwnnw yn ystod y mis. Ym mintai'r Cymry, fel ym mwyafrif minteioedd y Mormoniaid, yr oedd 50 o wageni a thua 250 o ddynion, gwragedd a phlant. Nid Cymry'n unig oedd yn y fintai; yr oedd rhai Saeson ac ychydig Ffrancwyr hefyd, ond Cymry oedd y mwyafrif, a Chymro oedd yr arweinydd, sef William Morgan, prif ddyn y gymuned Gymreig yn Council Bluffs. Yn anffodus, heblaw am dri llythyr oddi wrth William Morgan a gyhoeddwyd yn *Udgorn Seion*, dim ond dau o'r Cymry, Joseph Parry a'n hen ffrind, Dafydd D. Bowen, a adawodd ddisgrifiad o'u taith. Ond gan fod 18 o'r minteioedd eraill wedi gadael yr un pryd, rhai o fewn ychydig oriau i fintai William Morgan, gellir ychwanegu eu dyddiaduron a'u hatgofion hwy at ddisgrifiadau moel y Cymry.

Gwyddai William Morgan fod ei lythyrau yn ôl i Gymru yn debyg o gael eu cyhoeddi yn eu crynswth yn *Udgorn Seion*. Ynddynt y mae'n canu clodydd eu bywyd ar y paith i'r entrychion. 'Byddai'n dda gennym pe bai ein brodyr a'n chwiorydd yng Nghymru yn nes atom i gael gweld gwirionedd y gair, "Gwlad yn llifo o laeth a mêl,"' meddai yn un ohonynt. 'Y mae llawer o laeth yn ein gwersyll yn cael ei daflu allan mor ddisylw ag y teflir y dŵr y mae tri neu bedwar o'r "colliers" ym Merthyr wedi ymolch ynddo, oherwydd fod gennym fwy nag y gallwn wneud defnydd ohono, a neb ei angen.' Dywed mewn llythyr arall, 'Er fod y daith yn faith, nid wyf yn ei hystyried ond difyrrwch bob cam ohoni.' Tybed? Cymharer hyn â sylw Joseph Parry a deithiai yn yr un fintai. 'Cawsom lawer marwolaeth yn ein plith. Cymerwyd rhai o'n ceffylau a'n gwartheg gan yr Indiaid.' Gwyddom iddynt gael cryn drafferth i groesi afon Platte oherwydd llifogydd. Golchwyd peth o'u llwyth i lawr gyda'r dŵr a'i golli. Gwyddom i'r gwenwyn alcali ladd nifer o'u hanifeiliaid. 'Buom dri mis ar y paith,' meddai Parry. 'Nid taith bleser oedd hon ond llwybr caled.'

Nid yw llythyrau William Morgan yn argyhoeddi. Llanwodd dudalennau lawer yn disgrifio un profiad yn arbennig a ddaeth i'w ran. 'Un diwrnod, digwyddodd i mi yn ddiarwybod ddyfod i blith oddeutu tri neu bedwar cant o Indiaid, sef y Sioux. Yn ôl fy arfer, yr oeddwn yn marchogaeth o flaen y gwersyll, yn edrych am y ffordd ac am le cysurus i giniawa. Gwelwn ddau ohonynt yn dyfod nerth carnau eu ceffylau i'm cyfarfod. Am wn i nad oeddwn yn debyg i'r brenin Harri, yn barod i ddweud, "My Kingdom," nid "for a horse," oblegid yr oedd un da danaf, ond "for being in camp." Yr oedd yn rhy ddiweddar i droi yn fy ôl. Myned ymlaen oedd orau ac nid hir cyn i'w mawrhydi Indiaidd a minnau gyfarfod â'n gilydd. "How do! Mormon good!" oedd eu cyfarchiad. Meddyliais nad oeddynt cynddrwg ag oeddwn wedi ei ofni. Euthum ymlaen rhwng y ddau "chieftain", y rhai oedd yn eu rhwysgfawredd llywodraethol, nes cyrraedd eu gwersyll, yr hwn oedd tua milltir a hanner o'r fan lle y cyfarfuasom â'n gilydd. Ymddygasant yn eithaf bonheddig tuag ataf. Taenodd eu mawrhydi eu gwrthbanau ar y llawr gan wneud amnaid i mi eistedd i lawr er cael smocio yr hyn a alwent yn 'pipe of peace', fel y deallais trwy y cyfieithydd Huntington. [Nid oes esboniad o pwy oedd Huntington na sut y daeth i fod yn y cwmni.] Y dull yw fod y bibell i'w rhannu rhwng pawb yn y cwmni fel y mae jwg swllt yn nhafarnau yr hen wlad, pob un yn yfed yn ei dro. Y "chief" a dynn ddau neu dri mwgyn ac yna ei hestyn i'r nesaf ac yn y blaen ar gylch nes bydd yn ei chael drachefn. Y mae gwrthod cyd-eistedd i smocio yn arwydd yn eu plith fod cenfigen yn y sawl a wrthoda. Pan ddaeth y gweddill o'r fintai atom, gwnaethom gasgliad i'r Indiaid megis llwyaid neu ddwy o siwgwr, teisennau ac yn y blaen, a derbyniodd eu mawrhydi ein rhoddion... Er fod y bechgyn cochion er dim a welais ar y daith yn ddigon diniwed, eto nid wyf yn dweud na wnânt ladrata os cânt gyfle. Ond gallaf ddweud cymaint â hyn, ni ladratwyd dim oddi arnom na chynnig yr un sarhad i neb ohonom.'

Y mae'n anodd credu'r cyfan o stori William Morgan. Mae rhywbeth ychydig yn ffals yn ei ffordd nawddoglyd o ddisgrifio'r Indiaid: 'y bechgyn cochion' ac 'eu mawrhydi Indiaidd' ac yn y blaen. Nid yw ei jôcs gwan fel 'My kingdom for being in camp' a'i eirfa borffor fel 'rhwysgfawredd llywodraethol' yn argyhoeddi chwaith. A phwy yw'r Huntington yma sydd yn ymddangos mor annisgwyl yn ei stori? A sut y caiff ei hun mor sydyn yn ôl yn saff ymysg ei gyd-Gymry? Mae yma dinc stori wedi ei rhamanteiddio, stori gafodd ei hadrodd dro ar ôl tro o gwmpas tân y gwersyll gan dyfu'n fwy cyffrous a lliwgar wrth ei hailadrodd.

Fe ddigwyddodd pethau digon tebyg yn y minteioedd eraill bob ochr i'r Cymry. Ym mintai William West, er enghraifft, cafodd Davis Clark hefyd ei ddal ar ei ben ei hun gan Indiaid. 'Bwâu a saethau, picellau a thomahôcs oedd eu harfau,' meddai. 'Chwifient hwy o gwmpas gan wneud arwyddion fel petaent am fy malu'n ddarnau mân. Aethant â mi bum neu chwe milltir i'w gwersyll.' Yno cafodd ei dynnu oddi ar ei geffyl a'i daflu i mewn i dipi. Y mae'n glir ei fod yn ofni am ei fywyd, fel, y mae'n siŵr, y byddai William Morgan. Daeth dyn hynod yr olwg i mewn i'r tipi. 'Ni fedrwn ddweud ai Indiad neu ddyn gwyn ydoedd. Gwisgai gôt ledr wedi ei haddurno â gleiniau, trowsus o frethyn plad Albanaidd, het ar ei ben a mocasins ar ei draed. Gofynnodd i mi yn Saesneg sut y deuthum yno. Esboniais beth oedd wedi digwydd. Dywedodd ei fod yn hanner Ffrancwr ac yn byw gyda'r Indiaid.' Un o 'ddynion y mynyddoedd' oedd hwn felly, mab i Ganadiad Ffrengig a fyddai wedi dod yma i hela afancod genhedlaeth ynghynt ac wedi aros a chymryd gwraig o blith y Sioux. Mwy na thebyg mai dyn o gefndir tebyg oedd Huntington yn hanes William Morgan. Cytunodd y Canadiad fynd â Davis Clark yn ôl i'w wersyll am botel o wisgi. Cafodd y Canadiad gyfle felly i edrych o gwmpas y gwersyll ac i asesu nifer a chryfder yr ymfudwyr. Fore trannoeth ymddangosodd hanner cant o Indiaid yn eu paent rhyfel yn y gwersyll, gyda'r Canadiad yn eu harwain, i hawlio halen, siwgr, blancedi, crysau a wisgi oddi ar William West a'i fintai.

Digwyddodd rhywbeth tebyg yn un o'r minteioedd eraill. Cymerwyd dyn o'r enw Burbank yn garcharor gan gant o Indiaid. 'Credem y byddent yn ei ladd,' ysgrifennodd un o'r cwmni, 'ond cyfnewidiodd y "chief" ef am flawd, siwgr a choffi.'

Y mae'n siŵr mai rhywbeth o'r fath a ddigwyddodd i William Morgan hefyd. Mae'n rhoi'r argraff fod y sefyllfa yn llwyr o dan ei reolaeth a bod yr Indiaid fel clai yn ei ddwylo. Ond gwyddai Davis Clark fod yr Indiaid yn beryglus. 'Lawer gwaith ar ôl nosi,' meddai, 'byddai'r Indiaid yn nesáu at y gwersyll gan fwriadu dwyn ein ceffylau. Clywodd un o'r gwarchodwyr sŵn ceffyl yn gweryru ac aeth tuag ato ac fe'i saethwyd gan yr Indiaid. Bu farw ar ôl i ni gyrraedd y Dyffryn.' Nid pobl i chwarae â nhw oedd yr Indiaid.

Y disgrifiad mwyaf dibynadwy o'r daith yw hwnnw gan Dafydd D. Bowen. Chwi gofiwch iddo ddod ar y *Buena Vista* ym 1849 ac iddo golli ei wraig a'i fam-yng-nghyfraith a'i ferch fach mewn amgylchiadau torcalonnus yn St Louis. Oddi ar hynny yr oedd wedi bod yn gweithio mewn nifer o byllau glo yn ardal St Louis ac wedi gwneud pres da. Yr oedd hefyd wedi priodi eto, y tro hwn gyda Phoebe Evans, merch o Ferthyr a ddaeth allan hefyd ar y *Buena Vista*. Yn Ionawr 1852 penderfynodd Dafydd ufuddhau i alwad Brigham Young a chychwyn gyda Phoebe a'u babi newydd i ymuno â'r fintai Gymreig yn Council Bluffs. Prynodd wagen ar y cyd â Sais o'r enw Thomas Vargo ond hanner ffordd i Council Bluffs cwerylodd â Vargo a'i adael, gan werthu ei hanner ef o'r wagen iddo. Gyda'r arian prynodd docyn stemar i Phoebe a'r babi a chymerodd yntau ei gyfran o'r wedd, sef dau ych ac un fuwch, a'u gyrru i Council Bluffs i'w cyfarfod. Yno prynodd ddau ych arall a dod i gytundeb ag Americanwr o'r enw Daniel Sherar i'w dynnu ef a'i wagen a chwarter tunnell o lwyth ar draws y paith i'r Dyffryn. Ar ôl cyrraedd yno yr oedd Dafydd i gael y wagen fel tâl am ei waith. Yn Deer Creek, 100 milltir tu hwnt i Fort Laramie, dechreuodd y ddau gweryla. Gwadodd Sherar ei fod wedi addo'r wagen i Dafydd a gwrthododd Dafydd fynd gam ymhellach gydag ef. Yr oedd gan Dafydd ddawn arbennig, lle bynnag yr âi, o dynnu nyth cacwn i'w ben. Daethpwyd i ryw fath o gyfamod dros dro ond ar ôl cyrraedd y Dyffryn gwrthododd Sherar eto roi'r wagen iddo ac aeth Dafydd ag ef i gyfraith. Dedfryd y llys oedd bod y wagen i'w rhannu, hanner yr un. Gwerthodd Dafydd ei siâr i ddyn arall am werth ugain doler o goed. Yn anffodus, yr oedd y coed yn Nyffryn Sanpete, 100 milltir i ffwrdd, a Dafydd yn awr heb wagen i'w cyrchu. Y mae ei ddyddiadur yn llawn cynlluniau cymhleth fel hyn sydd, fel arfer, yn datgymalu mewn llanast llwyr.

Pwy'n well nag ef, felly, i ddisgrifio'r anhrefn wrth i'r fintai gychwyn ar y bore cyntaf? 'Ar ôl brecwast dechreuodd pawb baratoi ar gyfer ein taith hirfaith, y dynion yn ieuo'r ychen a'r gwragedd yn pacio'u llestri a'u hoffer coginio. Bywiogodd y gwersyll drwyddo. Cefais drybini di-ben-draw gyda'm hanifeiliaid oherwydd yr oeddent yn ifanc ac yn wyllt iawn, heb arfer yn yr iau. Rywbryd yn ystod y pnawn, rhedodd wagen yr Esgob Davis i mewn i un arall gan dorri ei hechel a bu'n rhaid i'r fintai stopio am weddill y diwrnod, a rhan o drannoeth hefyd. Gweithiais mor galed a chwysais gymaint fel bod gennyf gur pen sydd wedi hanner fy nallu.'

Cadwodd y colera draw. Dim ond dau o'r criw a gollwyd i'r clefyd, sef William Dafydd o Lanelli, a'i fab, Thomas. Bu farw un babi, Jennet Morris, o'r hyn a alwai William Morgan yn 'gancr', a lladdwyd un bachgen bach 9 oed yn y modd creulonaf oll, sef wagen ei deulu yn rhedeg drosto.

Mab oedd hwn i William Howells, un o'r mwyaf diddorol o'r ymfudwyr Cymreig cynnar, a'r enwocaf, wedi Dan Jones, o holl genhadon Cymreig y Mormoniaid. Perchennog siop ddillad yn Aberdâr oedd William cyn i Formoniaeth ddod i'w fywyd, ac aelod amlwg gyda'r Bedyddwyr. Yn ystod ei amser gyda'r Bedyddwyr y mae'n debyg iddo weithio am gyfnod fel cenhadwr yn Llydaw, er na fedrai air o Ffrangeg na Llydaweg. Ym 1848, yn 31 mlwydd oed, argyhoeddwyd ef gan ddadleuon y Mormoniaid ac ymunodd â hwynt. Manteisiodd y Mormoniaid ar ei brofiad, gan ei anfon yn ôl i Le Havre yng Ngorffennaf 1849 i gychwyn cenhadaeth ar eu rhan yn Ffrainc. Aeth â phecyn o bamffledi dwyieithog gydag ef a bu'n eu dosbarthu i forwyr Prydeinig ac Americanaidd yn harbwr Le Havre ac i deuluoedd Saesneg eu hiaith yn y dref. Ychydig o argraff wnaeth y pamffledi a siomedig fu'r ymateb. Yr oedd yn dalcen tipyn caletach i bregethu i Gatholigion ceidwadol Ffrainc, gyda'u traddodiad hir o ymlyniad ffyddlon i'r hen ffydd, nag i anghydffurfwyr radical Cymru a fu drwy brofiadau ysbrydol chwyldroadol dro ar ôl tro. Dychwelodd William i Aberdâr i nôl Ann, ei ferch fach 9 oed. Nid yw'n glir beth oedd ei bwrpas. Credai efallai y byddai ei elynion yn llai tebyg o'i erlid pe bai yng nghwmni merch fach. Am y misoedd nesaf rhannodd Ann ei dreialon a'i brofedigaethau. Bu'n rhaid iddynt gysgu dan y sêr ar nosweithiau oer. Bu'n rhaid iddynt ffoi yn aml rhag bygythiadau eu herlidwyr. Aethant i genhadu i St Malo ac ym mis Medi cynhaliodd William, mewn hen gapel yno, gyfarfod cyntaf Eglwys Iesu Grist Saint y Dyddiau Diwethaf yn Ffrainc. Chwe aelod yn unig a ddaeth atynt ac ni ellid dweud i'r genhadaeth fod yn llwyddiannus.

Yn niwedd 1850 anfonwyd tri chenhadwr o Ddinas y Llyn Halen i Ffrainc i gymryd lle William a rhyddhawyd ef i fynd i America. Un o'r tri oedd John Taylor, uchel swyddog yn yr eglwys, gŵr â phrofiad o weithio mewn gwlad Gatholig arall, gan iddo genhadu cyn hynny yn Iwerddon. Ef sy'n cael ei gydnabod heddiw fel tad Mormoniaeth yn Ffrainc. Ond William Howells o Aberdâr a dorrodd y dywarchen gyntaf.

Ym 1851 hwyliodd William gyda'i wraig, Martha, a oedd bedwar mis yn feichiog, a'i blant Ann, William a Reese, a'i ddwy forwyn i New Orleans ac yna ymlaen i Council Bluffs. Yr oedd yn ŵr cymharol gyfoethog gyda'r modd i dalu am daith gyfforddus yr holl ffordd i'r Dyffryn ond dewisodd aros gyda'r Cymry yn Council Bluffs. Efallai mai aros nes bod mwy o'r Cymry yn barod i deithio gydag ef oedd ei bwrpas. Efallai iddo benderfynu peidio cychwyn nes bod ei wraig wedi esgor ar ei phedwerydd plentyn. Efallai iddo sylweddoli bod ei iechyd ei hun yn fregus. Tua diwedd Mai agorodd siop yn Council Bluffs. Ym Mehefin, ganwyd bachgen arall iddo ef a Martha. Ym Medi a Hydref, ar alwad Brigham Young, dechreuodd baratoi am y daith dros y paith ac yn Nhachwedd bu farw, yn 35 mlwydd oed, bedair blynedd ar ôl iddo ymuno â'r Mormoniaid.

Yn ôl dymuniad ei gŵr, gadawodd Martha, gyda'r pedwar plentyn, ar ei phen ei hun am y Dyffryn. Anodd amgyffred ei phoen pan laddwyd ei mab hynaf o dan olwynion ei wagen. Yr oedd y plentyn wedi cropian o dan y wagen i ddianc rhag y gwres yn ystod y siesta ganol dydd a chwympo i gysgu yno, a phan ailgychwynnodd y fintai, ni sylwyd arno. Yr hyn oedd dristaf yn yr achos hwn oedd mai wagen Martha ei hun a redodd dros y bychan ac mai Martha ei hun, fwy na thebyg, oedd yn ei gyrru. Yr oedd eisiau dewrder mawr i gario 'mlaen.

Yn ei ddyddiadur, sonia Dafydd Bowen am Gymraes arall, hynod o ddewr, oedd ar y paith yr haf hwnnw. Rachel Rowland oedd ei henw, 22 mlwydd oed, merch o Hirwaun a adawodd Gymru ar y *Buena Vista*. Newydd briodi William, pwdler yn y gwaith haearn yn Hirwaun, ddeufis cyn iddi adael, yr oedd Rachel. Daethant â phump o blant o briodas gyntaf William gyda hwynt i America ond collwyd un ohonynt i'r colera ar y ffordd i fyny'r Missouri. Arhosodd Rachel a William gyda'r Cymry eraill yn Council Bluffs ac erbyn 1852 yr oedd ganddynt ddau o blant eu hunain. Y gwanwyn hwnnw aethant i ymweld â brawd William a weithiai yn St Louis gan deithio'n ôl i

Council Bluffs ar y *Saluda*, hen agerfad oedd wedi gweld dyddiau gwell. Ar ei bwrdd yr oedd rhwng 200 a 250 o bobl, pawb yn awyddus i gyrraedd pen eu taith cyn gynted â phosibl a neb yn fwy felly na'r capten. Ond yr oedd dŵr yr eira tawdd o'r mynyddoedd yn llenwi'r afon a rhedai'r llif uchel yn eu herbyn, yn gymysg â thalpiau peryglus o iâ. Am bum niwrnod bu'r *Saluda* yn ymladd i rowndio cornel gas yn yr afon yn agos at bentref Lexington. Dro ar ôl tro gwthiwyd y llong yn ei hôl. Ar fore'r 9fed o Ebrill, penderfynodd y capten roi un cynnig arall arni. Llwythodd fwy nag erioed o goed i dân yr hen foeler a chododd gymaint a fedrai o stêm. Gwthiodd bow y *Saluda* allan i'r llif ac yna, yn sydyn, ddeugain troedfedd o'r lan, ffrwydrodd y boeleri a rhwygwyd y llong o'i bow i'w starn. Crynodd adeiladau'r harbwr fel pe mewn daeargryn a chwympodd gweddillion y llong yn gawod dros y dref.

Clywodd Dafydd Bowen am y danchwa pan oedd ar ei ffordd i fyny o St Louis. 'Ymysg y meirw,' ysgrifennodd, 'yr oedd ein hen ffrind William Rowland a'i deulu o Hirwaun. Chwythwyd ef a dau o'i blant dros ochr y llong ac ni welwyd hwy byth eto. Gorweddai ei wraig, Rachel, yn ei gwely gyda'i dau o blant wrth ei hymyl pan gwympodd darn o'r dec arnynt gan ladd ei phlant yn syth.' Nid oes sicrwydd faint a laddwyd yn y drychineb. Tua chant yw'r amcangyfrif sicraf ond does neb yn siŵr. Gadawyd Rachel yn fyw, ond wedi ei hanafu'n ddrwg. Daeth dwy o ferched William, Mary ac Ann, drwy'r alanas yn fyw hefyd. Torrwyd coes Rachel mewn dau le a llosgwyd Mary ac Ann yn ddifrifol. Bu'r tair ohonynt dan ofal pobl Lexington am gyfnod. Ond yn awr, ddeufis a hanner yn ddiweddarach, yr oedd y tair allan ar y paith, yn ufudd i alwad Brigham Young ac yn benderfynol o gyrraedd Utah.

A beth am Katurah Vaughan o Langyndeyrn? Gwraig ddewr arall. Collodd hithau hefyd ei gŵr ar y Missouri. Bedwar mis yn ddiweddarach, ganwyd mab iddi a bu hwnnw farw'n sydyn. Ond rywsut, llwyddodd i gyrraedd Dinas y Llyn Halen, ac fel nifer o weddwon mewn sefyllfa debyg, priododd ei chyflogwr cyntaf yn fuan ar ôl cyrraedd. Katurah oedd hen hen hen nain Lynne Cheney, gwraig Dick Cheney, Is-Arlywydd yr Unol Daleithiau o 2001 i 2009.

Y mae cynifer o'r gwragedd hyn yn ddewr i'w ryfeddu, yn dal ati trwy bopeth. Dyna ichi Gwen Lloyd o Lanfrothen, Sir Feirionnydd. Collodd hithau hefyd ei gŵr ac un o'i phlant ar y Mississippi, o fewn oriau i'w gilydd. Ni fedrai Gwen siarad llawer o Saesneg a bu'r daith i Council Bluffs gyda'i dwy ferch a'r babi, 11 mis, yn anodd iddi. Cysylltodd ei theulu yng Nghymru â hi a rhoi pwysau arni i ddod adref i Lanfrothen ond mynnodd Gwen fynd yn ei blaen i Utah. Gwerthodd ddillad ei gŵr i brynu buwch a chytunodd i rannu wagen â hen ŵr hanner dall. Pan gyraeddasant geg y Dyffryn daeth criw o Gymry allan i'w cyfarfod yn dwyn anrhegion o flawd a melonau a llysiau ffres. Yn eu plith yr oedd un gŵr a'i hadnabu. Daeth ati gan gynnig basged o ffrwythau iddi. Yna gofynnodd iddi ei briodi. Gwrthododd Gwen. Cymerodd y dyn ei anrheg yn ôl gan fynnu ei bod yn talu am y ffrwythau a fwytawyd. Gwir yr hen air fod y Gorllewin Gwyllt yn garedicach i gŵn a dynion nag i geffylau a gwragedd.

Ymysg y gwragedd dewr hyn hefyd rhaid cynnwys Ann Rogers o Amroth. Yn 17 mlwydd oed, hi oedd yr ieuengaf o naw o blant. Ffermwr oedd ei thad, John, wedi ailbriodi ar ôl marwolaeth mam Ann. Yr oedd ganddo ef a'i ail wraig un plentyn. Ym 1842 ymunodd John â'r Mormoniaid a dechreuodd feddwl am ymfudo. Gwrthododd y tri phlentyn hynaf fynd oherwydd na chredent yn y grefydd newydd. Boddwyd un arall o'r merched ddwy flynedd cyn gadael am America. Felly John a phump o'i blant, a'i ail wraig a'u plentyn, a adawodd ar fwrdd y *Josiah Bradlee* ym 1850. Chwe diwrnod allan o Lerpwl, priododd un o'r chwiorydd a gadael y teulu. Pan gyrhaeddodd Ann a gweddill y teulu St Louis penderfynodd Thomas, un o'i brodyr, aros yno i weithio. Ar y Mississippi y dioddefodd Ann ei cholled fwyaf. Yr oedd yn arbennig o hoff o'i chwaer hynaf, Elizabeth. Edrychai Elizabeth ar ei hôl fel mam a chan nad oedd Ann a'i llysfam yn cyd-dynnu, yr oedd Elizabeth o bwys mawr iddi. Un noson, wrth i'r stemar wthio'i ffordd i fyny'r afon, aeth Elizabeth allan ar y dec yng nghwmni bachgen a gyfarfu ar y *Josiah Bradlee*. Atgof Ann oedd bod y bachgen, yn gynharach ar y daith, wedi gofyn i Elizabeth ei briodi a'i bod hithau wedi ei wrthod. Y noson honno, gofynnodd iddi eto a gwrthododd hi eto. Collodd ei dymer yn lân ac, yn ei wallgofrwydd, gafaelodd yn ei gwddf a'i thagu. Yn hwyrach y noson honno tynnodd y stemar i'r lan gyferbyn ag un o stadau mawreddog y Missouri ac yno, yng ngolau'r lleuad, ar gornel o dir y stad, y claddwyd Elizabeth. Cofiai Ann am y noson fel un dristaf ei bywyd.

Yr oedd y teulu yn awr i lawr i bump. Ni fu iechyd ei thad yn dda oddi ar iddo adael Amroth. Penderfynodd aros gyda'r Cymry yn Council Bluffs a phrynodd ffern, ond profodd y gwaith yn drech nag ef a bu farw yn Awst 1850. Yna cynigiwyd gwaith i Henry, yr olaf o'r brodyr, fel gyrrwr mewn mintai oedd yn mynd i Galiffornia. Collwyd cysylltiad ag ef ar ôl ychydig fisoedd a diflannodd o fywyd y teulu. Credai Ann iddo gael ei ladd gan Indiaid ond ni chafodd fyth sicrwydd o hyn.

Dim ond Ann a'i llysfam a'i hanner chwaer, Mary, oedd ar ôl yn awr. Nid oedd pethau'n dda rhyngddynt ond pan benderfynodd y llysfam orffen eu taith a chroesi'r paith yn haf 1852, nid oedd gan Ann ddewis ond mynd gyda hi. Gwnaed cytundeb i rannu wagen â theulu arall ond allan ar y paith aeth yn ffrwgwd rhyngddynt, penderfynwyd gwahanu a llifiwyd y wagen yn ddwy ar draws ei chanol, gan adael echel a dwy olwyn ac un ych yr un. Yn araf ymlusgodd Ann a'i llysfam a'i llyschwaer i'r Dyffryn, gan gyrraedd yno ymhell ar ôl gweddill y fintai. Yn fuan ar ôl cyrraedd, priododd y llysfam eto a symudodd hi a'i merch i fyw at ei gŵr newydd. Gadawyd Ann ar ei phen ei hun, heb yr un o'i theulu o'i chwmpas, y deuddeg wedi mynd yn ddim. Chwe mis wedyn, priododd â'i chyflogwr, gŵr oedd 29 mlynedd yn hŷn na hi.

Ar y 26ain o Fedi yr oedd mintai William Morgan ddeugain milltir o ddiwedd ei thaith. Gyda'r hwyr, wrth iddi noswylio, clywyd sŵn wagen yn gyrru'n gyflym o gyfeiriad y Dyffryn. 'Cyn bo hir,' ysgrifennodd William Morgan, 'clywsom y gwarchodwyr yn gweiddi, "Cymry o'r Dyffryn." Nid oedd rhaid iddynt weiddi yr ail waith oherwydd trywanodd y geiriau ni fel cerrynt o drydan. Bu bron i ni rasio'n gilydd i'w cyfarfod, a phwy oeddent ond Thomas Jones, Hirwaun, Morgan Hughes, Pontyates a William, mab Evan Jones, Mill Street, Aberdâr. Daethant i'n croesawu i'r Dyffryn gyda llwyth o ffrwythau, melonau dŵr, grawnwin, tatws, ciwcymbr ac yn y blaen.' Wythnos yn gynharach cyfarfuasant â Dan Jones, ar ei ffordd yn ôl i Gymru yng nghwmni Thomas Jeremy a Daniel Daniels i gychwyn cenhadaeth arall. Bu llawer o edrych ymlaen at gyfarfod Dan Jones eto. 'Cyneuodd ei enw fflam o gariad ym mrest pawb,' ysgrifennodd William Morgan. 'Y mae'n haws dychmygu ein cyfarfod na'i ddisgrifio. Wedi ysgwyd llaw, cofleidio, wylo a chusanu, penderfynom dreulio diwrnod yn ei gwmni yn trafod pethau'n ymwneud â theyrnas Dduw. O! Frodyr, mor felys y geiriau arllwysai o'i enau.'

Wythnos wedyn, cyraeddasant y ddinas, 'gyda phawb yn y fintai yn iach a'n calonnau'n llawn diolch i'n Tad am y fraint o gael bod yno,' ysgrifennodd William Morgan. 'Teithiasom 1,300 o filltiroedd, lle nad oedd yr un dyn gwareiddiedig yn berchen ar yr un llain o dir ar ein llwybr.'

Ond nid William Morgan a'i fintai oedd y Cymry olaf i gyrraedd y Dyffryn y flwyddyn honno. Yr oedd un Cymro eto i ddod, a dyn rhyfeddol iawn oedd hwnnw. Daeth i fod yn arweinydd ar y Cymry drwy'r diriogaeth. Ni ddigwyddai dim yn y gymdeithas Gymreig heb ei gydweithrediad ef. Adeiladodd ymerodraeth fusnes gyda'r fwyaf yn Utah ac, yn ei ddydd, ef oedd un o'r dynion cyfoethocaf yn y dalaith. Ymddiriedai Brigham ynddo gan droi ato'n aml am gymorth a chyngor. Ond dyn ydoedd hefyd a gyflawnodd un drosedd anfad ac anfaddeuol.

Ei enw oedd Elias Morris. Ganwyd ef yn Llanfair Talhaearn yn fab i saer maen. Aeth ei dad, fel cynifer o seiri maen yr ardal, i weithio i deulu Bamford-Hesketh, yn adeiladu waliau y ffantasi ganoloesol Castell Gwrych. Yn 12 oed dechreuodd Elias weithio yng nghwmni ei dad ac am ddeng mlynedd bu'n dysgu wrth draed y meistri, pen-crefftwyr y diwydiant adeiladu ym Manceinion a Lerpwl, ond deuai'n ôl at ei dad i weithio'n rheolaidd. A thra oedd yn ôl yn Abergele ym 1849, aeth i wrando ar saer maen arall o'r ardal yn pregethu Mormoniaeth ac argyhoeddwyd ef. John Parry oedd y pregethwr, mab y John Parry a sefydlodd Gôr y Mormoniaid a chefnder y John Parry a gafodd drafferth i werthu ei dŷ yn gynharach yn y bennod hon. Ddeuddydd wedi cyfarfod John Parry, aeth Elias gydag ef i gartref Samuel Brooks, ceidwad goleudy'r Parlwr Du, a drigai mewn bwthyn bychan ar y twyni tywod wrth droed y goleudy, ac yno, yn y môr o flaen y goleudy, bedyddiwyd ef. 'O'r foment honno,' ysgrifennodd, 'ni pheidiais ddatgan gwirionedd Efengyl Crist wedi ei hadfer i'r ddaear yn y dyddiau diwethaf.' Ymdaflodd ei hun yn frwdfrydig i waith yr Eglwys ac o fewn y flwyddyn yr oedd wedi creu cangen gref o 60 aelod yn Abergele. Arferent gyfarfod mewn ystafell sydd heddiw'n rhan o westy'r Bull yn y dref honno ac mae plac ar wal yr ystafell o hyd sy'n coffáu'r cysylltiad cynnar â'r Mormoniaid. Erlidiwyd hwy yn gyson. Sonia Elias yn ei ddyddiadur am yr enwadau eraill yn ymuno i ymosod arnynt ac y mae'n nodweddiadol ohono ei fod wedi ceisio talu'r pwyth yn ôl, nid yn fyrbwyll, drwy drais, ond drwy ddod ag achos yn eu herbyn yn Llys yr Ynadon, Abergele. Ceryddodd yr ynad yr ymosodwyr am eu hymddygiad anghristionogol a bu'n rhaid iddynt dalu dirwy a chostau'r achos. 'O'r awr hon ymlaen,' ysgrifennodd Elias, 'peidiodd pob erledigaeth gyhoeddus.'

Daeth y dyn ifanc, bywiog, talentog hwn i sylw John Taylor, y gŵr a gymerodd le Howells yn Ffrainc yn ddiweddarach. Yr oedd Taylor wedi ei ddanfon i Brydain i edrych am beirianwyr ac adeiladwyr er mwyn gwireddu un o freuddwydion Brigham Young. Gobaith Brigham oedd gwneud Utah yn hunangynhaliol mewn siwgr. Gwyddai nad oedd y tywydd yn Utah yn caniatáu tyfu cansen siwgr, fel yn y Caribî, ac mai cynhyrchu siwgr o fetys oedd ei unig obaith. Yr arbenigwyr ar dyfu a phrosesu y math hwn o siwgr bryd hynny oedd y Ffrancwyr, a gorchmynnodd Young i John Taylor ymweld â'u ffatrïoedd i ddysgu cyfrinachau'r diwydiant. Gofynnodd iddo hefyd gasglu a hyfforddi tîm o dechnegwyr dawnus o blith y Saint yn Ewrop a dod â hwy'n ôl gydag ef i Utah i greu'r diwydiant newydd. Un o'r talentau a recriwtiwyd oedd Elias Morris, 27 mlwydd oed.

Dysgodd Taylor ddigon i fedru archebu'r peiriannau angenrheidiol oddi ar gwmni yn Lerpwl. Pwysent dros 125 tunnell, llwyth aruthrol i'w gludo dros y Rockies. Ychwanegwyd dros hanner tunnell o'r had betys gorau a phenodwyd Elias Morris i ofalu am gludo'r cyfan i New Orleans. Druan ohono! Yr oedd wedi gobeithio cael hwylio gyda'i ddarpar wraig, Mary Parry, a'i rhieni, ond yn lle hynny cafodd ffatri siwgr yn gydymaith.

Cludwyd y peiriannau yn ddiogel i New Orleans ac oddi yno i fyny'r afon i Fort Leavenworth, lle bwriedid cychwyn y daith ar draws y paith. Aeth Elias i Council Bluffs i nôl y wageni. Yno, ar hap, daeth ar draws Mary a'i rhieni ac, yn y man a'r lle, priododd â hi fel na chaent eu gwahanu eto. Daeth â'r wageni a Mary yn ddiogel yn ôl i Fort Leavenworth cyn diwedd Mai, ond profodd yr ychen yn fwy o broblem. Yr oedd angen cannoedd arnynt, wyth iau o ychen i dynnu rhai o'r wageni trymaf a deugain wagen yn y fintai. Yr oedd yn hwyr yn y tymor a'r ychen gorau wedi eu gwerthu. Llwyddwyd o'r diwedd i brynu 400 ond rhai ifainc oedd y mwyafrif, heb eu torri i'r iau.

Peiriannydd 29 oed o'r enw Philip De La Mare a ddewiswyd i arwain y fintai ar y paith, gydag Elias yn ddirprwy iddo. Newydd ei recriwtio yn Lloegr yr oedd Philip. Fel Elias, yr oedd yn hollol ddibrofiad ym mhethau'r paith, erioed wedi arwain mintai, erioed wedi gyrru ychen. O'r cychwyn, dechreuodd pethau fynd o le. Y diwrnod cyntaf ar y trywydd, malwyd chwe echel a phenderfynwyd nad oedd y wageni'n ddigon cryf i gario'r llwythi trymion. Rhoddwyd y deugain ohonynt yn anrheg i fintai o ymfudwyr tlawd oedd yn paratoi i adael a phrynwyd deugain o rai cryfach, ond llawer trymach, yn eu lle. Yn ddiweddarach yn y daith profodd y wageni hyn yn anaddas ar gyfer rhiwiau serth a rhychau dyfnion y trywydd. I ychwanegu at broblemau Philip ac Elias, ymunodd y tlodion a'u wageni newydd â'r fintai, gan ddisgwyl pob help a gofal gan eu harweinwyr. Ac i ffwrdd â hwy eto. 'Oherwydd yr aros hir cyn cychwyn, aeth bwyd yn brin cyn i ni gyrraedd tri chwarter y ffordd,' meddai Elias yn ei hunangofiant. Ond yr oedd eu diffyg profiad yn rhannol gyfrifol am y prinder. Twyllwyd hwy gan un o'u cyflenwyr. Prynwyd blawd oddi wrtho ar gyfer y daith ond canfuwyd yn ddiweddarach mai plaster Paris oedd yn y rhan fwyaf o'r sachau.

Hanner ffordd i Utah, daeth mintai o genhadon o Ddinas y Llyn Halen ar eu traws ac fe'u syfrdanwyd gan gyflwr y fintai. Anfonasant lythyr at Brigham Young yn ei rybuddio bod y fintai mewn perygl. 'Mae'n ymddangos mai hon yw'r fintai olaf o Saint ar y trywydd eleni ac mae'n glir, os na chânt help yn fuan, eu bod yn mynd i ddioddef o'r oerfel a chael trafferth i gyrraedd y Dyffryn cyn i eira'r gaeaf gwympo arnynt. Yr oedd eu hanifeiliaid mewn cyflwr gwael, llawer ohonynt yn methu sefyll bron ac yn symud yn boenus. Mae eu llwythi'n drwm dros ben. Dengys cyflwr yr anifeiliaid nad ydynt yn deall natur y creaduriaid. Petai hen Yankee o ffermwr yng ngofal y cwmni hwn, byddai'r ychen mewn llawer gwell cyflwr. Nid Saeson dibrofiad yw'r dynion i yrru wageni trymion fel hyn dros y paith. Y mae'r olwg ddigalon a lluddedig ar y dynion a'r gwragedd yn dangos eu bod yn dioddef i'r byw ac yn amlwg ar ben eu tennyn. Clywais eu bod yn byw ar bedair owns o flawd y dydd. Os na ddaw help yn fuan maent yn siŵr o ddioddef.'

Pedair owns o flawd y dydd! Nid yw pedair owns yn llenwi gwaelod powlen. Dim rhyfedd eu bod yn edrych yn wael. Ond ni wyddai'r cenhadon ei hanner hi. Yr oedd Elias a Philip De La Mare wedi gorfod gadael y cyfan o'r llwythi trymaf ar lannau afon Sweetwater, 50 milltir yn ôl, yn y man mwyaf digysgod ar y trywydd. Daliwyd y fintai gyfan yno mewn storm o eira rai dyddiau ynghynt a phan aeth Elias a'r dynion i chwilio am yr anifeiliaid fore trannoeth cafwyd fod deg ohonynt wedi trengi ac 80 wedi crwydro ac ar goll. Nid oedd ganddynt yn awr ddigon o anifeiliaid i dynnu'r wageni. Penderfynwyd symud wageni'r teuluoedd tlawd yn unig i lawr o'r bwlch, gan adael chwe dyn i chwilio am yr anifeiliaid coll ac i warchod y wageni trymion. Gadawyd reifflau a phowdwr a bwledi iddynt er mwyn iddynt gael hela'u bwyd eu hunain, er mai ychydig oedd i'w hela 7,000 o droedfeddi uwchlaw'r môr, yng nghanol eira, ar drothwy'r gaeaf! Anfonwyd un o'r criw ar frys i Ddinas y Llyn Halen, 250 o filltiroedd i ffwrdd, i ofyn am help. Ddeuddydd yn ddiweddarach daeth y chwech a adawyd ar lannau Sweetwater o hyd i rai o'r anifeiliaid coll a dechreuodd y wageni trymion symud eto. Ond, yn y man lle mae Trywydd y Mormoniaid yn gwahanu oddi wrth Drywydd Oregon, cymerasant y llwybr anghywir a mynd 40 milltir allan o'u ffordd. Am gyfnod buont yn cadw corff ac enaid ynghyd drwy ladd a bwyta eu hychen eu hunain ond o'r diwedd cawsant afael ar weddill y fintai a daeth y ddwy garfan at ei gilydd eto. Y noson gyntaf ar ôl gadael yr afon Werdd bu stampîd drwg a chollwyd rhagor o'u hanifeiliaid. Yna, pan oedd pethau ar eu gwaethaf, cyrhaeddodd yr help o'r Dyffryn. Yr oedd ganddynt yn awr ddigon o ychen i frysio'r teuluoedd tlawd yn eu blaenau cyn i'r eira gau'r trywydd.

Am ddeng niwrnod wedi hynny ymlusgodd gweddill y fintai yn drwsgwl tua'r Dyffryn, deugain wagen yn gwthio'n boenus o araf trwy Fynyddoedd Wasatch, tair tunnell a mwy ar bob wagen, y gwynt yn chwyrlïo o'u cwmpas, yr ychen yn baglu yn yr eira, y stêm yn codi oddi ar eu hystlysau a'r llwythi lletchwith yn llithro ar bob gafael. Cyhuddodd gwraig Elias ef o boeni mwy am ei foeleri nag amdani hi. Yn wahanol i'r boeleri, atebodd, nid oedd hi'n rhydu. Ymlaen â nhw, i lawr Echo Canyon lle mae'n rhaid croesi'r afon 15 gwaith, trwy Dixie Hollow, heibio i Dead Ox Canyon a Little Dutch Hollow. Yr oeddent wedi bod bedwar mis ar y trywydd erbyn hyn, a stormydd Tachwedd yn cau o'u cwmpas. O'u blaen yr oedd Big Mountain, y rhwystr olaf ar eu llwybr, ond un rhwystr yn ormod i fintai Elias. Bu'n rhaid iddynt adael peiriannau'r ffatri siwgr yn yr eira wrth droed y mynydd dros y gaeaf. Yr oeddent yn ddigon saff yno.

Yn y diwedd, profodd y ffatri siwgr yn fethiant llwyr. Ni chynhyrchwyd yr un gronyn o siwgr ynddi. Yr oedd gormod o alcali yn y pridd i dyfu'r math angenrheidiol o fetys. Caewyd y ffatri wedi ychydig fisoedd ac addaswyd y peiriannau i gynhyrchu olew had llin, a phapur, ac i drin gwlân a mwyn haearn. Yr oedd gan Brigham Young gynlluniau eraill ar gyfer Elias Morris.

1853

AR YR WYNEB, YMDDANGOSAI ym 1853 fel pe bai popeth yn cyd-dynnu i wneud y profiad o deithio i'r Llyn Halen yn haws ac yn fwy cyfforddus nag erioed o'r blaen. Yn gyntaf, daeth deddf newydd i rym ym Mhrydain oedd yn gosod safonau newydd i longau'r ymfudwyr. Yn awr, yr oedd yn rhaid paratoi bwyd cynnes ar gyfer y teithwyr bob dydd, un cogydd i bob 100 o deithwyr, dau os oedd mwy na 400 ar y llong, ac yr oedd cost y bwyd a'r coginio i'w gynnwys yng nghost y tocyn. Deddfwyd fod pob teithiwr i gael tri phwys a hanner o fara'r wythnos, pwys o flawd, pwys a hanner o bys sych, dau bwys o datws, pwys o borc, pwys a phedair owns o gig eidion ac yn y blaen. Yr oedd yn rhaid darparu lle ar wahân i ddynion sengl gysgu. Yr oedd yn rhaid trefnu adnoddau toiled. Ychwanegodd y Mormoniaid eu rheolau eu hunain. Bob bore glanhaent y llong drwyddi draw. Mewn tywydd da, disgwylient i bob teithiwr, claf neu beidio, ddyfod i fyny i'r dec i'r awyr iach, allan o fyllni afiach y deciau isaf. Bob nos, cyfarfyddent i drafod problemau'r dydd ac i weddïo am help i'w hateb.

Ym 1853, yr oedd y trywydd hefyd yn haws i'w deithio ac yn saffach nag erioed. Profodd y fferis ar afonydd Elkhorn a Loup, dwy o'r afonydd a achosai fwyaf o drafferth i'r ymfudwyr, yn fantais fawr. Adeiladwyd mwy a mwy o bontydd dros yr afonydd bychain. Ar y paith, wedi eu gwasgaru ar hyd dyffryn Platte a thrwy'r Rockies, sefydlwyd degau o fasnachdai bychain. Hyd yn oed yn Devil's Gate ac Independence Rock, y llefydd mwyaf anghysbell ar y daith, disgrifiai'r ymfudwyr weld dau neu dri thipi ac ychydig nwyddau ar werth am grocbris. 'Ymwelais ag un o'r gwersylloedd marchnata hyn,' ysgrifennodd un dyddiadurwr. 'Ffrancwyr, Indiaid a *squaws* oedd preswylwyr y lle, gyda cheffylau, mulod, ychen, cŵn, wageni, pebyll a choeden i'w cysgodi i gyd. Gwerthent wartheg mewn cyflwr gwael am $90 i $100 y pâr. Sylwais fod y Ffrancwyr bron i gyd yn briod â merched Indiaidd.'

Adeiladwyd pont enwog dros afon Platte gan un ohonynt. Yr oedd y tâl a godai am ddefnyddio'r bont yn amrywio yn ôl lefel y dŵr yn yr afon. Pan oedd yr afon ar ei huchaf ac yn hollol amhosibl i'w chroesi unrhyw ffordd arall, codai'r tâl am ddefnyddio'r bont i'r entrychion. Dywedwyd ei fod wedi gwario $5,000 ar ei hadeiladu ac wedi gwneud elw o $40,000 ym 1853 yn unig. Yn ogystal â'i bont, yr oedd ganddo siop a gofaint a byddai'n cyfnewid anifeiliaid blinedig am rai ffres, gan wneud 100 y cant o elw ar bob cyfnewidiad. Wedi ychydig wythnosau ar y borfa fras o gwmpas y gwersyll, byddai'r anifeiliaid blinedig yn ddigon cryf i'w cyfnewid eto. Tymor byr oedd y tymor ymfudo ond gwnâi'r masnachwyr hyn fywoliaeth dda iawn. Cofiai merch un ohonynt fel yr arllwysodd ei thad dalpiau o aur i'w chôl ar ddiwedd un tymor, nes i'w ffrog rwygo dan y pwysau.

Gwnai'r Eglwys yn siŵr fod y Saint ym Mhrydain yn cael clywed am y gwelliannau hyn. Cyflogwyd arlunydd ifanc, Frederick Piercy, gan drefnwyr yr ymfudiad yn Lerpwl y flwyddyn honno i deithio ar y *Jersey*, prif long yr ymfudiad, a chroesi'r paith gyda'r minteioedd er mwyn portreadu'r daith. Cafodd Piercy groesi'r Iwerydd mewn cysur. Rhoddwyd iddo un o'r wyth bync yn y caban bychan a adeiladwyd ar y dec, ymhell o sŵn ac arogleuon sur y deciau isaf. Cysgai gweddill ei gyd-deithwyr, dros 300 ohonynt, i lawr yn yr hold. 'Yr oedd eu hanner yn Saeson,' meddai, 'a'u hanner yn Gymry, sefyllfa a achosai ddryswch ieithyddol doniol. Ond llwyddent i ddod 'mlaen â'i gilydd yn rhyfeddol, o hyd yn barod i helpu'i gilydd mewn unrhyw dasg lle'r oedd angen mwy nag un pâr o ddwylo.'

Er nad oedd Frederick Piercy yn Formon, ysgrifennodd yn gydymdeimladol ac yn deg amdanynt, a'i luniau ef yw'r rhai gorau sydd gennym o'r trywydd yn y dyddiau cynnar. Cyhoeddwyd hwy, gyda'i ddisgrifiadau manwl o'r daith, o dan y teitl *Route from Liverpool to Great Salt Lake Valley*, ym 1855. Y mae ganddo luniau o'r ddwy fferi dros afonydd Loup ac Elkhorn, rafftiau o foncyffion wedi eu clymu i raffau a'u tynnu ar draws yr afonydd. Portrea resi o wageni yn aros eu tro i groesi a chaban blêr dynion y fferi gerllaw. Y mae lluniau eraill o'r goleudy wrth geg y Mississippi, hela byfflo, mintai yn gwersylla yn Wood River, mintai arall yn agosáu at Fort Bridger a'r olygfa o ben Big Mountain o'r Dyffryn a'r Llyn Halen yn disgleirio yn y pellter. Ond y gorau ohonynt yw'r llun o Ddinas y Llyn Halen ei hun, chwe blynedd ar ôl i Brigham Young dynnu'r llinell gyntaf yn y tywod. Bob ochr i'r prif strydoedd llydan gwelir adeiladau'n dechrau codi. Gorffennwyd Adeilad y Degwm a

Swyddfa'r Llywydd a Neuadd y Cyngor a'r Tabernacl. Gosodwyd conglfeini'r deml, er y byddai'n flynyddoedd eto cyn i'r gwaith hwnnw gael ei gwblhau. O'u cwmpas y mae degau o dai eraill, rhai'n adeiladau deulawr o gerrig, eraill yn ddim mwy na chytiau. 'Ac yn awr,' meddai Frederick, 'yr oedd ein taith, mor llawn o bethau diddorol, ar fin gorffen, a ninnau'n agos at gyfnewid ein bywyd garw, ond iachusol, ar y *prairie* am gysur a moethusrwydd y ddinas. Cwympodd y nos cyn i ni gyrraedd, gan guddio pob manylyn o olwg fy llygaid chwilfrydig. Gallwn synhwyro bod y strydoedd yn llydan a chlywn sŵn adfywiol dŵr yn rhedeg gydag ochr y ffordd. Bob hyn a hyn, ymrithiai adeilad uchel o'r tywyllwch a gwelem oleuadau siriol yn wincio arnom o ffenestri'r bythynnod. Pethau dibwys i'w cofnodi efallai, ond pethau y sylwid arnynt gyda phleser gan un oedd newydd ddod o'r paith... Pan fyddaf yn ôl yn sŵn a mwg y ddinas, bydd atgofion melys gennyf,' meddai. Y mae'n amlwg iddo fwynhau ei hun yn fawr a phrofodd ei lyfr yn hysbyseb wych i'r ymfudiad Mormonaidd.

Yr oedd gan y Cymry eu hysbysebion eu hunain, ar ffurf nifer o lythyrau a ymddangosodd yn *Udgorn Seion* oddi wrth yr ymfudwyr cynnar, yn datgan mor hyfryd oedd y bywyd yn Utah. 'Mae y gwenith yma yn cynhyrchu o 40 i 60 bwshel yr erw,' ysgrifennodd Edward Williams mewn llythyr at ei rieni, 'ac ni ofyna ond ychydig driniaeth, gan fod y tir yn hawdd iawn i'w aredig. Mae y tir yma yn cynhyrchu llysiau o'r rhywogaeth mwyaf. Mae rhai wynwyn yn pwyso o 4 i 5 pwys a bresych o 35 i 40 pwys ar ôl torri y dail allanol ymaith. Y mae gennym wyth erw o wenith wedi eu hau, un erw o haidd, ac oddeutu dwy erw o bytatws, a llysiau eraill, ynghyd â thŷ wedi ei adeiladu. Yr ydym yn gwneuthur o 8 i 10 pwys o fenyn bob wythnos a chawn bwys o dê am bwys o fenyn! Yr ydym wrth ein bodd yma, ac ni ddychwelwn fyth yn ôl i Gymru.'

'Pan welaf fanteision tymhorol y dyffrynnoedd hyn,' ysgrifennodd Elizabeth Lewis, 'Brenhines y Cymry', 'dihanga fy meddyliau yn fynych i gymharu cyflwr fy nghyd-Gymry gartref, a'u daear dlawd, eu rhenti, a'u trethi trymion a'r oll sydd yn gwneud caledfyd yno, â'r hawddfyd, y llawnder a'r rhyddid a allant fwynhau yma gyda diwydrwydd cymhedrol. Pan glywaf am y plâu, colera a'r afiechydon, y marwolaethau, y lladratau, y llofruddiaethau sydd yn difa dynolryw yno ac yn chwerwi y pleserau melysaf, ni allaf lai na gofidio na fyddent yma yn awr, wrth y miloedd.'

'Efallai bod yr hanesion hyn yn rhy dda i rai ohonoch gredu,' ysgrifennodd Thomas Jeremy, y ffermwr o Lantrenfawr, Llanybydder, ar ôl iddo ddisgrifio cynaeafau toreithiog y Dyffryn, 'ond eto, ni fyddant yn llai gwir oherwydd hynny. Pa leshâd i mi fyddai anfon tystiolaethau anghywir atoch? Y rhai a ddeuant yma a gânt wybod eu hunain.'

Ond y mae elfen gref o bropaganda yn y llythyrau hyn. Cyhoeddwyd hwy i ddenu Saint petrusgar i ymfudo. Rhoddant sglein gor-ganmoliaethus ar fywyd a oedd yn ddigon anodd ar brydiau. Yr oedd arian yn brin. Dibynnai pawb ar gyfnewid a ffeirio ac nid oedd hynny'n hawdd. Yn ei atgofion ysgrifennodd Joseph Parry (y nai) am galedi bywyd yn Utah pan gyrhaeddodd yn Hydref 1852. 'Yn ystod yr hydref, gweithiais ar waith cyhoeddus. Talwyd ni gan gynnyrch y wlad. Nid oedd arian ar gael na nwyddau i'w prynu. Rhaid oedd gwneud heb fwydydd siop a dim ond ychydig gig a dim ffrwythau o unrhyw fath. Ond yr oeddem yn sicr o'n bara a'n dŵr ac yn ddiolchgar i'n Duw am ein tywys yma.' Ni chafodd ystyriaethau felly eu crybwyll ar ddudalennau'r *Udgorn*. Dim ond y gorau am fywyd yn Utah a gâi le yng ngholofnau'r *Udgorn*.

Ond yr oedd y llythyrau yn bropaganda effeithiol. Adwaenai Thomas Jeremy ei ddarllenwyr yn dda. Gwyddai mor gynhyrfus iddynt fyddai deall bod tir ar gael am ddim yn Utah. 'Yn awr yr ydym yn nhŷ ein hunain ar ein "city lot",' ysgrifennodd. 'Maint y lots yw cyfer a hanner, yr hyn a feddianna pob un heb arian ac heb werth. Dewisodd y Cymry gael eu "city lots" ar ochr orllewinol y ddinas ar wastadedd hyfryd. Credaf ein bod wedi cael y tir mwyaf ffrwythlon yn y ddinas. Yn ychwanegol at y 'city lot' caiff pawb yma gymaint o dir ag a ewyllysiant at ei lafurio, heb dalu dim ond am ei fesur a'i recordio.' I'r darllenwr gwerinol yng Nghymru, yr oedd bod yn berchen ar ei dŷ ei hun, heb sôn am ei dir ei hun, y tu hwnt i bob breuddwyd. Dyna beth oedd byw fel lord! A sôn am fyw fel lord, aiff Thomas Jeremy yn ei flaen i ddweud bod 'digonedd o bysgod mawrion yn yr afon, a disgynna arni luoedd o wyddau a hwyaid gwylltion. Dyma le rhagorol i'r rhai a ymbleserant i saethu game'.

Saethu 'game'! Dynion cyffredin fel nhw yn cael saethu 'game'! Bobl annwyl!

Yr oedd y ffaith bod tir ar gael yn rhad ac am ddim yn temtio llawer. Cyfaddefodd John Haines Williams o Ben-bre iddo gael ei argyhoeddi gan y cenhadon yn rhannol pan glywodd eu neges ac yn rhannol pan ddaeth i ddeall am fanteision byw yn America. Sonia un o'r cenhadon am bobl yn holi am ymfudo cyn iddynt gael eu bedyddio. Ceir enghreifftiau o bobl yn cymryd mantais o'r Eglwys er mwyn cael eu cludo'n rhad dros yr Iwerydd. Collodd Dan Jones rai o'i braidd wrth hwylio i fyny'r Mississippi ym 1849. 'Aethant ymaith ar y ffordd i ddistryw ar garlam heddiw,' meddai. 'Gofalaf yn well y tro nesaf, i beidio dod â Saint, ond rhai ffyddlon, gyda mi.' Ond bychan oedd y nifer oedd yn cymryd mantais ac yn twyllo.

Wedi'r cyfan, nid ar chwarae bach y byddai rhywun yn ymuno â'r Mormoniaid ym 1853, beth bynnag fo'r gwobrwyon yn America. Yr oedd yr erledigaeth ar ei gwaethaf yn y 1850au. Wynebent watwar a dirmyg, hyd yn oed oddi wrth blant bychain. Yn ei lyfr am hanes ei bentref, Llanwynno, y mae Glanffrwd yn adrodd penillion, hanner synnwyr, hanner rwdl, a ddysgodd pan oedd yn blentyn ym mhumdegau'r ganrif. Swniai'r brawddegau dealladwy fel dynwarediad o rai o ddaliadau'r Mormoniaid, a'r rwdl fel atsain o'r 'siarad â thafodau' a glywid yn eu cyfarfodydd, neu 'ddawn y tafod dieithr' fel y mae Glanffrwd yn ei galw.

> Hwffi pwffi carai mwffi,
> Rhaid i'r Seintiau gael teyrnasu.
> Piden hirit, padan aram,
> Ni y Saint yw meibion Abram.
> Rili tandem rato tinder,
> Wales will burn down to a cinder.

Nid oedd gan Glanffrwd air caredig i'w ddweud am Formoniaeth. Aeth i wrando ar eu cenhadon yn pregethu unwaith, pan oedd yn blentyn, a chael cweir am wneud gan ei rieni. 'Cefais feithgen iawn wedi dod adref,' meddai, 'ac ni fu dda gennyf am y Seintiau fyth ar ôl hynny.'

Rat a tat a riti titi,
Brysiwch oll i adael Cymru.
We will go to Califfornia,
Rhaid yw gadael y wlad yma.
Ni fydd yma ond trueni,
Pan ddaw dydd yr higl-di-pigldi.
Horam poram, rampidaron,
Ciliwch oll i fryniau Seion.

Yn aml gorlifai'r gwatwar yn sgarmesoedd gwaedlyd. Sonnir mewn llythyr i'r *Udgorn* am derfysgwyr yn rhuthro ar y brawd a gadwai ddrws Neuadd y Saint yn Hwlffordd. 'Gwthiasant ef dros y grisiau i'r heol ac a'i maeddasant yn arw. Gwaeddodd ef am ei fywyd a phan gyrhaeddais ato yr oedd amryw yn gafael ynddo ar lawr, yn ei droedio ac ati ac yntau wedi ei drybaeddu mewn gwaed.' Ciciwyd David, brawd Thomas Jeremy, mor ddrwg fel ei fod mewn poen 30 mlynedd yn ddiweddarach. Y mae sôn hefyd am blant yn cael eu bwlio yn yr ysgol. Cadwodd Thomas John, o Fathri, ei fechgyn gartref o'r ysgol ar ôl iddynt gael eu curo gan y plant hŷn a'u chwipio'n greulon gan y prifathro, ac yn Eglwys-bach ni châi plant y Mormoniaid fynychu'r ysgol leol. Dim rhyfedd fod Thomas Jones a'i wraig, Martha, wedi gofyn am gael eu bedyddio o'r golwg, wedi iddi nosi, dan gysgod pont, rhag i bobl Rhymni ddod i wybod eu bod yn Formoniaid. Iddynt hwy a phobl o'u bath, yr oedd pethau llawer pwysicach na thŷ a thir yn eu denu i'r Dyffryn.

Cwympodd cost cyrraedd y Dyffryn yn sylweddol yn ystod y flwyddyn hon. Gan fod yr olaf o'r tlodion wedi eu symud o Winter Quarters, yr oedd arian y Drysorfa Ymfudo Barhaus ar gael yn awr i'w gynnig i dlodion Prydain. Galwodd Brigham Young ar lywyddion y gwahanol gynadleddau ym Mhrydain i ddewis y ffyddloniaid mwyaf haeddiannol o'u hardaloedd i'w hanfon i America gyda help y Drysorfa. Cyfieithwyd ei lythyr a'i gyhoeddi yn *Udgorn Seion*. 'Bydded i'ch detholiad gael ei wneuthur mewn doethineb,' ysgrifennodd, 'gan gadw golwg ar y rhai sydd ffyddlon ac wedi dwyn y beichiau yng ngwres y dydd. Ac hefyd i raddau, ar eu galwedigaethau neu eu crefftau, yn ôl ein hangen ni am y gwahanol gelfyddydau.' Cymerodd 400 o Saint Prydeinig fantais o'r cynnig yma ym 1853. Nid oes sicrwydd faint ohonynt oedd yn Gymry.

Ar yr un pryd, cyflwynodd y Genhadaeth yn Lerpwl gynllun arall i gludo'r Saint yn rhad i Seion, 'Y Cynllun Ymfudo £10'. Dull ydoedd o gludo pobl am hanner y gost arferol, rhyw fath o docyn trydydd dosbarth, popeth wedi'i dorri i'r asgwrn, dim ffrils. Gwasgwyd deg ymfudwr i bob wagen. Ni châi neb ddod â mwy na chan pwys o eiddo personol gydag ef. Lleihawyd y dognau bwyd. Prynwyd popeth yn rhad, dunelli ar y tro. Llwyddwyd trwy'r dulliau hyn i wasgu pris tocyn o Lerpwl i'r Dyffryn i lawr i £10. 'Boed i bawb a all gaffael tamaid o fara a dilledyn amdanynt ddod,' gorchmynnodd Brigham Young, 'a byddwch dawel eich meddwl fod digonedd o ddŵr croyw ar y trywydd, a heb bryderu rhagor, dewch y flwyddyn nesaf i'r man ymgynnull.' Profodd y cynllun yn boblogaidd iawn a daeth 957 ar docyn £10 o Brydain ym 1853, 41 y cant o gyfanswm ymfudwyr y flwyddyn.

Ond er gwaethaf yr holl ddatblygiadau addawol hyn – y fordaith gysurus, y gwelliannau ar y trywydd, yr wybodaeth well am yr hyn oedd yn eu disgwyl, y ffyrdd rhatach o gyrraedd Utah – ni fu'n flwyddyn hapus i drwch y Saint ar y trywydd. Ysgytiwyd darllenwyr *Udgorn Seion* i'r byw gan erthygl a ymddangosodd yn rhifyn cyntaf y flwyddyn. 'Gobeithiwn bydd ein brodyr a'n chwiorydd annwyl yn bwyllog wrth ei farnu,' ysgrifennodd y golygydd, 'ac y byddant yn amyneddgar hyd nes y cant rhagor o resymau dros y pwnc.' Adroddiad ydoedd am sgwrs a ddigwyddodd, meddai'r *Udgorn*, ddeng mlynedd ynghynt rhwng Duw a'r Proffwyd Joseph Smith. Gofynnodd Joseph i Dduw paham roedd Abraham ac Isaac a Moses a gweddill y proffwydi wedi cael priodi faint fynnent o wragedd ac yntau, Joseph, ddim ond wedi cael priodi un. Atebodd Duw fod yr hen dadau yn byw yn ôl yr hen gyfraith a ddeilliai o'r cyfamod cyntaf a wnaethpwyd rhwng Duw a dyn, 'yr hwn a seliwyd cyn seiliad y byd'. Caniatawyd amlwreiciaeth o dan y gyfraith hon. Yn canrifoedd oddi ar hynny, wrth i'r hen drefn ddirywio, anghofiwyd hi ynghyd â llawer o'r hen orchmynion eraill. Ond yn awr yr oedd Duw am ei hailsefydlu. Yn gyntaf, esboniodd fod dewis gan y Saint o ddau fath o briodas, sef priodas am oes neu briodas am dragwyddoldeb. Trwy briodi gwraig am dragwyddoldeb yn nheml

Eglwys Iesu Grist y Dyddiau Diwethaf dan law'r Proffwyd, gallai dyn barhau i fyw gyda'i deulu yn y byd a ddaw. Yna, daw'r paragraff a greodd y cynnwrf i gyd. 'Os gŵr a ddyweddïa iddo wyryf, a dymuno iddo ddyweddïo arall, ac i'r cyntaf gydsynied, yna eu cyfiawnheir.' Hynny yw, cyhyd â bod y wraig gyntaf yn hapus, gallasai dyn briodi ail wraig, a thrydedd a phedwaredd, a chynyddu ei epil yn sylweddol. Po fwyaf o deulu fyddai gydag ef yn y nefoedd, y mwyaf fyddai ei statws a'i bwysigrwydd yno. Yn wir, yr oedd dyletswydd ar ddynion i briodi mwy nag un wraig. Disgwylid i bawb oedd am fod yn gadwedig gadw'r gyfraith hon ac ufuddhau iddi, 'onide, efe a ddamnir, medd yr Arglwydd Dduw'.

Datguddiwyd y gwirionedd hwn i Joseph yn nechrau'r 1840au, tua'r amser y cyhuddwyd ef o amlwreiciaeth gan William Law, ac oddi ar hynny, yn gyfrinachol, yr oedd ef, a nifer o benaethiaid eraill yr Eglwys, wedi bod yn priodi mwy nag un wraig. Cyn ei farw, priododd Joseph tua 50 o wragedd, ac er i Brigham daeru ei fod eisiau marw pan glywodd gyntaf am y datguddiad, priododd ef hefyd 14 gwraig cyn marw Joseph a thua hanner dwsin wedi hynny. Ond cadwyd y pethau hyn yn gyfrinach oddi wrth yr aelodau cyffredin rhag iddynt eu camddehongli a'u camddefnyddio. Gan fod y Saint yn awr wedi eu casglu o Council Bluffs ac yn saff o dan reolaeth yr Eglwys yn Utah, tybiai Brigham fod yr amser wedi dod i wneud datganiad Duw ar amlwreiciaeth yn gyhoeddus.

Profodd y datganiad yn niweidiol iawn i ddelwedd y Saint. Cythruddwyd y 'Babiloniaid' drwy America ac Ewrop a chynyddodd ffyrnigrwydd eu hymosodiadau ar yr Eglwys. Yn waeth na hynny, profodd amlwreiciaeth yn destun sbort i'r 'cenhedloedd', gan wneud y Saint yn gyff gwawd a dirmyg. Bu'n faen tramgwydd cyson rhwng y Saint a gweddill y byd am flynyddoedd lawer, hyd nes i'r ddysgeidiaeth gael ei diddymu ym 1890. Hyd yn oed heddiw, nid yw'r mwg wedi clirio'n gyfan gwbl.

Yng Nghymru, yr oedd yr ymateb yn ffyrnig. Y mae'n anodd dychmygu amser a lle llai addas i gyhoeddi amlwreiciaeth na chanol y bedwaredd ganrif ar bymtheg yng 'ngwlad y menig gwynion'. Yr oedd Fictoria ar ei gorsedd, ei hannwyl Albert wrth ei hymyl a'u hwythfed babi ar y ffordd – esiampl i'w deiliaid oll o briodas bur. Ar yr un pryd, yr oedd y Cymry yn prysur ysgwyd i ffwrdd y baw a daflwyd drostynt gan y Llyfrau Gleision ym 1847 ac yn gosod seiliau eu 'Cymru lân, Cymru lonydd'. Parchusrwydd oedd y nod, bod yn gonfensiynol oedd yr awydd. I'r Cymro cyffredin, yr oedd y Mormoniaid a'u giamocs di-chwaeth yn embaras ac yn gywilydd, i'w sgubo o dan y carped a'u gadael yno. Ym 1876 gwrthododd y Parch. R. D. Thomas (Iorthyn Gwynedd) fynd yn agos i Utah pan oedd ar ei daith fawr yn ymweld â'r Cymry o gwmpas America. 'Mae eu barnau a'u harferion yn ddirmyg ar Gristionogaeth a dynoliaeth,' oedd ei sylw sych wrth basio.

Oddi mewn i'r Eglwys, arweiniodd y datganiad at ansicrwydd ac amheuaeth a llawer o golli ffydd. Trwy Brydain gyfan, yn chwe mis cyntaf y flwyddyn, trodd 1,776 o Saint eu cefnau ar eu Heglwys, tua 6 y cant o'r aelodaeth. Yng Nghymru, ofnai'r *Udgorn* y gwaethaf, gan baratoi ar gyfer brwydr hir. 'Er mor groes yr ymddengys y pwnc hwn i feddwl crefyddolion y wlad hon, nid oes ond un rhan o bump o drigolion y byd heb fod yn ei gredu. Cawn amser eto i drin y pwnc yn fanylach a dangos mai nid cnawdolrwydd sydd yn ei lywodraethu eithr trefn perffaith yr Arglwydd.'

Y mae'n anodd amgyffred teimladau trwch yr aelodaeth yng Nghymru. Tueddent i osgoi mynegi barn yn gyhoeddus. Iddynt hwy, gair eu harweinwyr oedd gair Duw ac nid oedd dadlau i fod. Ond adlewyrchir ychydig o'u dryswch a'u penbleth yn y llythyrau a anfonwyd at olygydd yr *Udgorn*. 'Hybarch Olygydd, Diamau gennyf fod yr athrawiaeth o amlwreiciaeth ymhlith y Saint wedi achosi syndod dirfawr i amryw o ddarllenwyr eich cyhoeddiad a chan fod hynny wedi, ac yn, cryfhau breichiau'r gwrthwynebwyr rhagfarnllyd i ennyn ynddynt fwy o gasineb a gwawd yn erbyn y sect, yr wyf yn erfyn eich cymorth i ddigaregu'r ffordd.' 'Mr. Golygydd, Fel cyson ddarllenydd eich *Udgorn* clodwiw, dymunaf yn ostyngedig gael eglurhad am y newid yn eich barn. Pa un o'r *Udgyrn* sydd i'w credu?' Nid oes gan y golygydd ateb iddynt, heblaw ailadrodd y datguddiad ac ychwanegu dro ar ôl tro, 'Yr ydym yn credu pob gwirionedd fel y mae yn cael ei ddatguddio gan Dduw… Mae gan y Saint yr ymddiried mwyaf yn yr holl ddatguddiadau a roddwyd trwy Joseph y Proffwyd.'

Ymddangosai'r golygydd mewn cymaint o ddryswch ag unrhyw un o'i ddarllenwyr. Mewn rhifynnau cynharach bu'n gwadu'r straeon am amlwreiciaeth yn Ninas y Llyn Halen. 'Nid oes dim yn fwy amlwg na bod y Saint yn cael cam mawr gan gyhoeddiadau'r wlad pan ddywedant fod amlwreiciaeth yn eu plith. Oherwydd pa gyfundeb o bobl a gyhoeddai amlwreiciaeth yn bechod tra ar yr un pryd yn ei arfer. Y mae holl lyfrau eglwysig y Saint yn ei wahardd, yn neilltuol *Llyfr Mormon* a'r *Athrawiaethau a Chyfamodau*.' Y mae'n amlwg fod golygydd yr *Udgorn* bryd hynny, fel trwch ei ddarllenwyr, yn hollol argyhoeddedig nad arferid amlwreiciaeth ymysg y Saint. Pan ddaeth y newyddion fod gwirionedd yn y cyhuddiadau a bod uchel swyddogion yr Eglwys yn Nauvoo a Dinas y Llyn Halen wedi bod yn amlwreicwyr am ddegawd a mwy, yr oedd yn gymaint o sioc iddo yntau ag i unrhyw un o'i ddarllenwyr

'Achosodd lawer o gynnwrf yn ein cangen ni,' ysgrifennodd un genhades yn ne Sir Benfro. 'Daeth un o'r merched ataf a dagrau yn ei llygaid gan ofyn, "Ydi e'n wir fod gan Brigham Young dros 90 o wragedd? Fedrwn i ddim byw 'da hynny. Fedrwn i ddim byw!" Gofynnais iddi faint fu ers i mi ei chlywed yn tystio bod y gwirionedd gan yr Eglwys, ac os oedd yn wir bryd hynny, onid oedd yn wir o hyd. Dywedais nad oedd rheswm iddi grio ac ymhen tipyn, sychodd ei llygaid a mynd ymlaen gyda'i threfniadau i briodi ac ymfudo.' Bu Thomas Giles, Llywydd Cynhadledd Mynwy, hefyd yn brysur yn ceisio tawelu'r cythrwfl. Bu'n rhaid iddo arddodi dwylo sawl gwaith ar wraig y brawd Edmund Jones yn Abertyleri, 'er mwyn dileu'r genfigen a ddaliai tuag at ei gŵr a thawelu'i meddwl ynglŷn â lluosogrwydd gwragedd'.

Yn y flwyddyn honno, yr oedd dros 2,600 o Brydeinwyr wedi talu blaendal ar eu tocynnau i deithio i Ddinas y Llyn Halen yn y gwanwyn, gan gynnwys tua 200 o Gymry. Beth a deimlent hwy, tybed, am y newyddion o Utah? Beth ddigwyddai i'w priodasau hwythau pan gyrhaeddent yno? Dyna oedd yn llenwi meddyliau un Formones, Saesnes o'r enw Fanny Stenhouse, wrth iddi groesi i Seion rai blynyddoedd yn ddiweddarach. 'Y fath greaduriaid dauwynebog ydym ni wragedd, yn canu emynau Seion gyda'n gilydd a gwrando, fore a hwyr, ar weddïau o ddiolchgarwch am y fraint o gael ymgasglu allan o Fabilon. Ac yna, yn ystod y dydd, wrth i ni drampio, ddwy yn ddwy, yn cyffesu i'n gilydd ein holl amheuon a'n hofnau a'n chwerwedd tuag at amlwreiciaeth. Mor aml y clywais wraig yn torri'i chalon wrth ganu'r hen gorws, "Ni wyddwn beth oedd llawenydd / Nes imi ddyfod yn Formon." Gyn lleied y mae'r caneuon hapus hyn yn adlewyrchu gwir deimladau'r fron.' Anaml y mae Mormones yn cyffesu ei hofnau mor ddiflewyn-ar-dafod â hyn, ond nid oedd Fanny Stenhouse yn nodweddiadol o wragedd y Saint, oherwydd gadawodd yr Eglwys yn fuan ar ôl cyrraedd Utah a bu'n wrthwynebol iawn tuag at amlwreiciaeth am weddill ei hoes. Yn sicr, nid oes unrhyw Gymraes ar y paith ym 1853 yn mynegi ei theimladau mor agored â hyn, ond y mae'n siŵr fod aml i un yn teimlo rhywbeth tebyg. Ymfudodd William Henshaw a'i wraig a'u pedwar plentyn i America ym 1851. Ef oedd un o arwyr y genhadaeth Gymreig, y cenhadwr cyntaf i weithio ym Merthyr a Phenydarren. Pan glywodd yn St Louis am ddatganiad Brigham Young, gwrthododd fynd ymhellach a gadawodd yr Eglwys. 'Pan wnaethpwyd y ddysgeidiaeth amlwreiciol yn gyhoeddus,' ysgrifennodd un arall o'r ymfudwyr, 'taflwyd ni i ddryswch, yn enwedig y rhai oedd heb fod yn gadarn yn y ffydd. Yr oedd fy mam a Mrs Thomas yn eu mysg. Cofiaf Mrs Thomas yn dweud y byddai'n well ganddi fod ei merched yn marw na'u bod nhw'n mynd i'r Dyffryn i fod yn wragedd i amlwreiciwr.' 'Arhosodd fy modrybedd yn Council Bluffs,' ysgrifennodd un arall, 'ar ôl deall y caent eu priodi i amlwreicwyr yn Utah.'

Yn yr hydref, cyhoeddodd *Udgorn Seion* fod y fintai Gymreig y flwyddyn honno wedi mwynhau eu hunain yn fawr ar y paith. 'Ffynnai'r teimladau gorau yn y gwersylloedd, heb ddim grwgnach nag afiechyd.' Ond y tebygrwydd yw mai enghraifft arall sydd yma o'r organmoliaeth sy'n nodweddiadol o'r cylchgrawn. Mynegodd yr unig Gymro i adael disgrifiad manwl o'r daith i Utah y flwyddyn honno farn hollol wahanol. Yn wir, cymaint ei ddadrithiad fel iddo gefnu ar Formoniaeth ac Utah a'r Unol Daleithiau yn fuan ar ôl cyrraedd y Dyffryn a gwneud ei ffordd yn ôl i Gymru. John E. Davis oedd ei enw – gŵr o Gaerdydd. Yr oedd yn hen lanc, yn 62 mlwydd oed a bron yn ddall, nid y dyn gorau efallai i bwyso a mesur y profiad o groesi'r paith ac o fyw mewn cymdeithas amlwreiciol. Pan gyrhaeddodd yn ôl i Gaerdydd, cyhoeddodd ei sylwadau beirniadol mewn llyfr dan y teitl *Mormonism Unveiled*.

Tipyn o gwynwr oedd John E. Davis. Mae'n grwgnach am yr hyn

a'r llall yn ddi-baid. Manion yw llawer o'i gŵynion. Mae'n grwgnach nad oedd yr amodau ar y llong cystal â'r disgrifiad a roddwyd ymlaen llaw. Mae'n grwgnach na roddwyd gweddill y bwyd o'r fordaith i'r ymfudwyr i'w cynnal ar y Mississippi. Mae'n cyhuddo rhai o'r arweinwyr, heb lawer o dystiolaeth, o ymelwa a chymryd mantais ar y Saint oedd dan eu gofal. Mae'n cwyno na chafodd ei fintai groeso teilwng yn Ninas y Llyn Halen. Cwynion hen ŵr cecrus i ddweud y gwir, ond y mae dau o'i gŵynion yn faterion mwy difrifol.

Yn gyntaf, dywedodd fod y cynllun '£10 y pen' wedi profi'n llawer llai llwyddiannus na'r disgwyl. Er i'r trefnwyr rybuddio'r Saint na fyddai'n daith hawdd, y mae'n glir bod rhai ohonynt, gan gynnwys John E. Davis, wedi disgwyl gwell. Cyhuddodd y trefnwyr o fod wedi methu prynu'r nifer angenrheidiol o ychen a'u bod, o ganlyniad, wedi gorfod gadael nifer o'r wageni ar ôl. Bu'n rhaid gwthio 12 o bobl, yn lle 10, i bob wagen, meddai, ac oherwydd y prinder lle bu'n rhaid gadael tipyn o'u heiddo ar ôl ar y Mississippi. 'Gorfodwyd ni i ostwng pwysau ein paciau o 100 pwys i 75 pwys ac os yn bosibl i 50 pwys. Nid oedd unrhyw fodd o dalu'n ychwanegol i gael y gweddill i'r Dyffryn.' Rhoddwyd un fuwch yn lle dwy i bob wagen ac nid oedd hynny chwaith yn plesio Mr Davis. 'Bu'n rhaid i ni rannu llefrith un fuwch, a bu honno farw ar afon Sweetwater.' Amddiffyniad y trefnwyr oedd bod prinder gwartheg ac ychen trwy ganolbarth America i gyd y tymor hwnnw. Dywedwyd fod 105,000 o wartheg ac ychen o'r Missouri wedi eu gyrru i Galiffornia a'u gwerthu am brisiau anhygoel o uchel. Amcangyfrifodd perchennog un gyr enfawr o 500 o wartheg, 600 o ychen, 60 ceffyl a 40 mul y gwnâi elw o 600 y cant ar ei anifeiliaid pan gyrhaeddai Galiffornia, hyd yn oed pe collai hanner ei stoc ar y ffordd. Gadawodd John Hackett Texas gyda gyr o 937 o wartheg. Cyrhaeddodd Galiffornia gyda 182 yn unig, ond er hynny, llwyddodd i wneud elw. Does dim rhyfedd bod ychen yn brin ar y Missouri y flwyddyn honno.

Ond y mae ail gyhuddiad John E. Davis yn un anoddach i'w amddiffyn. Cyhuddodd drefnwyr y Cynllun £10 o anfon eu minteioedd allan i'r paith heb ddigon o fwyd i'w cynnal. Y dogn dyddiol, yn ôl John Davis, oedd pwys o flawd a llai nag owns yr un o gig moch a reis a siwgr a ffa. Byddai hyn yn rhoi tua 2,000 o galorïau i ddyn, dim digon i rywun oedd â gwaith corfforol caled i'w gyflawni. Hefyd, yn ôl John Davis, yr oedd asesiad y trefnwyr o'r amser a gymerai i gyrraedd y Llyn Halen yn or-optimistaidd. Cludwyd bwyd ar gyfer 100 niwrnod ond ar gyfartaledd cymerai'r minteioedd 105 o ddiwrnodau i gyrraedd pen eu taith. Y canlyniad oedd bod llawer o'r Saint yn cyrraedd Utah yn newynog iawn.

Y mae'n debyg bod sail i'r cwynion. Dywed dyddiaduron eraill fod y bwyd yn brin. Gorffennodd rhai o'r minteioedd eu halen a'u siwgr a'u te cyn cyrraedd Fort Laramie, heb fod hanner ffordd i'r Dyffryn. Gorffennodd eraill eu blawd dair wythnos neu ragor cyn diwedd y daith. Daeth y cyflenwad llaeth i ben pan fu'n rhaid rhoi'r gwartheg godro yn yr iau i helpu'r ychen halio'r wageni. Yr oedd gŵr o'r enw Junius Crossland, gwneuthurwr ambarelau o Lundain, yn teithio gyda'r Cymry. Bu'n gwrthod ei fwyd er mwyn rhoi mwy i'w blant a chlafychodd oherwydd hyn. Dywedodd wrth ei ffrindiau, pe byddai farw, am roi'r geiriau canlynol ar ei fedd: 'Fe'm llofruddiwyd gan drefniadau annoeth y Cynllun £10.' A bu farw'n fuan wedyn. Yn eu hawydd i gael cynifer o bobl ag oedd yn bosibl i Utah, cyn rhated â phosibl, y mae'n debyg i'r trefnwyr dorri'r dogn bwyd yn rhy agos i'r asgwrn, gan achosi dioddefaint diangen i rai o'r ymfudwyr.

Wedi cyrraedd Utah, profodd y bywyd yno'n anodd i John Davis. I ennill bywoliaeth bu'n rhaid iddo weithio'n galed iawn, yn torri coed yn y mynyddoedd. Cyn ei ddadrithiad, credai fod Brigham Young yn medru cyflawni gwyrthiau ac felly, yn fuan ar ôl cyrraedd Utah, aeth ato i ofyn iddo adfer ei olwg, ond gwrthododd Brigham ei weld. Arhosodd am naw mis ac yna penderfynodd fynd adref i Gymru. Cafodd le mewn wagen i Galiffornia a gwaith ar long yn cario *guano*, y baw adar a ddefnyddid fel gwrtaith, yn ôl i Brydain. Yr oedd y llongau hyn yn enwog am yr amodau gwarthus a'r llafur caled ar eu byrddau ond, rywsut, llwyddodd John Davis i gyrraedd yn ôl yn saff i Gaerdydd – eithaf camp i hen ŵr cecrus, hanner dall, 65 mlwydd oed.

Y mae pennod gyfan o'i lyfr yn ymosodiad ar amlwreiciaeth. Gwyddai fod diddordeb mawr yn y pwnc a bod gwerthiant ei lyfr yn sicr o elwa o'i drin yn fanwl. Hawliai John Davis mai cybydd-dod oedd yn gyrru llawer dyn i briodi ail wraig. Yr oedd morynion yn brin yn Utah, meddai, a'r gost o'u cadw yn uchel, ond os priodid y forwyn, nid oedd angen talu iddi mwyach. Credai fod cynllwyn ar droed i orfodi merched tlawd i briodasau amlwreiciol. 'Y mae pethau merched, fel dillad ac yn y blaen, yn ddrud yn Utah. Rhan o gynllun gan yr awdurdodau yw hyn,' meddai, 'i wthio merched diymgeledd i briodi dynion cefnog.' Y mae ganddo straeon am wragedd yn cael eu taflu allan o'u cartrefi gan eu gwŷr a'u gadael heb do uwch eu pennau a heb yr un hawl gyfreithiol. Gwyddai am ddyn, meddai, a briododd ei ferch ei hun ac am un arall a briododd fam a merch. Yr oedd eisiau bendith Brigham Young ar bob priodas ac, yn ôl John E. Davis, yr oedd rhaid talu ffi sylweddol iddo am y fendith. Os am ysgariad, dim ond Brigham Young fedrai ganiatáu hynny hefyd, am ffi sylweddol arall. Cymysgedd liwgar o ffeithiau a chlecs sydd ganddo ond y mae'n hollol sicr a phendant am un peth. 'Y mae'n nodweddiadol o burdeb a chadernid merched Cambria,' meddai, 'na chlywais drwy gydol yr holl amser y bûm yn Ninas y Llyn Halen am unrhyw enghraifft o Gymraes yn priodi gŵr amlwreiciol.'

Yn hyn o beth y mae'n hollol anghywir. Mewn gwirionedd, nid yw'n anodd o gwbl darganfod llawer enghraifft o ferched Cymreig mewn priodasau amlwreiciol. Y mae priodas Dan Jones a Mrs Lewis, 'Y Frenhines Gymreig', yn un enghraifft. Enghraifft arall yw priodas Ann Rodgers, y ferch a gollodd ei theulu i gyd cyn cyrraedd y Dyffryn. Wedi cyrraedd, aeth i weithio i ŵr o'r enw William Snow. Yr oedd gan hwn ddwy wraig yn barod, ond ychydig fisoedd wedi i Ann ddechrau gweithio iddo, cymerodd hi yn drydedd wraig ac ar yr un diwrnod priododd bedwaredd wraig. Dywedir fod y pedair priodas wedi profi'n hapus ac iddynt gael eu bendithio gan laweroedd o blant ac, yn ôl yr hanes teuluol, fod y pedwar teulu wedi byw'n gytûn gydol eu hoes.

Cymerodd Thomas Jeremy, y ffermwr o Lantrenfawr, Llanybydder, ferch o'r Iseldiroedd, Minnie Bosh, fel ail wraig. Pan fu farw Sarah, ei wraig gyntaf, teimlai Minnie ei bod wedi colli ei ffrind gorau. Dywed cofeb Sarah fod ei gofal am blant Minnie wedi bod mor dyner a chariadus fel na wyddai'r plant pa wraig oedd eu mam go iawn. Ac y mae cofiant y pensaer Edward Lloyd Parry, a ddaeth allan o Lan Sain Siôr, Sir Ddinbych ym 1853, yn adrodd stori debyg. 'Pan ddaeth Edward yn ôl o'i waith un pnawn, cafodd fod Ann Parry, ei gyfnither, wedi dod i ymweld. "Edward," meddai Elizabeth, ei wraig, "wele, y mae dy gyfnither wedi dod yma i fod yn ail wraig i ti." Gofynnodd ef i Ann, "Ai felly y mae?" Atebodd hithau'n gadarnhaol ac ymhen amser fe'u priodwyd. Pan anwyd merch fach i Ann, galwyd hi yn Elizabeth Ann ar ôl y ddwy wraig a rhoddodd Ann y babi i Elizabeth ei fagu, yn ôl eu cytundeb, oherwydd methodd Elizabeth esgor ar ei phlant ei hun. Galwai'r plentyn ei modryb yn "Mam" a'i mam go iawn yn "Anti Ann". Dysgwyd gweddill y plant i alw Elizabeth yn "Mam" ac Ann yn "Ma" ac ni wyddent i sicrwydd pa un oedd eu mam nes iddynt dyfu'n hŷn. Cafodd Ann 11 o blant.'

Daeth John D. Rees o Ferthyr Tudful gyda'i wraig, Mary, a'i bedwar plentyn ym mintai William Morgan ym 1852. Yn fuan ar ôl cyrraedd, priododd wraig arall. Y stori yn y teulu oedd bod swyddogion yr Eglwys wedi pwyso ar John i gymryd ail wraig a bod Mary wedi cytuno ar yr amod ei fod yn priodi ei chwaer, Jane. Yr oedd Jane yn 28 ac ar ei ffordd, yn nhyb ei chwaer, i fod yn hen ferch. Bu hi farw o gancr y flwyddyn wedyn. Ym 1857 yr oedd John am briodi eto ond, y tro hwn, nid oedd Mary'n fodlon. Cerddodd yr holl ffordd o'i chartref yn Brigham City i Ddinas y Llyn Halen, 60 milltir i ffwrdd, i ddadlau ei hachos gerbron Brigham Young, ond yn aflwyddiannus. Ni wyddom beth a ddywedwyd yn y cyfarfod, ond yn fuan wedyn caniatawyd i John briodi ei drydedd wraig, merch o'r enw Zillah Mathias, o Abergwili, a Brigham Young a weinyddodd y seremoni. Roedd Zillah yn 18 a John yn 42.

Ceisiai Brigham Young bwyso ar ddynion cyfoethog i briodi mwy nag un wraig. Dyna sut, yn ôl ei chofiant, y cafodd Sarah Giles o Ferthyr ŵr. Un diwrnod, pan oedd ar ymweliad ag Ogden yng ngogledd y dalaith, galwodd Brigham Young yn nhŷ maer y dref, gŵr o'r enw Lorin Farr. 'Lorin,' meddai, 'rwyt yn berchen ar hanner Ogden ac mae gennyt ddigon o bres. Rwyf am i ti gymryd Sarah yn ail wraig.' A dyna fu.

Ar adegau, defnyddiwyd amlwreiciaeth fel math o ofal cymdeithasol, fel ym mhriodas David Peters o Lanfrothen, Sir Gaernarfon ac Ann Parry o Lanasa, Sir y Fflint. Hwyliodd Ann gyda'i gŵr cyntaf ar y *Buena Vista*. Bu ef farw o'r colera ar y Missouri a gadawyd hi yn weddw yn 27 mlwydd oed, heb geiniog yn y byd, gyda mab bychan a phlentyn arall ar y ffordd. Talodd Mrs Lewis,

'Brenhines y Cymry', iddi hi a'r plentyn gael wagen i deithio ynddi i Utah. Allan ar y paith, o fewn golwg i Chimney Rock, ganwyd ei hail fab. Wedi cyrraedd Utah, treuliodd aeaf oer a chaled mewn adeilad tyweirch un ystafell. Cyn i'r ail aeaf afael daeth David Peters, hen ffrind o Gymru, i'w gweld. Bu'n ddyn busnes llwyddiannus yn yr hen wlad, yn berchen ffatri wlân yn Llanfrothen. Croesodd ef a'i wraig, Laura, y paith yn yr un fintai ag Ann, felly byddent wedi ei hadnabod yn dda. Cymerodd Ann yn ail wraig a'i symud hi a'i phlant i'w dŷ. Maes o law, cynlluniodd ac adeiladodd dŷ newydd ar gyfer ei ddau deulu, un adain i Ann, adain arall i Laura a darn yn y canol lle câi'r ddau deulu gymysgu. Y mae'n ymddangos bod y ddwy wraig wedi cyd-fyw'n ddigon hapus. Bu Ann farw yn 40 oed, ac edrychodd Laura ar ôl ei phlant a'u trin fel ei phlant ei hun.

Nid pawb yn Utah a groesawodd amlwreiciaeth, wrth gwrs, a lleiafrif o briodasau'r Saint oedd yn amlwreiciol, rhywle rhwng 20 a 40 y cant. Ac nid yw'n anodd darganfod gwrthwynebiad cryf i'r drefn ymhlith gwragedd matriarchaidd y Cymry. Ysgrifennodd John Thain o Sir Benfro yn ei hunangofiant fod yr Eglwys wedi gwasgu arno i briodi ail wraig ond bod ei wraig gyntaf wedi dod ato a dweud, 'Os priodi di eto, un wraig fydd gen ti o hyd.' Ac mewn erthygl am ddyddiau cynnar pentref bychan Wales yn Nyffryn Sanpete, pentref a sefydlwyd gan lowyr o Ferthyr, disgrifiwyd y lle fel 'un o'r ychydig gymunedau yn Utah lle na fu'r un briodas amlwreiciol'. Dywedwyd fod un o wragedd y pentref, gwraig o'r enw Margaret Davis Rees, wedi sefyll ar ei thraed mewn cyfarfod cyhoeddus a chyhoeddi, 'Wel, ferched, wn i ddim sut 'dech chi'n teimlo am wragedd mewn priodas, ond lle i un yn unig sydd yn fy mhriodas i.'

Cyhuddwyd y Saint yn aml o fod wedi eu llygru gan chwant cnawdol. Rhoddwyd cyhoeddusrwydd mawr i'r gwahaniaeth oedran rhwng y dynion a rhai o'u gwragedd. Yr oedd enghreifftiau ymysg y Cymry hefyd o ddynion yn eu hoed a'u hamser yn priodi merched oedd yn ddigon ifanc i fod yn wyresau iddynt. Druan o Mary Jones, er enghraifft, a gollodd ei thad a'i mam ar y Mississippi ym 1849. Cludwyd Mary i Ddinas y Llyn Halen ac yno, yn 15 oed, gwthiwyd hi i briodas gyda dyn oedd yn 61. Rhyddhawyd hi o'r briodas o fewn y flwyddyn oherwydd creulondeb ei gŵr tuag ati ac esgymunwyd ef o'r Eglwys.

Daeth Lovina Jones i'r Dyffryn o Bontypridd gyda'i theulu ym 1853 pan oedd yn 9 oed. Dair blynedd yn ddiweddarach gwnaethpwyd hi yn ail wraig i ŵr o'r enw William Bailey Lake. Priododd ef drydedd wraig yr un diwrnod. Flwyddyn yn ddiweddarach, ar ddiwrnod pen-blwydd Lovina yn 14 oed, lladdwyd William mewn sgarmes gyda'r Indiaid. Yn 15 oed, priododd Lovina eto, y tro hwn fel trydedd wraig i frawd-yng-nghyfraith ei gŵr cyntaf, ac o fewn y flwyddyn ganwyd ei phlentyn cyntaf. Cyn ei phen-blwydd yn 16 oed, felly, yr oedd Lovina wedi bod yn wraig ac yn weddw ac yn wraig eto ac yna'n fam.

Ond eithriadau oedd priodasau fel hyn. Yr oedd yn fwy cyffredin i'r berthynas rhwng dyn a'i ail neu ei drydedd wraig fod yn gytundeb cymharol ddiemosiwn, mwy fel cytundeb busnes na charwriaeth. Dyletswydd oedd yn eu gyrru'n aml, y ddyletswydd i ufuddhau i ofynion yr Eglwys, i gynhyrchu llawer o Formoniaid bychain ac i edrych ar ôl y llai ffodus yn y gymuned. A phrofiad digon unig a chaled yn aml oedd profiad yr ail a'r drydedd wraig, yn aros gyda llond tŷ o blant bychain ac ychydig iawn o arian i'w cynnal am ymweliad gŵr na alwai ond unwaith yr wythnos efallai ac na fedrai, yn aml, dalu ei ddyledion. Cawn edrych mewn mwy o fanylder ar un neu ddwy o briodasau amlwreiciol y Cymry mewn penodau sydd i ddilyn.

1854

GADAWODD Y *GOLCONDA* Y doc yn Lerpwl ar y 4ydd o Chwefror, 1854 gyda 282 o Saint Cymreig ar ei bwrdd, y rhan fwyaf yn dod o ardal Merthyr. Hon oedd y fintai fwyaf o Gymry i deithio gyda'i gilydd ers mordeithiau y *Buena Vista* a'r *Hartley* ym 1849. Y mae eu henwau i gyd, a'u crefftau, wedi eu rhestru yn daclus ym maniffest y llong, sydd i'w gweld ar y wefan mormonmigration.lib.byu.edu. Yn eu mysg yr oedd 15 glöwr, 11 mwynwr, 11 labrwr, 11 ffermwr, 8 gweithiwr haearn, 5 saer maen, 5 crydd ac yna un neu ddau o amrywiaeth o grefftwyr eraill gan gynnwys adeiladwyr, teilwriaid, argraffwyr, cysodwyr, gwehyddion, clercod, cyfrifwyr, peirianwyr, seiri, llifwyr, morwyr, siopwyr a garddwyr.

Yr oeddent yn gwmni bywiog. Gadawodd nifer ohonynt ddyddiaduron a chofiannau swmpus. Cofiai rhai ohonynt am gynnwrf y cyfarfodydd crefyddol ar y *Golconda*. 'Cynhelid cyfarfodydd bum gwaith yr wythnos a bendithiwyd ni'n ysblennydd gan holl roddion yr ysbryd – llefaru â thafodau, deongliadau, gweledigaethau, datguddiadau a phroffwydoliaethau.' Cofiai eraill am hwyl a sbri llai cysegredig. Dathlwyd dwy briodas ar y daith, 'ac nid wyf yn meddwl,' meddai William S. Phillips mewn llythyr i *Udgorn Seion*, 'fod mwy o ddifyrrwch wedi bod ar fôr nac ar dir mewn priodas o'r blaen. Yr oedd pawb yn chwilio am eu bocsys, i'r diben o estyn am eu gwisgoedd gorau a chynhaliwyd y briodas yn null yr hen Gymry ers llawer dydd'. Ni ddisgrifir beth yn union oedd 'dull yr hen Gymry' ond yn ôl un dyddiadurwr, gwehydd 23 mlwydd oed o dref Caerfyrddin o'r enw John Johnson Davies, 'clymwyd y briodferch mewn cadair a chodwyd hi yn uchel i fyny'r mast. Ebe'r Capten, "Dyna beth yw dewrder!" Tynnodd y ferch ei hances o'i phoced a'i chwifio yn yr awel. Yn y cyfamser, cariwyd ei gŵr o gwmpas y dec gan bedwar o'i ffrindiau dibriod mewn cadair wedi ei gwneud yn arbennig ar gyfer yr achlysur.' Mae'n amlwg i'r llong gyfan fwynhau'r briodas yn fawr.

Yr oedd rhai o'r teithwyr ar y *Golconda* yn gyfoethog, fel John A. Lewis a fu'n berchen siop a 12 o dai yng Nghaerdydd, a rhai'n dlawd, fel Ann Richards. Yr oedd hi'n un o naw o blant a adawyd yn amddifad pan laddwyd eu tad wrth iddo weithio ar y rheilffordd yn ardal Llanelli. Yn 11 oed, aeth Ann yn forwyn i Rymni. Gweithiai am ei gwely a'i bwyd a'i dillad ond ni châi gyflog. Ym 1846, yn 21 oed, priododd löwr o'r enw William Williams ond flwyddyn ar ôl eu priodas anafwyd ef yn ddifrifol mewn damwain danddaearol a bedair blynedd wedyn, ym mis Ebrill 1851, bu farw. Ym mis Awst, priododd Ann eto, y tro hwn â William Morgan Richards, glöwr arall o Rymni a fu'n gweithio dan ddaear oddi ar ei ben-blwydd yn 6 oed. Yr oedd William yn Formon ac ar fin gadael Rhymni i gychwyn cenhadaeth ym Machynlleth. Aeth ag Ann gydag ef, a ddwy flynedd yn ddiweddarach, pan ddaeth ei dymor cenhadol i ben, hwyliodd y ddau, mor dlawd â dwy lygoden eglwys, am America ar y *Golconda*. Yr hynaf ar y llong oedd Esther Jones o Sir Aberteifi, yn 84 mlwydd oed. Yr ieuengaf oedd Margaret Griffiths Lewis, yn fis oed. Teithiai rhai mewn grwpiau, fel George Munro, Watkin Rees a William Jones, tri ffrind a arferai weithio gyda'i gilydd mewn gwaith haearn ym Merthyr Tudful. A theithiai eraill, fel Martha Morgan, 30 mlwydd oed ac yn ddibriod, ar eu pen eu hunain. Cafodd ŵr yn Utah o fewn y flwyddyn.

William S. Phillips oedd yn eu harwain. Bu ef yn llywydd yr achos yng Nghymru am chwe blynedd cyn iddo gael ei ryddhau i hwylio ar y *Golconda*. Yr oedd ganddo ddau ddirprwy ar y *Golconda*, sef ei gyn-ysgrifennydd, Richard Vaughan Morris, brawd Elias Morris, a Thomas Obray, oedd newydd ddod yn ôl o Malta, lle bu, am ddwy flynedd, yn cenhadu a cheisio cychwyn achos yng nghysgod dociau'r Llynges Brydeinig yn Valletta. Yr oedd y Mormoniaid yn trefnu cenadaethau ar hyd a lled y byd o'r cychwyn cyntaf. Hyd yn oed mor gynnar â diwedd y 1840au, yr oedd ganddynt genadaethau mewn porthladdoedd pellennig fel Calcutta, Sydney, Valparaíso ac Ynysoedd Hawaii. Dewiswyd Obray i arolygu'r gwaith yn Valletta oherwydd iddo fyw a bod yng nghanol dociau a llongau'r Llynges Brydeinig ers ei blentyndod. Gweithiai ei dad yn y doc brenhinol yn Noc Penfro a dilynodd Thomas ef i'r gwaith. Pan laddwyd ei dad trwy gwympo i'w farwolaeth oddi ar sgaffald yn y doc, symudodd Thomas i weithio i bencadlys llynges Môr y Gogledd yn Sheerness, ac yn y 1840au cynnar, tra oedd yn Sheerness, ymunodd â'r Mormoniaid.

Pan benderfynodd Brigham Young gychwyn cenhadaeth ym mhencadlys llynges Môr y Canoldir, Thomas, gyda'i brofiad helaeth o weithio yn nociau ei Mawrhydi, oedd y dewis naturiol i'w rhedeg. Ond caregog iawn fu ei lwybr yn Malta a dim ond 29 aelod oedd gan yr Eglwys yno pan ddaeth ei dymor i ben.

Cymeriad lliwgar arall ar ddec y *Golconda* oedd Thomas Job. Disgrifiwyd hwn gan un o'i gydnabyddion fel dyn 'diniwed, ond dyn da; braidd yn egsentrig ond gyda dawn fathemategol a seryddol bendant'. Mewn tyddyn unig o'r enw Ffosybroga, ar dir uchel rhwng Llanpumpsaint a Phont-ar-sais, heb athro i'w arwain na neb i'w gynghori, y dysgodd Thomas Job ei hun i fod yn wyddonydd. Cyhoeddodd bamffled yn esbonio cread y byd, *The Fabric of the World Examined*, ac ynddo anghytunodd yn ffyrnig â rhai o ddamcaniaethau Syr Isaac Newton. Yn y rhagair, cwynodd iddo orfod 'llafurio dan yr amodau anoddaf. Dim ond beth a fedrais lunio gyda'm llaw fy hun oedd gennyf fel cyfarpar i wneud fy arsylliadau o'r ffurfafen ac ni chefais addysg mewn peirianyddiaeth na seryddiaeth nac unrhyw wyddoniaeth arall ond o ddarllen llyfrau wedi'u benthyg, pan ddylaswn fod yn gorffwys ar ôl llafur caled y dydd.'

Gellir darllen stori ei fywyd yn yr hunangofiant hynod ddiddorol a ysgrifennodd yn Utah pan oedd yn 70 oed. Nid yw hwn wedi ei gyhoeddi hyd y gwn i, ond mae ar gael ar y we (gweler y Ffynonellau). Stori ydyw am fachgen dawnus yn brwydro i gael addysg, yn awchu am wybodaeth a dysg ond yn cael ei gyfyngu yn y diwedd gan dlodi. 'Gwrthwynebai fy rhieni fy awydd am addysg,' ysgrifennodd. 'Credent na fyddai o ddefnydd i mi.' Er hynny, cafodd ddwy flynedd yn yr ysgol leol. 'Hen ffermwr wedi gweld dyddiau gwell oedd ein hathro.Yr oedd nifer o'r dynion ieuanc a fynychai'r ysgol yn awyddus iawn i ddysgu darllen ac ysgrifennu, ond o dan yr amgylchiadau, profodd hynny'n amhosibl. Yr oedd dysgu Saesneg hefyd yn cymhlethu pethau i ni Gymry.' Wedi gadael yr ysgol aeth i weithio fel gwas a labrwr, ond daliodd ati i ddarllen ac astudio gyda'r nos ac yn ei oriau hamdden prin. 'Gyda'r nos byddwn yn cyfieithu ac ysgrifennu ac yna, gyda'r dydd, pan fyddwn wrth fy ngwaith, byddwn yn cario fy nodiadau gyda mi ac yn ceisio'u dysgu ar fy nghof. Pa bynnag waith y byddwn yn ei wneud, byddwn yn siŵr o fanteisio ar bob cyfle i ddarllen brawddeg a'i dysgu wrth weithio.' Ers ei blentyndod, bu ganddo ddiddordeb yn symudiadau'r sêr a'r planedau. 'Cofiaf pan oeddwn yn ifanc iawn fod ymddangosiad y gwrthrychau nefol yn fy swyno. Gofynnwn gwestiynau diddiwedd i'm tad.' Dysgodd geometreg iddo'i hun, ac algebra a thrigonometreg, ac astudiodd fagneteg a thrydan, ond addysg ddidisgyblaeth ydoedd, heb ffocws a heb nod. O'r cefndir anaddawol hwn tyfodd ei ddiddordeb mewn astroleg a dewiniaeth a darogan y dyfodol. Bu'n cynhyrchu almanac yn flynyddol o 1845 hyd ddyddiad ei ymadawiad i America a gwnaeth enw iddo'i hun fel astrolegydd. Deuai pobl ato i glywed yr hyn oedd gan y sêr i'w ddweud wrthynt. Graddiodd wedyn i fod yn ddyn hysbys a deuai pobl ato'n awr i gael gwared â defaid gwylltion, gosod melltith ar elynion a darganfod pethau coll. Croniclodd holl droeon yr yrfa anarferol hon yn fanwl yn yr hunangofiant – pa lyfrau a ddarllenodd, pwy fu'n ei gynghori, lle'r aeth am help. Yr oedd Thomas Job, yn sicr, yn ymladdwr dewr ar hyd ei oes ac yn weithiwr caled iawn, ond nid oedd cysondeb na sefydlogrwydd yn rhan o'i arfaeth. Adlewyrchir hyn yn nheithi ysbrydol ei fywyd hefyd. Bu'n Annibynnwr, yn Undodwr ac yn Fedyddiwr ond yn awr yr oedd yn Formon, a'i fryd ar fywyd newydd yr ochr draw i'r Iwerydd.

Ar fwrdd y *Golconda* yr oedd hefyd aelodau o fand pres o Gaerfyrddin. Cynhaliwyd sawl dawns a chyngerdd ganddynt ar ddec y llong. Un ohonynt oedd John Johnson Davies, y gwehydd. Yr oedd yna gôr hefyd, a band llinynnol, ac yr oedd John Johnson Davies yn aelod ohonynt hwythau hefyd. Cofiai Elizabeth Davis o Lan-y-fferi, Sir Gâr, am y ffug brofion a gynhaliwyd ar y dec. Dygwyd un o'r cogyddion o flaen ei well am ladrata pwdin reis ond methodd y 'Barnwr' a'i 'Gynghorwyr' ei gael yn euog gan fod rhywun wedi bwyta'r dystiolaeth. Gydag Elizabeth teithiai ei merch fach a'i gŵr, John Silvanus Davis.

John S. Davis oedd y dyn mwyaf diddorol ar y llong, ac yn sicr y dyn a fyddai wedi cyfrannu fwyaf i fywyd y genedl petai wedi aros yng Nghymru. Bu'n berchen ac yn rheoli gwasg y Mormoniaid, y wasg a gyhoeddodd holl lenyddiaeth Gymraeg yr Eglwys wedi ymadawiad Dan Jones am America ym 1849. John S. Davis oedd golygydd ac argraffydd a chyhoeddwr y wasg, ac ef hefyd oedd awdur y rhan fwyaf o'i chynnyrch.

Bu'n olygydd *Udgorn Seion* am bum mlynedd. Cyhoeddiad misol ydoedd yn ystod goruchwyliaeth Dan Jones, ond dechreuodd John Davis ei gynhyrchu'n wythnosol. O dan ei olygyddiaeth ef, datblygodd yn gylchgrawn bywiog a diddorol. Yn gymysg â'r erthyglau trymion am ddiwinyddiaeth, areithiau'r arweinwyr, gwybodaeth am ymfudo, sut i gael help y Drysorfa Ymfudo Barhaus, adroddiadau am gyfarfodydd y canghennau Cymreig, materion busnes yr Eglwys – yng Nghymru ac America – a chant a mil o bethau eraill tebyg, hoffai hefyd gyhoeddi'r llythyrau a anfonwyd gan Gymry o Utah i'w teuluoedd yn yr hen wlad, llythyrau fyddai'n aml yn llawn diddordeb i'w ddarllenwyr. Cafodd afael, er enghraifft, ar lythyr gan Dafydd D. Bowen at ei rieni yn Llanelli a'i gyhoeddi. 'Yr ydych chwi, fy nhad, wedi gweithio yn galed holl ddyddiau eich bywyd i gadw eraill yn gyfoethogion ac yn foethus, ac er eich holl ymdrech yr ydych yn y diwedd yn dlawd eich hunan heb fod yn feddiannol ar droedfedd o dir yn eich bywyd... nac un creadur chwaith, oddieithr ambell i fochyn... Yr ydych yn credu fy mod yn ffôl am adael y fath le ag sydd yna gyda chwi yn y Felin Foel, a dyfod i'r wlad hon lle mae pob llawnder i'w gael. Y mae gennyf anifeiliaid o bob math, yn wartheg, ychen, moch a gwyddau; hefyd y mae gennyf dai a thiroedd ac nid oes arnaf ddimai o rent i neb a gallaf gael a fynnwyf o dir yn rhad.' Gobaith David oedd cael ei rieni i ddod allan ato, er eu bod yn ddrwgdybus iawn o'i grefydd ac, yn wir, yn gwrthod ateb ei lythyrau. 'Felly gwelwch gymaint gwell gwlad yw hon na'r hen wlad. Nis gallaf ddisgrifio'r llawenydd a fyddai gennyf pe buasech yn ymuno â'r Saint ac yn ymfudo i'r wlad hon. Y mae Phoebe, fy ngwraig a Morgan bach fy mab yn cofio atoch yn fawr. Gall Morgan siarad tair iaith, sef y Gymraeg, y Saesneg ac iaith yr Indiaid, er nad yw ond saith mlwydd a chwe mis oed.'

Gwnâi John S. Davis yn siŵr bod ychydig o hwyl a direidi yn ei gylchgrawn bob wythnos, Y mae rhai o'i jôcs yn parhau i fod yn ddoniol. Dyma i chi enghraifft o un sydd wedi goroesi'n dda. Blinwyd un o'r Saint gan hen wraig yn gofyn iddo, yn fynych ac yn ddirmygus, pa bryd yr oedd am fyned i Jerusalem. Adeg y Nadolig, pan glywodd ef hi'n canu'r garol 'Awn i Fethlehem', aeth ati a gofyn iddi alw heibio pan oedd hi'n gadael er mwyn iddi gael ei gwmni cyn belled â Jerusalem. Hoffai John S. Davis gyhoeddi caneuon doniol fel 'Ocheneidiau y Parchedigion' i'w canu ar y dôn 'Y Mochyn Du'.

Gwêl, mae'r Achos Mawr yn gwywo,
O, mor wael yw yn Llangeitho;
A'r un dynged cofia, cofia,
Ddaw i Sasiwn Fawr y Bala.

Er hynny, cymerai ei gyfrifoldebau yn ddifrifol iawn. 'Dichon y bûm yn drwsgl,' meddai, 'eithr bûm yn ddidwyll. Gwneuthum a ellais i ddywedyd ac ysgrifennu pethau da.' Does dim rhyfedd i gylchrediad ei gylchgrawn godi i dros 2,000 o gopïau yn ystod ei olygyddiaeth.

Ond rhywbeth i lenwi ei funudau sbâr oedd ysgrifennu ac argraffu a chyhoeddi'r *Udgorn* yn wythnosol. Gwaith mawr ei fywyd oedd cyfieithu a chyhoeddi pob un o lyfrau sanctaidd y Mormoniaid, a hynny mewn cwta ddeunaw mis. Yn gyntaf, *Llyfr Athrawiaeth a Chyfamodau*, cyfieithiad o'r *Book of Doctrine and Covenants*, sef detholiad o ddatguddiadau Duw i Joseph Smith. Ymddangosodd hwn ym 1851. Yna, y flwyddyn ganlynol, cyhoeddodd *Y Perl o Fawr Bris*, cyfrol o ddatguddiadau ychwanegol a gasglwyd gan Joseph Smith. Ac yn yr un flwyddyn, *Llyfr Mormon* ei hun, sydd bron yn 500 tudalen o brint mân, mân. Y mae'n gyfieithiad meistrolgar. Anfonodd John Davis gopi at olygydd *Seren Gomer* yn gofyn am ei farn. 'Piti fod y fath drafferth wedi ei gymryd i gynhyrchu cyfieithiad mor berffaith o waith mor ddiwerth,' oedd yr ymateb. Hwn yw'r unig gyfieithiad Cymraeg a'r unig argraffiad a wnaethpwyd erioed o *Lyfr Mormon*. Ffacsimilïau ohono yw pob cyfrol wedyn. Tu mewn i bob clawr gwelir o hyd y geiriau 'Cyhoeddwyd ac ar werth gan J. Davis, Georgetown, Merthyr Tydfil.'

Yr oedd swmp ei gynnyrch yn syfrdanol, ac nid dyn yn ei oed a'i amser, gydag amser ar ei ddwylo, oedd John Davis. Ym 1851, pan oedd ar ganol ei waith mawr, yr oedd yn 29 mlwydd oed, yn llawn gofalon a chyfrifoldebau, newydd briodi, a'r plentyn cyntaf ar fin ei eni. Rywsut, yng nghanol yr holl bwysau gwaith, câi'r amser i fynd ag Elizabeth, ei wraig, ar drip i Lundain i weld yr Arddangosfa

Fawr yn y Palas Grisial neu i'r theatr yn Drury Lane. Ymgyrchai dros y Gymraeg hefyd mewn oes pan oedd cynifer o gewri'r genedl yn darogan ei thranc. 'Peidiwch â diystyru eich iaith,' ysgrifennodd. 'Nid yw y Gymraeg i ddarfod yn fuan, fel y breuddwydia rhai… Danfonwyd ni i udganu yn iaith ein mam, yr hon yw iaith gyffredin y wlad. A pha Ddic Siôn Dafydd a ymdrecha i'n rhwystro?'

Yna, yn Ionawr 1854, wedi cwblhau ei waith mawr, rhyddhawyd ef o'i ddyletswyddau a chafodd ganiatâd i adael am y Dyffryn. Ar yr 16eg o Ionawr clywodd fod lle iddo ef ac Elizabeth ar y *Golconda* a adawai ymhen pythefnos. Rhuthrodd i fod yn barod, gwagio'r tŷ a phacio'r trysorau, a ffarwelio â'r teulu. Gadawsant gyda naw llond bocs o'u pethau gorau, a'r gwely. Talodd John ganpunt o flaendal am gael dwy wagen yn aros amdano yn St Louis a thalodd hefyd am docynnau i ddau o'i gymdogion a'u teuluoedd i ddod gydag ef.

Cyrhaeddodd y *Golconda* New Orleans mewn deugain niwrnod a throsglwyddwyd y Cymry i'r *John Simmonds*, un o agerfadau mwyaf y Mississippi – chwe boeler, 295 troedfedd o hyd – i'w cludo ar gymal nesaf eu taith cyn belled â St Louis. Teithiai John A. Lewis, cyn-berchennog y siop a'r tai yng Nghaerdydd, yn y dosbarth cyntaf gyda'i deulu. 'Daliwyd y llong ar un o'r twyni tywod yn yr afon,' ysgrifennodd ei ferch, 'ac yno y buom am bedwar diwrnod. Bu rhai o'r Cymry ar y deciau is yn wael iawn ac arferem ni ferched fynd â phrydau blasus i lawr atynt. Bu'n daith wych a chawsom bob cysur.' Teithiai John Johnson Davies, y gwehydd o Gaerfyrddin, ar y llaw arall, yn y cabanau rhad i lawr yng nghrombil y llong. 'Y fath glecian ddeuai o'r injan! Rwy'n cynhyrfu wrth gofio. A'r capten yn gweiddi a'r dŵr yn tasgu a'r band yn chwarae a rhai ohonom yn canu, a rhai o'r chwiorydd yn golchi a'r babanod yn crio a'r llongwyr yn siarad a llawer ohonynt yn smocio a phawb ohonom yn edrych am rywbeth i'w wneud, a'r llong yn cloncian wrth wthio ei ffordd i fyny'r afon.'

Pan gyrhaeddwyd St Louis yr oedd yn rhaid aros am ychydig ddyddiau cyn i'w llong nesaf fod yn barod. Aeth Watkin Rees a George Munro a William Jones, y tri a fu'n gweithio gyda'i gilydd yn y gwaith haearn yng Nghymru, i edrych am waith yn St Louis. 'Cynigiwyd gwaith i ni yn syth mewn gwaith haearn lleol. Cyflogwyd fi fel cynheswr a'r ddau arall fel pwdlers, y tri ohonom yn gwneud arian da,' ysgrifennodd Watkin. Ond yn fuan clywsant fod eu llong yn barod ac i ffwrdd â hwy.

Yn St Louis, ymunodd Cymro arall â'r cwmni, sef Samuel Obray, brawd Thomas. Dyn byrbwyll, penderfynol dros ben oedd Samuel. Fel John Ormond yr Hynaf, yr oedd wedi gadael ei gartref yn Noc Penfro dair blynedd ynghynt heb ddweud wrth ei wraig. Byth oddi ar eu priodas, bum mlynedd ynghynt, yr oedd wedi ceisio ei chael i ymuno â'r Mormoniaid ond gwrthodai hi yn bendant. Penderfynodd felly fynd i America hebddi a chipiodd ei fab bychan tair oed a mynd ag ef gydag ef. Pan sylweddolodd Margaret beth oedd wedi digwydd, aeth yn syth at yr heddlu a chyhuddo Samuel o herwgipio'r plentyn. Deallwyd fod yr *Ellen Maria*, yr unig long oedd i gario Saint dros Fôr Iwerydd y mis Chwefror hwnnw, yn paratoi i adael dociau Lerpwl. Cysylltodd plismyn Doc Penfro â phlismyn Lerpwl a gofynnwyd iddynt fyrddio'r *Ellen Maria* ac arestio Samuel os oedd arni. Pan gyrhaeddodd yr heddlu y doc, yr oedd yr *Ellen Maria* newydd hwylio. Dichon i Samuel ollwng ochenaid o ryddhad pan welodd Lerpwl yn llithro y tu ôl iddo, ond yr oedd yr heddlu ar ei drywydd o hyd. Chwythai gwyntoedd gorllewinol cryfion allan yn y bae a gwyddent y câi'r *Ellen Maria* drafferth i adael aber afon Merswy. Ar y funud olaf, llwyddwyd i'w byrddio ond yr oedd Samuel yn barod ar eu cyfer. Gwallt coch oedd gan ei fab ac ar yr *Ellen Maria* teithiai teulu arall o blant gwallt coch. Yn frysiog, yr oedd Samuel wedi gwisgo'i fab mewn dillad merch a'i osod yng nghanol plant y teulu hwnnw. Llwyddwyd i argyhoeddi'r heddlu nad oedd y mab ar y llong a bu'n rhaid iddynt adael yn waglaw. Ni welodd Margaret ei gŵr na'i mab fyth wedyn.

Yr oedd Samuel wedi bod yn St Louis am ymron i bedair blynedd yn ceisio codi'r pres i dalu am weddill y daith i Utah. Yn ystod y cyfnod hwn priododd â Louisa Bainbridge, un o ferched hŷn y teulu gwallt coch. Ni fu raid iddo gael ysgariad oddi wrth Margaret gan nad oedd priodasau 'Babilon' yn cyfrif yng ngolwg y Saint. Ym 1853, clywodd fod ei frawd mawr, Thomas, wedi ei ryddhau o'i ddyletswyddau yn Malta a'i fod ar ei ffordd i Utah. Penderfynodd ymuno ag ef ar y paith.

Yn St Louis yr oedd y wageni a archebwyd gan John S. Davis cyn gadael Cymru yn aros amdanynt. Daethpwyd â hwy ar y llong a'u rhwymo i'r dec. Ar y daith i fyny'r afon treuliodd John Davis ei amser yn tasgu dŵr drostynt, rhag i'r gwreichion o simneiau'r agerfad eu rhoi ar dân. 'Cymerwyd ni i lanfa newydd o'r enw Kansas City,' meddai. 'Dim ond tollty a hanner dwsin o dai oedd yno bryd hynny. Codasom ein pebyll a gwersylla yno am dair wythnos. Ond lle afiach oedd hwnnw. Yn y meysydd gwastad wrth yr afon, lle gwersyllem, tyfai coed uchel wedi eu gorchuddio mor drwchus gan winwydd fel bod rhaid edrych yn syth i fyny drwyddynt i gael cip ar yr haul. Torrodd colera allan a bu farw llawer o'n pobl. Ar ôl bod yma am bythefnos, symudwyd ni i le yn agos at Westport, ar gyrion y paith, a dyma lle bu'n rhaid i ni aros am y tri mis nesaf tra bod y trefnwyr yn chwilio am ychen a wageni.'

Ni chafodd y Cymry deithio ar y paith gyda'i gilydd, mewn un fintai, y flwyddyn hon. Yn y gwersyll ymgynnull ar lannau'r Missouri yn Westport, rhannwyd hwy yn naw grŵp a gwasgarwyd hwy drwy'r naw mintai a groesodd i'r Dyffryn. Efallai fod y trefnwyr yn credu y byddent yn llai trafferthus wedi eu rhannu fel hyn. Teithiodd John Sylvanus Davis ac Elizabeth ym mintai Job Smith, un o'r minteioedd cyntaf i adael. Yn ei henoed cofiai John ei fod wedi dysgu saethu ar y paith ac iddo gael sawl helfa dda o gwningod a hwyaid. Ceisiodd saethu byfflo hefyd a bu ond y dim iddo golli'i fywyd pan faglodd ei geffyl o flaen anifail cynddeiriog. Wrth iddi nosi ar y 15fed o Awst, daeth ei fintai, gyda dwy fintai arall, at wersyll mawr o Indiaid ychydig filltiroedd tu allan i Fort Laramie ac ysgrifennodd John iddo weld 'miloedd' o Sioux yn gwersylla yno. 'Yr oedd yr Indiaid yn gyfeillgar,' meddai, 'ac yn awyddus i werthu eu nwyddau.' Pe bai wedi cyrraedd y lle hwnnw ddwy noson yn ddiweddarach, byddai wedi cael croeso gwahanol iawn. Heb yn wybod iddo, yr oedd John Davis yn pasio ar gyrion un o drasiedïau mawr y Gorllewin Gwyllt: trobwynt yn ei hanes, a fyddai'n suro bywyd ar y paith am genhedlaeth gyfan.

Aros yr oedd yr Indiaid am yr iawndal blynyddol a addawyd iddynt gan y llywodraeth am beidio ymosod ar ddynion gwynion. 'Daeth yn glir wrth i ni wthio ein ffordd drwyddynt eu bod yn gyfeillgar,' ysgrifennodd un arall o fintai Job Smith, 'ac felly troesom i'w canol a gwersylla gyda hwy. Aethom i lawr i'w teml, neu beth bynnag y galwent hi, a'u gwylio'n dawnsio, canu, chwarae miwsig ac yn y blaen.' Ni fu unrhyw drafferth y noson honno, ac y mae'n glir i'r ymfudwyr a'r Indiaid gael noson ddifyr yng nghwmni'i gilydd. Cyn pedwar o'r gloch y bore wedyn yr oedd mintai John Davis wedi gadael y gwersyll ac yn ôl ar y trywydd.

Ddeuddydd yn ddiweddarach, cyrhaeddodd mintai fawr o Saint o Ddenmarc wersyll y Sioux. Yr oedd ganddynt hwy hefyd ddyddiadurwr yn eu mysg a dyma sydd ganddo ef i'w ddweud am ddigwyddiadau'r bore. 'Aethom heibio i wersyll mawr o Indiaid cyn i ni gyrraedd Fort Laramie. Saethwyd un o'n gwartheg cloff ganddynt. Gadawsom iddynt gael y cig.' Y mae'n glir nad oedd y digwyddiad o bwys mawr i'r Daniaid. Ychydig o ddyfodol fyddai i fuwch gloff ar y paith. Waeth i'r Indiaid ei chael hi! Ond dyma ddechrau'r ddrama drist a arweiniodd at ddeugain mlynedd o ryfel. Aeth y fintai yn eu blaenau heb feddwl ddwywaith am y peth ond gwrandawodd y milwyr yn Fort Laramie ar eu stori gyda diddordeb mawr. Yr oeddent yn eiddgar am esgus i ymosod ar yr Indiaid, i'w cosbi am eu mân-ladrata diddiwedd, a manteisiwyd ar y cyfle hwn i anfon carfan o filwyr i'w gwersyll i arestio llofrudd y fuwch anffodus a dysgu gwers i'r llwyth i gyd.

Aeth dau ddiwrnod arall heibio cyn i'r fintai nesaf o Saint basio. Yn hon teithiai Watkin Rees, un o'r tri ffrind o Ddowlais. Ni chafodd afael ar y stori gyflawn ac mae rhai o'i ffeithiau yn ei ddyddiadur yn anghywir ond y mae cnewyllyn yr hanes ganddo. 'Yr ydym yn awr yn agosáu at Fort Laramie,' ysgrifennodd. 'Daeth negesydd heibio i'r gwersyll heno, ar ei ffordd i'r dwyrain i geisio cymorth. Rhybuddiodd ni fod yr Indiaid wedi codi ac am ein gwaed. Bu 2,000 ohonynt mewn brwydr yn erbyn milwyr y gaer a lladdwyd 13 o'r milwyr. Fore trannoeth aethom heibio i leoliad gwersyll yr Indiaid ac nid oedd golwg ohonynt ond yr oedd yn glir, o gyflwr y glaswellt, bod tyrfa fawr o bobl wedi gwersylla yno. Caewyd giatiau'r gaer gan y milwyr rhag ofn i'r Sioux ddod yn ôl a'u lladd i gyd. Cnewyllyn y drwg, mae'n debyg, oedd buwch gloff un o'r Daniaid yn y cwmni o'n blaenau.'

Teithiai John Johnson Davies, y gwehydd, yn yr un fintai a chafodd afael ar ragor o fanylion y stori. 'Anfonodd capten y gaer filwyr at yr Indiaid,' meddai, 'i holi am y fuwch gloff. Aeth yn gweryl rhyngddynt a'r Indiaid, a thaniodd y milwyr atynt.' Watkin eto. 'I ddychryn yr Indiaid, taniodd y milwyr uwch eu pennau a'r funud y gwnaethant hynny, cwympodd yr Indiaid arnynt a'u lladd i gyd.'

Heddiw adwaenir y digwyddiad hwn yn y llyfrau hanes fel 'Cyflafan Grattan'. Grattan oedd enw'r swyddog ifanc dibrofiad a arweiniodd y milwyr i wersyll y Sioux i arestio llofrudd y fuwch. Dim ond 28 o filwyr oedd gydag ef, yn erbyn mil neu ragor o Indiaid. Broliai yn ei ddiod y medrai goncro'r genedl Sioux gyfan gydag ugain milwr ac un gwn mawr. Credai fod yr Indiaid yn eu hofni ac mai mater syml fyddai eu gorfodi i ildio'r dyn euog. Ond nid felly yr oedd hi i fod. Derbyniodd pennaeth yr Indiaid y cyfrifoldeb am ladd y fuwch ac roedd yn barod i dalu iawndal, ond gwrthododd ildio'r saethwr gan nad oedd hwnnw'n aelod o'i lwyth. Dywedwyd yn ddiweddarach fod cyfieithydd y fyddin wedi camgyfieithu ei eiriau cymodol yn fwriadol, er mwyn creu trafferth. Gwylltiodd Grattan a gorchymyn i'w ddynion ddechrau saethu. Dim ond un Indiad a laddwyd ond, yn anffodus, y pennaeth oedd hwnnw. Cynddeiriogwyd y llwyth cyfan, ac roedd y canlyniad yn anochel. Lladdwyd pob un o'r milwyr.

Erbyn hyn yr oedd John Davis a'i fintai ddau ddiwrnod i lawr y trywydd. Deffrowyd hwy ganol nos gan negesydd yn carlamu heibio yn gweiddi bod yr Indiaid ar eu gwarthaf. 'Cawsom ddeall bod yr Indiaid yn mynd i ymosod yn y bore,' ysgrifennodd dyddiadurwr arall. 'Felly, ar ôl trafodaeth ofalus, penderfynwyd mai doeth fyddai i ni lwytho'r wageni yn y tywyllwch a'i heglu hi oddi yma cyn y wawr.'

Dair wythnos yn ddiweddarach daeth mintai olaf y Mormoniaid heibio safle gwersyll y Sioux. Yr oedd gan y fintai hon ei dyddiadurwr hefyd. 'Yn y lle hwn llofruddiwyd y 29 milwr gyda'u swyddogion,' ysgrifennodd. 'Maent wedi eu claddu yn agos i'r ffordd. Bûm i weld y beddau. Yr oedd llawer o bennau'r milwyr heb eu gorchuddio. Gorweddai wyneb un dyn yn y clawdd gyda'r dannedd yn dynn yn yr ên a'r cnawd fel pe bai newydd ei rwygo oddi arno. Y mae'n debyg mai un o'r masnachwyr lleol a'u claddodd oherwydd ni feiddiai gweddill y milwyr adael y gaer, cyn lleied oedd eu nifer.'

Ymysg yr Indiaid a welodd y gyflafan yng ngwersyll y Sioux y diwrnod hwnnw yr oedd bachgen ifanc 13 oed a dyfodd i fod yn arweinydd ysbrydoledig i'w bobl mewn llawer sgarmes waedlyd yn erbyn y dyn gwyn. Ei enw oedd Crazy Horse. Y digwyddiad hwn yn Fort Laramie, meddai'r haneswyr, a roddodd fin i'w gasineb tuag at y dyn gwyn. Ddeuddeng mlynedd yn ddiweddarach, ef a ddenodd Capten Fetterman ac 80 o'i filwyr i'w marwolaeth ger Fort Phil Kearny yng ngogledd Wyoming. Ddeng mlynedd wedi hynny, ef goncrodd fyddin Custer yn Little Bighorn. Cyflafan Grattan oedd cychwyn y deugain mlynedd o frwydro a lladd ddaeth i ben yn y diwedd yng Nghyflafan Wounded Knee ym 1890 pan goncrwyd yr olaf o'r llwythau a frwydrodd mor hir ac mor ddewr i amddiffyn eu ffordd o fyw ar y paith. Pe bai mintai Job Smith wedi pasio Fort Laramie ddau ddiwrnod yn ddiweddarach byddai John Silvanus Davis wedi taro ar sgŵp newyddiadurol fwyaf ei fywyd.

Bwriad John Davis ar ôl cyrraedd Utah oedd mynd i ffermio ond pan glywodd Brigham Young am ei brofiad fel dyn papur newydd, gwahoddodd ef i barhau fel newyddiadurwr ar un o bapurau'r Saint. Ond torrodd ei iechyd ar ôl rhai blynyddoedd a gadawodd i gadw siop. Dechreuodd gynhyrchu cwrw di-alcohol a brofodd yn hynod boblogaidd, felly caeodd y siop a chanolbwyntiodd ar gynhyrchu'r cwrw weddill ei oes. Dywedir mai blas 'sarsaparilla' a 'wintergreen' oedd arno, dau flas cwbl Americanaidd.

Nid arhosodd Thomas Job, y gwyddonydd hunanaddysgedig, yn hir yn y ffydd ar ôl cyrraedd Utah. Cwerylodd â Brigham Young oherwydd bod hwnnw'n gwrthod caniatáu iddo gyhoeddi ei erthyglau am astroleg yng nghylchgronau'r Eglwys a throdd ei gefn ar Eglwys Iesu Grist Saint y Dyddiau Diwethaf, ond nid ar Formoniaeth. Yn hytrach, ymunodd â'r Mormoniaid eraill, sef aelodau Eglwys Aildrefniedig Iesu Grist Saint y Dyddiau Diwethaf. Y mae'r Eglwys hon yn bodoli o hyd. Gwrthododd ei haelodau ddilyn Brigham Young i Utah. Honnent fod Brigham Young wedi cipio arweinyddiaeth yr Eglwys oddi ar wir etifedd Joseph Smith, sef ei fab, Joseph Smith III. Ef oedd eu Proffwyd hwy. Dywedent nad oedd hi erioed yn fwriad gan Smith yr Hynaf iddynt symud i'r Dyffryn. Credent mai Brigham Young, nid Joseph Smith, oedd i'w feio am gyflwyno amlwreiciaeth i'r Eglwys a phan gyhoeddwyd amlwreiciaeth yn rhan o athrawiaeth yr Eglwys yn Utah, aeth nifer o'r Saint yn ôl i'r Missouri i ymuno â'r Eglwys Aildrefniedig. Atynt hwy yr âi pawb a gwerylai â Brigham Young, pawb ond Thomas Job. Ymunodd ef â'r Eglwys Aildrefniedig ond gwrthododd symud o Utah. Am weddill ei fywyd, ymladdodd i ddisodli Brigham Young, heb ronyn o lwyddiant. Gwnaed ef yn esgymun yn ei gymuned ei hun a'i wthio allan i'w chyrion, ond gwrthododd blygu. Ychydig yn ardal Goshen sy'n ei gofio heddiw ac mae adfeilion ei gaban pren ym mhen draw'r dyffryn, lle bu farw ym 1890, yn ystyfnig a phengaled i'r diwedd, ar fin diflannu yn ôl i'r prysgwydd. Yr oedd y cartref olaf hwn mor dlawd ac mor unig â'i gartref cyntaf yn Ffosybroga, ond chwarae teg iddo! Gwrthododd gyfaddawdu a gwrthododd ffoi.

Gwariodd John A. Lewis lawer o'r arian a gafodd am werthu'r siop a'r 12 tŷ oedd ganddo yng Nghymru ar docynnau i 25 o deuluoedd gael dod gydag ef i Seion. Ond cymryd mantais o John druan a wnaeth y rhan fwyaf ohonynt. Troesant eu cefnau ar Formoniaeth ar ôl cyrraedd America a gwrthod talu eu dyled. Yr oedd John hefyd, cyn gadael Cymru, wedi prynu fferm yn Utah gan y Capten Dan Jones am $2,900 a phan welodd beth yr oedd wedi ei brynu – tir gwael heb adeilad o unrhyw fath arno – teimlai fod Dan Jones hefyd wedi cymryd mantais o'i haelioni. Ond yr oedd pob un o'i blant yn iach ac yn barod i weithio, ac yr oedd ganddo ddeuddeg ych, dwy fuwch, dwy wagen, pabell, merlen dda, ychydig o fwyd ac ychydig o bres. Ailgychwynnodd o'r gwaelod a gwneud ail lwyddiant o'i fywyd ac ni fu'n edifar ganddo fyth adael Cymru.

Arhosodd y tri ffrind George Munro, Watkin Rees a William Jones gyda'i gilydd. Byth oddi ar i fintai Parley Pratt a Dan Jones ddarganfod mwyn haearn a glo ym mhellafoedd deheuol Utah ym 1849, yr oedd Brigham Young wedi breuddwydio am ddatblygu gwaith haearn yno. Argyhoeddwyd ef fod y gost a'r drafferth o gludo haearn dros y Rockies yn rhwystro tyfiant ei diriogaeth ifanc a chredai y byddai hunangynhaliaeth mewn haearn yn hwb mawr i'r economi. Ymddangosodd llythyr oddi wrtho mor gynnar â rhifyn Mai 1850 o *Udgorn Seion*, yn galw am 'ddynion i ddechrau adeiladu ffwrnais ar frys. Mae'r glo, yr haearn a'r mowldwyr yn disgwyl.' Yr oedd pentref newydd o'r enw Cedar City yn prysur ddatblygu o gwmpas cnewyllyn y gwaith ac anfonwyd pawb ag unrhyw brofiad o gynhyrchu haearn i lawr yno. Dyna lle'r aeth George Munro, Watkin Rees a William Jones. Dyna lle'r aeth y pâr tlawd William ac Ann Richards hefyd, ac yno yn barod yr oedd y dyddiadurwr Dafydd D. Bowen a Samuel Leigh a Job Rowland a ddaeth ar y *Buena Vista* a

Thomas Jones o Benderyn, a ddihangodd o'i gartref drwy ffenestr ei lofft oherwydd bod ei rieni yn elyniaethus i Formoniaeth, a llu o rai eraill. Un o'r naw buddsoddwr gwreiddiol yn y fenter oedd Christopher Abel Arthur, Sais o Brockham yn Surrey yn wreiddiol, ond a oedd am lawer blwyddyn wedi byw yn Abersychan, lle'r oedd ganddo siop fara lewyrchus. Priododd Gymraes, Ann Jones o Lanfadog ger Brynbuga, ond bu hi farw ym 1851, flwyddyn cyn iddo adael Cymru. Ymfudodd gyda'i dri phlentyn a theithiodd y teulu dros y paith mewn cryn gysur. Ceffyl yr un i'r plant, ceffyl a thrap i'r tad a thair wagen ac wyth iau o ychen i gludo'u pethau. Yn ogystal, talodd gostau deugain o bobl a gyd-deithiai ag ef. Christopher Abel oedd un o'r dynion cyfoethocaf i ddod allan gyda'r Cymry.

Gosododd Brigham ei obeithion i gyd ar adeiladu ffwrnais fawr yn Cedar City, a'r dyn a ddewisodd i gynllunio a chodi'r ffwrnais hollbwysig hon oedd y dyn a ddisgrifiwyd ar y pryd fel 'y blaenaf ymysg contractwyr adeiladu'r diriogaeth', sef Elias Morris o Lanfair Talhaearn. Ni fedrai Elias fod wedi cael cyfrifoldeb mwy, a thaflodd ei hun gorff ac enaid i'r dasg fawr a ymddiriedwyd iddo. Gwrthododd dynnu cyflog. Buddsoddodd y cwbl ohono yn ôl yn y cwmni haearn. Fel pawb arall yn Cedar City, yr oedd yn hollol ffyddiog fod y ffwrnais yn mynd i weithio a'i fod ar fin gwneud ei ffortiwn. Ym mis Medi, ysgrifennodd Isaac Haight, pennaeth y fenter, at yr awdurdodau yn Ninas y Llyn Halen i ddweud bod 'y ffwrnais wedi ei gorffen a bod pobl yn dweud ei bod cystal ag unrhyw ffwrnais ym Mhrydain. Yr ydym hefyd,' meddai, 'yn adeiladu chwe ffwrn olosg.' Elias Morris oedd yn gyfrifol am eu hadeiladu hwythau hefyd. 'Clywais fod y gwaith haearn mewn llawn gwaith,' meddai John Davis mewn llythyr i Gymru, 'a bod galwad am gant a hanner o bersonau yn rhagor er ei gario ymlaen. Bu'r ffwrnais ar waith am bythefnos o'r bron, ac aeth y tân allan yn unig oherwydd diffyg tanwydd.' Edrychai popeth yn Cedar City yn addawol iawn yn niwedd 1854.

'Mae digon o fywoliaeth i bawb yn y dyffryn hwn,' ysgrifennodd John S. Davis, 'a digon o dir heb ei gymryd i gynnal mwy na thair gwaith mwy o drigolion, heb sôn am y dyffrynnoedd eang eraill sydd oddi amgylch. Wedi byw drwy'r gaeaf cyntaf, gwelir y tlodion yn dechrau codi eu pennau a dod i feddiannu tai, tiroedd ac ychen…

Mae gwaith Duw yn llwyddo, gwybodaeth yn myned ar gynnydd, a'r diafol a'i lu yn ymgynddeiriogi. Brysied y rhai gonest i Seion mewn amser, fel na fyddont ar ôl; canys dydd arswydus sydd yn agosáu.'

1855

YR OEDD JOHN DAVIS yn llygad ei le, er na sylweddolai hynny ar y pryd. 'Canys dydd arswydus sydd yn agosáu.' O'r gorllewin y daeth, yn arswyd hedegog na fedrai dim ei wrthsefyll. Bu locustiaid yn broblem i'r Saint yn y Dyffryn rai blynyddoedd ynghynt. Bygythiwyd cynhaeaf 1848 gan heidiau dirifedi ohonynt, ond achubwyd y sefyllfa ar y funud olaf gan filoedd o wylanod a gyrhaeddodd o rywle pan oedd pethau dywyllaf, a bwyta'r locustiaid i gyd. Dehonglwyd hyn fel gwyrth arall, enghraifft eto o ofal gwarcheidiol Duw dros Ei Saint, a chodwyd cerflun trawiadol i goffáu'r wyrth yn Sgwâr y Deml. Bu'r cnydau o 1850 i 1854 yn arbennig o doreithiog ac anghofiwyd am fygythiad y locustiaid. Ond ar y tiroedd llaith yn ucheldir Nevada ac Idaho, o dan haen ysgafn o dywod, yr oedd miliynau ar filiynau o wyau'r *Melanoplus spretus*, Locust y Rockies, yn aros am y gwres iawn i'w deor ac am yr amodau iawn i heidio. Cawsant hynny ym 1855.

Yr arwydd cyntaf o ddyfodiad locustiaid oedd cysgod sydyn yn cuddio'r haul, yna sŵn siffrwd yn yr iard a rhywbeth yn taro'n ysgafn ar y ffenestri. Deuent dros y mynyddoedd o'r gorllewin yn eu miliynau a chyn nos byddai popeth gwyrdd am filltiroedd oddi cwmpas wedi ei fwyta, a llwydni gaeafol wedi disgyn ar y caeau. Bwytaent y dail ar y coed a phob glaswelltyn yn y borfa. Ac yna bwytaent y siôl werdd ar y lein ddillad a'r paent gwyrdd ar y drysau a'r llenni gwyrddion ar y ffenestri. Cnoent y celfi, llarpient yr harneisiau a'r cyfrwyau, gweithient eu ffordd i mewn i'r cypyrddau a'r cistiau a difethent bob dilledyn. 'Gwelais rai dros dair modfedd o hyd,' ysgrifennodd un ffermwr. 'Lladdem ddegau dan draed ar bob cam, a llowciwyd y rheini i lawr mewn amrant gan eu brodyr.' Anfonwyd y teulu allan i guro sosbenni a chwifio blancedi, unrhyw beth i geisio'u cadw draw. Gosodwyd trapiau o wair sych a'u tanio pan fyddai'r locustiaid yn clwydo ynddynt. Ceisiwyd eu sgubo i ffosydd a'u boddi. Ond i gyd yn ofer. Yr oedd gormod ohonynt.

Ym 1875 ceisiodd Albert Child, doctor o Nebraska, fesur maint un o'r heidiau hyn. Er mwyn amcangyfrif ei hyd, mesurodd gyflymder yr haid wrth iddi hedfan heibio a'i luosogi â'r amser a gymerodd i basio. Yna, gyda help technoleg newydd y telegraff, cysylltodd â'i ffrindiau mewn gwahanol lefydd ar hyd llwybr yr haid ac amcangyfrifodd ei lled. Daeth i'r casgliad fod yr haid yn gorchuddio arwynebedd o 198,000 o filltiroedd sgwâr, tua dwywaith arwynebedd Prydain Fawr, bod 12,500,000,000 o locustiaid ynddi a'u bod yn pwyso 27,500,000 tunnell. Y rhyfeddod yw bod y rhywogaeth hon o locust, Locust y Rockies, oedd mor niferus a niweidiol yn y blynyddoedd cynnar, wedi darfod amdani a diflannu'n gyfan gwbl cyn 1885. Trwy aredig a dyfrio a phlannu cnydau ar y gweunydd lle arferai'r locustiaid ddodwy, llwyddodd yr ymfudwyr, yn ddiarwybod iddynt hwy eu hunain, i'w llwyr ddifa. Ond yr oedd hynny 30 mlynedd i'r dyfodol.

Ym mis Medi cyhoeddodd yr *Udgorn* lythyr a ysgrifennwyd yn y Dyffryn ym mis Mai. 'Nid oes hanner can erw o unrhyw fath o lafur yn sefyll yn bresennol yn Nyffryn y Llyn Halen,' meddai. 'Nid oes blaguryn gwyrdd o lafur i'w weled yn Nyffryn Juab, Sanpete nac yn Fillmore. Y maent yn hau o hyd yn y Llyn Halen Bach ac yn Ninas Cedrwydd hefyd ond y mae'r locustiaid yno, yn barod i fwyta'r cnwd cyn gynted ag y tyf i fyny. I'r gogledd, cyn belled â Box Elder, yr un yw'r olygfa, ac wrth olwg pethau nid oes yr un argoel leiaf y codir un bwshel o lafur yn y dyffrynnoedd y tymor hwn.'

Cyn diwedd yr haf yr oedd newyn yn y wlad a phobl allan ar y ffyrdd yn cardota. Cofiai Henry Bush o Gasnewydd ei fod wedi gorfod bwyta ysgall a gwreiddiau cochion. 'Gwaniwyd ni gymaint gan ddiffyg bwyd fel bod fy mrawd a minnau yn methu codi o'n gwelyau. Wrth i mi suddo i lewyg deffrowyd fi gan fy mam yn galw allan, "Paham fod yn rhaid i mi wylio fy mhlant yn marw?"' 'Yr oedd bara'n brin,' ysgrifennodd John Johnson Davies, y gwehydd o Gaerfyrddin. 'Pan weithiwn yn y caeau un diwrnod, dechreuais deimlo'n wan. Trois am adre a daeth fy merch fach, Martha, i'm cyfarch a gofynnodd i mi am fara. Ac nid oedd gennyf fara i'w roi iddi. Yr oedd hwn yn amser caled i ni i gyd. Cydiais mewn sach a gadael y tŷ gan ddweud, "Mi gaf flawd i ti cyn dod 'nôl." Euthum at y Chwaer Marler. Y cyfan feddai hi oedd ugain pwys o flawd ac un dorth. Rhannodd hanner yr hyn oedd ganddi gyda mi a phan gyrhaeddais adref, gwenodd fy ngwraig arnaf ac fe gawsom frecwast da.' Yr hyn a gynhaliodd deulu John Johnson Davies a llawer teulu arall drwy'r amser caletaf oedd bylbiau blodyn bychan o'r enw 'y lili sego'. Yr oeddent yn fwytadwy ac yn faethlon. Tyfent yn gyffredin iawn drwy'r dyffrynnoedd ac, yn bwysicach, tyfent yn ddigon dwfn yn y ddaear i osgoi difrod y locustiaid. Casglwyd a bwytawyd tunelli ohonynt y flwyddyn honno. Heddiw, y lili sego yw blodyn swyddogol y dalaith.

Ychydig a wyddai'r darpar ymfudwyr yng Nghymru am y treialon a'u disgwyliai yn Utah. Yr oedd cant wedi hwylio am New Orleans ar y *Clara Wheeler* ar ddiwedd 1854 er mwyn cael bod ar y paith yn y gwanwyn cynnar. Eu bwriad oedd dilyn y llwybr arferol i fyny'r Mississippi a'r Missouri. Ond erbyn i'r llong nesaf, y *Chimborazo*, hwylio yn Ebrill 1855, gyda 200 yn ychwanegol o Gymry ar ei bwrdd, yr oedd gan Brigham Young gynllun newydd. Bob blwyddyn ehangai rhwydwaith y rheilffyrdd o borthladdoedd y Gogledd-ddwyrain ymhellach ac ymhellach i'r gorllewin ac roedd yn bosibl yn awr i gyrraedd cyn belled â'r Mississippi ar y trên. 'Gan fod afiechyd yn torri lawr gymaint o'n brodyr ar y Mississippi cyn iddynt gynefino â'r hinsawdd, bwriadwn iddynt osgoi New Orleans o hyn ymlaen a chael eu cludo i Philadelphia, Boston a New York.' Yr oedd y daith dros yr Iwerydd i'r porthladdoedd hynny hefyd bythefnos yn fyrrach.

Thomas Jeremy oedd arweinydd y Cymry y flwyddyn hon. Bu'n cenhadu yng Nghymru oddi ar 1852 a chadwodd ddyddiadur diddorol o'i amser yno. Yn awr, yr oedd ar ei ffordd adref a pharhaodd i gadw'r dyddiadur yr holl ffordd yn ôl i Utah.

'Mehefin 11. Wedi taith bleserus a llwyddiannus i fyny'r Missouri cyrhaeddom dref fechan o'r enw Atchison. Mehefin 12. Daeth y brodyr o "Mormon Grove" i'n cyfarfod gyda'u hychen a'u wageni ac yn fuan symudwyd ni i'r "Grove" lle gosodwyd ni'n gysurus mewn pebyll neu mewn wageni.'

Bu'n rhaid iddynt aros yn Mormon Grove am chwe wythnos a rhagor, tra bo'r swyddogion yn prynu wageni ac ychen ac yn eu dysgu sut i'w trin. Ym marn Thomas Jeremy, nid oedd neb yn y gwersyll cyfan yn gwneud hynny'n well na'r Cymry. 'Yr ydym wedi llwyddo i ddofi'r ychen yn rhyfeddol a chyda llai o drafferth na rhai o'r brodyr eraill.' Hoffai hefyd y ffaith fod y Cymry, yn wahanol i'r flwyddyn flaenorol, yn cael bod gyda'i gilydd. 'Y mae'r Cymry a'r Saeson a phobl o wledydd eraill i gyd yn byw ar wahân ond eto o dan yr un awdurdod.' Erbyn hyn yr oedd miloedd o'r Saint wedi ymgasglu yn Mormon Grove a thipyn o gamp oedd eu bwydo i gyd a'u cadw'n iach, ond llwyddwyd yn rhyfeddol. 'Y mae Mormon Grove mor brydferth,' ysgrifennodd, 'gyda'i goedlan dlos a'i strydoedd trefnus o bebyll mewn rhesi taclus a'r nentydd ar bob ochr i'r dyffryn oddi tanom. Cedwir y Saint yma mewn trefn ragorol.'

Yr oedd yn arfer ymysg y Mormoniaid i ddathlu pen-blwydd y diwrnod y cyrhaeddodd Brigham Young a'r fintai gyntaf y Dyffryn ym 1847. 'Dydd Mawrth, Gorffennaf 24. Dathlwyd y diwrnod cofiadwy hwn gyda gorymdaith fawreddog,' ysgrifennodd Thomas, 'ac, unwaith eto, y Cymry oedd ar y blaen. Dilynwyd hwy gan weddill y Saint yn y gwersyll. Chwifiwyd fflagiau a baneri, taniwyd gynnau a chwaraewyd digonedd o fiwsig. Wedi'r gorymdeithio cawsom wledd, cynigiwyd sawl llwncdestun a gwrandawyd ar nifer o areithiau hapus a mwynhawyd barddoniaeth fawreddog ar y testun "Mormon Grove" a chyda'r nos yr oedd pawb yn dawnsio.' Yr hyn a roddai'r pleser mwyaf i Thomas oedd gweld y Cymry'n gwneud sioe dda ohoni. 'Hoffwn dalu teyrnged i'r cwmni Cymreig oedd yn fy ngofal. Daeth y brawd M. Andrews, llywydd yr holl wersyll yn y Grove, yma i siarad gyda ni ac yn ystod ei sgwrs dywedodd dro ar ôl tro mai'r Saint Cymreig o dan fy ngofal i oedd y dosbarth gorau o unigolion iddo gyfarfod â hwy erioed, "bob amser yn barod, bob amser yn hapus i wneud eu dyletswydd ac wedi ei wneud, bob amser yn awyddus i ddod ataf a gofyn, 'Frawd Andrews, beth sydd eto i mi ei wneud? A oes mwy i mi ei wneuthur?'" Yr oeddwn mor falch o glywed ei sylwadau a chael eu hychwanegu i'r stôr o rai tebyg sydd gennyf.' Ac yn ogystal â chlywed canmoliaeth o'i bobl, hoffai glywed canmoliaeth ohono'i hun hefyd. 'Dangoswyd y teimladau cynhesaf tuag ataf gan yr arweinwyr eraill yn Mormon Grove a bendithient fi dro ar ôl tro, yn y cyfarfodydd ac yn breifat, gan hefyd ychwanegu wrthyf gymaint y carent fi.' Tanlinellwyd y geiriau olaf hyn.

Drannoeth y dathlu, cychwynnodd y Cymry am y Dyffryn, yn rhan o fintai'r Capten Charles A. Harper. 'Y Cymry,' nododd Thomas Jeremy, 'oedd y cwmni cyntaf i fod yn barod i adael.' Yn fuan, daethant at y rhwystr mawr cyntaf ar eu llwybr: 'Awst 7. Daethom at lannau Big Blue a chael bod yr afon yn uchel.' Gallasai llif uchel mewn afon ddal mintai yn ôl am ddyddiau os nad wythnosau. Gweithiai fferi ar y croesiad ond yr oedd y gost o'i defnyddio yn uchel ac adnoddau'r fintai yn fychan. Penderfynwyd ceisio gyrru'r wageni drwy'r afon. 'Awst 9. Y mae'r dŵr yn is a buom yn brysur yn arwain wageni drwyddo ond yn awr y mae wedi codi eto, yn ei gwneud yn anodd croesi.' Holltwyd y fintai'n ddwy, un hanner wedi croesi a'r hanner arall wedi ei adael ar y lan gyferbyn, heb obaith o'u huno nes i lefel y dŵr ostwng. Ceisiodd rhai nofio drosodd at eu hanwyliaid. 'Y mae'r llif yn gryf a mwy nag un wedi cael dihangfa lwcus wrth geisio croesi. Ysgubwyd un dyn ifanc i ffwrdd wrth geisio nofio ar draws yr afon ac fe'i cafwyd yn anymwybodol yn y dŵr a'i dynnu i'r lan. Daeth ato'i hun yn fuan.'

Nid oes gan Thomas Jeremy ragor i'w ddweud am groesi afon Big Blue ond y mae Cymro arall yn adrodd gweddill yr hanes wrthym. Yr oedd Joseph Thomas Perkins yn nofiwr da. Ef oedd y dyn a achubodd y gŵr ifanc a fu bron â boddi. Y mae'n disgrifio'r digwyddiad yn ei atgofion fel hyn: 'Yr oedd hanner y gwersyll un ochr i'r afon a hanner ar yr ochr arall pan geisiodd brawd yn y ffydd, Ffrancwr, nofio o un ochr i'r llall. Er ei fod yn nofiwr da, ceisiodd fynd yn syth ar draws heb ddiosg ei ddillad ac fe suddodd. Galwyd am raffau a neidiais i'r afon ar ei ôl. Gafaelais yn y rhaff gydag un llaw ac yna ynddo yntau gyda'm llaw arall, a'i dynnu i'r lan.'

Dyn ymarferol yn ogystal â dewr oedd Joseph Perkins. Gwnaeth yn siŵr fod y rhaffau wrth law cyn neidio. Er gwaethaf ei enw Saesneg, roedd yn Gymro i'r carn. Cadwai ei nain dafarn o'r enw 'Y Trap' yng Nghasllwchwr ac ni fedrai ei daid siarad Saesneg. Peregrin oedd enw'r teulu nes iddynt ei newid i Perkins rywbryd rhwng 1849 a 1852 'er mwyn hwyluso eu bywyd yn America'. Yr oedd yn 34 mlwydd oed, yn labrwr cryf, caled a gwydn, wedi gweithio mewn pyllau glo ers ei fod yn 8 oed. Yn ei ieuenctid bu'n byw'n wyllt, yn dipyn o feddwyn ac yn cymysgu â bocswyr y dyrnau noeth, gan fynychu eu gornestau cyfrinachol yn y bryniau uwchben ei gartref. Mor wahanol i Thomas Jeremy! Ym 1843 ymunodd ei frawd, William, â'r Mormoniaid ac yna, ym 1845, ymunodd ei fam a'i dad. Gwrthsafodd Joseph hud y Saint am flwyddyn gyfan, ond yn y diwedd, yn gynnar ar fore'r 27ain o Ebrill, 1846, clywodd un o'i hen ffrindiau, gŵr o'r enw Ian Evans a fu'n gyd-yfwr ag ef ac yn gyd-ymladdwr yn yr hen ddull, ar ei liniau'n gweddïo drosto. 'Toddodd hynny fi,' ebe Joseph. 'Euthum i frecwast gydag ef, yna i'r gwasanaeth boreol ac am ddau o'r gloch y pnawn hwnnw fe'm bedyddiwyd.'

Wyth mlynedd yn ddiweddarach daeth ei dröedigaeth ag ef at lannau Big Blue. 'Cerddodd Capten Harper ei geffyl i ganol y llif i brofi'r dyfnder a chynghorodd ni i godi ochrau ein wageni ddeng modfedd uwchben y dŵr.' Yr oedd hyn yn arfer cyffredin wrth groesi afonydd ar y trywydd. Rhwyment estyll ar hyd ochrau uchaf y wageni a chalcio'r asiad fel na fedrai'r dŵr dreiddio drwyddo. Ambell waith tynnent yr olwynion i ffwrdd a rhwymo tair neu bedair wagen at ei gilydd a'u nofio dros yr afon fel raff't. Ond yr oedd yn fusnes peryglus. Amcangyfrifwyd fod dros 300 o ymfudwyr wedi boddi rhwng 1840 a 1850 wrth geisio croesi afonydd ar eu ffordd i'r Gorllewin.

Y Capten Harper aeth yn gyntaf gyda'i wagen ei hun. I'w chael i lawr yr ochr lithrig i'r dŵr, clowyd y ddwy olwyn ôl â chadwyni. Yna clymwyd rhaffau i gefn y wagen a rhoi dynion i dynnu arnynt er mwyn cadw'r wagen rhag rowlio'n afreolus i'r afon. Munud neu ddau i gael eu gwynt ac yna 'gee' i'r ychen a chwip i'r iau blaen ac i mewn i'r llif â nhw. 'Cymerwyd hwy gan y dŵr a golchwyd yr anifeiliaid a'r wagen i lawr yr afon,' ysgrifennodd Joseph. 'Neidiodd y capten oddi ar y wagen i'r dŵr.' Byddai'r holl lwyth a'r anifeiliaid wedi eu colli oni bai am Joseph Perkins. Nofiodd allan at yr anifeiliaid blaen a gafael yn eu cyrn a'u harwain i'r ochr draw. Gwnaeth hyn dro ar ôl tro yn ystod y dydd gan ddod ag ychen y capten yn ôl gydag ef ar ôl pob croesiad, oherwydd eu bod yn fwy ufudd na'r gweddill ac yn haws eu trin. 'Arweiniais ddeuddeg wagen dros yr afon. Yn y diwedd galwodd y capten fi allan o'r afon gan ddweud fy mod wedi bod yn y dŵr yn ddigon hir. Wrth i'r drydedd wagen ar ddeg ddod i lawr y banc aeth ar ei hochr a llithrodd dwy sachaid ar hugain o flawd i mewn i'r dŵr a llawer o eiddo'r ymfudwyr. Yna cododd lefel yr afon bedair troedfedd yn sydyn.' A daeth y gwaith i stop.

Yr oedd 19 wagen eto i groesi. Bu bargeinio caled â pherchnogion y fferi ond methwyd cytuno ar bris ac yna, yn annisgwyl, ymddangosodd y cafalri – 700 o filwyr, eu hanner ar gefn ceffylau – ar eu ffordd i Fort Laramie i dalu'r pwyth yn ôl i'r Sioux am ladd eu brodyr y flwyddyn cynt. Y Cadfridog William S. Harney oedd eu harweinydd, un o arwyr yr Unol Daleithiau yn eu rhyfel yn erbyn Mecsico. Yn ôl atgofion John L. Edwards, mab fferm Cwmnant yn Llanwenog, un arall o'r Cymry yn y fintai, ceisiodd y cafalri nofio'u ceffylau dros yr afon a boddwyd un o'r milwyr. Sylweddolodd y Mormoniaid fod y milwyr yn debygol o fod eisiau defnyddio'r fferi ac os na dderbynient bris perchnogion y fferi yn y man a'r lle, byddent yn gorfod aros nes bod y fyddin wedi croesi. Felly talwyd y ffi a chroesodd gweddill y fintai. Pasiodd y milwyr hwy ddiwrnod neu ddau yn ddiweddarach.

Ychydig o ymfudwyr i Oregon neu Galiffornia oedd ar y trywydd ym 1855 – dim ond tua 500 i'r naill le a 1,500 i'r llall. Yr oedd ofn bod rhyfel yn erbyn y Sioux ar gychwyn ac y caent eu dal yn y canol. Ar y llaw arall, croesodd dros 4,500 o Saint i Utah y flwyddyn honno, 1,500 yn fwy na'r flwyddyn flaenorol, gan ymddiried yn eu Duw ac ym maint eu minteioedd i'w cadw'n ddiogel rhag y Sioux. Yr oedd yn gyfnod nerfus ar y paith. Hedai straeon di-sail i fyny ac i lawr y trywydd am gyflafanau erchyll, cwbl ddychmygol. Cyhoeddodd nifer o bapurau newydd yn y Dwyrain straeon anwireddus am frwydrau gwaedlyd, fel yr un am 2,000 o Cheyenne yn ymosod ar 300 o ymfudwyr oedd yng ngofal rhyw Gapten Doniphan, a'u lladd. Cyrhaeddodd straeon tebyg cyn belled â Chymru. 'Hysbysir fod y Sioux wedi cymryd gwersyll Mormonaidd o ugain o wagenni a thua ugain o wragedd a phlant,' meddai llythyrwr yn *Udgorn Seion*, ond brysiodd i ychwanegu, 'Eto, er cysur i'r sawl sydd yn ofni am eu cyfoedion, dywedwn nad ystyria'r Indiaid mo'r Mormon yn elyn.'

Er hynny, paratôdd y Saint ar gyfer y gwaethaf. Adferwyd yr hen reol fod pob dyn i gadw ei wn wrth law bob amser. Gorchmynnwyd hwynt i gario yn eu wageni o leiaf ddau bwys o blwm i wneud bwledi ac i fod yn hollol barod bob amser i'w defnyddio. Nid oedd neb i gerdded yn rhy bell o flaen nac yn rhy bell tu ôl i'r fintai. Yr oedd pob gwersyll i fod ar dir agored, fel na fedrai'r Indiaid agosáu heb iddynt eu gweld. Yr oedd yr anifeiliaid i'w cadw o fewn cylch y wageni drwy'r nos a chwe dyn i'w gwarchod drwy'r amser. Canlyniad y nerfusrwydd hwn oedd bod pawb ar bigau'r drain, yn tanio at gysgodion. Saethwyd dwy wraig yn ddamweiniol a bu'r ddwy farw.

Ychydig dros fis ar ôl gadael afon Big Blue daethant ar draws y Cadfridog Harney eto, gyda'i lu o 700. Yr oedd newydd ymosod ar un o bentrefi'r Sioux y diwrnod cynt. Yn y llyfrau hanes galwyd y sgarmes fach waedlyd hon yn 'Frwydr Ash Hollow' ac, ar y pryd, ystyriwyd hi'n fuddugoliaeth fawr i'r fyddin. Broliai Harney ei fod wedi lladd 300 o ymladdwyr gorau'r Indiaid a chymryd 100 o garcharorion. Ysgubwyd hwy o'r ffordd yn ddidrafferth, meddai, a charlamodd ei filwyr drwy'r pentref. Ond dangoswyd wedyn mai dim ond 250 o Sioux oedd yno i amddiffyn y lle, a bod y mwyafrif wedi llwyddo i ddianc. Collodd Harney bedwar o'i ddynion ond lladdwyd 86 o Indiaid – gwragedd a phlant gan mwyaf. Llosgwyd y tipis a chymerwyd dros 70 o garcharorion – y rhan fwyaf eto yn wragedd a phlant. Galwyd Harney wedi hynny yn 'Llofrudd Gwragedd'.

O'r gwersyll gwelodd Thomas Jeremy bentref y Sioux yn llosgi. Gwelodd John L. Edwards y milwyr yn claddu eu meirw. Yn ôl Joseph Perkins, gofynnwyd iddynt adael yn gynnar fore trannoeth er mwyn osgoi unrhyw wrthymosodiad gan yr Indiaid. Teithiodd carfan o filwyr gyda hwy am dri diwrnod nes iddynt adael yr ardal beryglus. Unwaith eto, roedd y Cymry wedi crwydro'n ddiarwybod i mewn i ddigwyddiad pwysig yn hanes y Gorllewin Gwyllt. Fel 'ecstras' mewn drama, yr oeddent ar y llwyfan, ond heb linellau i'w hadrodd.

Ar yr 8fed o Hydref, nododd Thomas Jeremy fod llythyr wedi dod oddi wrth Brigham Young. Rhybuddiai'r ymfudwyr fod prinder bwyd difrifol yn Ninas y Llyn Halen a bod y sefyllfa'n gwaethygu. Yr un oedd y stori o bob cornel o Utah. Yn dilyn difrod y locustiaid cafwyd haf sych iawn a adawodd y borfa'n gras, y nentydd a'r camlesi'n grimp a dim cnwd gwerth ei gynaeafu yn y caeau. Anogodd y fintai i beidio gwastraffu dim o'u bwyd. Y gaeaf hwnnw yn Utah, symudwyd miloedd o ychen a cheffylau i fyny i'r mynyddoedd, lle gobeithiwyd y caent well porfa, ond profodd y cynllun yn fethiant trychinebus gan i'r gaeaf caletaf yn hanes y diriogaeth ddisgyn arnynt. Bu mwy na hanner yr anifeiliaid farw. Gwaethygodd y prinder bwyd. 'Dim ond hanner ein pobl sydd â bara, ac nid oes gan yr hanner hwnnw ond chwarter neu hanner pwys o flawd y dydd,' ysgrifennodd un sylwebydd. 'Y mae cyfran sylweddol o'r boblogaeth yn byw ar wreiddlysiau gwyllt.' Cofiai John Edwards am 'ddynion a gwragedd heb nerth i sefyll ar eu traed, gymaint yr oeddent wedi'u gwanio', a 'mamau, gyda phlant yn sugno ar eu bron, heb weld bara am dair neu bedair wythnos'. Dioddefodd y bobl gymaint fel, ar un adeg, bu Brigham Young yn ystyried gadael Utah yn gyfan gwbl a symud ei bobl i Ddyffryn San Bernardino tu allan i Los Angeles. Yng ngwanwyn 1856 daeth y locustiaid yn ôl eto. Ni fu blynyddoedd caletach yn hanes y Dyffryn na 1855, 1856 a 1857.

Ymysg y Saint a groesodd y paith ym 1855 y mae un cymeriad lliwgar o Gymro sy'n mynnu lle yn yr hanes hwn, nid oherwydd ei fod yn ffigwr pwysig yn stori'r Saint Cymreig – i ddweud y gwir, profodd yn fethiant truenus fel Mormon – ond oherwydd bod ei stori mor anghyffredin. Ei enw oedd William W. Davies. Yr oedd yn un arall o'r seiri maen a aeth allan i Utah o Ddyffryn Clwyd. Ganwyd ef yn Ninbych ym 1833. Daeth o dan ddylanwad y Saint ym 1849 pan oedd yn 16 oed. Ychydig wythnosau cyn gadael Cymru, priododd â Sarah E. Jones. Nid yw dyddiad ei ymfudiad i Utah yn hollol sicr gan nad oes golwg o'i enw nac o enw Sarah ar unrhyw gofrestr ond credir mai 1855 oedd y flwyddyn. Byddai felly yn 22 mlwydd oed ar y pryd. Yn ôl yr hanes, dyn ifanc o ddaliadau crefyddol dwys oedd William, ond eto braidd yn ddiniwed ac yn tueddu i glywed lleisiau a gweld gweledigaethau. Yn fuan ar ôl cyrraedd Utah dechreuodd deimlo bod Brigham Young yn arwain Mormoniaeth ar gyfeiliorn. Yn ei farn ef, gwaith proffwyd oedd proffwydo ac nid oedd Brigham Young yn proffwydo digon. Credai ei fod yn ymwneud gormod â materion bydol ac yn esgeuluso'r ysbrydol, a phoenai hyn ef yn fawr. Yng nghanol ei ddryswch bu'n ddigon anffodus i ddod ar draws gŵr oedd o'r un anian ag ef ond yn fwy eithafol ei ddaliadau. Enw'r gŵr hwn oedd Joseph Morris.

Dywed rhai mai Cymro oedd Joseph Morris hefyd, ond y mae'n fwy tebyg iddo gael ei eni dros y ffin yn Swydd Gaer. Bu'n gweithio fel glöwr ac mae sôn iddo fod mewn damwain danddaearol yng ngogledd Cymru a chael ei losgi'n ddrwg. Yng Nghymru hefyd yr ymunodd â'r Mormoniaid, yn yr un flwyddyn â William, sef ym 1849 pan oedd yn 26 mlwydd oed. Efallai fod y ddau wedi cyfarfod bryd hynny, cyn dod i Utah. Hudwyd William gan syniadau Joseph.

Teimlai Joseph hefyd fod Brigham Young yn broblem. Cyhuddai ef o fateroliaeth, o ganiatáu i'r cyfoethog elwa ar draul y tlawd, o adael i amlwreiciaeth suro'r gymdeithas ac yn y blaen.Y gwanwyn hwnnw ymddangosodd comed ddisglair yn y ffurfafen uwchben Utah. 'Neges oddi wrth Dduw oedd y gomed,' meddai Joseph, 'neges fod y Seithfed Angel, yn ôl disgrifiad Llyfr y Datguddiad, wedi dod i'r ddaear i reoli'r byd, ac mai fi, Joseph Morris, oedd yr angel hwnnw!' Oddi ar 1858 bu'n anfon llythyrau at Brigham yn esbonio'n garedig fod Duw am iddo ymddiswyddo, a'i fod ef, Joseph, i gymryd ei le fel y Prif Broffwyd ond bod swydd i Brigham fel dirprwy. Y mae'r llythyrau i'w gweld o hyd yn Llyfrgell yr Eglwys. Drostynt y mae Brigham wedi crafu 'Balderdash!', 'Twaddle!' a 'Bosh!' Ym 1861, ac yntau wedi methu argyhoeddi Brigham i ymgilio'n wirfoddol, galwodd Joseph ar ei ddilynwyr i adael eu cartrefi a dod ato i gaer unig a adeiladwyd, flynyddoedd ynghynt, fel amddiffynfa yn erbyn yr Indiaid ar lan afon Webber, 30 milltir o Ddinas y Llyn Halen. Yno bwriadai Joseph aros nes bod Duw'n cwblhau'r gwaith o drosglwyddo'r awenau i'w ddwylo. Anwybyddodd Brigham yr holl firi.

William W. Davies oedd un o'r cyntaf i ymuno â Joseph Morris ond yr oedd gan Joseph lawer o Gymry eraill ymysg ei ddilynwyr. Gwnaeth John E. Jones o Gasnewydd yn un o'i apostolion. Yr oedd John Evan Reese o blwyf Llandeilo, llywydd cangen yr Eglwys yng Nghwmaman cyn iddo ddod i Utah, a'i wraig, Mary, o Langyfelach, hefyd yn ddilynwyr ffyddlon ac y mae posibilrwydd fod Elizabeth Jones, gwraig Joseph Morris, hefyd yn Gymraes. Byddai William a Sarah wedi bod yn ddigon cartrefol yn eu mysg.

Proffwydodd Joseph fod ailddyfodiad Crist ar fin digwydd a'i fod yn debygol o ymddangos yn y gaer o fewn dyddiau. Cynghorodd ei ddilynwyr, gan mor sicr ydoedd bod yr hen drefn ar fin diflannu, nad oedd eisiau plannu cnydau. Treulient eu hamser yn twtio a glanhau'r gaer er mwyn ei chael i edrych ar ei gorau pan ddeuai Crist. Tuag adeg y Nadolig ym 1861 derbyniodd Joseph neges oddi wrth Grist yn dweud ei fod ar fin cyrraedd. 'Gwyliwch amdanaf ar ôl dydd Llun,' oedd y neges, 'ac os na ddof ddydd Llun byddaf yn siŵr o ddod ddydd Mawrth.' Cynhyrfwyd y ffyddloniaid drwyddynt gan lif o broffwydoliaethau yn darogan gwae i Brigham Young. Erbyn hyn yr oedd tua 90 o ddynion abl ac arfog, gyda'u gwragedd a'u plant, wedi ymgasglu yn y gaer. Ni fedrai Brigham eu hanwybyddu mwyach. Galwodd un o swyddogion y milisia ato a'i siarsio i fynd i ddyffryn Webber a thawelu'r ffug-broffwyd swnllyd.

Yr oedd yn frwydr hollol unochrog. Daeth byddin o 500 a rhagor i afon Webber yn llusgo dau ganon mawr. Anfonwyd neges i'r gaer yn dweud, os nad ildient o fewn hanner awr, y byddai'r milisia yn ymosod. Cyn iddynt orffen darllen y neges, glaniodd y ffrwydrad cyntaf yn eu mysg, gan ladd dwy wraig a chwythu gên un arall i ffwrdd. Ymladdodd dilynwyr Morris yn ddewr. Lladdwyd dau o'r ymosodwyr a llwyddwyd i wrthsefyll y milisia am dridiau. Drwy gydol yr amser hwn, disgwyliai'r amddiffynwyr i Grist ymddangos yn eu mysg, i'w harwain i fuddugoliaeth. Ond yn y diwedd bu'n rhaid iddynt ildio. Daeth arweinydd y milisia i mewn i'r gaer a saethu Morris a'i ddirprwy yn farw. A dyna ddiwedd ar Ryfel y Morrisiaid. Aethpwyd â dros gant ohonynt yn garcharorion i Ddinas y Llyn Halen. Cafwyd saith ohonynt yn euog o lofruddiaeth gan lys yr Eglwys a dirwywyd 63 o'r gweddill $100 yr un. Cythryblwyd llawer o bobl Utah gan greulondeb diangen y milisia. Taerodd Brigham nad oedd wedi gorchymyn ymosodiad gwaedlyd ar y gaer ond beirniadwyd ef yn llym gan y gymdeithas leyg yn Utah, a mynnodd yr awdurdodau ffederal fod pob un o'r carcharorion i gael ei ryddhau'n syth. Rhoddwyd gosgordd filwrol iddynt i'w hebrwng yn saff tu hwnt i ffiniau Utah. Yn eu mysg yr oedd William a Sarah Davies.

Gadawodd yr osgordd y Morrisiaid yng nghanol Idaho, yn ddiymgeledd a digyfeiriad, heb neb i'w harwain. Bu llawer ohonynt yn byw gyda'i gilydd am gyfnod yn Soda Springs, Idaho, ac yna yn Virginia City a Deer Lodge yn Montana, gan araf symud ymhellach ac yn bellach i'r gorllewin. Tra oedd yn byw yn Montana, dechreuodd William Davies gael gweledigaethau eto a chael datguddiadau oddi wrth Dduw. Dywedodd fod Duw yn ei orchymyn i fynd i Walla Walla yn nhalaith Washington i sefydlu 'Teyrnas Nefoedd' yno. Cytunodd tua 40 o'r Morrisiaid i'w ddilyn.

Y mae'n anodd rhoi ein hunain heddiw yn lle'r pererinion hyn. Ar ôl bod yn aelodau o gymdeithas glòs a chynhaliol, cawsant eu taflu allan i'r oerfel yn sydyn. Gwyddent na fedrent ailymuno â'r Saint ond gwyddent hefyd mai lle peryglus oedd y Gorllewin Gwyllt heb arweinydd a heb gymuned o'u hamgylch i'w hamddiffyn. Pwysai pob math o ofidiau arnynt, a phan gynigiwyd cyfle iddynt gael bod yn aelodau unwaith eto o gymdeithas gysgodol ac amddiffynnol, derbyniasant ef yn ddiolchgar. Nid oedd y syniad o ddyn yn honni bod yn gynrychiolydd Duw ar y ddaear, ac yn llefarydd ar Ei ran, yn beth annhebygol nac annerbyniol iddynt.

Cyraeddasant Walla Walla ym 1867 a phrynu 80 acer o dir ac yno y buont am y 15 mlynedd nesaf. Fel llawer cymuned iwtopaidd arall yn yr Unol Daleithiau bryd hynny, rhannent bob eiddo a rhoddent i bawb yn ôl ei angen. William oedd arweinydd y grŵp ym mhopeth, boed yn ymwneud â'r byd neu'n ymwneud â Duw. Ei air ef yn unig oedd yn cyfrif, ond y grŵp cyfan oedd perchnogion cyfreithiol y tir.

Ac ar y cyfan bu William yn arweinydd da i'w bobl. Gwariwyd ar adeiladu ysgol ac eglwys yn 'Nheyrnas Nefoedd'. Gwariwyd yn drwm hefyd ar gyhoeddi pamffledi yn esbonio eu cred ac ar anfon cenhadon i'w dosbarthu i lawr arfordir gorllewinol yr Unol Daleithiau cyn belled â San Francisco. Cadwodd William afael tyn ar ei braidd ac ni fradychodd eu hymddiriedaeth ynddo. Yn fuan ar ôl sefydlu 'Teyrnas Nefoedd' ganwyd bachgen bach i Sarah a galwyd ef yn Arthur. 'Dyma,' medd William, 'yr addewid, o'r diwedd, wedi ei gwireddu.' Yr oedd Crist wedi dod i'w mysg, meddai, nid mewn daeargrynfeydd a chwmwl o dân, ond, fel y gwnaeth ym Methlehem gynt, yn faban diniwed. Pan ddeallodd Sarah ei bod wedi rhoi genedigaeth i'r 'Messiah, mab Dafydd', cymaint oedd ei pharchedig ofn ohono, ni feiddiai gyffwrdd â'r babi. Ond esboniodd William iddi na fuasai Duw wedi ei dewis i fagu Ei Fab oni bai bod ganddo ffydd ynddi.

Tyfodd Arthur yn blentyn arbennig iawn. Yr oedd yn hardd a galluog a deallus, yn ddysgwr da ac yn gymeriad hoffus. Y mae llun ohono, tua 7 oed, wedi ei gadw yn archifau Cyngor Walla Walla, wedi ei wisgo mewn mantell wen at ei draed, yn syllu tuag at y camera gydag urddas ac awdurdod. Derbyniwyd ef yn llawen gan y ffyddloniaid a daethpwyd i'w adnabod yn yr ardaloedd oddi cwmpas fel 'Iesu Walla Walla'. Cynyddodd aelodaeth y Deyrnas o 40 i 70. Y flwyddyn ganlynol ganwyd brawd i Arthur a oedd, yn ôl ei dad, yn ymgnawdoliad o Dduw'r Tad. A thua'r un pryd, dechreuodd William gydnabod mai ef ei hun oedd yr Ysbryd Glân. Nid ystyriwyd hyn yn afresymol o gwbl yn 'Nheyrnas Nefoedd' a dangoswyd y parch mwyaf i'r tri. Yn wir, y sicrwydd yma bod Duw yn eu mysg oedd y prif reswm dros barhad 'Teyrnas Nefoedd' am ymron i 15 mlynedd.

Gallasai fod wedi parhau am rai blynyddoedd eto oni bai i ddifftheria daro'r Deyrnas. Bu Sarah farw yn yr hydref ym 1879. Ar Chwefror 15, 1880 bu farw'r brawd ieuengaf, ac yn union wythnos wedyn dilynwyd ef i'r bedd gan Arthur. Colli eu Crist oedd diwedd y 'Deyrnas'. Rhoesant eu holl obeithion yn y plentyn a phan fu farw, dechreuodd y gymuned ddatgymalu'n syth. Cyn diwedd 1880 penderfynodd tri o'r ffyddloniaid adael, gan hawlio eu siâr o werth y tir a'i gynnyrch. Methodd William dalu iddynt ac aethant ag ef i gyfraith.

Yn y doc, amddiffynnodd William ei hun yn onest ac urddasol. Esboniodd yn wylaidd sut y cwympodd Ysbryd yr Arglwydd i'r ddaear yn Ionawr 1866 a glanio arno ef, nid fel braint ond fel dyletswydd drom. Esboniodd sut y bu'n annog ei bobl i fyw bywyd moesol a sut y ceisiodd gadw'r ddiod feddwol o'r gymuned. Ymddangosodd nifer o'r ffyddloniaid yn y doc i dystio i ddiffuantrwydd William. 'Ni wn am unrhyw Dduw arall heblaw Mr Davies a'i feibion,' ebe un. 'I Dduw y gweddïaf, ac os mai teulu'r Daviesiaid yw Duw, yna mae hynny'n iawn gen i,' ebe un arall. Ond collwyd yr achos a bu'n rhaid gwerthu 'Teyrnas Nefoedd' i dalu'r dyledion, a chwalwyd y gymuned. Nid Brigham Young mo William ac nid oedd ganddo yr un sgiliau gweinyddol na'r un carisma. Er hynny, yr oedd, heb amheuaeth, yn ddyn da, yn trio'i orau. Mewn oes lle bu sawl meseia yn elwa'n bersonol ar draul ei ddilynwyr, gadawodd William Walla Walla a 'Theyrnas Nefoedd' cyn dloted ag unrhyw un o'i braidd.

Erbyn hyn roedd llawer o'i ddilynwyr wedi magu digon o hyder i wynebu bywyd yn y Gorllewin Gwyllt ar eu pen eu hunain. Bu John E. Jones, yr Apostol, a Rachel Jones, ei wraig, yn ffyddlon i William hyd y diwedd, ond yn awr gadawsant Walla Walla a symud eu teulu ar draws y ffin i Oregon. Yno llwyddasant i brynu tir, magu plant a ffermio'n llwyddiannus. Parhasant yn grefyddol drwy'u hoes, parhasant i barchu'r Sabath, ond nid ymunasant ag unrhyw eglwys fyth eto, na dilyn unrhyw feseia arall. Heddiw, y mae Jones Butte, bryn bychan ger y fferm, yn parhau i arddel eu henw.

Gwyddom hefyd beth a ddigwyddodd i John Evan Reese a'i wraig, Mary, dau arall o ddilynwyr Joseph Morris. Penderfynasant hwy beidio dilyn William. Ar ôl cael eu rhyddhau o garchar yn Ninas y Llyn Halen aethant i gloddio am aur yn Alder Gulch, Virginia City, Montana. Gwnaeth Mary ffortiwn yno, nid trwy gloddio ond trwy olchi dillad y mwynwyr. Daeth oddi yno gyda $1,100 ynghudd o dan ei dillad, digon i dalu am adeiladu tŷ ar ddarn o dir yn Nyffryn Gallatin yn agos i Bozeman yn Montana a phrynu anifeiliaid i'w stocio. Buont yn ffyddlon am weddill eu hoes i fab Joseph Smith ac i Eglwys Aildrefniedig Iesu Grist Saint y Dyddiau Diwethaf. Enwyd yr afon gyfagos a'r gymuned fechan ar ei glan yn Reese Creek ar eu holau ac y mae John a Mary heddiw'n gorwedd ym mynwent Reese Creek.

Niwlog yw hanes gweddill bywyd William Davies. Credir iddo briodi rhyw Mrs Perkins a symud i fyw i Galiffornia, lle'r ymunodd ag eglwys gonfensiynol. Ni wyddom ym mhle y bu farw nac ym mhle y mae ei gorff yn gorwedd.

1856

DECHREUODD 1856 YN LLAWN mwstwr a chynnwrf ond gorffennodd mewn dagrau. Yn y flwyddyn hon sefydlwyd gwersyll ymgynnull y Saint yn Iowa City, ar derfyn rheilffordd Rock Island, y rheilffordd a wthiai bellaf i'r gorllewin. Canodd y Capten Dan Jones ei glodydd mewn llythyr a ymddangosodd yn yr *Udgorn* yn yr hydref. 'Cedwir popeth mor lân a phur â phe baem mewn parc bonheddwr. Daw pobl gannoedd o filltiroedd yma yn unswydd i weled ai gwir a glywsant amdanom ni a'n gwersyll.' Cynlluniwyd y gwersyll â threfn fanwl. Yn y canol gosodwyd y pebyll mawr crynion mewn rhesi taclus a'u rhifau uwch eu drysau, ac yna'r pebyll sgwâr mewn rhesi eraill o'u cwmpas. A thu allan i'r pebyll gosodwyd corlannau ar gyfer cerbydau nas gwelwyd eu tebyg ar y paith o'r blaen, sef troliau dwy olwyn ysgafn, nifer ohonynt wedi eu gorchuddio â chynfasau amryliw – du, melyn, coch a gwyrdd. Chwaraeodd y troliau hyn ran bwysig yn nhrasiedi'r haf hwnnw.

Yr oedd Dan Jones yn ôl unwaith eto yn America, wedi tair blynedd lwyddiannus yn cenhadu yng Nghymru. Daeth â 527 o'i gyd-wladwyr yn ôl gydag ef ar fwrdd y *Samuel Curling*, y nifer mwyaf erioed i adael Cymru gyda'i gilydd, gan danlinellu unwaith eto ei lwyddiant eithriadol fel cenhadwr. Yn anffodus, cyraeddasant Iowa City yng nghanol un arall o arbrofion Brigham Young. Yr oedd Young am drio ffordd newydd o gael y Saint i Utah – ffordd fentrus, ffordd gyffrous, ffordd rad, ond ffordd beryglus, ffordd a arweiniodd at gannoedd o farwolaethau, a'r troliau ysgafn, dwy olwyn oedd wrth wraidd y drwg.

Am bob math o resymau, gwyddai Brigham fod yn rhaid denu mwy o Saint i Seion. Poenai fod miloedd ohonynt allan ym Mabilon o hyd heb eu casglu, heb eu hachub a heb y modd o groesi i'r Dyffryn. Yr oedd yn rhaid eu helpu, gan fod y Dyddiau Diwethaf wrth law. Poenai hefyd fod Seion yn bell o fod yn barod i groesawu Crist, fod y deml yn anorffenedig a bod cymaint o waith adeiladu eto i'w wneud. 'Bydd eisiau nerth braich ac ysgwydd er cario'r gwaith yn ei flaen,' meddai Thomas Jeremy mewn llythyr i Gymru y flwyddyn honno, 'oherwydd mae'r amser yn fyr a'r gwaith yn fawr erbyn y daw yr Arglwydd Iesu i ymweled â'r ddaear hon.'

Poenai Brigham Young hefyd am lwyddiant economaidd ei wladfa newydd. Os oedd cynnydd i fod yng nghynnyrch y wlad, yr oedd eisiau cynnydd yn y gweithlu. Credai hefyd fod rhaid i'w bobl wladychu gymaint ag y gallent o'r Gorllewin cyn i ymfudwyr eraill, nad oeddent yn Formoniaid, ddechrau ymsefydlu yno. Plannodd gymunedau o Formoniaid ymhell y tu hwnt i ffiniau presennol Utah, lle bynnag yr oedd digonedd o ddŵr a phridd da: yn Nyffryn Carson, Nevada; a San Bernardino, Califfornia; yn Fort Bridger, Wyoming ym 1853; yn Las Vegas, Nevada ac yn Lemhi yng ngogledd Idaho ym 1855. Ymledai ei ymerodraeth dros un rhan o chwech o holl diriogaeth yr Unol Daleithiau ac er mwyn ei chynnal a'i datblygu rhaid oedd denu rhagor o Saint i Seion.

Yng nghefn ei feddwl hefyd llechai'r posibilrwydd fod rhyfel ar y gorwel rhwng y Mormoniaid a'r llywodraeth ganolog yn Washington. Ymddangosai'r Mormoniaid yn anathema i bobl gweddill yr Unol Daleithiau. Ystyrient Formoniaeth yn anghristionogol ac amlwreiciaeth yn anwaraidd. Gwelent Brigham Young yn datblygu'n unben pwerus a chredent ei fod am greu gwladwriaeth annibynnol o fewn ffiniau'r Unol Daleithiau. Addawodd y Blaid Weriniaethol yn etholiad arlywyddol 1856, os etholid hwy, y caent wared â gweddillion 'y ddau farbariaeth mawr yn America, sef caethwasiaeth ac amlwreiciaeth'. Gwaethygai'r berthynas rhwng Washington a Dinas y Llyn Halen yn fisol a thra bo'r posibilrwydd o ryfel yn gysgod dros ei wlad roedd angen dynion ar Brigham Young i amddiffyn Utah. Am nifer o resymau, felly, yr oedd yn rhaid mewnforio rhagor o Saint i Seion.

Ond roedd pres yn brin. Bu Brigham yn gwario'n drwm ar y deml. Adeiladodd gamlas lydan i ddod â'r blociau o wenithfaen o'r chwarel yn y mynyddoedd i ganol y ddinas. Gwariodd ar ddyfrio'r dyffryn ac ar greu ffyrdd. Gwariodd yn drwm hefyd ar brosiectau fel y gwaith haearn, lle llafuriai Elias Morris. Gwariodd ar ffatri bapur, ar felinau gwlân, ar grochendy mawr, ar bwll glo a mwynfeydd plwm. Yr oedd am wneud Utah yn gwbl hunangynhaliol fel na fyddai'n rhaid dibynnu am ddim oddi ar ddwylo'r Babiloniaid. Ond hyd yn hyn, llyncu pres heb gynhyrchu fawr ddim a wnaeth ei brosiectau. Ac ar ben hyn oll, roedd y cynhaeaf wedi methu eto.

Un o ganlyniadau'r sefyllfa ariannol wan oedd bod coffrau'r Drysorfa Ymfudo Barhaus yn gwagio. Yn y chwe blynedd oddi ar ei chychwyn ym 1850 bu'r Drysorfa yn llwyddiant mawr. Heblaw am y miloedd a symudwyd o Winter Quarters a glannau'r Missouri, talwyd am gludo dros 4,000 o Saint o Brydain i Utah. Ond gan mor anodd oedd yr amserau ac mor galed yr ymdrech i ymsefydlu eu teuluoedd yn y wladfa newydd, profodd y dasg o ad-dalu'r ddyled yn ormod i lawer ohonynt ac erydwyd y cyfalaf yn y Drysorfa. 'Yr wyf mewn ychydig ofid ynghylch Mary, fy merch,' meddai rhyw William Lewis mewn llythyr at ffrind yng Nghymru y flwyddyn honno. Yr oedd wedi addo talu am ei thaith o Gymru i Utah ond 'y mae'r ffordd yn ymddangos yn gaeëdig yn bresennol'. Cwynai fod 'y Gweithfaoedd Cyhoeddus [sef prosiectau mawrion Brigham] wedi sefyll er diwedd y flwyddyn ddiwethaf'. Daeth y 'gweithfaoedd' i ben dros dro oherwydd 'y prinder a achoswyd gan y ceiliogod rhedyn a'r sychder. Pe buasai'r gwaith wedi para buaswn wedi talu i'r Drysorfa cyn hyn. Yna gallwn anfon amdani erbyn y tymor nesaf.'

Yr oedd hyn i gyd ar feddwl Brigham Young wrth iddo gynllunio ar gyfer ymfudiad 1856. Rywsut, yr oedd yn rhaid cynyddu niferoedd yr ymfudwyr i Utah a lleihau'r gost o'u cludo yno ar yr un pryd. Y gost fwyaf oedd cost yr ychen a'r wageni. Ac yna meddyliodd am adeiladu'r troliau dwy olwyn.

Yn nechrau Rhagfyr 1855, pan oedd ar ymweliad â phencadlys y genhadaeth Brydeinig yn Lerpwl, gwelodd Dan Jones gopi o lythyr oddi wrth Brigham Young at Franklin Richards, pennaeth y genhadaeth, yn cyflwyno iddo ei syniad o ddefnyddio'r troliau yn ymfudiad y flwyddyn ganlynol. Pan gyrhaeddodd Dan yn ôl i'w wasg yn Abertawe brysiodd i basio'r wybodaeth ymlaen i ddarllenwyr yr *Udgorn*. 'Pan oeddem yn Lerpwl yr wythnos ddiwethaf, gwelais lythyr oddi wrth y Llywydd Young yn annog y Saint i ddyfod ar droed o'r gwersyll ymgynnull, gan gludo eu pebyll, a'u hymborth am ychydig wythnosau, ac ychydig o ddillad gyda hwynt, ar ddauolfenni ysgafn a wneir yn bwrpasol i'r ymgyrch ac a lusgir gan y dynion.' 'Dauolfenni' oedd gair Dan am y troliau dwy olwyn. Yr oedd Brigham Young am i'r ymfudwyr gerdded o'r Mississippi yr holl ffordd i Utah, dros fil o filltiroedd, gan lusgo y tu ôl iddynt, yn y troliau, bopeth a fyddai'n angenrheidiol iddynt ar eu taith. 'Os cerddant 15 milltir y dydd byddant yma o fewn 70 diwrnod,' meddai, 'ac wedi iddynt arfer fe gerddant 20, 25 a hyd yn oed 30 milltir heb drafferth.'

Ar y cychwyn, i hen bobl ac i deuluoedd â phlant a babanod, ymddangosai'r syniad o gerdded 20 milltir, heb sôn am 30 milltir y dydd, trwy wres y Gwastatir Mawr ac oerfel y Rockies, yn gwthio neu dynnu rhyw fath o ferfa a gariai eu holl eiddo yn y byd, yn frawychus ac anymarferol, ond brysiodd Dan Jones i dawelu eu hofnau. 'Credwn y gallai'r ymfudwyr fyned i ben eu taith yn nwy ran o dair, os nad yn hanner yr amser a wnânt gyda'r ychen, a hynny heb orfod cerdded nemor neu ddim mwy.' Byddai cael gwared â'r boen o orfod gofalu am yr ychen yn ysgafnhau eu baich yn ddirfawr, meddai. 'Gallant orffwyso yn yr amser a gymerid gynt i wylied dros yr ychen yn y nos, a chwilio amdanynt ar ôl iddynt ddianc drwy stampîd neu i'r Indiaid eu lladrata. Ni fydd angen i hanner y gwersyll eu gwylio rhag iddynt wenwyno eu hunain drwy yfed y dyfroedd alcali. Ni fydd angen gwneud pontydd i'r anifeiliaid, eu codi o'r llaid-byllau a'r ffosydd. Ystyrir na chostia'r daith i Seion fel hyn ond ychydig dros hanner y gost o fyned gydag ychen.' Amcangyfrifodd y byddai'r daith yn costio tua £8 i oedolion a 10 swllt i blant.

Cerdded i Seion am £8 y pen! Cydiodd y freuddwyd yn nychymyg y Saint Cymreig. Ychydig a wyddent am galedi'r paith, ac am y llwch a'r mosgitos a'r blinder a'r gwres. Ychydig a wyddent am y beddau dienw ar hyd y trywydd. Ychydig a ddychmygent y byddai rhai ohonynt hwy, cyn diwedd y flwyddyn, yn cropian i Seion ar eu pedwar, y cnawd yn disgyn oddi ar eu hesgyrn a'u traed wedi eu rhewi'n gorn. Rhoesant eu ffydd yn Brigham Young ac yn eu harweinydd, Dan Jones, gwŷr oedd wedi croesi'r paith deirgwaith ac wedi cynefino â theithio yn nhiroedd sychion Utah. Os oeddent hwy'n cefnogi'r cynllun, yr oedd hynny'n ddigon da i'w dilynwyr. 'Nac arswyded neb rhag y cynllun hwn,' meddai Dan, 'canys i ni ac i bob un a fu yn ôl a blaen ar hyd yr holl ffordd i Seion, ymddengys yn amlwg iawn bod llawer o fanteision yn y ffordd hon, o'i chymharu â'r hen ffordd ychain-aidd.' Yn ôl Dan, byddai gwartheg yn teithio gyda'r fintai er mwyn i'r ymfudwyr gael llaeth a menyn bob dydd, a darperid wageni ac ychen, un wagen i bob ugain teithiwr, i gario bwyd ychwanegol. Byddai lle yn y wageni hynny hefyd i'r methedig a'r gwan. Ac ychwanegodd fod Brigham Young yn bwriadu anfon wageni ychwanegol o fwyd o'r Dyffryn i'w cyfarfod yn Fort Laramie a South Pass ac addawodd y byddai ef yn bersonol yn gwneud yn siŵr y caent adael mewn digon o bryd i gyrraedd y Dyffryn yn gysurus cyn y gaeaf. 'Nid oes berygl i'r Llywydd Richards na'ch gwas chwithau gychwyn neb o'u brodyr mewn amser amhriodol i'r daith.'

Ond y gwir oedd bod datblygiad y cynllun wedi ei ruthro a bod y trefniadau'n simsan braidd. Yr oedd y flwyddyn newydd ar eu gwarthaf a dim ond ychydig wythnosau cyn i'r llongau ymfudo adael am Boston ac Efrog Newydd. Yn rhifyn nesaf yr *Udgorn*, disgrifiodd Dan ei ymweliadau â nifer o'r canghennau trwy dde Cymru i godi'r gwres a'r cynnwrf o blaid cerdded i Seion. 'Y cwestiynau cyntaf a ddaw allan o enau llawer o'r brodyr a'r chwiorydd yw, "Wel, wel, pa fodd y cariwn ein bonets, humberellas, parasols a'n gŵnau sidan? O'r annwyl! Ni allaf feddwl myned hebddynt."'"Ie," ebe un arall. "Ni allwn fyned heb ein looking-glasses, ein ornaments, ein china a'r holl ddilladau newyddion a ddarparasom erbyn y daith." Ei ateb iddynt oedd, "Ymaith â'r hen ddelwau oddi ar eich parwydydd; ymaith â'r clociau a'r *watches*, yr addurniadau, y modrwyau. Gwerther yr oll ond yr ail bâr o ddillad i newid, er crynhoi yr £8, yn hytrach na chael eich gadael ar ôl, yn ysglyfaeth i blâu a chŵn rhyfel Babilon.'" Erbyn dechrau'r gwanwyn casglwyd enwau dros 700 o Saint oedd yn barod i fentro a gadawodd Dan Jones am America ar y 19eg o Ebrill ar y *Samuel Curling* yng nghwmni 527 ohonynt, gyda'r gweddill i ddilyn ar nifer o longau gwahanol dros yr ychydig wythnosau canlynol.

Bum wythnos yn ddiweddarach yr oeddent yn hwylio i mewn i harbwr Boston ac wyth niwrnod ar ôl hynny yn stemio i mewn i orsaf y Rock Island Line yn Iowa City. Cymaint haws oedd hyn na'r wythnosau a dreuliwyd ar y Mississippi yn y blynyddoedd cynt. Ond ni fu'n daith gysurus o bell ffordd. Er mwyn cadw'r gost i lawr, teithient mewn cerbydau cludo gwartheg, ac ym mudreddi'r cerbydau hyn ac yn y lleithder a'r diffyg awyr iach, clafychodd llawer o'r plant a bu tri neu bedwar farw.

Ar y daith hefyd bu'n rhaid i Dan, meddai ef, ymladd holl ellyllon y fall i warchod glendid ac enw da merched Cymru. 'Mewn amryw o drefydd,' ysgrifennodd, 'megis Buffalo, Toledo, Chicago a Rock Island, yn enwedig yr olaf, gorfu arnom i ymladd â thorfeydd o fytheuaid tebyg i'r rhai oeddynt yn Sodom gynt, gyda phastynau, picffyrch a chleddyfau er eu cadw rhag rhuthro ar y chwiorydd. Yn y dref flaenaf a enwais gorfu i mi gasglu ychydig ddetholwyr ac ysgubo'r *station* o'r mileiniaid oeddynt yn rhuthro i'n plith ac yn insultio y chwiorydd wrth newid trên… Rhuthrodd y fyddin Formonaidd fach i ganol y llu, gan fedi ffordd o'u blaen mor llydan â'r heol, a dyfalwch chi pwy oedd ar y blaen. Drannoeth, profwyd o flaen y Maer fod y gwaedgwn hyn wedi tyngu i helpu'i gilydd i ladrata'r benywod glanaf o'n plith er gwasanaethu eu pwrpas dieflig eu hunain.' Nid oes sôn am 'Frwydr y Rock Island Line' mewn unrhyw ddyddiadur neu gofiant arall. Y tebygrwydd yw fod llawer o'r stori yn deillio o ddychymyg byw Dan ei hun. Erbyn hyn, nid oedd yn ddyn iach. Yn ei lythyrau cwyna am bwysau'r cyfrifoldeb o edrych ar ôl y cwmni. 'Erbyn cyrraedd yma,' ysgrifennodd o'r gwersyll yn Iowa City, 'nid oedd digon o nerth ynof braidd i fyw yn hwy ac nid am yn agos i dair wythnos y gwyddwn i na neb arall ym mha fyd byddwn drannoeth.'

Yn y cyfamser, cyflwynwyd y Cymry i'r 'dauolfenni'. Bocsys pren oeddent, bum troedfedd o hyd, yn gorwedd ar echel a dwy olwyn. Ymestynnai dwy siafft o'r bocsys a hoeliwyd llafn o bren ar eu traws. Disgwylid i ddau aelod cryfaf y teulu fynd rhwng y siafftiau a gwthio yn erbyn y llafn, a'r gweddill i fod naill ai ar y blaen yn tynnu â rhaffau neu ar y tu ôl yn gwthio. Cynlluniwyd lled y troliau fel bod yr olwynion yn ffitio'n daclus i mewn i rychau'r wageni ar y trywydd. Pethau bregus a gwan oeddent ar y gorau, lledr yn lle haearn yn amgylchynu'r olwynion a phren yn rhwbio yn erbyn pren wrth i'r olwynion droi ar eu hechel. Fe'u hadeiladwyd ar frys, yn aml heb ddarn o fetel ar eu cyfyl a'r coed heb sychu'n iawn. Yn hinsawdd gras y Gwastatir Mawr methodd un 'dauolfen' ar ôl y llall wrth i'r coed gwyrdd sychu a phlygu a cholli siâp. Eu hunig rinwedd oedd eu bod yn ysgafn, yn pwyso tua 60 pwys.

Clywodd y pererinion, ar ôl cyrraedd y gwersyll yn Iowa, mai dim ond 17 pwys o eiddo personol oedd i'w ganiatáu ar y troliau, hynny i gynnwys dillad, offer coginio, dillad gwely ac yn y blaen. I bobl oedd wedi talu'n ddrud am gario pwysau o drysorau teuluol dros yr Iwerydd ac wedi llwyddo i gadw gafael arnynt er gwaethaf yr holl newid trenau ar draws America, yr oedd hyn yn newyddion torcalonnus. Daeth Nathaniel a Jane Edmunds â digon o ddillad gyda hwy o Ferthyr Tudful i bara deng mlynedd a gadawyd y cyfan, heblaw am yr hyn yr oeddent yn ei wisgo, yn y gwersyll yn Iowa City. Disgrifiodd un ymfudwr sut y bu'n rhaid iddo adael cyfran o'i eiddo yn Lerpwl, rhagor yn Efrog Newydd, a bron y cyfan o'r gweddill yn Iowa City. Sonia un arall am 'lyfrau a phethau eraill wedi eu gadael yn dwmpathau yn yr haul a'r glaw a'r llwch'. Dyma'r pethau fyddai wedi cadw'r cyswllt olaf â'r henwlad a gwneud eu bywydau yn y wlad newydd ychydig yn fwy gwaraidd. Disgrifiodd Priscilla Merriman o Gil-maen yn Sir Benfro fel y bu'n rhaid iddi adael 'y gwely plu a'r dillad gwely, clustogau, ein dillad gorau i gyd a llyfrau diwinyddol fy ngŵr. Addawyd y caent eu cludo i Utah y flwyddyn ganlynol, ond ni chawsom fyth mohonynt.'

Rhannwyd 64 o droliau rhwng y Cymry, un i bob teulu. Yna rhannwyd yr ymfudwyr eraill, y meibion a'r merched sengl, rhwng y teuluoedd gwannaf a'r lleiaf abl i dynnu. Yr oedd rhai teuluoedd yn wan iawn. Cawsant eu dewis, nid oherwydd eu ffitrwydd, ond oherwydd eu ffyddlondeb. Hwy oedd 'y Saint a fuont fyw ffyddlonaf yn yr Eglwys am yr hwyaf o amser'. O ganlyniad, teithiai pobl anaddas iawn yn eu plith. Yr oedd Ann Thomas, er enghraifft, yn 78 mlwydd oed a bron yn ddall. Ganwyd a magwyd hi yng nghyffiniau Llantrisant ond erbyn iddi ddechrau magu ei theulu ei hun yr oedd hi ac Evan, ei gŵr, wedi dilyn yr arian i'r mwg, fel pawb arall. Cafodd Evan waith fel glöwr yn Nhredegar a ganwyd eu plentyn cyntaf yno ym 1809. Ganwyd yr ail rywle ym Mynwy ym 1810, y trydydd yng Nglynebwy ym 1819 a'r pedwerydd yn Sirhywi ym 1821. Ym 1842, symudodd y teulu i Rymni ac Evan a hi oedd y cyntaf i ymuno â'r Saint yno ym 1843. Ym 1848, hwyliodd Evan am America gan fwriadu ennill digon yng nglofeydd Pennsylvania i dalu am gael Ann a gweddill y teulu allan ato yn fuan. Y mae cofnod iddo basio drwy'r Swyddfa Fewnfudo yn Efrog Newydd gan ffugio'i oedran a dweud mai 60 ydoedd, er ei fod yn 70 go iawn. Ond bu farw'n sydyn, flwyddyn ar ôl cyrraedd America, a gorfodwyd i Ann a gweddill y teulu aros am saith mlynedd arall cyn cael mynd. Yn awr, anaddas neu beidio, gyda help y Drysorfa Ymfudo Barhaus yr oeddent ar eu ffordd.

Dim ond un goes oedd gan Thomas D. Evans. Bu'n rhaid iddo ef hercian i Seion. Rhedodd trên dros ei goes chwith pan oedd yn fachgen 9 mlwydd oed ym Merthyr a chollodd ei goes i fyny at y pen-glin. Yr oedd cerdded yn boenus eithriadol iddo. Rhwbiai'r pen-glin yn erbyn y goes bren gan achosi i'r croen dorri ac i'r briw gasglu a chwyddo. Ar ddiwrnodau gwlyb suddai'r goes yn ddwfn i laid y trywydd a châi gryn drafferth i'w chodi i gymryd y cam nesaf. Ond llwyddodd i orffen y daith ac y mae'r goes erbyn hyn yn llenwi cornel yn Amgueddfa Hanes yr Eglwys yn Ninas y Llyn Halen. Bythefnos cyn gadael Cymru yr oedd Thomas wedi priodi Priscilla Merriman ac roedd hi erbyn hyn ym mhedwerydd mis ei beichiogrwydd. Bob nos codent babell fawr i'w rhannu rhwng deg ac nid Thomas oedd yr unig un anabl yn y babell. Ysgrifennodd Priscilla fod un arall o'r criw wedi colli'i fraich, dau arall yn ddall ac un wraig yn weddw gyda phump o blant bach – nid y bobl ddelfrydol i dynnu troliau dros y Rockies. Ond fel y dywedodd Dan Jones, yr oedd eu hymddiriedaeth yn eu Duw yn ddiysgog a'u ffydd yn fwy nag unrhyw anhawster oedd yn eu ffordd.

Erbyn i Dan wella roedd dwy o'r minteioedd o droliau wedi gadael am y Missouri a'r drydedd, sef mintai'r Cymry, ar fin mynd. Yn hon roedd tua 320 o bobl, pob un ohonynt, heblaw am ryw ddwsin, yn Gymry Cymraeg. Un o'r di-Gymraeg oedd Priscilla. Cwynai yn ei hunangofiant am annhegwch y drefn lle disgwylid iddi deithio am wythnosau yng nghwmni pobl na fedrent air o Saesneg. 'Sut y medrwn fwynhau'r siwrnai yng nghwmni 300 o bobl heb fedru siarad gair o'u hiaith?' A theimlai Edward Bunker, arweinydd y fintai a brodor o dalaith Maine yn yr Unol Daleithiau, yr un rhwystredigaeth. 'Nid oedd gan y Cymry unrhyw brofiad ar y paith ac ychydig ohonynt a allai siarad Saesneg. Gwnaeth hyn fy maich yn drwm.'

Gadawodd y fintai ar y 23ain o Fehefin. Cam cyntaf eu taith oedd y 275 milltir ar draws Iowa i bentref newydd Florence, ar lan orllewinol y Missouri gyferbyn â Council Bluffs. 'Cychwynasant yng nghanol bonllefau o hosanna a gorfoledd,' ebe Dan Jones. 'Hebryngais hwynt y dydd cyntaf. Eu hunig ofid oedd nad oeddwn yn cael mynd gyda hwynt.' Yr oedd ef yn aros ar ôl yn Iowa City i warchod gweddill y Cymry yn y gwersyll.

Ymysg y trolwyr yr oedd nifer o deuluoedd mawrion megis yr 17 aelod o deulu'r Lewisiaid o Abertawe a'r 20 o'r Parriaid o gyrion Abergele. Teulu mawr arall oedd teulu Thomas John Rees o Ferthyr. Colier oedd Thomas, yn fab i golier ac yn dad i goliers. Ganwyd ef ym Merthyr Tudful, priodwyd ef yno ac yno y bu fyw nes iddo ymfudo. Yr oedd yn anllythrennog pan briododd, yn torri croes yn lle arwyddo'i enw ar ei dystysgrif briodas, ond athrawes oedd ei wraig, Margaret, ac yn fuan dysgodd ei gŵr i ysgrifennu a darllen yn ddigon da i gael ei wneud yn llywydd cangen Merthyr o Eglwys Saint y Dyddiau Diwethaf. Ym Merthyr hefyd y ganwyd yr wyth plentyn a ddaeth allan gyda'r teulu i America. Yr oedd y mab hynaf, John, bachgen 18 oed, mewn cariad â merch o'r enw Margaret Jenkins ac ymunodd hithau â'r parti hefyd, a gyda hi daeth ei thad a'i mam, Henry a Martha Jenkins. Bu Henry Jenkins farw yn agos i Fort Laramie a chofiai Margaret fel y claddwyd ef yng nghanol y trywydd ac fel y cyneuwyd tân ar y bedd i geisio cuddio'r arogl rhag y bleiddiaid. Cyrhaeddodd gweddill y teulu yn saff i Ddinas y Llyn Halen. Y mae'n rhaid bod Thomas John Rees wedi mwynhau'r profiad o fod ar y paith oherwydd o fewn y flwyddyn yr oedd ef a Henry, ei fab, ar y trywydd unwaith eto, y tro hwn ar eu ffordd i Galifffornia, i geisio gwneud ffortiwn yn y gweithfeydd aur. Gadawyd Margaret a gweddill y plant i grafu bywoliaeth yn Utah. Daeth y dynion yn ôl ymhen deunaw mis, yn dristach a doethach pobl, ac mor dlawd ag erioed.

Yn y cyfamser, agorwyd y pwll glo cyntaf yn Utah. Yr Indiaid a arweiniodd y Cymry at y 'cerrig sy'n llosgi', gwythïen o lo a frigai o'r llethr uwchlaw Dyffryn Sanpete, 200 milltir i'r de o'r Llyn Halen. Profodd yn lo da ac yn fuan symudodd 15 o deuluoedd i'r ardal i'w weithio, y rhan fwyaf ohonynt o Ferthyr. Yn eu mysg yr oedd Thomas John Rees a phump o'i feibion. Anodd credu, ar ôl rhyddid y paith a'r antur o fynd i chwilio am aur yng Nghalifffornia, fod Thomas a'i feibion yn hapus i fynd yn ôl dan ddaear eto, ond nid eu dewis hwy oedd mynd. Galwad a gawsant gan Brigham Young, a phan ddeuai galwad gan Brigham, mynd oedd raid. Ffynnodd y lofa a thyfodd pentref sylweddol o'i chwmpas a galwyd y pentref yn Wales. Ym 1875 gwerthwyd y gwaith i gwmni o Lundain am bris da a rhannwyd yr arian rhwng y pentrefwyr. Arhosodd Thomas a'i feibion yno i weithio i'r cwmni newydd, pob un ohonynt erbyn hynny yn berchen ar dŷ ac ar acer a hanner o dir yng nghanol y pentref, ac yno y bu Thomas fyw weddill ei oes. Erbyn ei farwolaeth ym 1882 yr oedd dros 600 o bobl yn byw yn Wales.

Heddiw, ychydig dros 200 sydd ar ôl. Diflannodd y siopau a'r orsaf betrol a'r llyfrgell. Y mae'r pwll wedi cau ers llawer dydd. Ar y bryn uwchlaw'r pentref y mae'r fynwent yn aros o hyd ac ar y cerrig gellir gweld yr ymbellhau araf a fu rhwng y trigolion a'u mamwlad. Ar y cerrig cynharaf y mae'r lleoliadau a'r sillafu'n gywir – Thomas Rees, wedi ei eni ym 'Merthyr Tydfil, Glamorganshire'; Thomas Davis yn 'Rhigos, Glamorganshire, South Wales'; Dan Williams yn 'Brecon, South Wales'. Ond wrth i'r blynyddoedd fynd heibio y mae'r ddaearyddiaeth a'r sillafiadau yn mynd yn fwy niwlog a gwallus. Ganwyd Mary Harries ym 'Merthyr Tydfil, Glan Morgan Shire', Ann Price Rees yn 'Merthyrtydvill, Wales' a Henry Thomas yn 'South Wales, Great Britain'.

Ymlwybrai mintai Bunker yn araf drwy Iowa. Daeth y gwanwyn yn hwyr ym 1856 ond profodd yn wanwyn hyfryd. Nid gwlad wag oedd dwyrain Iowa bellach. Brithwyd y dolydd gan nifer o ffermydd oedd newydd eu sefydlu. Ar hyd y ffordd i Des Moines tyfai pentrefi bychain ar bob llaw. 'Chwarddai pobl arnom, wrth ein gweld yn tynnu troliau, ond yr oedd y ffyrdd yn dda a'r tywydd yn fendigedig,' ysgrifennodd Priscilla Evans, *née* Merriman, yn ei beichiogrwydd. 'Er fy mod yn sâl ac yn flinedig gyda'r nos, teimlais ei bod yn ffordd ogoneddus o fynd i Seion.'

Cyraeddasant y Missouri a Florence ar y 19eg o Orffennaf ac ar ôl saib i drwsio troliau, ailgychwynnwyd ar y 30ain o Orffennaf. Er mwyn cadw'r costau i lawr, dognwyd y bwyd o'r cychwyn. Y brif luniaeth oedd pwys o flawd y dydd, a ddefnyddid fel arfer i wneud crempogau, gan gymysgu'r blawd â dŵr a'i ffrio. Yn yr wythnosau cyntaf dosbarthwyd ychydig o gig moch a choffi hefyd, ond ni pharhaodd hynny'n hir. Yna bu'n rhaid haneru'r dogn o flawd. Cwynai llawer am y prinder ond yn nhyb John Parry, is-gapten y fintai a mab John Parry'r Côr, nid oedd sail i'w cwynion. 'Grwgnachodd amryw am nad oedd cyflawnder o fwyd yn cael ei roddi, a safodd rhai ar ôl o'r herwydd. Ond yr oeddwn i yn byw ar yr hyn oedd yn cael ei roddi allan, ac yn llafurio gymaint ag un dyn yn y gwersyll, a deallwch fy mod yn fyw ac yn edrych yn well ac yn iachach nag y bûm erioed o'r blaen.' Mwynhaodd John Parry bob munud o'r daith. 'Gwlad ragorol o hardd a phrydferth yw'r America, llawnder o bob peth ond o drigolion. Ni welais i neb yn edifarhau am eu bod wedi gadael yr hen wlad, ond yn canmol Duw am eu gwaredigaeth ohoni. Dymunaf arnoch fy nghofio at yr holl Saint yng Nghymru, yn neilltuol fy mrodyr a'm chwiorydd yn y Gogledd. Carwn yn fawr eu gweled wedi cael gwaredigaeth o greulon gaethiwed Babilon i ogoneddus ryddid plant Seion.'

Ar y *prairie*, yr oedd y gwres yn llethol ac amryw o'r criw yn methu dygymod ag ef. 'Llosgai'r haul yn danboeth,' ysgrifennodd Robert D. Roberts o Lanfrothen. 'Ymddangosai ei fod ar ei fwyaf ffyrnig ar y trywydd, rhwng y gwair uchel oedd o bum troedfedd i saith troedfedd o uchder mewn mannau. Yr oedd rhai o'r cwmni yn dioddef mor ddrwg fel y bu'n rhaid iddynt orffwys ar ochr y llwybr. Aeth eraill yn eu blaenau gan ddychwelyd gyda dŵr i'r lluddedig. Cododd hyn eu calonnau ac ailgychwynnwyd.'

Daeth wageni Brigham i'w cyfarfod yn agos at hanner ffordd gyda chyflenwad ychwanegol o fwyd. Er hynny, yr oeddent yn brin eto cyn cyrraedd diwedd y daith. Disgrifiodd Eleanor Roberts o Landdulas fel y bu'n rhaid iddi werthu ei modrwy briodas i brynu bwyd. Gyrrai Bunker yr ymfudwyr yn galed. Ni chaniataodd i'r hen a'r llesg deithio yn y wageni pedair olwyn. Yr unig ddewis pan âi rhywun yn sâl, yn ôl Priscilla, oedd cael eu cario ar droliau dwy olwyn eu teuluoedd. 'Cariai'r cryfion y rhai gwan a gwnaethant eu hunain yn wan wrth wneud hynny. Lladdwyd rhai gan yr ymdrech a chan y diffyg bwyd, ac fe'u claddwyd ar ochr y trywydd. Yr oedd gorfod gadael anwyliaid fel hyn yn dorcalonnus ond rhaid oedd symud ymlaen.'

Gwyddai Bunker fod yn rhaid croesi'r Rockies cyn i eira cyntaf yr hydref ddisgyn arnynt. Cawsant rybudd yn fuan ar ôl gadael Fort Laramie. 'Deffroesom un bore a chanfod haen o eira, chwe modfedd o ddyfnder, yn gorchuddio'r tir,' ysgrifennodd Robert D. Roberts o Lanfrothen. Yr oedd hyn yn ail wythnos Medi, gyda hanner eu taith eto o'u blaenau. 'Arhosom yn y gwersyll hyd nes i'r haul doddi

ychydig ar yr eira ac yna i ffwrdd â ni, yn isel iawn ein hysbryd.'
Gwthiodd Bunker hwy yn galetach nag erioed.

Trawyd un o'r dynion dall ym mhabell Priscilla Evans yn wael
iawn. Thomas Giles oedd hwn, un o'r Cymry mwyaf diddorol
i groesi i Utah yn holl hanes yr ymfudiad. Glöwr oedd ef hefyd.
Dechreuodd weithio dan ddaear gyda'i dad ym Mlaenafon pan oedd
yn 8 oed. Ugain mlynedd wedyn, collodd ei olwg mewn damwain
yng Nglofa Nant-y-glo pan gwympodd talp o'r to ar ei ben. Erbyn
hynny yr oedd yn briod, gyda thri o blant, yn henuriad uchel ei
barch ymysg y Saint, yn llywydd cynhadledd Mynwy ac yn gyfrifol
am y canghennau yng ngorllewin y sir. Er ei ddallineb, parhaodd
yn y gwaith o ymweld â'r brodyr yn eu canghennau a'u cartrefi, yn
cynghori, pwyllgora a phregethu. Yn ei ddyddiadur gwelir manylion
ei deithiau, i Fleur-de-lis, i Argoed, i Dredegar, i'r Coed-duon, i
Sirhywi, i Ben-y-cae (sef yr hen enw am Lynebwy), i Bontllan-
fraith, a thu hwnt, i Ferthyr, Casnewydd ac Abertawe. 'Hydref 24,
1852. Euthum i gangen Rasa. Pregethais yn gyntaf ar sefydlu teyrnas
Dduw, yna ar berson Duw, fel y mae yn berchen corff, organau ac
emosiynau ac yna ar y casglu i Seion. Arddodais ddwylo ar y chwaer
Mary Davies, yn ôl ei dymuniad, fel y byddo iddi iechyd.'

'Mawrth 19, 1854. Mynychu cyfarfod gweddi yng nghartref y
Brawd E. Rees a gweinyddu ordinhad iachad ar dri pherson yno. Yna
teithio tua 4 milltir i fedydd cyhoeddus ac wedi hynny i Gwmtyleri,
pellter o 3 milltir, i gyfarfod o'r Saint. Gyda'r hwyr, pregethu i
gynulleidfa fawr a wrandawai'n astud.'

Yr oedd yn hoff iawn o gerddoriaeth. 'Hydref 11, 1852. Yn yr
hwyr aethom i gyngerdd a chael llawer o bleser yn gwrando ar y
brodyr a'r chwiorydd yn canu. Gwrando ar y delyn.' Y mae'n amlwg
fod ganddo lais da ac yn aml deuai galwadau arno i ganu. Canai
emynau Mormonaidd Cymreig megis 'Daeth yr awr' a 'Pa beth yw'r
arwyddion?' 'Gorffennaf 24, 1852. Mynd i Lanelli. Cenais ddwy
gân, un ar yr erledigaeth yn Nauvoo yn y Gymraeg ac un arall ar yr
arwyddion o'r dyddiau diwethaf, eto yn y Gymraeg.'

Ar y 12fed o Orffennaf, 1852, aeth i gyngerdd yng nghartref
pennaeth y genhadaeth Gymreig, 'a chanwyd ffidil a thelyn yno.
Yr oedd yn olygfa hyfryd,' medd ei ddyddiadur, ac yna croeswyd
allan y gair 'golygfa' ac ysgrifennwyd 'yr oedd yn sŵn hyfryd' yn

ei le. Ymddangosai fel petai ei ysgrifennydd, G. W. Davies, wedi anghofio am funud fod Thomas yn ddall – peth hawdd i'w wneud, mae'n siŵr, gymaint oedd ei brysurdeb a'i fywiogrwydd – ac wedi gorfod cywiro'i hun. Davies oedd llygaid Thomas. Ef oedd yn darllen iddo, yn ysgrifennu ei lythyrau a chadw ei ddyddiadur, yn ogystal â'i dywys o gwmpas y canghennau. Nid oedd Davies yn rhugl yn y Gymraeg ond yr oedd Thomas Giles yn frwd iawn dros yr iaith. Soniai am fynd i'r Blaenau, i'r eisteddfod a gynhelid yno'n flynyddol 'i geisio cynnal yr iaith Gymraeg'. Gwnâi'n siŵr fod yr iaith yn cael lle teilwng yng nghyfarfodydd y Saint yn Sir Fynwy. Yng nghynhadledd Nant-y-glo ym 1848, er enghraifft, adroddir fod y swyddogion wedi annerch y dyrfa fawr yn y Gymraeg ac yna wedi annerch 'y dyrfa Saesneg gan ddangos yr un dyletswyddau i'r brodyr a'r chwiorydd Saesneg'. Hynny yw, y Gymraeg oedd iaith gyntaf y cyfarfod. Cynhelid canghennau Saesneg a Chymraeg yn y prif drefi fel Tredegar a Phen-y-cae a chyfarfodydd dwyieithog yn y canghennau llai. Yn nechrau 1852, gadawodd Davies i fynd i swydd arall a daeth Cymro rhugl o'r enw William Lewis i gymryd ei le fel 'amanuensis' Thomas Giles. 'Dechreuais yn awr gadw dyddiadur yn y Gymraeg. Yma, cadwaf gownt o'm teithiau gan groniclo'r pethau sydd wedi digwydd i mi.'

Yr oedd y 18fed o Fedi, 1852 yn ddiwrnod mawr yn ei hanes, y diwrnod y newidiodd ei fywyd. 'Aethom i Lantrisant,' meddai yn y dyddiadur, 'a daeth y Brawd Hodge i gyfarfod â ni. Aethom i brynu telyn, anrheg i mi oddi wrth y Saint.' Y delyn, a dysgu sut i'w chanu, oedd popeth wedyn. Y mae'n cyfeirio ati'n barhaus yn y dyddiadur. 'Ymarfer ar y delyn.' 'Cefais wersi cerddoriaeth.' 'Gyda'r Brawd Williams yn ymarfer ar y delyn a hefyd y diwrnod canlynol a'r diwrnod wedyn.' Ac erbyn iddo adael am y Dyffryn ym 1856, wedi ei ryddhau o'i ddyletswyddau yng Nghymru, yr oedd yn delynor medrus.

Hwyliodd ar y *Samuel Curling* gyda'i wraig, Margaret, a'i blant, Joseph (8), Hyrum (6) a Maria (1), a'r delyn. Ar y ffordd i Chicago, yn y wageni gwartheg, bu farw Maria. Yr unig dystiolaeth o hyn yw brawddeg yn nyddiadur John Parry, a deithiai ar yr un trên, yn sôn am farwolaeth ei fab yntau. 'Claddwyd ef mewn mynwent yn Chicago,' meddai, 'wrth ochr merch fach Thomas Giles.'

Nid oedd Thomas yn fyr o arian. Yn Iowa City, talodd am le i Margaret a'r plant deithio mewn mintai o wageni. Yr oedd hi'n feichiog a'r boen o golli ei merch fach yn pwyso arni. Ond dewisodd Thomas y ffordd anodd iddo ef ei hun, sef teithio mewn mintai o drolwyr. Ni wyddom i sicrwydd pam iddo ddewis gwneud hyn ond pregethai'r cenhadon fod aberthu'r cysur o deithio mewn wagen a dewis gwthio trol yn ei lle, gan gyfrannu'r arian a arbedwyd tuag at helpu eraill i ymfudo, 'yn ffordd ogoneddus o fynd i Seion'.

Tua diwedd y daith, rywle yng nghyffiniau Fort Bridger, trawyd Thomas yn wael iawn, mor wael fel na chredai Bunker y byddai byw. Gadawyd ef yno i farw gyda dau ddyn i agor bedd iddo ac aeth y fintai yn ei blaen. Ond gwyddai Thomas fod hen ffrind iddo, un o ddynion mawr yr Eglwys, yr Apostol Parley Pratt, ar ei ffordd o'r Dyffryn ac yn debyg o ddod heibio cyn hir. Ymdrechodd i gadw'n fyw nes iddo gyrraedd. Cyfarfu'r ddau hen ffrind eto, eneiniodd Parley Pratt ef gydag eli sanctaidd ac arddodi dwylo arno a'i fendithio a chododd Thomas, yn ôl yr hanes, o'i wely angau a cherdded ymlaen i Seion.

Daeth y Cymry i mewn i Ddinas y Llyn Halen 64 niwrnod ar ôl gadael Florence, taith gyflymaf y tymor. Ar gyfartaledd cerddwyd dros 16 milltir y dydd. Ar y 27ain o Fedi, anfonodd T. C. Martill lythyr o'r Dyffryn at hen ffrind yn Rhyd-y-garreg Ddu ger Aber-nant, Sir Gaerfyrddin. 'Cyrhaeddodd cwmni o Saint o Loegr gyda llaw-geirt yma ddoe. Disgwylir cwmni arall i mewn ym mhen oddeutu pedwar diwrnod, y mwyafrif ohonynt o Gymru.' Disgrifiodd y croeso a roddwyd i'r Saeson. 'Mawr oedd y llawenydd o bob tu. Yr oeddynt hwy yn dra llawen i weled y Dyffryn a ninnau mor llawen â hwy i'w gweled wedi cyrraedd yn ddiogel gyda llaw-geirt wedi taith mor hirfaith. Aeth y Llywydd Brigham Young ac eraill o benaethiaid yr Eglwys, ynghyd â channoedd lawer o Saint, i'w cyfarfod oddeutu bymtheg milltir tu allan i'r Ddinas. Aeth allan hefyd lawer o filwyr i'w harwain i mewn, a cherddorion, y rhai a chwaraeënt y côr pres, gan eu blaenori i'r Ddinas. Cyn cyrraedd ohonynt eu gwersyllfan, yr oedd miloedd yn barod i'w derbyn. Croesawyd hwynt â llwythi o fwydydd o amryw fathau a ffrwythau braf megis *peaches, melons* etc.' Yr oedd dathliadau tebyg yn aros y Cymry hefyd. 'Fy annwyl Frawd a Chwaer,' ysgrifennodd Hopkin Matthews mewn llythyr adref i'w deulu yn ardal Tre-boeth, Abertawe ym mis Hydref. 'Da gennyf eich hysbysu fy mod i a'm teulu wedi cyrraedd pen ein taith yn iach ar yr ail o'r mis hwn, pan ein croesawyd â swper moethus yn yr hon yr oedd amrywiaeth o flasus ffrwythau'r Dyffryn wedi cael eu darparu ar ein cyfer.' Teithiai Hopkin gyda'i wraig a'u pum plentyn, eu hoedrannau'n amrywio o 2 i 11. 'Cawsom daith hynod o lwyddiannus ar hyd y gwastadedd a thros y mynyddoedd, ynghyd â thywydd rhagorol o deg. Yn yr hyn oll y mae'n amlwg ofal yr Arglwydd dros ei dlodion gyda llaw-geirt.'

Er ei beichiogrwydd a'r prinder bwyd a'r gorweithio, ystyriai Priscilla Evans hefyd ei hun yn ffodus. 'Yr oeddem yn wan a blinedig, ein traed yn waedlyd a'n dillad yn garpiau ac wedi'n hanner llwgu ond yn ddiolchgar i'n Tad nefol am ddod â ni i Seion.'

Ac ystyried cynifer o blant a hen bobl oedd yn y fintai, cymharol ychydig a fu farw, dim mwy nag ym minteioedd wageni y blynyddoedd cynt. Yr oeddent wedi gwireddu breuddwyd Brigham ac wedi profi bod croesi'r paith â 'dauolfenni' yn bosibl. Ond nid heb gryn aberth. Saer maen o ardal Gwenfô ger Caerdydd oedd Edward Phillips. Pan gyrhaeddodd yr afon Werdd, 200 milltir o'r Dyffryn, cwympodd ar ei liniau, yn rhy flinedig i fynd ymlaen. Gofynnodd am le ar un o'r wageni ond gwrthodwyd ei gais. Aeth y fintai yn ei blaen gan adael Edward a'i wraig ar lan yr afon. Yr oedd hi, fel llawer o'r merched ar y trywydd, yn medru ymdopi'n well na'i gŵr â'r diffyg bwyd a'r ymdrech galed. Cododd ef ar ei chefn a'i gario dros yr afon. Dridiau ar ôl cyrraedd y Dyffryn, bu Edward farw.

Ceidwad Goleudy Talacre yn y Parlwr Du ar arfordir gogleddol Sir y Fflint oedd Samuel Brooks. Yr oedd wedi cadw'r golau am dros 30 mlynedd. Bu ei fwthyn bychan ger y goleudy yn gyrchfan i Formoniaid y Gogledd am lawer blwyddyn a bedyddiwyd rhai o'r dychweledigion cynnar, gan gynnwys Elias Morris, yn y môr wrth droed y goleudy. Ond ym 1856, yn 65 mlwydd oed, penderfynodd fynd i Utah gyda'i wraig Emma a'u tri phlentyn, Mary (17), George (11) a Frank (5). Gadawodd y teulu Iowa City gyda Samuel ac Emma yn gwthio rhwng siafftiau'r drol a Mary a George yn gwthio y tu ôl. Yr oedd Frank yn gloff ac yn fethedig ac felly cariwyd ef ar y drol yr holl ffordd. Profodd y gwaith o wthio'r drol yn ormod i Emma. Bu farw cyn gadael y Missouri a chladdwyd hi ym mynwent Florence.

Cymerodd Mary le ei mam rhwng y siafftiau. Erbyn diwedd y daith dioddefai Samuel, hefyd, yn enbyd, o ddiffyg bwyd ac o'r straen o wthio. Yr oedd yn wael iawn yn cyrraedd y Dyffryn a bu yntau farw'n fuan wedi cyrraedd. Yr oedd yn ei fedd cyn i'r plant ddeall ei fod wedi eu gadael.

Eisteddent hwy gyda'r newydd-ddyfodiaid eraill yn sgwâr y ddinas, yn aros i rywun gynnig gwaith a lletty iddynt, fel gweision mewn ffair bentymor. Cymerwyd Mary yn forwyn gan deulu o Ogden, 35 milltir i'r gogledd, ac aeth Frank gloff at deulu dyngarol yng ngorllewin y ddinas. Gadawyd George yn y sgwâr ar ei ben ei hun. Ni fedrai siarad Saesneg ac ni wyddai sut i ofyn am help. Bu yno am chwe niwrnod, yn byw ar anrhegion o fara a ffrwythau oddi wrth bobl a âi heibio. Yn y diwedd daeth un o deulu'r Parriaid o Abergele heibio a'i adnabod a'i gymryd i'w fagu fel ei fab ei hun.

Bu mintai Bunker yn ffodus. Cadwodd yr eira draw a chyraeddasant yn saff i'r Dyffryn cyn i stormydd mawr y gaeaf daro. Ond roedd dwy fintai o droliau a dwy fintai o wageni ar y trywydd o hyd, a bythefnos wedyn, ar y 14eg o Hydref, pan ddisgynnodd storm aeafol gyntaf y gaeaf ar y Rockies, roeddent i fyny yn y mynyddoedd o hyd, dros 1,300 o Saint, gannoedd o filltiroedd o'r Dyffryn, heb flancedi, heb ddillad cynnes, eu bwyd bron â gorffen ac mewn trybini go iawn. Y fintai agosaf at y Dyffryn, tua 250 o filltiroedd o ddiwedd eu taith, ond heb eto gyrraedd South Pass, oedd mintai o droliau o dan arweiniad gŵr o'r enw James Willie. Rhyw 100 milltir y tu ôl iddynt teithiai mintai Edward Martin, hefyd yn tynnu troliau, ac yna minteioedd Hunt a Hodgett mewn wageni. Yn y pedair mintai hyn yr oedd rhwng 60 a 70 o Gymry, y rhan fwyaf ohonynt ym mintai Hunt.

Gwyddent o'r cychwyn eu bod yn ei gadael hi'n hwyr. Gadawodd y *Thornton* ddociau Lerpwl ar y 4ydd o Fai, yn cario 764 o ymfudwyr, a'r *Horizon* ar y 25ain yn cludo 856. Yr oedd y gwaith o weinyddu ymfudiadau'r Saint yn drefnus iawn fel arfer ond yr haf hwnnw ymddangosai fod y cysylltu a'r cyfathrebu arferol rhwng Lerpwl a gwersylloedd Iowa a Nebraska wedi methu. Ni ddisgwyliai neb yn Iowa City gyflenwad arall o ymfudwyr. Bu'n rhaid rhuthro i adeiladu 250 o droliau ychwanegol ar eu cyfer a phrynu'r bwyd a'r pebyll angenrheidiol. Ni chyrhaeddodd Willie a'i fintai y gwersyll yn Florence, ar lannau'r Missouri, tan yr 11eg o Awst ac ni chyrhaeddodd y tair mintai arall o'r *Thornton* a'r *Horizon* tan yr 22ain o Awst. Gwyddent fod gadael y Missouri ar ôl dechrau Gorffennaf yn beryglus. Cynhaliwyd cyfarfod o'r ymfudwyr ym mintai Willie i benderfynu ar eu camau nesaf. Dylid bod wedi rhoi'r gorau yn y man a'r lle i unrhyw syniad o barhau â'r daith y flwyddyn honno, ond nid peth hawdd oedd i'r swyddogion newid cynlluniau Brigham. Dim ond pedwar yn y fintai, pedwar cenhadwr, oedd wedi bod ar y paith o'r blaen. Yr oedd tri ohonynt, gan gynnwys James Willie ei hun, ar eu fford yn ôl wedi tymor cenhadol hir ym Mhrydain. Yn eu hawydd i gael bod gyda'u teuluoedd yn Utah eto, a chyda'u ffydd yng nghynlluniau eu Proffwyd, siaradodd y tri yn gryf o blaid parhau â'r daith. Dywedodd Willie ei fod yn bwriadu cadw at gynllun Brigham oni bai ei fod yn clywed gorchymyn i'r gwrthwyneb oddi wrth y Proffwyd ei hun. Nid oedd gan yr Eglwys yr adnoddau i gynnal 1,500 o bobl yn Florence dros y gaeaf, meddai. Ffydd oedd ei heisiau, a gweddi ac ymddiriedaeth yn eu harweinwyr. Byddai Duw'n gofalu amdanynt a'u tywys yn saff drwy'r stormydd, dim ond iddynt ufuddhau i'w orchmynion.

Ond neges wahanol oedd gan y pedwerydd cenhadwr. Pan alwyd Levi Savage, bedair blynedd ynghynt, i fynd ar daith genhadu, yr oedd newydd golli ei wraig. Ufuddhaodd heb oedi, gan adael ei fab bychan, oedd heb eto fod yn flwydd oed, yng ngofal ei chwaer. Anfonwyd ef, Duw a ŵyr pam, nid i faes cenhadol cymharol gysurus Prydain Fawr fel y tri arall, ond i Siam (fel y gelwid Thailand bryd hynny). Oherwydd rhyw gymhlethdodau gweinyddol, methodd gael mynediad i Siam ac aeth, yn lle hynny, i Burma. Yno treuliodd dair blynedd seithug ac ofer, heb ddeall yr iaith nac ennill yr un aelod i'r Eglwys. Nid oedd ef mor barod â'i gyd-genhadon i ufuddhau'n ddigyfaddawd i ddymuniadau Brigham. Mewn dagrau, erfyniodd ar i'r ymfudwyr wynebu'r gwirionedd. 'Dywedais wrthynt,' meddai yn ei ddyddiadur, 'y byddai'n rhaid i ni gerdded drwy eira at ein pengliniau, a chyda'r nos, lapio ein hunain mewn blancedi tenau a gorwedd ar y ddaear rewllyd. Nid wyf yn condemnio'r drefn o ddefnyddio troliau. Fy unig wrthwynebiad yw ein bod yn gadael am y mynyddoedd yn rhy hwyr yn y tymor.' Ond pleidiodd yn ofer. Penderfynodd y mwyafrif ddilyn cyngor y tri, er i rai degau o'r cwmni wrthod mynd gyda hwynt. 'Gwn fod yr hyn a ddywedaf yn wir,' oedd ymateb Levi, 'ond gan eich bod yn benderfynol o fynd yn eich blaen, mi ddof gyda chwi, i'ch helpu hyd fy eithaf, i weithio gyda chwi, i orffwys gyda chwi, i ddioddef gyda chwi a phe bai raid, i farw gyda chwi.' Anghofiwyd am addewid Dan Jones na châi'r brodyr gychwyn am y Dyffryn 'mewn amser amhriodol i'r daith'.

Bythefnos ar ôl gadael yr oeddent mewn trafferth. Carlamodd gyr o fyfflo drwy'r gwersyll gan ddenu 30 o'u hychen i'w dilyn. Yr ychen hyn a dynnai'r pum wagen o fwyd ychwanegol a deithiai gyda'r troliau. Nid oedd yn bosibl mynd ymlaen hebddynt. 'Buom yn chwilio amdanynt am dridiau ond heb eu cael,' ysgrifennodd un dyddiadurwr. 'Dim ond un iau o ych oedd ar ôl i bob wagen, a thunnell a hanner o flawd arnynt i'w tynnu. Gwthiwyd pob anifail oedd gennym i'r iau – y gwartheg godro, y gwartheg eidion, hyd yn oed yr heffrod dwyflwydd – ond i ddim pwrpas. Ni fedrent symud y wageni. Doedd dim amdani ond rhannu sach o flawd, can pwys yr un, i bob trol yn y fintai.' A dyna ddiwedd hefyd ar y cyflenwad dyddiol o laeth i'r ymfudwyr, gan nad oedd buwch a dynnai yn yr iau drwy'r dydd yn debygol o roi llaeth gyda'r nos. Daeth siom arall iddynt pan gyraeddasant Fort Laramie. Disgwylient gyflenwad o fwyd o'r Dyffryn yno, ond nid oedd sôn amdano oherwydd, wrth gwrs, ni wyddai Brigham Young eu bod ar y trywydd. Gostyngwyd y dogn dyddiol o flawd o bwys yr un i dri chwarter pwys ac yn fuan wedyn i ddeg owns. Er hynny, nid oedd digon o fwyd ganddynt yn awr i gwblhau'r daith.

Erbyn hyn roeddent wedi gadael afon Platte, wedi teithio heibio i'r Rattlesnake Hills a heibio Poison Spider Creek ac wedi cyrraedd dyffryn afon Sweetwater, 6,000 o droedfeddi uwchlaw'r môr, un o'r mannau mwyaf anial ac anghysbell yng Ngogledd America. Gwanwyn byr iawn sydd yn nyffryn afon Sweetwater, a haf byrrach, a phan dry yr haf yn aeaf nid yw'n lle i hen bobl a phlant, heb ddillad cynnes a heb ddigon o fwyd. 'Nid oeddem wedi teithio'n bell i fyny afon Sweetwater,' ysgrifennodd un o'r fintai, 'cyn i'r nosweithiau, a oedd yn raddol oeri oddi ar i ni adael Fort Laramie, droi'n iasoer. Gwelem, wrth i'r mynyddoedd o'n blaenau agosáu, fod arnynt fantell o eira yn ymestyn bron i'w traed a bod argoelion o'r storm oedd i ddod i'w darllen yn y cymylau a gasglai o'u cwmpas yn is bob dydd.'

Fel yr oerai'r hin, gwaethygodd iechyd y fintai. Yn yr wythnos cyn i'r eira ddod, croniclir un farwolaeth ar ôl y llall yn y dyddiaduron. 'Dydd Iau, Hydref 9. Samuel Gadd, o Orwell, Swydd Caergrawnt, 42 mlwydd oed. Dydd Llun, 13eg. Paul Jacobsen o Lollard, Denmarc, 55 mlwydd oed. Dydd Mercher, 15fed. Caroline Reader o Linstead, Swydd Suffolk, 17 mlwydd oed. Dydd Iau, 16eg. George Curtis o Norton, Swydd Gaerloyw, 64 mlwydd oed. Lars Julius Larsen, a anwyd ar Orffennaf y 5ed yn y gwersyll yn Iowa City. John Roberts o Fryste, 42 mlwydd oed.' 'Ar y cychwyn, digwyddiad achlysurol oedd colli un o'r cwmni ond erbyn hyn amlhaodd y marwolaethau i'r fath raddau fel mai anaml y byddwn yn gadael gwersyll heb gladdu un neu ddau.' 'Duw'n unig a all ddeall ac amgyffred y gwewyr a'r pangfeydd a ddioddefwn.' Ar y 19eg o Hydref, y diwrnod pan gwympodd y storm eira arnynt, rhannwyd y dogn olaf o flawd rhyngddynt. Dim ond chwech o wartheg eidion esgyrnog a 400 pwys o fisgedi caled oedd ar ôl i fwydo 400. Yr oedd mintai gyfan Willie ar fin bod heb fwyd.

Ac ar yr un diwrnod, 100 milltir y tu ôl iddynt, yr oedd minteioedd Martin a Hodgett yn paratoi i groesi'r rhyd olaf ar afon Platte. Mintai Martin oedd un o'r fwyaf a anfonwyd allan erioed gan y Mormoniaid, 575 o bobl yn tynnu 145 trol, ac 8 wagen o fwyd yn eu canlyn. Ychydig ohonynt fyddai wedi crwydro'n bell o'u cynefin cyn hynny; ychydig fyddai ag unrhyw syniad beth i'w ddisgwyl yn y mynyddoedd hyn. Glowyr a mwynwyr, eu cyrff yn dangos ôl gwaith caled ac ymborth gwael; gweision a morynion y ffermydd bychain, heb geiniog i'w henwau, yn teithio dan nawdd y Gronfa Ymfudo Barhaus; clercod a siopwyr na freuddwydiasant erioed am y fath stormydd; hen bobl a phlant mewn dyfroedd dyfnion iawn. Pum mis oedd oddi ar iddynt adael eu cynefin a dyma hwy yn awr, yn fudr, yn flinedig, yn oer ac yn newynog, yn tynnu popeth a feddent ar eu troliau, 400 milltir o'r gymuned agosaf, a'r gaeaf yn cau amdanynt.

Wrth eu hochr teithiai'r 150 ym mintai Hodgett. Talodd y teithwyr hyn yn llawn am eu cludiant. Teithient mewn 33 wagen gan fwynhau ychydig mwy o gysur na'u cymdogion ym mintai Martin. Gallasent fod wedi gadael Florence beth amser ynghynt ac wedi bod yn nesáu at ddiwedd eu taith erbyn hyn ond roeddent wedi cytuno i gyd-deithio â mintai Martin, er mwyn cadw llygad arnynt a'u helpu pe bai raid. Byddai eisiau help arnynt hwythau hefyd cyn diwedd y daith.

Daeth y ddwy fintai i stop ar lan y rhyd olaf dros afon Platte. Rhedai'r dŵr yn gyflym, talpiau o rew yn rowlio yn llif yr afon, ei dyfnder yn amrywio, weithiau'n cyrraedd eu pengliniau, weithiau eu ceseiliau. Yr oedd yn bwrw cenllysg yn drwm wrth i un drol ar ôl y llall fentro i'r dyfroedd rhewllyd. Y cronicl gorau o arswyd yr oriau nesaf yw atgofion amrwd yr ymfudwyr eu hunain.

'Golchwyd ni oddi ar y rhyd a chododd y dŵr at ein ceseiliau. Safai mam ar y lan yn sgrechian. Clywais hi'n gweiddi "Er mwyn Duw, achubwch fy merched." Yng nghanol yr afon, cofiaf i mi weld un o'r brodyr yn llithro a chwympo i'r dŵr wrth gario ei blentyn ar ei gefn. Ni welais a achubwyd ef neu beidio. Bu'n rhaid i bob claf a allai gerdded ddringo o'u wageni a chroesi ar droed, er bod rhai'n syrthio i'r afon dro ar ôl tro.'

'Dim ond pellter bychan yr oedd fy ngŵr wedi mynd i'r llif pan ddaeth at gefnen o dywod yn yr afon. Suddodd i'w liniau arni, wedi diffygio'n lân. Croesodd fy chwaer, Mary Horrocks Leavitt, ato a'i godi i'w draed a daeth dyn ar geffyl a'i gludo i ddiogelwch. Yna helpodd fy chwaer fi i dynnu ein trol drwodd, gyda'r tri phlentyn arni yn ogystal â'r llwyth arferol.' 'Nid oedd gennym ddillad sych i newid iddynt. Gorfodwyd ni i gerdded ymlaen yn ein dillad gwlyb a'r rheini'n rhewi amdanom.'

Wedi gadael y rhyd, ymlusgodd y fintai drwy'r lluwchfeydd am filltir flinedig arall ac yna aros i ffurfio gwersyll a chodi'r pebyll. Y noson honno, cwympodd mwy o eira.

'Gofynnwyd i mi dynnu Aaron Jackson, oedd yn marw, i'r gwersyll. Wedi codi'r babell, cynorthwyais ei wraig i'w osod yn ei flancedi. Yn hwyrach, wrth basio drwy'r babell, baglais dros ei goesau. Yr oeddent yn stiff ac yn oer. Cyffyrddais â'i wyneb. Yr oedd wedi marw, gyda'i wraig luddedig a'i blant bychain yn cysgu'n drwm wrth ei ymyl. Ni ddeffroais hwynt.'

'Cysgais tan tua hanner nos. Yr oedd yn oer iawn a'r tywydd yn erwin. Gorweddai fy ngŵr mor llonydd wrth fy ochr. Ni fedrwn ei glywed yn anadlu. Rhoddais fy llaw arno a chanfod bod fy ofnau gwaethaf wedi eu gwireddu. Gelwais am gymorth ond yn ofer. Nid oedd gennyf ddewis ond gorwedd yno wrth ei ochr tan y bore. O! mor araf yr ymgripiai'r oriau blin. Pan ddaeth y wawr, paratowyd ei gorff ar gyfer ei gladdu ac O! y fath angladd.'

'Gorchuddiwyd ef â blanced a'i osod mewn pentwr gyda'r 13 arall oedd wedi marw'r noson honno, a'u gorchuddio ag eira. Nid oedd modd agor bedd gan mor galed y ddaear.'

'Mor drist yw gweld y beddau bâs, gyda deg neu fwy wedi eu claddu ynddynt, dim ond ychydig brysgoed a phridd drostynt gan mor wan y dynion fu'n eu paratoi.'

'Safai Capten Martin drostynt gyda'i ddryll yn ei law yn tanio'n ysbeidiol i'r awyr i gadw'r brain i ffwrdd.'

'Gadawyd ef yno i gysgu mewn hedd nes bod utgorn yr Arglwydd yn diasbedain a'r meirw yng Nghrist yn deffro a chodi ym more'r atgyfodiad a chawn eto wneud ein calonnau a'n bywydau yn un.'

'Yn y boreau gwêl eu hanwyliaid y cyrff wedi eu rhwygo o'r pridd gan fleiddiaid llwyd, a'u bwyta – penglog fan hyn, esgyrn coes a braich a chlun, a gwaed ar yr eira a'r bleiddiaid yn udo o'n hamgylch.'

Am y naw niwrnod nesaf ni symudodd y fintai gam. Yr oeddent yn rhy wan, yn rhy oer, yn rhy newynog ac yn rhy anobeithiol i frwydro ymlaen. Cofir am y dyddiau hyn yng nghroniclau'r Saint fel dyddiau duaf yr ymfudiad, isafbwynt eu hanes ar y trywydd. Ond yr oeddent hefyd yn ddyddiau o ddewrder a stoiciaeth ddi-gŵyn, wrth iddynt wynebu diwedd a ymddangosai'n anochel. Yn hanes yr ymfudwyr a groesodd America, y mae enghreifftiau niferus o ddynion mewn trybini tebyg yn ymosod ar ei gilydd yn anifeilaidd i geisio arbed eu bywydau, yn ymostwng hyd yn oed i ganibaliaeth i gadw corff ac enaid ynghyd. Ond nid felly'r Mormoniaid. Parhaent i helpu'i gilydd, i rannu'r ychydig oedd ganddynt, i weithredu fel uned, i ufuddhau i'w harweinwyr ac i ddibynnu ar eu Duw.

Bymtheg milltir tu ôl i fintai Martin a Hodgett ar yr ochr draw i'r rhyd, hefyd wedi eu cau i mewn gan yr eira, swatiai'r fintai olaf, mintai Hunt. Yr oeddent hwy hefyd yn teithio mewn wageni a hefyd wedi cytuno i aros yn ôl i gadw llygad ar fintai Martin. Cymry oedd ymron i chwarter ohonynt, sef gweddill y 560 a adawyd gyda Dan Jones yng ngwersyll Florence. Ond nid oedd Dan yn eu plith erbyn hyn. Yr oedd wedi ei ryddhau o'i gyfrifoldebau fel arweinydd ac wedi ymuno â grŵp dethol o genhadon a deithiai mewn cerbydau ysgafn wedi eu tynnu gan geffylau cyflym. Gadawsant Florence ddeuddydd ar ôl mintai Hunt ond cyraeddasant Utah ddeufis o'i blaen.

Fel yr ymfudwyr ym mintai Hodgett, yr oedd aelodau mintai Hunt hefyd wedi talu am eu lle. Pobl gymharol gefnog oedd y rhan fwyaf ohonynt, perchnogion siopau a masnachdai bychain a chrefftwyr a gweithwyr hyfforddedig. Dyn felly oedd Elias Jones, mab i dafarnwr a pherchennog tafarn a nifer o siopau yn Abertawe. Teithiai ef a'i deulu gydag wyth ych, dwy wagen, dwy fuwch, ceffyl a thrap. Carient eu bwyd eu hunain, roedd ganddynt welyau yn y wagen a digon o ddillad cynnes a chaent gysgod rhag y gwaethaf o'r tywydd. Bu David Bowen, un arall o'r fintai, yn cynilo am flynyddoedd i dalu am le i'w deulu ac yntau mewn mintai o wageni. Daliai swydd dda mewn ffatri yn gwneud cadwyni ac angorau yn Llanelli. Erbyn 1854 roedd ganddo ddigon i gychwyn am y Dyffryn ond allan ar yr Iwerydd, ac yntau'n pwyso dros ochr y llong, llithrodd ei bwrs o'i afael a diflannodd ei holl gyfoeth i waelod y môr. Bu'n rhaid iddo ef a'i wraig a'i dri phlentyn adael y cwmni ac aros yn Pennsylvania am flwyddyn i ennill rhagor o gyfalaf. Cafodd waith mewn glofa yn Minersville a llwyddodd o fewn y flwyddyn i gynilo digon i gychwyn eto am Utah gyda mintai Hunt.

Yr oeddent hwythau hefyd wedi cael amser caled. Yn nyddlyfr swyddogol y fintai ceir awgrym o'u treialon. 'Medi 21. Bu farw'r Brawd Elias Davies. Gŵr mawr ei barch gan bawb. Y dolur rhydd (*diarrhoea*) oedd y clefyd a'i lladdodd. Claddwyd ef yr un noson wrth ochr y llwybr.' 'Medi 23. Cafodd y Chwaer Ann Davies ddamwain. Hon oedd gwraig Elias, a fu farw ddau ddiwrnod ynghynt. Daliwyd ei dillad yn siafft y wagen wrth iddi neidio i lawr a rhedodd yr olwynion dros ei chlun a'i hysgwydd. Ond yn ffodus yr oedd gwely'r ffordd yn dywodlyd ac ni frifwyd hi yn rhy ddifrifol. Llwyddodd i gerdded rhai oriau wedyn.' 'Hydref 10. Heddiw cwympodd ych yn perthyn i'r Brawd Richard Griffiths yn farw yn ei iau. Datgysylltwyd ef o'r iau gan adael ei bartner yn yr iau ar ei ben ei hun. Wrth deithio ymlaen daeth harnais hwn yn rhydd a dihangodd gyda'r iau yn hongian am ei wddf. Achosodd hyn fraw i'r ychen eraill a dechreuasant redeg i lawr y ffordd tuag at weddill y fintai, gyda'u wageni trymion allan o reolaeth y tu ôl iddynt. Yr oedd perygl mawr y byddai'r ychen yn sathru pobl dan draed neu'n eu gwasgu rhwng y wageni ond yn ffodus, o fewn ychydig funudau, ar ôl i 10 neu 12 wagen adael y ffordd, cafwyd rheolaeth ar yr anifeiliaid. Yn ystod y stampîd trawyd y Chwaer Esther Walters o Gaerdydd a'i brifo mor ddifrifol nes iddi farw ychydig funudau wedyn, gan adael babi pedwar mis oed.' 'Tachwedd 5. Bu farw Jane Walters, babi Esther Walters.' 'Tachwedd 7. Bu farw Ann Davies [yr hon a gwympodd o'i wagen heb frifo].'

Cadwent lygad barcud am unrhyw arwydd o Indiaid. 'Daethom ar draws darn o gorff dynol,' meddai un dyddiadurwr. 'Tybiwyd mai darn o gorff Thomas Margetts ydoedd.' Yn ôl y *Deseret News*, papur y Mormoniaid yn Ninas y Llyn Halen, lladdwyd Thomas Margetts a James Cowdy a'i wraig a'u plentyn yn nechrau Medi gan y Cheyenne a chymerwyd gwraig Margetts yn garcharor ganddynt. 'Gwelsom ddarnau o ddillad merch a gwallt. Llenwyd ni â theimladau o arswyd a braw a deallasom ein bod ymysg llwythau gelyniaethus. Credasom ein bod wedi ein hamgylchynu ganddynt. Wrth iddi nosi clywsom weiddi dychrynllyd a sŵn cyfarth fel pe bai'r bryniau yn llawn anwariaid.' Gorchmynnwyd i bob dyn yn y gwersyll aros ar ddihun y noson honno. Ar adegau, gwnaent 'wersyll tywyll' i dwyllo'r Indiaid, sef codi pebyll a chynnau tanau a pharatoi swper a'i fwyta ac yna, yn slei bach, diffodd pob golau, cwympo'r pebyll, ail-lwytho'r wageni a symud ymlaen rhyw ddeng milltir heb wneud dim i dynnu sylw'r Indiaid at eu gwersyllfan newydd.

Ddiwrnod ar ôl gadael Florence, ganwyd merch fach, ddeufis yn gynnar, i Margaret Giles, gwraig y telynor dall. Bu'r plentyn fyw am ddau ddiwrnod yn unig. Clafychodd Margaret ar ôl i'w merch fach farw ac ar y 15fed o Hydref, wythnos wedi gadael Fort Laramie, bu hithau farw hefyd, gan adael ei dau fachgen heb neb i'w gwarchod. Yn y fintai, teithiai Hannah Evans, gwraig a fu ar un adeg yn tywys Thomas Giles o gwmpas y canghennau yng ngorllewin Sir Fynwy, ac ymgymerodd hi â'r cyfrifoldeb o ofalu am y bechgyn. Bedwar diwrnod wedi marw Margaret cwympodd yr eira cyntaf, gan gau'r trywydd. Daeth mintai Hunter, fel y tair mintai arall, i stop.

Bythefnos ynghynt, nid oedd gan neb yn Ninas y Llyn Halen y syniad lleiaf fod argyfwng difrifol yn datblygu ar y Rockies. Ni wyddai Brigham Young fod cannoedd o'i bobl allan ar y trywydd o hyd. Ni fyddai gobaith wedi bod o'u hachub oni bai am un digwyddiad ffodus. Ar y 4ydd o Hydref, bythefnos cyn i'r eira ddisgyn, cyrhaeddodd y fintai fechan o genhadon, gan gynnwys Dan Jones, y Dyffryn yn eu cerbydau cyflym. Daethant â'r newyddion syfrdanol i Ddinas y Llyn Halen fod dros 1,300 o Saint ar y trywydd o hyd, yn brin iawn o fwyd ac mewn cyflwr gwael. Er nad oedd yr eira wedi dechrau cwympo pan aethant heibio iddynt, sylweddolodd y cenhadon eu bod mewn perygl.

Deallodd Brigham Young ddifrifoldeb y sefyllfa yn syth. Gwyddai sut i ymateb yn gyflym ac yn rymus mewn argyfyngau o'r fath, ac yn y dyddiau nesaf galwyd arno i amlygu'r cryfder hwnnw dro ar ôl tro. Drannoeth i'r cenhadon gyrraedd, galwodd gyfarfod mawr o'i bobl. Dywedodd wrthynt mai ei bwrpas ar y ddaear oedd achub eneidiau, a golygai hynny achub eneidiau yn y byd hwn yn ogystal â'r byd nesaf. Ac yna, yn ei ffordd ymarferol, uniongyrchol, dechreuodd restru'r pethau yr oedd yn rhaid eu cael ar fyrder os oeddent am achub y trueiniaid yn y Rockies. 'Chwe deg gwedd o fulod, pymtheg wagen, deuddeg tunnell o flawd, dillad o bob math a deugain gyrrwr profiadol, dynion oedd wedi arfer â'r amodau gwaethaf. Ac roedd eu heisiau erbyn yfory.' Dim ond cychwyn oedd hyn. Byddai eisiau llawer llwyth eto cyn bod y gwaith yn orffenedig.

Drannoeth, aildraddododd ei bregeth i dyrfa fwy, gan ychwanegu, os na châi ymateb da i'w apêl, y bwriadai ef ei hun gychwyn am y mynyddoedd cyn diwedd y dydd i chwilio am ei frodyr oedd mewn perygl. Yn y cyfarfod rhoddwyd addewidion iddo am y cyfan oedd ei eisiau ac ar y 7fed o Hydref, dridiau'n unig ar ôl i'r Saint yn Utah glywed gyntaf am yr argyfwng, ac ymron i bythefnos cyn i'r eira cyntaf ddechrau cwympo yn nyffrynnoedd Sweetwater a Platte, gadawodd y fintai gyntaf am y Rockies, i achub pobl na wyddent eto eu bod mewn perygl.

Ar fore'r 19eg o Hydref, bore'r storm eira fawr a'r bore y rhannwyd yr olaf o'r blawd, daeth sgowtiaid y fintai achub i mewn i wersyll mintai Willie a chyhoeddi bod help wrth law. Cyrhaeddodd y wageni gyda'u llwythi o flawd dridiau wedyn. Ysgrifennodd un o bobl Willie am y munudau hynny pan ymddangosodd y rhes o wageni fel drychiolaeth allan o'r machlud. 'Rhedodd y newyddion o gwmpas y lle fel tân gwyllt a chododd pawb a fedrai o'u gwelyau i'w cyfarch. Atseiniai bonllefau o lawenydd ar hyd y gwersyll, wylai dynion cryfion, y dagrau'n powlio i lawr eu bochau crychlyd, ac ymunodd y plant bychain yn y dathlu heb ddeall yn iawn beth a ddathlent, gan ddawnsio o gwmpas yn eu hapusrwydd.'

Ond yr oedd treialon y fintai ymhell o fod drosodd. Gyrrwyd hwy'n galed gan eu hachubwyr. Gwyddent mai eu hunig obaith oedd symud ymlaen, peidio stopio. Ychydig o le oedd yn y wageni i gario'r methedig ac felly bu'n rhaid i'r mwyafrif ohonynt barhau i gerdded. Cofia Michael Jensen ei fam yn eistedd ar ochr y trywydd yn wylo am ei dad oedd newydd ei gladdu. 'Daeth un o swyddogion y fintai i fyny ati gyda ffon yn ei law a'i tharo ar draws ei chefn gan ddweud mewn llais caled, "Ar eich traed ac ymlaen â chi. Chewch chi ddim eistedd yma'n crio. Y mae'n rhaid i chi symud ymlaen neu mi fyddwn i gyd farw." Y noson gyntaf ar ôl i'r achubwyr eu cyrraedd, bu farw naw ohonynt. Y noson wedyn, dau arall. Y diwrnod gwaethaf oedd y diwrnod ar Rocky Ridge. Cychwynnwyd yn gynnar yn y bore gan fod taith 17 milltir o'u blaenau. Tynnodd y cwmni eu troliau dros greigiau danheddog y grib drwy'r dydd a'r rhan fwyaf o'r noson wedyn. Chwythai gwynt oer o'r gogledd-orllewin yn syth i'w hwynebau. Dioddefent o ewinrhew (*frostbite*) yn eu traed a'u dwylo a'u hwynebau. Yr oedd rhai'n droednoeth. Sylweddolodd Maria Linford fod ei gŵr yn gwanhau. Tynnodd ei phais oddi amdani a'i lapio o'i gwmpas ond nid oedd yn ddigon i'w achub a bu farw cyn y wawr. Cwympodd Elizabeth Cunningham yn anymwybodol i'r eira. Nid oedd gan neb y nerth i'w chodi. Lapiwyd hi mewn blanced a'i gadael ar ochr y trywydd. Oriau'n ddiweddarach daeth ei mam yn ôl i chwilio amdani a'i chanfod yn fyw o hyd. Llwyddodd i'w chael i'r gwersyll a'i hadfer. Am bump o'r gloch fore trannoeth daeth yr olaf o'r troliau i mewn i'r gwersyll. Yr oedd James Kirkwood, 11 oed, wedi cario ei frawd bach, Joseph, 4 oed, ar ei gefn drwy'r nos. Ni fedrai ei fam weddw na'i frawd hŷn ei helpu oherwydd carient hwy frawd arall ar y drol. Ar ôl cyrraedd y gwersyll, gosododd James ei frawd bach yn ofalus ger y tân a chwympodd yn farw.

'Yr oedd cynifer wedi ac yn marw fel i ni benderfynu aros yno am y diwrnod,' ysgrifennodd un o'r ymfudwyr. 'Yn y pnawn, gofynnwyd i mi fynd o gwmpas y gwersyll i gasglu'r meirwon. Cymerais ddau o'r dynion ifainc i'm helpu a chasglasom dri chorff ar ddeg, gwragedd a dynion o bob oedran, wedi eu rhewi'n galed. Torrwyd un bedd mawr sgwâr a chladdwyd y cyrff ynddo mewn rhesi o dri, un ar ben y llall. Cyn diwedd y dydd bu farw dau arall, gan wneuthur pymtheg i gyd.' Claddwyd y cyrff yn y dillad y buont farw ynddynt a gorchuddiwyd hwy gan wiail o helyg a cherrig a meini mawrion, i gadw'r bleiddiaid rhag eu codi. Ond yn ofer. 'Clywais wedyn gan ddynion a basiodd y ffordd honno'r flwyddyn ganlynol,' ysgrifennodd un o'r fintai, 'fod y bleiddiaid wedi cael gafael ar y cyrff ac wedi gwasgaru'r esgyrn i bob cyfeiriad.' Drannoeth gyrrwyd hwy yn eu blaenau gan eu hachubwyr. Daethant i gasáu'r troliau. 'Poenydwyr dwy-olwynog dynion.' 'Dyfeisiadau dieflig Brigham Young.' Llenwid y wageni gan gynifer o gleifion a gweinion, wedi eu llwytho un ar ben y llall, fel yr oedd ofn y byddent yn mygu'i gilydd. Ffynnai'r chwain drwyddynt a chodai drewdod difrifol ohonynt. Bob diwrnod byddai dau neu dri yn marw. Wythnos wedyn, ar lan yr afon Werdd, daeth ychwaneg o wageni yn cario bwyd a chymorth i'w cyfarfod. Yno, o'r diwedd, cawsant ffarwelio â'u troliau a theithio gweddill y ffordd yn y wageni.

Nid oes sicrwydd faint a fu farw ym mintai Willie. Amcangyfrif yr haneswyr yw bod tua 65 wedi colli eu bywydau ar y trywydd o'r 400 yn y cwmni, ond nid yw hyn yn cyfrif y niferoedd a fu farw yn y misoedd wedi iddynt gyrraedd Dinas y Llyn Halen.

Roedd tair mintai allan yn y mynyddoedd o hyd. Wedi darganfod mintai Willie ac arwain y brif fintai achub ati, aeth y sgowtiaid yn eu blaenau i chwilio am finteioedd Martin, Hodgett a Hunt. Naw niwrnod yn ddiweddarach, pan oeddent ar fin rhoi'r gorau iddi a throi yn eu holau am afon Sweetwater, gwelsant ôl traed yn yr eira. Dilynasant hwy tuag at glogwyn o garreg goch ac yno, yng nghysgod y graig a elwir heddiw yn Red Buttes, llechai minteioedd Martin a Hodgett. Yn wan ac isel eu hysbryd, heb symud am ymron i naw niwrnod, y tywydd yn gwaethygu a'u bwyd yn darfod, y mae'n annhebyg y byddent wedi medru ailgychwyn oni bai i'r sgowtiaid eu darganfod.

Y mae atgofion yr ymfudwyr yn Red Buttes am ddyfodiad y sgowtiaid yn cyfleu rhywbeth o ryfeddod eu hachubiaeth. Gwisgai arweinydd y sgowtiaid glogyn hir, tywyll ac roedd yn marchogaeth asyn gwyn. Diflannai'r asyn i'r cefndir o eira ac wrth iddo drotian yn ei flaen, codai a chwympai clogyn y marchog fel adain fawr ddu. Ymddangosai i'r gwylwyr yn y gwersyll islaw fel petai'n hedfan atynt drwy'r awyr. 'Yr oeddwn yn chwarae o flaen wagen y chwaer Scott,' cofiodd John Bond, bachgen 12 oed. 'Yn sydyn, neidiodd i'w thraed a dechrau gweiddi ar uchaf ei lais, "Angel o'r nefoedd! Angel o'r nefoedd! Rwy'n eu gweld nhw'n dod." Edrychasom i gyd i'r gorllewin, ac ymhell i ffwrdd yng nghesail y bryniau, gwelsom dri dyn ar geffylau yn arwain ceffyl arall trwy'r eira. Cododd gwaedd drwy'r gwersyll. Tadau a mamau a brodyr a chwiorydd yn cwympo ar yddfau'i gilydd a'r dagrau'n llifo'n ddi-baid. Gwasgai mamau eu breichiau tenau o gwmpas gyddfau ein hachubwyr gan eu cusanu dro ar ôl tro.' Dyn o'r enw Daniel W. Jones oedd yn arwain y sgowtiaid – nid Cymro, ond efallai ei fod o dras Gymreig. Y mae ei lyfr *Forty Years among the Indians* yn gronicl gwerthfawr o hanes yr achubiaeth. 'Credent mai angylion o'r nefoedd oeddem ond atebais ein bod yn fwy defnyddiol nag angylion gan mai dynion cryf, gonest oeddem, wedi dod i'w helpu i'r Dyffryn, a bod y fintai achub, gyda wageni yn llawn o fwyd, yn agosáu. Credais y byddai'r anwiredd bychan hwn yn gysur iddynt.' Mewn gwirionedd, roedd y brif fintai achub rai dyddiau i ffwrdd ac ychydig o fwyd oedd ganddi i'w rannu. Nid oedd llawer y medrai'r sgowtiaid ei wneud heblaw codi gobeithion yr ymfudwyr a'u hannog i ddechrau symud eto. 'Yr oeddent mewn perygl o farw o newyn cyn i'r fintai achub gyrraedd.'

Yr oedd gan y sgowtiaid dasg arall i'w chyflawni cyn mynd yn ôl i geisio help. 'Aethom yn ein blaenau ar garlam i chwilio am wersyll John Hunt, oedd bymtheg milltir i ffwrdd. Ymddangosai'r gwersyll hwn mewn llawer gwell cyflwr. Yr oedd y pebyll wedi eu gosod yn daclus ac mewn trefn, yr oedd ganddynt ddigon o goed tân ac nid ymddangosai fod prinder bwyd.' Pwysleisiwyd iddynt hwythau hefyd fod yn rhaid iddynt wthio ymlaen. Fore trannoeth, ar ôl gwneud yn siŵr bod y fintai wedi dymchwel eu pebyll ac yn dechrau llwytho'r wageni, cychwynnodd Daniel Jones yn ôl at y brif fintai achub i roi gwybod iddynt am gyflwr a lleoliad y tair mintai anffodus. Ar ei ffordd yn ôl aeth heibio i fintai Martin, oedd wedi dechrau symud eto ac yn dringo'n boenus i fyny rhiw serth, ac am y tro cyntaf sylweddolodd mor enbyd oedd eu cyflwr. 'Gwelais bobl mewn adfyd a chyni gwaeth nag a welais cynt nac wedyn. Ymestynnai'r fintai dros dair neu bedair milltir. Gwelais hen ddynion yn llusgo eu troliau, rhai wedi eu llwytho â phlant a gwragedd claf. Gwelais wragedd yn tynnu eu gwŷr a'u plant bychain, gan straffaglu i fyny drwy'r mwd a'r eira. Yr oedd cannoedd ohonynt eisiau help a dim ond dau ohonom ni. Beth gallem ei wneud?' Gwnaethant yr unig beth doeth, sef brysio i geisio rhagor o help.

Ar ddiwrnod olaf Hydref, bythefnos wedi'r eira cyntaf, cyfarfu'r fintai achub â'r tair mintai olaf. Ond dim ond chwe wagen o fwyd oedd ganddynt ar eu cyfer, a channoedd i'w bwydo. Casglwyd y tair mintai at ei gilydd yng nghysgod Devil's Gate. Yno caent ychydig gysgod, allan o'r gwaethaf o'r gwynt. Ceisiwyd penderfynu beth i'w wneud nesaf. 'Dychmygwch rhwng pum a chwe chant o blant, gwragedd a dynion,' ysgrifennodd arweinydd yr achubwyr yn ei adroddiad i Brigham Young, 'wedi ymlâdd yn llwyr gan y straen o dynnu'r troliau drwy fwd ac eira; yn llewygu wrth ymyl y ffordd; yn cwympo, wedi rhewi i'w mêr; plant yn llefain, eu breichiau a'u coesau wedi cyffio gan yr oerfel, eu traed yn gwaedu a rhai ohonynt yn droednoeth yn yr eira a'r rhew. Y mae eu gweld bron yn ormod i'r glewaf ohonom, ond gwnawn be fedrwn, heb golli ffydd nac anobeithio. Y mae ein cwmni ni yn rhy fychan i fedru cynnig llawer o gymorth, dim ond diferion lle mae angen bwceidiau.' Yr oedd Brigham wedi rhag-weld hyn ac wedi trefnu bod dros 250 o wageni i ddilyn y fintai achub gyntaf. Ond byddai ymron i bythefnos eto cyn i'r rhai cyntaf ohonynt gyrraedd afon Sweetwater. Aeth y llythyr ymlaen i ddweud, 'Credaf nad oes mwy na thrydedd ran o gwmni Mr Martin yn medru cerdded. Efallai y teimlwch mai gor-ddweud yw hyn, ond y mae'n wir. Dengys rhai ohonynt ddewrder mawr ond y mae'r mwyafrif fel plant, yn methu helpu eu hunain mwy a heb syniad beth sydd o'u blaenau.'

Ymysg y dorf druenus hon yng nghwmni Martin cerddai John Griffiths a'i deulu. Gŵr o Fangor oedd John Griffiths. Ganwyd ef yno ym 1810. Aeth i weithio i ddociau Lerpwl cyn cyrraedd ei 20 oed ac y mae cofnod iddo ef a'i wraig gyntaf, Margaret, hefyd o Fangor, gael eu bedyddio yno yn y ffydd Formonaidd ym mis Ionawr 1840. Hyfforddwyd ef fel peiriannydd, a bu'n gweithio gyda'r un fforman yn nociau Lerpwl drwy gydol ei amser yno. Pan symudodd hwnnw i swydd newydd yn nociau'r llynges yn Woolwich yn Llundain, aeth John a'i deulu gydag ef. Ganwyd ei blant hynaf, Margaret a Thomas, yn Lerpwl cyn iddynt adael. Yn Llundain, ganwyd John, Jane Ellenor, a Herbert. Yn y 1840au felly, yr oedd John Griffiths yn ŵr cymharol gyfforddus ei fyd, mewn swydd dda, priodas hapus a'i deulu'n cynyddu'n gyflym. Ond yn y 1850au dechreuodd pethau fynd ar chwâl. Anfonwyd Thomas, y mab hynaf, allan i Utah, yn rhannol i osgoi'r drafft i Ryfel y Crimea ond hefyd i baratoi cartref ar gyfer gweddill y teulu. Ar ôl cyrraedd yno, diflannodd. Ni chlywodd y teulu ddim mwy oddi wrtho ac ni chawsant fyth ddeall beth a ddigwyddodd iddo. Yna bu farw Margaret, gwraig John, a gadawyd ef i edrych ar ôl y plant. Er hynny, ni ddiffoddwyd ei frwdfrydedd dros ymfudo. Ymddangosai nad oedd mor gysurus yn ariannol erbyn hyn oherwydd dewisodd fenthyg oddi wrth y Drysorfa Ymfudo Barhaus i dalu am y daith. Fel pob benthyciwr o'r gronfa y flwyddyn honno, disgwylid iddo ddefnyddio troliau i groesi'r paith. Ychydig fisoedd cyn mynd, priododd eto. Hwyliodd y chwech ohonynt ar yr *Horizon*, John ac Elizabeth, ei wraig newydd, a'r plant, Margaret oedd yn 16, John yn 11, Jane yn 8 a Herbert yn 5.

Cychwynnodd y teulu o Iowa City gyda John a Margaret, ei ferch hynaf, yn tynnu'r drol ac Elizabeth a'r plant iau yn cerdded wrth eu hymyl. Yn fuan, dechreuodd John deimlo straen y tynnu diddiwedd. Dioddefai'n ddrwg o grydcymalau a methodd wneud ei siâr o'r gwaith. Bu'n rhaid i John, ei fab, gymryd ei le rhwng y siafftiau. Plentyn ydoedd o hyd, heb eto gyrraedd ei 12 oed. Ef oedd rhwng y siafftiau pan groeswyd afon Platte. Profodd yr oerfel yn ormod iddo ac ef oedd y cyntaf o'r teulu i farw. 'Rhewyd nifer o'n cwmni i farwolaeth,' ysgrifennodd Margaret am y noson erchyll gyntaf yn Red Buttes, 'gan gynnwys fy mrawd John. Claddwyd ef yno, yn y diffeithwch oer, hanner can milltir cyn cyrraedd Devil's Gate.' Yr oedd ei thad hefyd mewn cyflwr gwael ac yn gwaethygu. 'Ni fedrai gadw i fyny â ni oherwydd bod y crydcymalau mor boenus.' Un tro, ceisiodd afael yng nghefn un o'r wageni wrth iddi basio. 'Gwelodd y gyrrwr ef a tharodd ef ar gefn ei goesau gyda'i chwip, gan achosi iddo gwympo i'r ddaear a methu codi. Gan fy mod yn tynnu trol, ni chefais wybod am hyn nes i mi gyrraedd y gwersyll ar ddiwedd y dydd, gan fod y troliau yn bell ar y blaen. Euthum yn ôl tua thair milltir i edrych amdano ond ni chefais afael arno. Ofnwn y gwaethaf. Credwn fod y bleiddiaid wedi ei gael.' Ond yr oedd cwmni arall yn gwersylla gerllaw, aelodau o fintai Hodgett efallai. 'Gwelodd fy nhad eu holion yn yr eira, a dilynodd hwynt i'w gwersyll, yn cropian ar ei bedwar. Daethpwyd ag ef yn ôl i'n gwersyll ni am un ar ddeg y nos.'

Yr oedd y gwersyll yn Red Buttes mor oer fel bod rhai o'r gwragedd yn methu codi eu pennau yn y boreau oherwydd bod eu gwallt wedi rhewi i'r dillad gwely. Amgylchynwyd hwy gan farwolaeth ar bob llaw. 'Cofiaf ddwy fenyw yn marw wrth fy ymyl,' ysgrifennodd Jane, y chwaer ieuengaf. 'Yr oedd un ohonynt yn eistedd wrth dân y gwersyll yn gwylio Elizabeth, fy llysfam, yn paratoi bisgedi o flawd a dŵr ar y radell. Sylwodd Elizabeth arni'n llygadu'r bisgedi yn awchus a chynigiodd un iddi. Pan edrychodd eto yr oedd y wraig heb symud, yn dal i syllu ar y fisged yn ei llaw, wedi marw.' Rywsut, gyda help eu hachubwyr, llwyddodd y teulu i dynnu'r drol yr hanner can milltir i Devil's Gate ond yno caewyd hwy i mewn eto gan ragor o stormydd a barodd am bum niwrnod a chollwyd un arall o'r teulu. 'Un bore pan ddeffroais,' cofiodd Jane, y chwaer ieuengaf, 'gorweddai John, fy mrawd hŷn, yn farw wrth fy ochr. Bythefnos wedyn bu farw fy mrawd iau, Herbert, yn yr un modd.'

Bu'n rhaid aros am wythnos yng nghyffiniau Devil's Gate ac yna, wedi i'r stormydd ostegu, gwthio yn eu blaenau eto. Gorfodwyd pawb, y wagenwyr a'r trolwyr, i adael eu holl eiddo yn Devil's Gate er mwyn gwneud lle yn y wageni i'r gwannaf. Daeth rhagor o wageni o'r Dyffryn i'w cyfarfod a rhoddwyd y gorau o'r diwedd i wthio'r troliau. 'Ar y diwrnod olaf o Dachwedd,' ysgrifennodd Margaret Griffiths, 'daethom i Ddinas y Llyn Halen, ar ôl deufis o ddioddefaint a chaledi annisgrifiadwy, y gwaethaf, mi gredaf, i unrhyw gwmni o ddynion, gwragedd a phlant orfod ei oddef. Y diwrnod ar ôl i ni gyrraedd, wedi ei ddirdynnu'n lân gan boenau crydcymalau, bu farw fy nhad o'r angen a'r oerfel y bu'n rhaid iddo'u dioddef ar y daith ddychrynllyd hon.'

Nid oes sicrwydd chwaith faint o fintai Martin a fu farw. Y ffigwr sy'n cael ei arddel gan yr haneswyr yw rhywle rhwng 135 a 150 o'r 500 a adawodd Florence. 'Bu farw llawer mwy o fechgyn a dynion na merched a gwragedd,' ysgrifennodd Jane Griffiths. Yr oedd hyn yn arbennig o wir am ei theulu hi. Ym mintai Willie goroesodd tair gwaith mwy o wragedd nag o ddynion. Dioddefodd y rhan fwyaf ohonynt ewinrhew. Collodd llawer fysedd neu draed, collodd rhai eu dwy goes i fyny i'r pen-glin. Collodd Jane Griffiths gymalau chwe bys a bu'n dri mis cyn i Margaret Griffiths fedru cerdded. Ond daeth y ddwy drwy'r profiad a byw i oedran teg. Y mae ffotograff o Margaret, yn ei hwythdegau, yn ôl unwaith eto rhwng siafftiau un o'r troliau, yn dangos i'w hwyrion sut y cerddodd i Seion.

Y fintai olaf i gyrraedd y ddinas oedd mintai Hunt a'r Cymry. Yn eu mysg roedd David Bowen a'i deulu, pob un ohonynt yn saff. Daeth Hannah Evans a dau fab Thomas Giles i mewn yn saff hefyd, er bod Hannah yn dioddef yn ddrwg o ewinrhew ar ei thraed ac ar ei hwyneb. Wyth mis yn ddiweddarach, priododd â Thomas Giles.

Gwyddom lawer o hanes Thomas Giles a Hannah wedi hynny oherwydd gwnaeth enw iddo'i hun yn Utah fel diddanwr a cherddor. Galwodd ei hun yn 'Delynor Dall Utah' ac roedd yn ffefryn mawr yng nghartref Brigham Young. Gwahoddwyd ef yno'n aml i ddiddanu gwesteion y Proffwyd. Gwnaeth fywoliaeth am weddill ei oes yn crwydro'r wlad gyda'i ddau fab, Joseph a Hyrum, yn cynnal cyngherddau offerynnol, y bechgyn ar y ffidil ac ef, wrth gwrs, ar y delyn. Ar ôl gorffen y cyngherddau, arferent glirio'r lloriau, codi'r carpedi a chynnal dawnsfeydd gwerin bywiog, gyda Thomas neu un o'r meibion yn galw. Ganwyd un mab arall i Thomas a Hannah, sef Henry, a ddaeth, ymhen amser, yn bennaeth cyntaf adran gerdd Prifysgol Brigham Young. Ymhyfrydai mewn cerdd dant, gan gystadlu ac ennill ar y grefft yn eisteddfodau'r dalaith. Profodd ef a'i deulu yn gefn i'r gymdeithas Gymreig yn Utah ar hyd eu hoes.

Y mae un dirgelwch yn aros am Thomas a'i delyn, sy'n benbleth o hyd. Gwyddom fod ei delyn gydag ef ar y llong ac ar y trên ar y Rock Island Line oherwydd y mae un o'r ymfudwyr yn nodi yn ei ddyddiadur ei fod wedi gwrando arno'n chwarae mewn pabell yng ngwersyll Iowa City. Gwyddom hefyd fod y delyn wedi cyrraedd Dinas y Llyn Halen oherwydd y mae yno i'w gweld heddiw yn Amgueddfa Merched Arloeswyr Utah. Telyn deires yw hi, wedi ei gwneud gan John Richards, Llanrwst.

Ond sut y cariwyd y delyn dros ddarn olaf y daith, o'r Missouri i Utah? Annhebyg fod y delyn wedi cael ei gadael yn Iowa City a'i chludo i'r Dyffryn flwyddyn yn ddiweddarach oherwydd gwyddom fod popeth a adawyd yno wedi ei golli. Yn ôl Thomas Davis Rees, 'storiwyd y pethau na fedrwyd eu cario mewn cytiau a adeiladwyd yn unswydd i'r pwrpas a bu sôn y caent ddod i Utah y flwyddyn ganlynol'. Ond bu tân dinistriol a llosgwyd y cytiau i'r llawr.

Tybed a gafodd Margaret, gwraig Thomas Giles, ganiatâd arbennig i ddod â'r delyn gyda hi ar ei wagen ym mintai Hunt? Nid yw hynny'n amhosibl. Byddai Hannah Evans, efallai, wedi gofalu amdani ar ôl marwolaeth Margaret, gan wneud yn siŵr ei bod yn cael ei storio'n saff dros y gaeaf yn Devil's Gate gyda gweddill yr eiddo a adawyd yno. Gwyddom i'r pethau hynny gyrraedd yn saff i'r Dyffryn y gwanwyn canlynol ac mae'n ddigon posibl fod telyn Thomas yn eu plith. Ond anodd yw credu bod Thomas wedi ymddiried ei delyn i eraill ar ei thaith beryglus i'r Dyffryn. Wedi'r cyfan, hon oedd i'w gynnal weddill ei oes, hon oedd ei ffon fara yn ogystal â'i gysur a'i lawenydd ac ni fyddai modd cael gafael ar un arall pe'i collwyd. Yr unig ffordd o fod yn sicr y cyrhaeddai'n saff oedd ei chadw'n agos ato drwy gydol y daith. Os llwyddodd i wneud hynny ar y llong ac yn y trên, tybed a wnaeth yr un peth ar draws y paith a thros y Rockies?

Yr oedd Brigham Young a swyddogion y minteioedd yn gefnogol iawn i unrhyw gerddor oedd am ddod â'i offeryn gydag ef. Hoffent weld dawnsio a chanu o amgylch y tân yn y gwersylloedd a chredent yng ngallu cerddoriaeth i ysgafnhau baich yr ymfudwyr a gwneud eu taith yn haws. Ceir amryw enghreifftiau o ffidil neu gonsertina yn y wageni ac mae'n hollol bosibl fod Thomas wedi cael caniatâd i ddod â'i delyn gydag ef. Nid yw telynau teires mor drwm â thelynau clasurol, gan nad oes ynddynt unrhyw ddarnau metel. Pwysa telynau John Roberts yn Sain Ffagan rhwng 25 a 30 pwys. Y mae lluniau a disgrifiadau o'r hen delynorion yng Nghymru yn cario'u telynau teires ar eu cefnau o bentref i bentref. Yr oedd Thomas Giles yn ddyn cryf, 36 mlwydd oed, oedd wedi gweithio yn y pwll tan y ddamwain. Y mae'n wir iddo gael ei daro'n wael ger Fort Bridger ond erbyn hynny byddai'r wageni bwyd yn gwacáu a digon o le ynddynt i'r delyn.

Un darn arall o dystiolaeth sy'n cryfhau'r posibilrwydd yma yw fod Margaret Davis Rees, a deithiodd gyda Thomas ym mintai troliau Bunker, yn sôn yn ei hatgofion am nosweithiau ar y paith ar ddiwedd diwrnodau caled pan gaent 'gasglu o gwmpas y tân a chanu i gyfeiliant telyn'. Ai telyn Thomas Giles oedd hon? Yn sicr, nid oes sôn am unrhyw delyn na thelynor arall yn y cwmni. Fy marn i yw fod Thomas Giles *wedi* cario'i delyn ar ei gefn, neu ei gwthio yn ei drol, yr holl ffordd ar draws y paith a thros y Rockies, am dros fil o filltiroedd, er ei fod yn hollol ddall. Dyna, yn sicr, y mae ei ddisgynyddion yn Utah yn ei gredu heddiw. 'Ffordd ogoneddus o gyrraedd Seion!'

1857

YM 1844, WRTH FYND drwy'r ardaloedd sychion sydd heddiw'n rhan o dde Utah, daeth y teithiwr cynnar John Frémont ar draws dyffryn gwyrdd o laswellt ir wedi ei ddyfrhau gan ffynhonnau niferus. 'Lle iachusol ac adfywiol,' ysgrifennodd, 'a lle hyfryd i'r llygad.' Chwe milltir o hyd a milltir o led, wedi ei amgylchynu gan fryniau isel, gorwedd y dyffryn 30 milltir i'r gorllewin o Cedar City, lle, ym 1857, y llafuriai Elias Morris a nifer o'i gyd-Gymry yn ceisio cynhyrchu haearn. Galwyd y lle yn Mountain Meadows a daeth yn wersyllfan poblogaidd ar y trywydd deheuol o Ddinas y Llyn Halen i San Bernardino a Los Angeles. Ychydig o'r prydferthwch hwnnw sydd yn aros heddiw. Golchwyd llawer o'r pridd i ffwrdd mewn storm fawr ym 1866. Difethwyd hynny o borfa oedd yn weddill drwy or-bori. Sychodd y nentydd a chrinodd y glaswellt ac ymledodd y llwyni llwyd o chwerwlys a wermod dros lawr y dyffryn. Dywed rhai fod melltith Duw ar Mountain Meadows.

Pan gyrhaeddodd y milwyr ffederal yma ym mis Mai 1859, gwelsant olion trychineb erchyll: gwallt merched yn hongian ar y llwyni, darnau o ddillad plant wedi eu rhwygo ar y drain ac esgyrn wedi eu gwasgaru ym mhobman. Casglwyd y darnau dynol ynghyd a'u claddu o dan bentwr o gerrig ar godiad tir uwchlaw Magotsu Creek ac ar y bedd heddiw ymddengys y geiriau hyn: 'Adeiladwyd a chynhelir gan Eglwys Iesu Grist Saint y Dyddiau Diwethaf o barch i'r rhai fu farw ac a gladdwyd yma ac yn y cyffiniau wedi galanastra 1857.' Ond nid dyna'r geiriau a gerfiwyd yn wreiddiol ar y bedd. Arferent ddarllen: 'Yma y llofruddiwyd 120 o ddynion, gwragedd a phlant mewn gwaed oer ym Medi 1857.' Ac nid oedd amheuaeth ym meddyliau'r milwyr a godod y gofeb gyntaf honno pwy oedd yn gyfrifol am y gyflafan. Gwyddent mai'r Mormoniaid oedd yn euog.

Ar y bore y bûm i yno yr oedd rhosyn plastig coch mewn pot jam yn addurno'r pentwr cerrig ac arno'r nodyn canlynol, mewn llaw a sillafu plentynnaidd: 'We are forever sorry for this very tradgic event in Mormon history.' Ac fe'i harwyddwyd gan 'A very sad Latter Day Saint descendant'. Y mae'n lle unig ac fe'i hosgoir gan y rhan fwyaf o bobl Utah. Hyd heddiw, y mae'r hyn a ddigwyddodd yma ym 1857 yn ennyn emosiynau arbennig o boenus ymysg Mormoniaid ac yn corddi casineb ymysg eu gelynion. Cynhyrchir traethodau ymchwil, llyfrau academaidd, ffilmiau a nofelau i geisio esbonio beth yn union a ddigwyddodd a phwy yn union oedd ar fai. Dadleuir y ffeithiau'n ddi-baid. Ond un ffaith sydd yn sicr. O dan y twmpath hwn o gerrig gorwedd esgyrn rhai o'r 120 o ddynion a gwragedd a phlant diamddiffyn, aelodau o fintai o ymfudwyr ar eu ffordd o Arkansas i Galiffornia, a saethwyd mewn gwaed oer yn y dyffryn hwn gan rai o Formoniaid Cedar City a'u cynghreiriaid, yr Indiaid Paiute, ym Medi 1857. Hon, heb os, oedd awr dduaf Mormoniaeth, y blotyn tywyllaf ar ei hanes. Tan yn ddiweddar iawn, gwrthodai'r Eglwys ganiatáu i ymchwilwyr edrych drwy'r dogfennau yn eu harchif a oedd yn ymwneud â'r gyflafan, a thyfodd pob math o straeon yn eu cylch a fu'n niweidiol iawn i enw da'r Eglwys. Ond o'r diwedd, yn 2008, cyhoeddwyd fersiwn o'r hanes, sef *Massacre at Mountain Meadows* gan Ronald W. Walker, Richard E. Turley, Jnr, a Glen M. Leonard, sy'n cynnwys y dystiolaeth a gadwyd dan glo gyhyd. Profodd yn stori hyll a sinistr, stori am gymdeithas gyfan, dan bwysau enbyd, yn plygu a thorri a bradychu eu daliadau gwerthfawrocaf. Ac yn ei chanol, yn un o'r tri a orchmynnodd y lladdfa, yr oedd y Cymro Elias Morris. I olrhain y stori rhaid mynd yn ôl i ddechrau'r flwyddyn.

Yng ngwanwyn 1857 roedd Abraham O. Smoot, maer Dinas y Llyn Halen, ar ei ffordd i'r Dwyrain ar daith fusnes ar ran yr Eglwys. Sylwodd ar y nifer anarferol o wageni yn mynd heibio iddo ar y trywydd, wageni trymion â deg iau neu fwy o ychen yn eu tynnu, a dechreuodd ofyn iddo'i hun pwy oedd yn cludo'r holl nwyddau trymion hyn i gyfeiriad Utah. Pan geisiodd holi, ni chafodd ateb credadwy. Felly, ar ôl cyrraedd Kansas City, aeth i swyddfa'r cwmni cludiant a holi ymhellach ac yn raddol datguddiwyd y gwirionedd. Yr oedd yn stori anodd ei chredu. Cariai'r wageni offer byddin o 2,500 o filwyr. Yn gyfrinachol, heb unrhyw ddatganiad cyhoeddus, yr oedd James Buchanan, Arlywydd America, a'i gadfridogion wedi cychwyn rhyfel yn erbyn y Mormoniaid.

Yn ôl rhai haneswyr, James Buchanan, yr arlywydd newydd, oedd yr arlywydd gwannaf yn hanes America. Profodd ei benderfyniadau cyntaf, ddeufis ar ôl iddo ddod i rym, yn rhai arbennig o wan. Yr oedd perthynas Utah â'r Unol Daleithiau yn peri gofid bryd hynny. Er mai Brigham Young oedd llywodraethwr y diriogaeth, nid ef oedd yn gyfrifol am y gyfraith. Anfonwyd nifer o farnwyr ffederal a gweision sifil o Washington i arolygu'r gwaith hwnnw. Ond teithiai Utah ar hyd llwybrau tra gwahanol i weddill yr Unol Daleithiau. Cymdeithas unbeniaethol a theocratig oedd hi o hyd. Oddi wrth Brigham Young y deilliai pob awdurdod. Gwell oedd gan bobl Utah fynd â'u problemau ato ef ac at lysoedd yr Eglwys nag at lysoedd yr Unol Daleithiau. Hawdd deall felly pam roedd un swyddog ffederal ar ôl y llall wedi ymddiswyddo, gan gwyno bod Utah yn amhosibl i'w llywodraethu tra bod Brigham Young mewn grym. Derbyniodd James Buchanan lythyrau oddi wrth ei weision sifil yn Utah yn cyhuddo Brigham Young, heb lawer o sail, o bob math o dor cyfraith, gan awgrymu bod Utah ar fin hawlio ei hannibyniaeth a gadael yr Unol Daleithiau. Yr oedd taleithiau'r De bryd hynny hefyd yn bygwth gwneud yr un peth a theimlai Buchanan fod rhaid dangos cadernid yn wyneb bygythiadau o'r fath. Felly, yn fyrbwyll a heb lawer o drafod, penderfynodd anfon y fyddin i Utah. Mynnodd fod y fyddin yn gadael ar ei hunion, er bod ei gadfridogion yn ei rybuddio nad oeddent yn barod ac mai cael eu dal ar y Rockies yng nghanol stormydd gaeaf fyddai eu ffawd. I goroni cyfres o benderfyniadau gwan, gwnaeth Buchanan hyn heb drafod na chysylltu â Brigham Young. Heddiw, anghofiwyd bron yn gyfan gwbl am y rhyfel hynod hwn ond dyma, mewn gwirionedd, ryfel cartref cyntaf yr Unol Daleithiau. Ni chyflawnodd ddim na ellid bod wedi ei gyflawni drwy drafodaethau. Ni laddwyd neb ar faes y gad. Ond yn anuniongyrchol roedd yn gyfrifol am farwolaeth 120 o ymfudwyr diniwed yn Mountain Meadows.

Pan glywodd y newyddion fod y fyddin ar y ffordd, galwodd Brigham ar y 3,500 ym milisia'r diriogaeth i ymbaratoi. Gorchmynnodd i'r Saint yn y cymunedau pellennig, yn Nevada a Chalifffornia, ddod adref. Galwodd ei genhadon yn ôl o bob cornel o'r byd. Ei fwriad, meddai, oedd ymladd rhyfel 'guerrilla', taro a rhedeg, heb fyth ymladd wyneb yn wyneb â'r gelyn. A phetai'r fyddin yn llwyddo i gyrraedd Utah, caent yno wlad wedi ei difa, meddai, y pentrefi a'r trefi wedi eu llosgi, y cnydau yn y caeau wedi eu difetha a'r boblogaeth wedi encilio i'r mynyddoedd i barhau'r frwydr. 'Dduw daionus!' rhuodd Kimball, un o'i gynghorwyr. 'Y mae gennyf ddigon o wragedd i fflangellu'r gelyn yma o'r tir.'

Heb wybod dim am y rhyfel nac am y cymylau duon eraill a dywyllai ffurfafen Utah y gwanwyn hwnnw, aeth yr ymfudiad o Ewrop yn ei flaen fel arfer. Gellid meddwl, ar ôl trychinebau'r flwyddyn cynt, y byddai'r Saint wedi cael digon o dynnu troliau dros y Rockies, ond roedd dwy o'r minteioedd ar y paith y flwyddyn honno eto ar droed ac yn tynnu troliau. Cyhoeddodd Brigham yng nghynhadledd flynyddol yr Eglwys yr hydref cynt mai dyma, er yr holl golledion, oedd y ffordd ymlaen. 'Y mae'r Saint a ddaeth i mewn y ffordd honno wedi bod yn iachach, mwy bodlon a dedwydd, ac wedi ymdrin â llai o drallod a blinder na'r rhai hynny a ddaeth ar wagenni,' meddai. Anghofiodd sôn am y rhai a fethodd gyrraedd o gwbl ond cyfaddefodd fod rhai gwersi i'w dysgu. Yr oedd eisiau cryfhau'r troliau, rhannu eu llwythi'n decach a threfnu cludiant i'r hen a'r egwan. Cynghorodd bawb i brynu pâr o esgidiau cryfion cyn ymadael. Ac yn bwysicaf oll, meddai, 'ni ddylid goddef dim un cwmni i adael afon Missouri yn ddiweddarach na'r dydd cyntaf o Orffennaf'. 'Trwy gadw at yr awgrymiadau hyn,' ebe'r *Udgorn*, 'credir y bydd yr ymfudiad, gydag un wedd o bedwar neu chwech o fulod i gludo anghenion pob dau gant o bersonau, yn llawer rhwyddach ac yn llai eto o gost.'

Yn un o ddwy fintai droliau'r flwyddyn teithiai dyddiadurwr da o Gymro o'r enw Evan Samuel Morgan, gŵr ifanc dibriod, 23 mlwydd oed, o Dregatwg, tu allan i Gastell Nedd. Yn ei ddyddiadur cawn grynodeb o'i hanes cyn gadael Cymru. Cychwynnodd weithio dan ddaear yn 11 oed. Bum mlynedd wedyn, daeth ei frawd hynaf â chopi o *Lyfr Mormon* adref o'r pwll. 'Darllenais ef o glawr i glawr,' ysgrifennodd Evan. 'Credais a llawenychais yn fawr ynddo.' Bedyddiwyd ef ym 1851 pan oedd yn 17 mlwydd oed. Ym 1854, dechreuodd bregethu. Gadawodd ei waith ac aeth i Sir Gaerfyrddin i genhadu a bu yno am chwe mis yn byw ar haelioni'r aelodau. Methodd gael gwaith oherwydd, meddai, y rhagfarn yn erbyn Mormoniaeth. Cyflogwyd ef o'r diwedd mewn gwaith haearn yn Ystalyfera. Gyda'r nos ymunai â'r Saint yng nghangen Ystradgynlais i bregethu a thystiolaethu drwy Gwm Tawe. Ym mis Mawrth 1855, penderfynodd fynd gyda John, ei frawd-yng-nghyfraith, i Lerpwl, i edrych a gaent waith ar un o'r llongau a gludai'r Saint dros yr Iwerydd, ond heb lwc. Gwelwyd hwy yno gan Dan Jones ac anfonodd ef hwy i genhadu yn Sir Fôn. Yr oedd mynd ar y diwydiant glo ym Môn ar y pryd a chafodd y ddau waith ym mhwll glo Pentre Berw ger Llangefni. Pan arafodd y gwaith yno, symudodd i bwll arall ger Malltraeth. Yna i Gaergybi, i weithio ar forglawdd newydd yr harbwr. 'Yr oedd tua 2,000 ohonom yn gweithio yno, yn rhwygo ochr y mynydd i lawr a'i lusgo i'r môr.' Yna i'r chwarel ym Mhen-y-groes yn Arfon. Symudai o le i le ac o waith i waith er mwyn ymweld â'r gwahanol ganghennau trwy'r Gogledd-orllewin. Gyda'r nos, byddai'n pregethu a dosbarthu pamffledi a chopïau o *Udgorn Seion*.

Cafodd gryn drafferth i ddysgu Saesneg. Ar y 3ydd o Awst, 1856 ysgrifennodd yn ei ddyddiadur ei fod wedi annerch cyfarfod yn Saesneg am y tro cyntaf. 'Yn y cyfarfod hwn gwneuthum fy ymgais gyntaf i siarad Saesneg yn gyhoeddus,' meddai. 'Yr oedd hyn ar gyfer chwaer na fedrai'r iaith Gymraeg.' Bu'n cenhadu, felly, drwy Gymru gyfan, De a Gogledd, am dros ddwy flynedd, heb orfod siarad Saesneg yn gyhoeddus. Ym mis Mawrth 1856, etholwyd ef, ac yntau ddim ond yn 22 mlwydd oed, yn llywydd ar Gynhadledd Môn a Dyffryn Conwy. Ond yr oedd a'i fryd ar ymfudo ac ym Mehefin y flwyddyn honno y mae'n amlwg, o'i ddyddiadur, ei fod yn dechrau cynllunio i fynd. Bu'n cenhadu yn Llandudno a Chonwy a Ffestiniog yng nghwmni gŵr o'r enw Benjamin Ashby. Americanwr oedd Ashby, ar fin gorffen ei gyfnod fel cenhadwr yng Nghymru ac yn dechrau meddwl am y daith yn ôl i'r Dyffryn. Yn ddiweddarach yn y mis, cyfarfu Evan â Griffith Roberts o Gapel Garmon, Llywydd Cynhadledd Sir Ddinbych, a'i wraig, Jane. Yr oeddent hwy hefyd am ymfudo. Ar y 5ed o Awst arhosai gyda Grace Jones, yn ysgrifennu llythyr drosti i'w merch yn Utah. Ar y 7fed o Fedi yr oedd mewn cynhadledd cwarter yn Eglwys-bach, Dyffryn Conwy, yn gwrando ar Israel Evans, Americanwr arall, un o gynghorwyr Daniel Daniels, llywydd y genhadaeth yng Nghymru. Yn yr holl gyfarfodydd a chynadleddau hyn, gellir dychmygu mai Utah, a sut i gyrraedd yno, oedd testun y sgwrs. Y gwanwyn canlynol yr oedd y chwech ohonynt, Ashby, Griffith a Jane Roberts, Grace Jones, Israel Evans

Independence Rock yn codi o'r paith fel beddrod enfawr o'r cynamser.

Enwau Elias Morris a'i wraig wedi eu torri ganddo ym 1852 ar y man uchaf ar Independence Rock.

Rhai o'r 'bechgyn' o'r Dyffryn, gyrwyr ifanc y wageni 'lawr a 'nôl' a anfonwyd gan Brigham Young i helpu'r ymfudwyr ar eu taith.

Mintai o Utah yn Echo Canyon ar eu ffordd i gyfarfod â'r ymfudwyr ar y Missouri.

Plac a godwyd ar un o brif strydoedd Dinas y Llyn Halen er cof am Martha Hughes.

Y wraig gyntaf yn yr Unol Daleithiau i'w hethol i senedd-dy talaith.

Martha gyda Gwendolyn. 'Rhowch i mi wraig sy'n meddwl am bethau heblaw'r stof a'r badell olchi a chlytiau babis ac mi ddangosaf i chwi, naw gwaith allan o ddeg, fam lwyddiannus.'

William Ajax, golygydd olaf *Udgorn Seion* a pherchennog y siop ryfeddaf yn Utah.

Hysbyseb i siop danddaearol William Ajax, wythfed rhyfeddod Utah.

Y 'Pony Express' yn cyfarch ei elyn pennaf – y telegraff.

Pan oedd eisiau cerddoriaeth ar y Mormoniaid i ddathlu neu goffáu neu ogoneddu, at Evan Stephens y troent.

Carreg fedd Titus yn Willard, Utah, yn cofáu ei wraig, Mary Gwenllian, 'buried at Talley, Carmarthenshire'.

Carreg fedd Benjamin, nesaf at fedd Titus, hefyd yn cofáu ei wraig, Esther, 'interred at Pencarreg churchyard, Wales'.

Un o'r salŵns yn Hell on Wheels. 'Yr oedd hi'n hollol saff yno ond i chi gadw allan o ffordd y bwledi.'

Diwedd 'Big' Steve Long a'i ddau hanner brawd, Ace a Con Moyer.

'Ymhell i lawr yr afon gallwn weld rhagflaenwyr y byd newydd, cwmni mawr o ddynion yn gosod y rheilffordd oedd i groesi America a disodli'r fintai ychen.'

Pan gyfarfu'r Union Pacific â'r Central Pacific yn Promontory Summit, Utah ar y 10fed o Fai, 1869, daeth Oes yr Arloeswyr i ben.

Yma y ganed Olive Davis, mam grŵp pop yr Osmonds.

Aelodau o'r Osmonds yn eistedd o flaen hen gartref y teulu yn croesawu'r dyrfa ddaeth i'r agoriad.

Ben Perkins o Langyfelach. Cymro cyffredin yn ceisio byw'r bywyd Mormonaidd hyd orau ei allu, mewn cyfnod pan nad oedd hynny'n hawdd.

Ei wraig, Mary Ann Williams. 'Ymddangosai mor fregus â deilen grin, ond, mewn gwirionedd, yr oedd mor wydn â gwadn hen esgid.'

Sarah Williams Perkins, ail wraig Ben Perkins, yn sefyll o flaen ei naw merch. Y mae ei hunig fab yn eistedd ar y feranda tu cefn, yn ymddangos braidd allan ohoni.

Criw o amlwreicwyr Mormonaidd yn y carchar. Ben Perkins sy'n eistedd ar y chwith.

Hole-in-the-Wall. Chwythwyd adwy drwy hanner can troedfedd o graig, digon llydan i wageni fynd drwyddi.

Yn rhwygo ar draws eu llwybr yr oedd cwm dwfn y Colorado. Rywsut byddai'n rhaid croesi'r hafn hon hefyd. Hole-in-the-Wall yw'r hollt yng nghanol uchaf y llun.

Nid oes neb fel y Mormoniaid am gofio, a'r hyn yr hoffant ei gofio, yn fwy na dim arall, yw eu Harloeswyr.

Bob haf, anfonir pobl ifanc yr Eglwys allan i'r paith, i dynnu troliau, a choginio eu bwyd yn yr awyr agored, a chysgu dan y sêr, i'w hatgoffa o ymdrech ac aberth eu cyndeidiau.

Dethlir Diwrnod yr Arloeswyr ar y 24ain o Orffennaf bob blwyddyn, i gofio'r diwrnod pan gyrhaeddodd y fintai gyntaf i'r Dyffryn.

Ymhob dinas a thref, gorymdeithia'r troliau, yn ail-fyw ymdrech eu tadau.

Cynrychiolwyr Taylorsville-Bennion, maestref a enwyd ar ôl y teulu Bennion o Benarlâg, y Cymry cyntaf i gyrraedd Dinas y Llyn Halen.

'Ysbryd y gorffennol yw nerth ein dyfodol.'

Penwythnos yr Ŵyl Gymreig yn nyffryn Malad, penwythnos o ddathlu Cymreictod yr ardal.

Malad City, Idaho. 'Y gymuned uchaf ei chanran o bobl o dras Gymreig yn yr holl fyd y tu allan i Gymru.'

ac Evan, yn gadael Lerpwl gyda'i gilydd ac yn hwylio ar y *George Washington* am Boston.

Cyrhaeddodd Evan yr Unol Daleithiau heb yr un geiniog yn ei boced. Yr oedd wedi gwario ei gynilion i gyd ar ddod cyn belled. Nid oedd arian yn y Drysorfa Ymfudo Barhaus y flwyddyn honno oherwydd gwagiwyd hi gan ymfudiad mawr y flwyddyn cynt. 'Wedi i mi dalu am bryd o fwyd yn Boston nid oedd gennyf geiniog i'm henw,' ysgrifennodd Evan, 'sefyllfa anodd i ddieithryn mewn gwlad ddiarth.' Yr oedd eisiau £3 arno i dalu am docyn trên i Iowa City ac am fwyd i'w gynnal nes cyrraedd yno. 'Benthyciodd y chwaer Grace Jones bum doler i mi,' ysgrifennodd, 'a thelais hi 'nôl ar ôl cyrraedd y Dyffryn.' Yna roedd angen £3 arall i dalu am ei siâr o'r drol a'r bwyd ar y paith a'r pebyll a'r wagen fwyd ac yn y blaen. Bu'n lwcus eto. Yn y cwmni roedd chwaer o'r enw Ann Roberts o Sir Ddinbych. 'Penderfynodd Ann, oherwydd gwaeledd, beidio â mynd ymlaen â'i thaith ar draws y gwastadeddau,' ysgrifennodd Evan. 'Arhosodd yn Boston. Ond yr oedd wedi talu am ei lle yn y fintai droliau yn Lerpwl a rhoddodd ei lle i mi. Beth ddaeth ohoni, ni wn.' Ni ellir ond rhyfeddu at hyder a ffydd y pererinion hyn, mewn gwlad gwbl ddieithr, gyda rhyfel cartref rhwng De a Gogledd ar y gorwel a heb geiniog i'w henw. O'r Missouri ymlaen, cyd-deithiodd y chwech mewn mintai o 149 o ymfudwyr. Israel Evans oedd uwch-gapten yr holl fintai, Benjamin Ashby oedd ei ddirprwy a rhannai Griffith a Jane a Grace ac Evan y dasg o dynnu un o'r troliau.

Gaeaf caled gafodd Utah ym 1856/57. Yn y gwanwyn daeth y locustiaid yn ôl unwaith eto i ddifa'r cynhaeaf ac roedd bwyd yn brin fel yn y ddwy flynedd flaenorol. Ysgytiwyd hyder y wladfa ifanc hefyd gan fethiannau diwydiannol. Nid y cynllun cynhyrchu siwgr oedd yr unig fethiant. Aeth y cynllun cynhyrchu plwm i'r wal ac, i'w ddilyn, y cynlluniau i gynhyrchu crochenwaith ar raddfa fasnachol. Ac yn awr, roedd sôn bod y cynllun cynhyrchu haearn yn Cedar City, y mwyaf uchelgeisiol o holl gynlluniau Brigham Young, hefyd mewn trafferthion. Cododd nifer o broblemau technegol nad oedd y cwmni wedi eu rhag-weld – craciau yn waliau mewnol y ffwrnais oherwydd ansawdd gwael y briciau tân, gormod o sylffwr yn y glo, y meginau 'blast' yn peidio â chwythu pan syrthiai lefel y dŵr yn yr afon yn rhy isel. Ar adegau eraill, gorlifai'r afon gan foddi'r gweithfeydd. Yn y gwanwyn a'r haf, pan fyddai'r gweithlu yn eu caeau yn hau neu'n medi, roedd prinder dynion i weithio'r ffwrnais. Ond yn bwysicaf oll, profodd y diwydiant yn rhy fychan. I sicrhau dyfodol ffyniannus roedd eisiau buddsoddiad ychwanegol sylweddol. Ymddangosai fod yr arbrawf am fethu a bod holl waith y blynyddoedd cynt ar fin mynd yn ofer. Wrth i'r gwaith wywo, sugnwyd y bywyd allan o Cedar City. Ddwy neu dair blynedd ynghynt, yn nyddiau addawol y fenter, trigai bron i fil o bobl yn y dref, gan ei gwneud yn un o gymunedau cryfaf Utah. Ond erbyn 1857 yr oedd llawer o'r boblogaeth wedi llithro i ffwrdd a thlodi'r pentrefwyr a ddaliai sylw'r ymwelwyr yn awr. 'Ni welais erioed ymysg y Mormoniaid,' ysgrifennodd un ohonynt, 'bobl mor fudr a charpiog yr olwg.'

Yn Ninas y Llyn Halen y gwanwyn hwnnw, teimlai Brigham nad oedd Duw'n fodlon ar ei Saint a'i fod yn eu cosbi am fod tân eu hargyhoeddiad yn oeri. 'Oddi ar i mi ddod i'r wlad hon, bu aml dro i mi deimlo fel wylo,' taranodd yn un o'i bregethau wythnosol i'w bobl, 'wrth ganfod mor anniolchgar yw llawer ohonoch ac mor ddiystyriol o'ch Duw.' I ailgynnau'r tân, aeth ati i gynhyrfu diwygiad a galwodd ar ei bobl i gyfaddef eu beiau ac i edifarhau. Ond nid diwygiad fel ein diwygiadau ni yng Nghymru oedd hwn. Tebygai fwy i ddiwygiad Mao yn China yn chwedegau a saithdegau'r ganrif ddiwethaf, diwygiad ffyrnig, didostur, creulon. Chwipiai ei bobl i edifeirwch. Cymeradwyodd ysbïo a chario clecs i'r awdurdodau. Anogodd y brodyr i fynd i dai ei gilydd ac edrych drwy gypyrddau a droriau eu cymdogion am dystiolaeth o wendidau ysbrydol. Rhedai drwgdybiaeth o'u cymdogion fel rhyw lif tanddaearol, tywyll, drwy'r boblogaeth. Yn ei ddyddiadur, ysgrifennodd Dafydd D. Bowen, y morwr o Lanelli, 'Rhaid i bawb, gwŷr, gwragedd a phlant, gael eu hailfedyddio neu fe'u hystyrir hwy yn golledig. Nid oes gobaith gan Formon annheyrngar i barhau i fyw yn eu plith. Er hynny, yr oeddwn yn araf i blygu i'w hewyllys. Deuai athrawon ataf bob dydd yn gwasgu arnaf i dderbyn ail fedydd. Yn y diwedd, tybiais, er mwyn fy niogelwch fy hun, y byddai'n saffach i mi wneud hynny.' Bygythiwyd y gwrthgilwyr a'r rhai gwan yn y ffydd gan ysgymuniad a gwaeth. Ac yn y dyddiau hynny, pan dorrid dyn allan o'r Eglwys Formonaidd, yr oedd yn anodd iawn iddo barhau i fyw yn Utah. 'Ysgymunir y sawl na fydd fyw ei broffes ym mhob peth,' meddai

Dan Jones mewn llythyr i Gymru. 'Gwae'r rhai esmwyth arnynt a'r rhai drygionus yn Seion canys nid oes le iddynt fwy. Ysbryd Duw sydd fel tân yn puro ac yn difa pob noddfâu trosedd, a choeliaf mai yn fuan gwelir gwenith purach ar lawr dyrnu Seion nag a welwyd erioed o'r blaen.'

Ymwelodd swyddogion yr Eglwys â phob cartref Mormonaidd yn y diriogaeth yn cludo rhestr o gwestiynau i'w gofyn i bob penteulu. 'A ydych yn talu eich degwm yn gyson? A ydych yn gweddïo yn eich teulu, nos a bore? A ydych yn llywyddu dros eich teulu megis gwas Duw? A ydyw eich teulu yn ddarostyngedig i chwi? A fuoch chwi yn feddw gan ddiodydd cryfion? A ddarfu i chwi fradychu eich brawd neu eich chwaer mewn unrhyw beth? A wnaethoch chwi odineb wrth ymgysylltu â benyw, yr hon nid oedd eich gwraig? A ddarfu i chwi gyflawni llofruddiaeth?' A llawer mwy. 'Y mae cannoedd o swyddogion yn cael eu galw i edrych i mewn i sefyllfa'r bobl,' ysgrifennodd Richard Williams at ei berthnasau yng Nghymru. 'Holir pob un ar wahân. Os dywed anwir yna bydd melltith Duw arno.' Yr oeddent yn amseroedd nerfus iawn yn Seion.

Yng ngwres y diwygiad pregethodd Brigham rai pethau hyll ac eithafol iawn. 'Y mae rhai pechodau dynol y tu hwnt i faddeuant yn y byd hwn,' meddai. 'A phe agorent eu llygaid byddai'r pechaduriaid yn barod i weld eu gwaed yn tywallt hyd y ddaear.' Hynny yw, credai fod rhai pechodau mor ddifrifol fel mai'r unig ffordd o gael maddeuant oedd trwy hunanladdiad, ac os gwrthodai'r pechadur gyflawni hynny, yna yr oedd yn ddyletswydd ar bobl eraill i'w gyflawni ar ei ran, trwy lofruddiaeth. Nid oes sicrwydd p'run ai dadleuon haniaethol oedd y daliadau hyn, ynteu orchmynion pendant. Mae'r dadlau'n parhau ymysg haneswyr hyd heddiw ond, yn sicr, roedd 'tywallt gwaed' a 'dyletswydd i lofruddio' yn destunau trafod yn Utah yr haf hwnnw, a thrais yn agos iawn i'r wyneb. Ymddangosai fod haen dywyll a pheryglus o ffanatigiaeth ym Mormoniaeth y cyfnod, ac nid oedd yr unlle lle llosgai tanau'r diwygiad yn fwy ffyrnig nag yn Cedar City. Flynyddoedd wedyn, cyfaddefodd un o'r gymuned fod y lle 'yn ferw o eithafrwydd a ffanatigiaeth, cryfach nag y byddem fyth yn ei gydnabod yn awr'.

Ar y trywydd, aflonyddwyd llawer ar yr ymfudwyr y flwyddyn honno gan finteioedd niferus o wrthgilwyr yn dod i'w cyfarfod, yn ffoi yn ôl i'r Dwyrain wedi eu dadrithio'n llwyr gan eu profiadau yn Utah. Cwynent am y diffyg bwyd yn y Dyffryn. Sonient mor annioddefol oedd bywyd dan Brigham Young a thaerai rhai ohonynt iddynt gael eu bygwth a'u curo gan yr 'Angylion Dialgar', sef uned gudd a ffurfiwyd gan Brigham, meddent hwy, i gosbi a dial ar ei elynion. Dywedai eraill fod yr Angylion yn lladd pob gwrthgiliwr y deuent ar ei draws. Cafodd y papurau yn y Dwyrain afael ar y stori gan wneud môr a mynydd ohoni. Yn ôl y *New York Times*, dihangodd dros fil o wrthgilwyr o Utah ym 1857. Pan gyrhaeddodd y gwrthgilwyr hyn yn ôl i'r Missouri, llyncwyd eu straeon dramatig gan y papurau. Crëwyd ganddynt y fath sŵn a chynnwrf fel iddo gario'r holl ffordd ar draws yr Iwerydd, cyn belled â cholofnau'r *Herald Cymraeg* yng Nghaernarfon.

Y pennawd ar dudalen flaen rhifyn yr 22ain o Awst o'r cyhoeddiad hwnnw oedd 'Llythyr Hynod Oddi Wrth Formon Ffoëdig'. 'Ysgrifennwyd y llythyr diddorol a ganlyn,' meddai'r papur, 'gan Gymro ieuanc o gymdogaeth Maesteg yr hwn a gychwynnodd tua'r Llyn Halen ddwy flynedd yn ôl gyda'i dad a'i fam. Yr oedd yn Formon selog bryd hynny ond gellir tybio erbyn hyn ei fod wedi gweld digon o erthylwch y gyfundrefn honno fel nad oes berygl iddo ddweud gair o'i blaid byth mwyach.' Honnai'r papur fod y llythyr wedi ei anfon gan fachgen o'r enw John Davies at ei frawd ym Maesteg. Datgelwyd mai mab i ryw David Davies, gynt o Newton, Morgannwg, oedd y John Davies yma. Ymfudodd i Utah gyda'i deulu yn Ebrill 1856. Bu'r tad farw ar y ffordd ac aeth ei weddw a'i blant ymlaen a chyrraedd y Dyffryn yn yr hydref. Yr oedd John yn cychwyn yn ôl, felly, wedi ei ddadrithio, ar ôl arhosiad o lai na blwyddyn yn Utah. Esboniodd ei fod wedi cael digon o dalu degwm i'r Eglwys a bod Brigham Young yn hawlio popeth a feddai ac yn mynnu ei fod ef, John, yn priodi 'o ddwy i ddeg o wragedd'. 'Pwy bynnag a omedda gydsynio â'r pethau hyn,' meddai, 'rhaid iddo ymadael â'r lle. Ond wrth wneud hynny y mae mewn perygl mawr am ei fywyd bob munud, gan y byddai yn well ganddynt ei ladd na gadael iddo fynd yn foddion i drosglwyddo i'r byd sefyllfa pethau yn eu mysg. Gwelais i fy hun ddwsinau o bobl yn cael eu saethu i lawr yn yr heolydd. Gadewais Ddinas y Llyn Halen ar noson yr ail ar bymtheg o Fehefin yng nghwmni dau o fechgyn Cymreig ac un Affricanwr. Y dydd wedi i ni gychwyn daeth ar ein gwarthaf dri o ddynion y rhai a anfonasid i'n dal gan yr awdurdodau goruchel. Enw un o'r gwŷr oedd Patrick Lynch, Gwyddel o genedl, yr hwn oedd ysgrifennydd i Brigham Young. Saethodd y dyn hwn belen o rifolfer ac aeth yr ergyd heibio i'm clust heb wneud yr un niwed i'm corff. Yna daethant yn nes atom ar gefnau eu meirch a gofynasant ein henwau ac ati. Wedi i ni eu hymateb, dywedasant fod yn rhaid i ni ddychwelyd yn ôl gyda hwy i'r ddinas a phan omeddais gydsynio dywedasant y gwnânt chwythu allan fy "n--g" ymennydd. Cymerodd un ohonynt afael mewn rifolfer fel pe bai yn bwriadu ei ddefnyddio. Yr oedd ganddo un o boptu'r cyfrwy. Yna cymerais innau rifolfer o'm belt a dywedais wrtho danio os dewisai. Yr oeddwn wedi fy arfogi â chwe rifolfer ac un reiffl ac 'roedd yn y cyfan 37 o belenni. Yna saethwyd pelen arall ataf yr hon a chwyrnellodd heibio fy ngrudd aswy. Yna taniais innau a threwais ef ag un belen yn ei glun ac aeth y llall i'w ysgwydd. Yr oedd fy nghyfeillion wedi rhedeg i'r coed ac felly 'roedd yn rhaid i mi ymladd ar ben fy hun. Ar hyn, collais afael fy nhraed a chwympais i'r llawr a rhedodd un o'r gwŷr ataf gyda chyllell yn ei law. Torrodd fy melt a chymerodd bedwar rifolfer ymaith. Yr oedd y ddau arall wedi eu cuddio yn fy motasau [sgidiau trymion]. Cefais afael mewn un ohonynt, taniais a llwyddais i'w cadw draw am beth amser hyd nes y cefais gyfleustra i ffoi i'r coed ym mha le y derbyniais gymorth fy nghyfeillion.'

Yna, yn ôl ei stori, ymunodd John â mintai o 28 o bobl ar eu ffordd i'r Dwyrain ac ar ôl nifer o anturiaethau, gan gynnwys concro dros fil o Indiaid, cyrhaeddodd Council Bluffs yn saff. Y tebygrwydd oedd bod John yn anllythrennog a bod newyddiadurwyr Council Bluffs wedi ei helpu i ysgrifennu'r math o lythyr y gwyddent hwy a fyddai'n apelio at eu darllenwyr. Ymddangosodd y llythyr yn y *New York Daily Times* ar ddiwedd mis Medi. Ar y 1af o Hydref, cyhoeddwyd llythyr arall yn y papur hwnnw yn amau gwirionedd stori John. 'Y mae'r stori amdano'n gorfod dianc o Ddinas y Llyn Halen, wedi ei arfogi â reiffl a chwe rifolfer yn ei wregys a dau yn ei esgidiau, a'r hanes am yr ymladdfa ffyrnig gyda'i ymlidwyr ac yna gyda'r Indiaid, yn ffuglen bur,' meddai'r llythyrwr. 'Gwn hyn oherwydd i mi adael y Ddinas ychydig ddiwrnodau ar ei ôl, gan aros yn dynn wrth ei sodlau nes i mi ddal i fyny ag ef yr ochr yma i Laramie. Gwn na chafodd drafferth gyda Mormoniaid nac Indiaid. Llanc tlawd o Gymru ydyw, heb grys i'w gefn.'

Ac yna, gyda phob gwn yn tanio a phob dwrn yn chwyrlïo, lansiodd *Udgorn Seion* ei hun i'r frwydr, i amddiffyn enw da Mormoniaeth. 'Ni allem goelio fod golygyddion Cymreig mor gibddall yn eu gwrth-Formoniaeth ag i osod y fath gelwyddau haerllug o flaen eu darllenwyr,' meddai. 'Ni chynigiem eu gwrthbrofi er mwyn argyhoeddi neb synhwyrol; eithr daliwn drwynau'r scavengers golygyddol am ennyd wrth y baw drewllyd a grafasant mor llafurus ac ewyllysgar, er dwbio eu glanach. Rhoddwn ein menig ar ein dwylo tra daliwn y specimen wrth drwyn Dr "Herald" a gofynnwn y cwestiynau canlynol iddo. Pa le y cafodd yr hogyn tlawd fodd i brynu "chwe rifolfer ac un rifle"? Pa fath botasau oedd ganddo i gynnwys dau rifolfer a'i alluogi yntau i fod mor ystwyth? Syndod fod tri dyn arfog yn methu lladd un. Syndod mwy bod un o'r tri, ar ôl cael J. Davies i'r llawr, yn ddim ond torri ei felt â chyllell a chymryd pedwar rifolfer, yn lle torri ei wddf a chymryd y cyfan! Pa fodd y gallodd ei gyfeillion llechwraidd ddianc ar draed rhag y gwŷr marchog? Pa goed oeddynt? Ni wyddom ni amdanynt.' Aiff yr *Udgorn* yn ei flaen i holi nifer o gwestiynau tebyg ac yna gorffen yn orfoleddus drwy ofyn, 'Hogyn ffals ydoedd, onide Mr Herald?'

Dyma'r math o stori a glywai Evan Morgan a'i gyd-deithwyr ar y trywydd yn aml y flwyddyn honno. Rhybuddiai Israel Evans hwy rhag gwrando. 'Dywedwyd wrthym fod grym y Diafol yn cynyddu wrth i ni agosáu at Utah,' ysgrifennodd un o'r ymfudwyr, 'a phwysleisiwyd hyn drosodd a thro ac, yn wir, cawsom ef i fod yn ffaith.'

Pan adawodd mintai Israel Evans y Missouri ym mis Mai, nid oedd sôn am ryfel. Ond wrth iddynt basio heibio i Chimney Rock a Fort Laramie a chroesi afon Platte am y tro olaf yr oedd y sïon yn gwibio i fyny ac i lawr y trywydd ac yn amlhau fel madarch ar ôl glaw. Dywedwyd fod yr Angylion Dialgar yn llofruddio gwrthgilwyr wrth y dwsinau. Dywedwyd fod Brigham Young wedi ffoi. Dywedwyd fod byddin anorchfygol ar ei ffordd i ddifa'r Mormoniaid. Dywedwyd, pan gyrhaeddai'r fyddin, fod carchar a dienyddiad yn aros pob dyn a chanddo ragor nag un wraig. Yna, yng nghanol Awst, ddiwrnod neu ddau ar ôl pasio Independence Rock, cyrhaeddodd y newyddion o'r Dyffryn fod o leiaf un o'r sibrydion yn wir. Yr oedd yn ffaith fod rhyfel ar fin cychwyn a bod byddin o 2,500 ar y ffordd i ymosod ar Brigham Young.

Am weddill y tymor bu'r ymfudwyr a'r milwyr yn chwarae mig â'i gilydd. Ar un ochr i afon Platte, prysurai'r Saint heibio ar Drywydd y Mormoniaid, gan obeithio osgoi'r milwyr a chyrraedd y Ddinas heb gyfarfod ag un. Ar y lan arall, ar Drywydd Califfornia, ymlwybrai unedau gwasgaredig o'r fyddin yn araf i gyfeiriad Utah, heb lawer o syniad beth a wnaent pe deuent wyneb yn wyneb â'r gelyn. 'Daliodd un o'r minteioedd eraill i fyny â ni,' ysgrifennodd un o'r ymfudwyr, 'a gweiddi arnom i frysio neu byddai byddin Buchanan ar ein gwarthaf, oherwydd dim ond ychydig o'n holau oeddent.' Nid oedd neb am gychwyn y rhyfel. 'Ceisient ein dychryn drwy ddweud eu bod yn mynd i ddinistrio Utah,' ysgrifennodd un o'r ymfudwyr, 'ond ni'n brawychwyd.' Dridiau wedyn, yn South Pass, daethant ar draws uned o filisia'r Saint, 75 dyn wedi eu harfogi a'u hanfon allan i gadw llygad ar symudiadau'r gelyn, a theimlasant yn saffach o'u gweld.

Ar ddiwedd ei atgofion am groesi'r paith, ychwanegodd Evan y geiriau yma: 'Ychydig o'n blaenau yr oedd y fintai enwog o Arkansas, ymfudwyr ar eu ffordd i Galiffornia a gafodd eu difa yn Mountain Meadows. Yr oeddent yn gwmni mawr, cyfoethog.' Nid oes ganddo unrhyw beth pellach i'w ddweud amdanynt. Nid yw'n crybwyll dim o'u ffawd druenus yn Mountain Meadows.

Arferai'r rhan fwyaf o'r ymfudwyr i Galiffornia fynd i'r gogledd o Ddinas y Llyn Halen, ac yna i lawr afon Humboldt ac i San Francisco. Y fintai o Arkansas oedd y fintai gyntaf y flwyddyn honno i gymryd y trywydd deheuol i lawr drwy ganol Utah i gyfeiriad San Bernardino a Los Angeles. Gadawsant helbul ar ôl helbul o'u holau ymhob pentref ar hyd eu llwybr. Cyhuddwyd hwy, heb lawer o dystiolaeth, o wenwyno gwartheg yr Indiaid, o ddirmygu merched y Mormoniaid, o ganiatáu i'w hanifeiliaid bori ar gaeau'r cymunedau heb ganiatâd. Yr oeddent yn gwerylgar ac yn gwneud gelynion yn hawdd. O'u blaenau yr oedd Cedar City. Ychydig a wyddent eu bod yn agosáu at drobwll o aflonyddwch a drwgdeimlad.

Ym mis Awst, anfonwyd George A. Smith, yr Apostol a arweiniodd fintai'r Cymry i'r Dyffryn ym 1849, i lawr i ardal Cedar City i baratoi'r boblogaeth ar gyfer rhyfel. Yr oedd yn bregethwr tanllyd dros ben. Ailadroddodd rai o'r sibrydion mwyaf eithafol a chynhyrfus, 'bod y fyddin', er enghraifft, 'yn bwriadu crogi 300 o arweinwyr yr Eglwys gan gynnwys Brigham Young a bod byddin o ddihirod a fyddai'n anrheithio'r wlad a threisio'r merched yn dilyn y milwyr'. 'Paratowch am y gwaethaf,' oedd ei neges, 'gan gynnwys aberthu'ch bywydau i amddiffyn Teyrnas Dduw.' Gyda thân y diwygiad yn llosgi ynddynt o hyd, darllenai llawer rhyw ystyr apocalyptaidd i ddyfodiad y fyddin. Hwn oedd ymgais olaf Satan i ddinistrio'r Deyrnas, meddent, ac roedd y Dyddiau Diwethaf ar ddod. 'Y mae cŵn rhyfel i'w gollwng allan i'r maes, ynghyd â heintiau a dinistr,' taranodd yr *Udgorn* yn ôl yng Nghymru, 'canys mae'r Arglwydd Iesu ar ddyfod, a thynged gwrthodwyr ei Efengyl wedi ei selio.' Yn Cedar City tynhaodd nerfau pawb yn dynn fel tannau telyn a thyfodd y tensiwn yn beryglus o agos at ffrwydro.

I ganol y berw hwn daeth y fintai o Arkansas. Cofiodd bachgen ifanc o'r enw Edward Parry amdanynt yn dod i lawr stryd fawr Cedar City. 'Yr oedd gŵr tal ar gaseg lwyd yn eu harwain. Ceisiodd brynu galwyn o wisgi ond methodd. Collodd ei dymer yn lân gan regi arnom a dweud bod y gwn a saethodd yr hen Joe Smith yn ei feddiant a'i fod yn mynd i Galiffornia i godi byddin i ddod 'nôl i ladd pob Mormon ddiawl.' Dywedodd Elias Morris fod ei fam ef ei hun wedi cael ei dilorni gan aelodau o'r fintai. 'Aeth un ohonynt ati yn uchel ei gloch a'i chyfarch mewn modd sarhaus iawn gan chwifio rifolfer o dan ei thrwyn a defnyddio iaith front a geiriau anweddus.' Gwrthododd y Saint werthu ŷd iddynt a gwylltiodd hyn yr ymfudwyr ymhellach. Ceisiodd marsial Cedar City arestio un o'r Arkansiaid ond casglodd hwnnw dwr o'i ffrindiau o'i gwmpas a bu'n rhaid gadael iddo fynd. Ymddangosent i'r Mormoniaid fel rhagflas a rhybudd o'r hyn oedd i'w ddisgwyl pan ddeuai'r fyddin Americanaidd i'w pentref. Credai rhai mai ysbïwyr oeddent, yn nhâl y gelyn.

Prif ddyn y gymuned yn Cedar City oedd Isaac Haight. Yn ogystal â rheoli'r gwaith haearn, ef hefyd oedd maer y ddinas a phrif swyddog y milisia. Ar yr union adeg hon, gwnaethpwyd

Elias yn gynghorydd iddo, swydd ddi-dâl ond un a ychwanegai'n ddirfawr at ei ddyletswyddau a'i gyfrifoldebau. Yr oedd pwysau gwaith cynyddol arno. Cofier nad oedd yn cael cyflog o'i waith yn y gwaith haearn oherwydd ei fod yn ei fuddsoddi yn ôl yn y cwmni. Pe methai'r gwaith, byddai'n colli'r cyfan. Ar yr un pryd, yr oedd ganddo broblemau teuluol dwys. Ddwy flynedd ynghynt symudodd ei frawd, John, i Cedar City gyda'i wraig, Mary, a'u hunig blentyn. Yr oedd y plentyn yn wael iawn a bu farw'n fuan ar ôl cyrraedd. Yna clafychodd John. Galwodd ei frawd ato un noson a dweud wrtho ei fod yn gwybod ei fod yn marw a'i fod yn poeni am ddyfodol ei wraig. Dyfynnodd adnodau o Lyfr Deuteronomium. 'Os bydd brodyr yn byw gyda'i gilydd ac un ohonynt yn marw'n ddi-blant, nid yw'r weddw i briodi estron o'r tu allan; y mae ei brawd-yng-nghyfraith i fynd i mewn ati a'i chymryd hi'n wraig iddo.' Os dyna oedd cyngor Moses i'r Israeliaid gynt, dyna, fel Mormon argyhoeddedig, oedd dymuniad John Morris. Gwnaeth i Elias a Mary addo mai felly y byddai. Bu John farw yn Chwefror 1855 ac ym mis Mai 1856, heb lawer o frwdfrydedd ar y naill ochr na'r llall ac yng nghanol ei holl drafferthion eraill, cymerodd Elias weddw ei frawd yn ail wraig iddo.

Yr oedd cymunedau eraill heblaw Cedar City yn ardal y gwaith haearn, pob un â'i llywydd a'i chynghorwyr. Y mwyaf pwerus o'r llywyddion oedd William H. Dame, llywydd cymuned Parowan, 20 milltir i'r gogledd, a'r mwyaf tanllyd a rhyfelgar oedd John D. Lee, un o arweinwyr Fort Harmony, tua'r un pellter i'r de. Cynghorodd Dame iddynt ganiatáu i'r ymfudwyr adael heb drafferth, ond roedd Lee a Haight a phobl Cedar City wedi eu cythruddo ac am gosbi'r 'Babiloniaid' i'r eithaf. Anfonwyd neges i Ddinas y Llyn Halen yn gofyn am gyngor Brigham Young, ond ymhell cyn i'r ateb gyrraedd yr oedd y sefyllfa yn Cedar City y tu hwnt i reolaeth. Lee a gychwynnodd yr ymladd trwy annog yr Indiaid lleol i ymosod ar y fintai. Dywedwyd wrthynt am gyfoeth y fintai ac am yr ysbail dda oedd yn eu haros. Wrth iddi wawrio ar fore'r 7fed o Fedi, ysgubodd yr Indiaid i lawr ar y gwersyll yn Mountain Meadows gan ladd chwech o'r ymfudwyr. Ond ymladdodd y gweddill yn ôl yn ddewr. Mynnodd John Lee a nifer o ddynion gwynion eraill ymuno yn y frwydr i helpu'r Indiaid a gwelwyd hwy gan yr ymfudwyr. O'r funud honno, roedd tynged yr ymfudwyr wedi'i selio. Pe gadewid iddynt fynd yn eu blaenau i Galiffornia a lledaenu'r stori yno fod gan y Mormoniaid ran yn yr ymosodiad, byddai'r Califforniaid yn siŵr o dalu'r pwyth yn ôl. Am dridiau, daliodd y fintai ei thir. Yr oedd minteioedd eraill yn agosáu at Mountain Meadows. Rhaid oedd gwneud rhywbeth ar fyrder.

Yn hwyr ar y drydedd noson aeth Haight a'i gynghorwr, Elias Morris, i gyfarfod â Dame yn Parowan. Am ddau o'r gloch y bore galwyd cyfarfod o gyngor y gymuned a phenderfynwyd y byddai'n rhaid caniatáu i'r fintai fynd yn ei blaen a derbyn y canlyniadau. Ond roedd Haight a Morris yn anhapus â'r penderfyniad. Rhaid eu bod yn teimlo bod yr hen erledigaeth a'r gorthrwm ar gychwyn eto a bod eu cartrefi a'u teuluoedd mewn perygl. Cofient orchymyn George A. Smith 'i baratoi am y gwaethaf'. Dychmygent fod Crist ar ei ffordd a'r Dyddiau Diwethaf ar gychwyn. Allan o'r dryswch hwn o ofnau a chymhellion, daethant i'w casgliad ofnadwy. Rywbryd yn yr oriau mân y bore, mewn sgwrs breifat rhwng y tri, cytunodd Dame, Haight a Morris bod yn rhaid lladd y fintai gyfan.

Cyrhaeddodd Haight a Morris yn ôl i Cedar City yn gynnar y bore wedyn ac erbyn nos roedd yr uned gyntaf o filisia'r Saint ar ei ffordd i Mountain Meadows, er nad oedd Haight na Morris gyda hwynt. Aelodau o gatrawd Elias Morris oedd y mwyafrif ohonynt, pob un wedi ei drwytho mewn ufudd-dod llwyr i'w harweinydd. Drannoeth, o dan faner wen, bu cyfarfod rhwng y milisia a'r fintai o Arkansas ac addawyd i'r ymfudwyr, pe baent yn ildio'u harfau ac yn eu rhoi eu hunain yn nwylo'r milisia, y caent eu harwain yn saff drwy rengoedd yr Indiaid. Nid oedd gan yr ymfudwyr druain ddewis. Yr oeddent wedi bod heb ddŵr am bedwar diwrnod, eu bwledi a'u powdwr yn brin a llawer ohonynt wedi eu hanafu. Rhoesant eu harfau i lawr a gadael y gwersyll rhwng rhengoedd y milisia. Yna, heb rybudd, dechreuodd y lladd. Trodd y milisia arnynt a saethu'r dynion yn farw, gan adael yr Indiaid i ladd y merched a'r gwragedd. Arbedwyd bywyd 17 o blant o dan 6 oed a rhannwyd hwynt yn ddiweddarach rhwng teuluoedd Cedar City. Lladdwyd pawb arall. Nid oedd Elias Morris yno, nac Isaac Haight, na William Dame, ond roedd eu bysedd ar glicied pob gwn.

Anodd dychmygu gweithred fwy llwfr a bwystfilaidd. Er hynny, nid oes eisiau edrych ymhell am enghreifftiau tebyg mewn hanes, enghreifftiau o ddynion dan straen yn cynddeiriogi a cholli rheolaeth arnynt eu hunain. Ceisiwyd dadlau yn achos cyflafan Mỹ Lai, adeg Rhyfel Vietnam, pan ymosododd uned o filwyr Americanaidd ar bentref diamddiffyn, gan ladd cannoedd o'r pentrefwyr, fod morâl isel y dynion, arweiniad gwan eu swyddogion, y teimlad o fod dan warchae'n gyson, y colledion rheolaidd, y straen o wynebu gelyn anweledig ac yn y blaen yn gallu bwystfileiddio dynion. Ond nid yw hyn yn esgus ac nid ystyriwyd hyn yn rheswm am faddeuant yn achos Mỹ Lai. Y mae sawl enghraifft hefyd o aelodau o grefyddau a chwltiau apocalyptaidd yn troi at drais pan gredant fod y byd yn eu herbyn – dinistr eglwys Jim Jones yn Jonestown, Guyana ym 1978, gwarchae y Branch Davidians yn Waco, Texas ym 1993, neu ymosodiadau Aum Shinrikyo ar y rheilffordd danddaearol yn Tokyo ym 1995. Y mae'n wir hefyd fod bywyd yn y Gorllewin Gwyllt wedi bod yn derfysglyd, digyfraith a chreulon o'r cychwyn. Ymladdodd Lee, er enghraifft, ym Mrwydr Bad Axe yn Wisconsin cyn dod i Utah, pan lofruddiwyd ymron i 500 o Indiaid, yn ddynion, gwragedd a phlant, a'u blingo, gan ddefnyddio stribedi o'u crwyn fel lledr i hogi cyllyll. Ond nid yw hyn yn lleihau un mymryn ar arswyd Cyflafan Mountain Meadows.

Er mai holl bwrpas y lladd oedd ceisio cuddio rhan y Mormoniaid yn yr ymosodiad, methiant fu hynny. O fewn wythnosau yr oedd yr hanes wedi cyrraedd California ac yn fuan wedyn lledaenodd ar draws America gyfan. Er hynny, aeth blynyddoedd heibio cyn i unrhyw achos yn ymwneud â'r gyflafan ddod gerbron llys. Ym 1877 ymddangosodd John D. Lee o flaen ei well, cafwyd ef yn euog a chondemniwyd ef i farwolaeth. Aethpwyd ag ef yn ôl i Mountain Meadows, i'r union fan lle saethodd ef gynifer o ddynion diniwed, ac yno y saethwyd yntau. Treuliodd Haight weddill ei fywyd ar ffo, yn crwydro cymunedau'r Saint yn nhiroedd anghysbell Arizona a Mecsico. Ond, rywsut, llwyddodd Elias Morris i lithro'n dawel yn ôl i'w hen fywyd. Ni ddaeth ei ran yn yr hanes yn amlwg nes cyhoeddi *Massacre at Mountain Meadows* yn 2008. Ychydig a wyddai ei fod yn bresennol yn y cyfarfod olaf yn Parowan. Gwir mai bychan fyddai ei ddylanwad wedi bod yn y cyfarfod hwnnw, gan mai newydd ei benodi i'w swydd ydoedd, ond ni fu raid iddo amddiffyn ei hun gerbron unrhyw lys. Ym 1865, wedi i bethau dawelu, anfonodd Brigham Young ef yn ôl i Gymru am bedair blynedd fel cenhadwr, lle bu'n llwyddiannus dros ben. Treuliodd weddill ei oes yn Ninas y Llyn Halen yn adeiladu ymerodraeth fusnes gyfoethog a phwerus. Ef a adeiladodd y mwyafrif o weithfeydd haearn y dalaith. Datblygodd danerdai a diwydiannau sebon a sment a cheisiodd, unwaith eto, ddatblygu gwaith siwgr, gan lwyddo y tro hwn. Daeth i fod yn un o golofnau'r achos. 'Yr oedd yn ddyn mawr a da,' ebe'r *Deseret News* amdano wedi ei farw, 'a byddai'n anodd enwi un arall sydd wedi gwneud cymaint dros y gymuned.' Byddai Brigham Young yn troi ato am gyngor ac arweiniad. Yr oedd yn gefn i'r Eisteddfod a'r pethe Cymreig. Y mae popeth a ddywedwyd ac a ysgrifennwyd amdano, cynt ac wedyn, yn cyfleu gŵr cydwybodol a phwyllog, gŵr uchel ei barch, gŵr doeth a chyfrifol. 'Yn y byd diwydiannol,' ychwanegodd y papur, 'y mae ymysg y mwyaf egnïol ac adnabyddus o holl ddinasyddion Utah.' Ond ganrif a hanner yn ddiweddarach, y mae cysgodion dyfnion yr wythnos hunllefus honno yn Cedar City yn parhau i dywyllu a phardduo'r coffa amdano ac y mae'n anodd meddwl iddo fyth faddau iddo'i hun.

1858

TRA BOD POSIBILRWYDD O ryfel, penderfynodd Brigham na fyddai'n gwahodd rhagor o ymfudwyr i Utah. Ni huriwyd llongau ar eu cyfer ym 1858 ac ni threfnwyd minteioedd i groesi'r paith. Y canlyniad oedd mai dim ond rhyw 200 o Saint a deithiodd i Utah y flwyddyn honno, y rhan fwyaf ohonynt yn genhadon, dynion a oedd yn awyddus i ddod yn ôl i Utah at eu teuluoedd i helpu yn y frwydr yn erbyn yr Unol Daleithiau. Yn eu mysg roedd pump o Gymry gan gynnwys Daniel Daniels, llywydd y Genhadaeth Gymreig a golygydd *Udgorn Seion* o 1856 hyd 1858. Aeth hwn i America am y tro cyntaf ar y *Buena Vista* ym 1849 a daeth yn ôl i Gymru ym 1852 gyda Dan Jones a Thomas Jeremy, y tri Chymro cyntaf i ddod yn ôl fel cenhadon. Ond yn awr, ar ôl chwe blynedd o lafur yng Nghymru, roedd yn awyddus i fynd adref. Ymunodd â chriw o tua 60 o genhadon o Brydain oedd am geisio cyrraedd Utah. Y mae'n debyg, yn ôl ei deulu, fod Daniel Daniels wedi cadw dyddiadur ond, yn anffodus, collwyd ef mewn tân. Unwaith eto, y mae digon o ddyddiaduron eraill wedi eu cadw gan wahanol aelodau o'r fintai i roi argraff dda i ni o'r hyn a ddigwyddodd ar y daith.

Gadawsant Lerpwl yn gynnar iawn yn y tymor ymfudo gan gyrraedd Efrog Newydd ar y 19eg o Fawrth. Er mai dod yn ôl yn unswydd i ymladd yr oeddent, ychydig o arfau a garient. 'Cymerwyd wyth reiffl a chwe chleddyf oddi arnom gan swyddogion y tollau yn Lerpwl,' ysgrifennodd un o'r criw, 'oherwydd ein bod yn Formoniaid.' Y peth cyntaf i'w wneud yn Efrog Newydd, felly, oedd prynu rhagor o arfau a gynnau. Ond, yng ngwanwyn 1858, roedd Efrog Newydd yn lle peryglus i Formon fod, yn enwedig os oedd ar ei ffordd i Ddinas y Llyn Halen ac yn cario arfau. 'Yr oedd y casineb tuag atom yn amlwg iawn yr amser hwnnw,' ysgrifennodd James Crane, Mormon o Benalun (Penally) a oedd yn byw yn Efrog Newydd ar y pryd. 'Gweithiwn mewn ffatri yn y ddinas a byddai'r dynion yno yn taeru, pe lleddid un aelod o fyddin Buchanan gan y Mormoniaid, byddent yn lladd pob Mormon yn Efrog Newydd.' Cuddiwyd yr arfau, felly, mewn cratiau a'u hanfon i fyny'r Mississippi mewn stemar, gydag un o'r cenhadon i gadw llygad arnynt. Croesodd y gweddill ar y trên i Burlington yn Iowa i gyfarfod â'r stemar. Ailgysylltwyd hwy â'u harfau a chychwynnwyd am y Dyffryn.

Croeswyd Iowa yn ddidrafferth ond yn Council Bluffs ofnent y byddai'r awdurdodau yn eu rhwystro rhag mynd yn eu blaenau. Ymddangosai llythyrau yn y papurau lleol yn rheolaidd, yn pwyso ar y milwyr i ymyrryd. 'Gwyddom am lawer o Formoniaid, newydd ddychwelyd o Loegr, a adawodd y lle hwn am Utah yr wythnos diwethaf,' ebe un llythyrwr yn y *Council Bluffs Bugle*. 'Be wnaiff Col. Johnston tybed? Eu troi'n ôl neu adael iddynt fynd ymlaen?' Honnwyd mewn llythyr arall yn yr *Omaha Times* fod 'niferoedd mawrion o benboethiaid wedi eu harfogi a chyda phob cyfarpar angenrheidiol' ar eu ffordd i Ddinas y Llyn Halen a'u bod 'yn mynd i fod yn ychwanegiad sylweddol i fyddin Brigham Young. Onid yw'n ddoethach eu rhwystro rhag croesi? Petai sylw'r Arlywydd yn cael ei dynnu at y mater hwn, byddai uned o'r fyddin yn cael ei lleoli yma'n syth.'

Llithrodd y fintai fechan allan o Florence yn dawel un bore yn gynnar ym mis Mai, pob dyn erbyn hyn wedi ei arfogi i'r carn fel rhyw fandit Mecsicanaidd. 'Cariaf bob amser bâr o bistolau, *yauger* Americanaidd a chyllell Bowie fawr,' ysgrifennodd un ohonynt. Math o reiffl yw *yauger*. 'Nid wyf yn hoffi cario arfau marwol fel hyn ond y mae'r amgylchiadau presennol yn ei wneud yn angenrheidiol er mwyn amddiffyn fy hun mewn ymosodiad sy'n debygol iawn o ddigwydd.' O ddarllen y dyddiaduron y mae'n hawdd tybio mai glaslanciau dibrofiad oeddent, gyda mwy o ysbryd antur na synnwyr cyffredin. Ond nid felly yr oedd hi. Dim ond dwsin o'r trigain oedd yn eu hugeiniau. Yr oedd eu hanner dros ddeugain oed a deg dros hanner cant. Un o'r rheini oedd Daniel Daniels. Rhyfedd yw meddwl amdano, yn ei oed a'i amser, wedi gyrfa dawel fel saer maen yn nyfnder cefn gwlad Sir Gâr, yn ymdaflu ei hun i ryfela dros ei ffydd a mentro'i fywyd yn smyglo gynnau ar draws America. Ychydig ddyddiau wedi gadael Florence daethant ar draws mintai arall o genhadon o Ganada ac ymunasant â hwy, gan wneuthur mintai o 107 o ddynion, un wraig a thri phlentyn.

I fyny yn y Rockies, roedd y fyddin Americanaidd wedi cael

gaeaf caled. Treuliodd 1,800 ohonynt eu hamser yn rhynnu mewn gwersyll rhewllyd yn y mynyddoedd, 100 milltir o Ddinas y Llyn Halen. Gwasgarwyd eraill yn y caerau ar hyd y trywydd. Y maen tramgwydd cyntaf ar lwybr Daniel Daniels a'r cenhadon oedd Fort Kearny, hanner ffordd rhwng y Missouri a Fort Laramie. Nid ofnai'r fintai ymosodiad gan y milwyr oherwydd yr oedd y gaer ar lan ddeheuol yr afon a hwythau ar y lan ogleddol, a rhedai'r afon yn uchel yr haf hwnnw. Ond gwyddai'r Saint yr anfonai'r gaer negeseuon i rybuddio'r unedau eraill ymhellach i fyny'r afon o'u dyfodiad pe'u gwelid. Penderfynwyd felly aros tan nos a cheisio pasio'r gaer yn y tywyllwch. Wrth iddynt agosáu, gwaethygodd y tywydd yn sydyn ac am rai oriau cwympodd niwl trwchus dros y dyffryn. Erbyn iddo godi yr oeddent heibio i'r gaer ac yn glir o unrhyw berygl. Dehonglwyd hyn, wrth gwrs, fel gwyrth – 'llaw'r Arglwydd yn ein gwarchod a'n cynnal'.

Bum milltir y tu hwnt i Chimney Rock, daeth saith dyn i'w cyfarfod. Un ohonynt oedd Thomas L. Kane, ffrind da i Brigham Young a'r Saint ond gŵr hefyd a wyddai ei ffordd o gwmpas coridorau grym yn Washington. Yr oedd Kane wedi bod yn cynnig telerau heddwch i Brigham ar ran yr Arlywydd Buchanan ac ymddangosai fel petai'r trafodaethau wedi mynd yn dda. Yr oedd yn awr ar ei ffordd yn ôl i Washington, yn cario atebion Brigham i'r cynigion – atebion, meddai, a fyddai'n debygol o arwain at heddwch.

Yr oedd gan Kane osgordd o chwe gwarchodwr a roddwyd iddo gan Brigham i sicrhau ei ddiogelwch ar y trywydd. Carient lythyr i'r cenhadon oddi wrth Brigham, yn eu cyfarwyddo i beidio ag ymddiried yn y milwyr, er bod heddwch yn ymddangos yn agos. Siarsiodd hwynt i'w hosgoi ac i droi oddi ar y trywydd os oedd raid. 'Rhybuddiodd ni fod rhwng dwy a thair mil o filwyr ar yr afon Werdd a'u bod yn elyniaethus iawn i'r Mormoniaid ac yn eu carcharu os caent y cyfle. Siarsiodd ni i beidio cychwyn sgarmes pe baem yn dod wyneb yn wyneb â hwynt, oherwydd yr oedd yn awyddus na chaem ein gweld yn taro'r ergyd gyntaf.' Deallai Brigham i'r dim sut i ddylanwadu ar farn gyhoeddus y Dwyrain.

Clywodd y cenhadon hefyd y newyddion syfrdanol fod Brigham wedi gorchymyn i bob Mormon yng ngogledd Utah, gan gynnwys poblogaeth gyfan Dinas y Llyn Halen, adael eu tai a symud i'r de. Yr oeddent i yrru eu hanifeiliaid gyda hwynt, yr oeddent i lwytho cynnwys eu hysguboriau ar eu wageni, gan adael dim a allasai fod o help i'r gelyn. Bwriadai wneud y wlad yn anialwch fel na fedrai byddin y gelyn gael cynhaliaeth ynddo. Ufuddhaodd trwch y boblogaeth yn syth. Y mae'n enghraifft syfrdanol o awdurdod Brigham dros ei bobl. Ar ei air, cododd 30,000 eu pac gan adael eu cartrefi a'u caeau, llwytho popeth a feddent ar y wageni a symud y cyfan 100 milltir a mwy i'r de, tu hwnt i Provo a Spanish Fork. Ni wnaeth Brigham unrhyw ymdrech i gartrefu'r miloedd hyn. Yn hytrach, disgwyliodd iddynt ganfod eu lle eu hunain, gyda'u teuluoedd neu eu ffrindiau, mewn pebyll neu ogofeydd neu yn eu wageni, nes ei fod yn barod i'w galw'n ôl eto i'w cartrefi. Gadawyd un neu ddau ar ôl ym mhob pentref a stryd i'w llosgi pe bai'r milwyr yn ceisio eu meddiannu. 'Yn hytrach na gweld fy ngwragedd a'm merched yn cael eu baeddu gan y gelyn bwystfilaidd, a hadau llygredd yn cael eu plannu yng nghalonnau fy meibion,' rhuodd Brigham, 'byddai'n well gennyf adael fy nghartref mewn lludw, fy ngerddi a'm perllannau yn ddiffrwyth a byw ar lysiau gwyllt a gwreiddiau, a chrwydro'r mynyddoedd hyn am weddill fy mywyd.' Yr oed yn arwydd grymus i'r gelyn o undod y Saint ac o gadernid ei safiad ond roedd hefyd yn rhan o nod Brigham i ennyn cydymdeimlad i'w achos ymhlith pobl y Dwyrain, wrth greu'r argraff fod y Mormoniaid druain yn cael eu gormesu a'u bwlio gan y fyddin. Yr oedd Brigham Young yn feistr ar yr hyn a elwir heddiw yn 'gysylltiadau cyhoeddus' a 'spin'.

Llenwid y ffyrdd i'r de gan y miloedd. 'Dynion a gwragedd a phlant yn cerdded drwy lwch hyd at eu ffêr,' ysgrifennodd John Edwards, gynt o Hirwaun. 'Gwragedd bonheddig yn ymlwybro'n llafurus, gan adael cartrefi annwyl, newydd eu hadeiladu gyda'r fath aberth.' Yr oedd John Parry yn Echo Canyon, yn paratoi i wynebu byddin Buchanan, pan glywodd fod yn rhaid symud ei deulu i'r de. 'Trefnais fod Robert Griffiths yn mynd â nhw. Clywais wedyn iddynt gael tywydd stormus iawn. Bu'n rhaid i'm gwraig a'm plentyn gysgodi o dan wagen yn y llaid ac yna mynd ymlaen i gyfeiriad Pond Town i erfyn am gysgod. Curasant ar ddrws rhyw dŷ ar eu llwybr a chododd y teulu a gwneud tân iddynt a'u trin yn garedig iawn.' Yr oedd John A. Lewis, gynt o Aberdâr, yn cofio'r 'gwartheg a'r bustych yn cael eu harneisio yn y wagen a'n hychydig gelfi a dillad yn cael eu llwytho i mewn. Yna,' meddai, 'cariwyd gwellt i'r tŷ a gosodwyd peth o gwmpas pob coeden yn yr ardd fel bod y gwarchodwyr oedd i aros yn medru ei danio'n hawdd a llosgi'r tŷ a'r coed ffrwythau i'r llawr. Aethom i Spanish Fork a chloddio *dug-out* mewn bryn ar gyrion y dref a byw yno.'

'Yr oedd cannoedd o ddieithriaid wedi eu gwasgu i mewn i Spanish Fork a'r pentrefi eraill o gwmpas,' cofiodd Dafydd D. Bowen. 'Daethant â'u gwartheg a'u diadelloedd o ddefaid gyda hwynt, eu moch a'u gwyddau a'u hieir, popeth a fedrai gerdded, gan adael eu ffermydd braf a'u tai nobl i gael eu dinistrio gan Indiaid neu unrhyw un arall oedd am wneud hynny.'

Allan ar y paith, roedd Daniel Daniels a'i fintai yn paratoi i fynd heibio i'r gaer nesaf ar eu llwybr, sef Fort Laramie. Gwelwyd hwy yn gynharach o ochr draw'r afon gan uned o filwyr, felly gwyddent fod y gaer wedi cael rhybudd o'u dyfodiad. Ond unwaith eto roedd yr elfennau o'u plaid. Pan ddaethant o fewn tair milltir i'r gaer torrodd y storm fwyaf ffyrnig uwch eu pennau – mellt, taranau, cenllysg, gwynt a glaw. Parhaodd am dair awr ac yn yr amser hwnnw aeth y fintai heibio i'r gaer ac allan o afael y milwyr. 'Anfonwyd y storm gan ein Tad yn y nefoedd i'n cadw o afael ein gelynion,' ysgrifennodd Thomas Bullock, clerc y fintai. 'Molwch enw Duw yn Israel, chwi hynafiaid, oherwydd y diwrnod hwn, Ef a luniodd waredigaeth fawr ar eich cyfer.' Argyhoeddwyd hwy fod pwrpas a chynllun uwch i'r stormydd amserol hyn a'u bod yn gorymdeithio o dan faner nefol i fuddugoliaeth ragarfaethedig. Credent mai hwy oedd y fyddin a ddisgrifiwyd gan Joseph Smith yn ei *Lyfr Athrawiaeth a Chyfamod*, 'yn dod allan o anialdir y tywyllwch, yn sgleinio fel y lloer ac yn glaerwyn fel yr haul a brawychus fel byddin banerog, wedi ei haddurno fel y briodferch ar gyfer y dydd pan ddadorchuddiai Duw ei deyrnas.' Aethant yn eu blaenau yn gorfoleddu.

Erbyn 1858 roedd y traffig ar Drywydd Oregon, ar ochr ddeheuol afon Platte, wedi cynyddu'n sylweddol. Cychwynnwyd gwasanaeth post wythnosol rhwng Independence ar y Missouri a Dinas y Llyn Halen ac yr oedd lle ar goets y post i gario tua dwsin o deithwyr. Cymerai 22 diwrnod i gyrraedd y Dyffryn ac 16 diwrnod arall i fynd ymlaen i Placerville yng Nghaliffornia. Bob 12 milltir adeiladwyd gorsafoedd bychain lle newidiwyd y ceffylau. Yn rhai ohonynt gellid prynu bwyd a diod. Pan fyddai'r llif yn yr afon yn ddigon isel i'w chroesi, âi'r Mormoniaid draw i'r gorsafoedd hyn a chael adroddiadau manwl am symudiadau'r gelyn ac am ddatblygiad y trafodaethau rhwng Brigham ac Alfred Cummings, y dyn a ddewiswyd gan Buchanan i fod yn llywodraethwr nesaf Utah. Ymddangosai fod Brigham yn bwriadu derbyn Cummings fel llywodraethwr ar yr amod bod y fyddin yn adeiladu ei phrif wersyll ymhell y tu allan i Ddinas y Llyn Halen.

Daeth cwmni o Saint heibio, ar eu ffordd o Ddinas y Llyn Halen i'r Missouri. Yr oeddent wedi dod trwy wersyll y gelyn ychydig ddiwrnodau ynghynt ac wedi sylwi bod y milwyr wedi eu hailgyflenwi a'u rhengoedd wedi eu hatgyfnerthu, a'u bod yn paratoi i ddechrau symud. Yna daeth y goets heibio, yn cario'r newyddion fod y fyddin wedi cychwyn. Penderfynodd Daniel Daniels a'i griw droi oddi ar y trywydd a cheisio mynd ar y blaen i'r fyddin trwy ddilyn hen lwybrau ar draws gwlad. Gwthiodd y Saint eu hunain yn galed gan gychwyn bob bore am 4 a theithio ymlaen wedi iddi nosi nes i'r lleuad fynd i lawr. Yr oedd dwy afon i'w croesi, yr afon Werdd ac afon Bear. Cawsant afael ar hen fferi ar yr afon Werdd. I groesi afon Bear bu'n rhaid iddynt ddatgymalu dwy wagen a'u clymu i'w gilydd, gan stwffio darnau o hen grysau a sachau i bob twll a hollt fel eu bod yn dal dŵr. Trodd y rafft afrosgo hon drosodd ar un croesiad a chollwyd y llwyth i gyd, a bu ond y dim iddynt golli'r rafftiwr hefyd, ond llwyddwyd i'w hunioni eto a chael y fintai gyfan dros yr afon yn saff. Chwe niwrnod ar ôl gadael y trywydd daeth y fintai yn ôl arni, 12 milltir o flaen byddin y gelyn. Yr oedd Duw, unwaith eto, wedi llywio eu camre a'u harwain i ddiogelwch. 'Tywyswyd ni yn wyrthiol i'r lle hwn,' cofnododd y clerc, 'trwy rengoedd ein gelynion – milwyr ac Indiaid.'

Yna, yn hollol annisgwyl, ychydig i lawr y ffordd, gwelsant uned o fyddin y gelyn o'u blaenau. Y mae'n anodd dweud pwy gafodd y braw mwyaf, y Saint ynteu'r soldiwrs. Penderfynodd y cenhadon nad oedd pwrpas troi'n ôl, gan fod y brif fyddin yn agosáu. Eu gobaith gorau oedd brasgamu ymlaen. 'Ymddangosai'r milwyr,' ysgrifennodd un o'r Saint, 'fel pe baent wedi eu parlysu a'u taro'n fud gan syndod wrth ein gweld, yn pasio mor bowld a digywilydd heb yngan yr un gair. Credent, mae'n siŵr, mai rhagflaenwyr rhyw fyddin fawr oeddem.' Yn ffodus, nid milwyr arfog oeddent ond 'sappers', labrwyr y fyddin, yn paratoi'r ffyrdd a chryfhau'r pontydd ar gyfer y brif golofn y tu ôl iddynt.

Pan gyrhaeddodd Daniel Daniels a'i fintai Ddinas y Llyn Halen nid oedd neb yno i'w cyfarch. Ymddangosai'r ddinas yn hollol wag. Yr oedd cerdded drwy'r strydoedd distaw fel cerdded drwy freuddwyd. 'Treiddiai rhyw lonyddwch marwol drwy'r lle. Nid oedd ci i gyfarth arnom. Nid oedd na gŵr na gwraig na phlentyn i'w gweld; yr oll, heblaw am y llond dwrn a adawyd i losgi'r lle pe bai raid, wedi gadael am y de.' Ffynnai'r chwyn ymhob man a phlygai'r coed o dan bwysau cnwd anarferol o ffrwythau. 'Ymddangosai'r ddinas yn urddasol a chrand o dan y gwyrddni toreithiog.'

Ychydig wedyn, daeth y gelyn i mewn i'r dref gan fartsio drwyddi heb stopio. Yn unol â thelerau'r heddwch, adeiladasant eu caer 40 milltir y tu hwnt i ffiniau'r ddinas. Cyrhaeddodd y llywodraethwr ffederal a'i staff newydd o swyddogion a derbyniwyd hwy heb gŵyn gan Brigham Young. Yr oedd Rhyfel Utah ar ben. Dechreuodd y boblogaeth ddychwelyd i'w cartrefi.

Aeth Daniel yn ôl i ffermio. Prynodd dir ym 1864, dros y ffin yn Idaho yn nyffryn afon Malad, dyffryn a ddaeth yn gartref i ugeiniau o deuluoedd Cymreig maes o law. 'Nid oes locustiaid i'w gweld yma,' ysgrifennodd, 'a rhed y dŵr yn gyson yn ein ffosydd, oll yn dangos ôl llaw Duw.' Priododd bedair gwraig yn ogystal â Mary, ei wraig gyntaf a ddaeth gydag ef o Gymru. Bu'n Llywydd cangen Malad o'r Eglwys ac yn Llywydd y Co-op tan ei farwolaeth ym 1879. Câi lawer o bleser yn chwarae ei fiolin.

1859

WRTH I RAGOR O deuluoedd fentro i'r tiroedd y tu hwnt i'r Missouri i geisio bywoliaeth, newidiai'r trywydd yn gyflym. Ar hyd glannau afon Platte tyfai rhagor o bentrefi bychain, fel Buchanan, 60 milltir o'r Missouri, lle trigai 100 o bobl yn nechrau 1859, a Genoa, 40 milltir ymhellach a 100 arall yn byw yno. Ymgartrefodd y teulu cyntaf yn Shell Creek, 170 o filltiroedd i fyny afon Platte, yn nechrau mis Mai 1859, ond erbyn i finteioedd y Saint gyrraedd yno yn niwedd Mehefin roedd tri theulu arall a saith dyn sengl wedi ymsefydlu yno, a thros 100 acer wedi eu haredig a'u plannu ac yn tyfu tatws, india-corn, pys, ffa, pwmpenni a melonau. Yn y flwyddyn honno hefyd y cychwynnodd y rhuthr aur i Pike's Peak a mynyddoedd Colorado a thros y tair blynedd nesaf byddai 100,000 o fwynwyr yn canfod eu ffordd yno trwy ddilyn afon Platte am 300 milltir cyntaf eu taith a chyfrannu'n sylweddol at dwf cyflym y pentrefi yn y dyffryn. Cynyddai nifer y masnachdai ar y paith hefyd. Ym 1859 roedd 14 ohonynt yn y 100 milltir rhwng Fort Kearny a man cyfarfod afonydd Platte Ogleddol a Platte Ddeheuol. Cytiau o dyweirch oedd y mwyafrif ohonynt, ffermdy, siop a thafarn yn un, wedi eu codi ar acer neu ddwy o dir. Gwnaent y paith yn dipyn llai unig a llai bygythiol i'r ymfudwyr. Yn y flwyddyn hon hefyd, gwnaed y gwasanaeth post wythnosol o Independence i Ddinas y Llyn Halen yn wasanaeth dyddiol. Sonia nifer o'r dyddiadurwyr am goets fawr y post yn rowlio heibio iddynt, gyda hanner dwsin o deithwyr ynddi, yn bownsio'u ffordd ar draws y cyfandir. Gan fod y goets yn mynd heibio bob dydd, cymharol hawdd yn awr oedd cael neges i Ddinas y Llyn Halen i ofyn am gyflenwad ychwanegol o fwyd neu am ddau ddwsin ychwanegol o ychen. Bob blwyddyn âi'r peryglon ar y trywydd yn llai ac yn haws i'w hwynebu.

Yng Nghynhadledd Flynyddol y Mormoniaid yn Ninas y Llyn Halen yn Hydref 1858 cyhoeddodd Brigham Young fod Utah, wedi'r bygythiad o ryfel, ar agor unwaith eto i ymfudwyr a bod croeso cynnes yn eu haros. 'Ni fyddai gennym wrthwynebiad i weld 10,000 o Saint yn dod i'r Dyffryn y flwyddyn nesaf,' meddai.

Ar ôl holl dreialon y tair blynedd cynt – y locustiaid, yr oerfel eithriadol, y sychder, y diwygiad, y newyn, yn ogystal â'r rhyfel – roedd yr ymfudwyr yn haeddu blwyddyn lai cythryblus. Y tymor hwnnw fe'i cawsant. Sonnir llawer yn nyddiaduron y flwyddyn honno am bleserau'r daith. 'Trefnwyd popeth mor drylwyr. Ar ddiwedd y dydd deuem i wersyll. Codem y pebyll a dechreuem baratoi'r pryd nos ac yr oedd pawb yn brysur. Fy nhasg i, gyda gweddill y plant, oedd casglu tanwydd – priciau o'r llwyni wermod a thail byfflo wedi ei sychu'n grimp. Yr oeddem fel cymdogion mewn tref, ond yn llawer mwy clòs a mwy cyfeillgar.' Sonient am ofal eu capteiniaid drostynt. Sonient am yr awyrgylch hapus yn y gwersylloedd a'r cyfeillgarwch rhwng yr ymfudwyr. 'Nid wyf yn credu i mi erioed fwynhau bwyd yn fwy na'r prydau hynny a gawsom yn awelon yr hwyr gyda'r haul yn machlud yn ei ogoniant ar y gorwel. Ac wedi gorffen ein swper a chlirio popeth yn daclus, ymestynnai noson ddifyr o'n blaenau, tanau'r gwersyll yn rhoi golau a gwres, gweddïau a phregethau oddi wrth yr henuriaid a'r athrawon, canu wedyn i gyfeiliant gitâr a ffidil a chornet. Daw'r nosweithiau hynny ag atgofion yn ôl i mi o'r teimladau crefyddol mwyaf dwys ac ysgytwol i mi eu profi erioed, yr ehangder aruthrol o'n cwmpas, ein gwersyll fel smotyn ar wyneb y ddaear, ninnau mor bitw a gwan, y tawelwch, y gofod diddiwedd, ardderchowgrwydd a rhyfeddod oedd yn ddigon i argyhoeddi'r pagan duaf o fodolaeth Duw!' Wedi tair blynedd o anlwc, ymddangosai fel petai tudalen newydd ar droi ac ysbryd gobeithiol ar gerdded ar y trywydd.

Ymgnawdoliad o'r ysbryd hwnnw oedd Shadrach Jones, gŵr 26 oed o Lanelli. Pan oedd Shadrach yn 15 oed aeth ei dad i America. Bu'n gweithio dan ddaear yn Pennsylvania, yn ennill cyflog da. Ysgrifennai'n rheolaidd at ei deulu gan eu sicrhau bod ei gynilion yn tyfu ac y byddai, cyn hir, yn medru talu am docyn iddynt. Ac yna, yn sydyn, peidiodd y llythyrau ac ni chlywyd rhagor oddi wrtho. Yn y cyfamser roedd Shadrach a'i frawd, John, wedi ymuno â'r Saint ac wedi medru cyrraedd America ar eu liwt eu hunain. Aethant i chwilio am eu tad a chanfod ei fod wedi ei ladd mewn damwain yn y pwll, ond ni wyddai neb beth ddigwyddodd i'r arian a gynilodd.

Dyn hyfryd oedd Shadrach. Byddai'n sicr o fod wedi cyfrannu'n hael tuag at yr hwyl a'r sbri ar y trywydd. Priododd ferch o

Gaerfyrddin ond ni chawsant blant. Ar ôl cyrraedd Utah, aethant i fyw i Willard, pentref bychan yng ngogledd y diriogaeth lle'r oedd llawer o Gymry wedi dewis byw. Croesawent i'w cartref bobl ifainc ddigartref gan gynnwys newydd-ddyfodiaid unig o Gymru. Arhosai rhai yno am gyfnodau hirion. Mabwysiadodd Shadrach rai ohonynt a'u codi fel aelodau o'i deulu. Yr oedd hefyd yn gerddor, ac ar ben ei ddigon yn arwain corau neu'n trefnu dawnsfeydd. Addasodd lofft ei gartref yn llawr dawnsio i'r gymuned. Dechreuodd golli ei glyw yn gymharol ifanc ond ni pheidiodd ei gariad at fiwsig. Byddar neu beidio, parhaodd i arwain a chwarae yn y band yn y dawnsfeydd.

Heddiw cofir am Shadrach yn Willard fel adeiladwr tai. Adeiladodd dai cerrig, peth anarferol mewn gwlad o dai brics a thai pren a thai tyweirch. Dywedir fod waliau ei dai yn ddwy droedfedd o drwch a bod ei forter yn caledu fel concrit. Yn ardal Willard heddiw y mae'r tai a adeiladwyd ganddo yn dal i werthu am well pris na thai cyffredin. 'Y tai cerrig yw'r tai prydferthaf o'n cyfnod cynnar,' ebe un o haneswyr pensaernïol Utah, 'ac mae'r gorau a'r hynaf ohonynt i'w gweld yn Willard. Adeiladwyd hwy gan hen Gymro diymhongar o'r enw Shadrach Jones.' Rhestrwyd nifer ohonynt gan Adran Gadwraeth y dalaith fel enghreifftiau gwych o grefftwaith yr arloeswyr cynnar.

Anfonwyd ef yn ôl i Gymru ar genhadaeth yn Ebrill 1883 ac yno, yn sydyn, ym mis Mehefin, rywle yn ardal Abertawe, bu farw. Dywed rhai mai annwyd trwm, a ddatblygodd yn niwmonia, a achosodd ei farwolaeth. Dywed eraill mai chwythu allan y fflam mewn lamp nwy a wnaeth, heb ddeall bod yn rhaid troi'r nwy i ffwrdd hefyd. Y mae ei fedd i'w weld o hyd yn hen fynwent Calfaria, capel y Bedyddwyr, yn Ravenhill, Abertawe.

Teulu diddorol arall yn y fintai oedd yr Hughesiaid o Ferthyr. Byddent hwy, yn sicr, wedi ennyn cydymdeimlad tadol Shadrach. Saith o blant heb riant i'w gwarchod oedd yr Hughesiaid, yr hynaf, Maria, yn 17, wedyn Taliesin, Gomer, Mathew, Lewis, Daniel a'r ieuengaf, Sarah Ann, yn 2. Gadawsant Gymru dair blynedd ynghynt, yn deulu cyfan, gyda'u mam a'u tad. I dalu am weddill y daith aeth y tad i weithio fel peiriannydd i'r pyllau glo yn Pottsville, Pennsylvania, ac yn Caseyville, Illinois. Yna bu'r fam farw a chollodd y tad ei awydd i fynd yn ei flaen. Penderfynodd droi am adref. Ond roedd ysbryd antur yn y plant, yn enwedig yn y ddau hynaf, Maria a Taliesin. Yr oeddent yn benderfynol o gyrraedd y Dyffryn. Cysylltwyd â brodyr eu mam oedd allan yn Utah yn barod a daethant hwy draw i'r Missouri i gyrchu'r plant i'w cartref newydd. Wedi cyrraedd Utah, Taliesin a fagodd y teulu, gan gadw cartref iddynt i gyd nes bod yr ieuengaf wedi priodi a gadael. Ni welsant eu tad fyth wedyn.

Nid mintai gyffredin oedd mintai Shadrach a'r Hughesiaid. Cludo nwyddau i Utah oedd ei phrif bwrpas, nid cludo ymfudwyr. Ei chargo oedd llwyth o beiriannau ar gyfer gwasg y *Deseret News*. Cludwyd hefyd gyflenwad o inc a phapur a theip ac anghenion eraill ar gyfer swyddfa'r wasg ac, yn olaf, roedd gyr o 450 o wartheg yn dilyn. Cyn iddynt adael y Missouri ymunodd 60 wagen o ymfudwyr â'r fintai, ac yr oedd dros 150 o bobl ynddi wrth iddi groesi'r paith.

Un arall o'r Cymry yn y fintai oedd James Crane o dde Sir Benfro, dyn ifanc, gweithgar, ymarferol, hwyliog a hapus. Y mae'r hanesion amdano yn adlewyrchu ychydig o'i gynhesrwydd a'i fywiogrwydd. Er enghraifft, hon, o ddyddiadur ei wraig, amdano'n codi ysbryd ei gyd-ymfudwyr wedi diwrnod caled o waith: 'Ymddangosai'r cwmni mor brudd fel pe bai pob bywyd wedi gadael y gwersyll. Gofynnodd fy ngŵr iddynt ai Mormoniaid oeddent. "O! Ie, Mormoniaid ydym." Yna gofynnodd fy ngŵr beth oedd yn bod arnynt. "Wel," medden nhw, "buom wrthi drwy'r dydd yn gyrru'r anifeiliaid heb gael dim i'w fwyta ac nid yw'n ymddangos ein bod yn mynd i gael ein bwydo yn awr." Gofynnodd fy ngŵr i'r cogydd a oedd ganddo rywbeth i'w roi iddynt ac atebodd ef, oedd, ond nid oedd wedi cael siawns i'w goginio gan ei bod wedi bwrw glaw drwy'r dydd. Dywedodd fod ganddo flawd a chig moch a the a choffi a thriog. "Oes gynnoch chi grochan?" gofynnodd fy ngŵr a rhoddwyd un iddo fyddai'n dal tua tair galwyn. Ac mewn chwarter awr gwnaeth ei lond o uwd a wnaeth i'w llygaid nhw befrio.' Yna arllwysodd driog drosto a chawsant i gyd swper gwerth chweil. 'Gyrrwyd y cymylau duon o'r gwersyll a buom yn canu a siarad tan hanner nos,' meddai James yn ei ddyddiadur ei hun. Yr oedd bywiogrwydd a hwyliau da James Crane yn heintus ac yn gaffaeliad i unrhyw fintai.

Er hynny, magwraeth galed a gafodd. Ganwyd ef i dlodi, tlodi oes Fictoria ar ei ddyfnaf. Gŵr o Brighton oedd ei dad ond diflannodd hwnnw cyn ei eni. Yr oedd ei fam yn rhy dlawd i'w gadw ac yn dair wythnos oed rhoddwyd ef ar y plwy ym Mhenfro. Cytunodd gŵr a gwraig o Ynys Bŷr i'w gymryd am ddeuswllt yr wythnos ac am y pedair blynedd dilynol bu James yn byw ar yr ynys. Boddwyd ei dad maeth yn ystod y cyfnod hwn, yn un o drychinebau morwrol gwaethaf yr ynys. Diwrnod ffair Dinbych-y-pysgod oedd hi, ddeuddydd wedi'r Nadolig, ym 1835. Chwythai'n wynt mawr a rhedai'r môr yn uchel ond yr oedd 15 o bobl o'r ynys yn benderfynol o fynd i'r ffair ar y tir mawr. Cynghorwyd hwy i beidio ond mynnu mynd a wnaethant. Ychydig cyn cyrraedd diogelwch yr harbwr torrodd ton enfawr dros y cwch a'i ddymchwel. Collwyd pob un ohonynt a gadawyd saith gwraig yn weddw a 33 o blant yr ynys heb dad. Un o'r plant hynny oedd James. Ei gof cyntaf oedd gweld ei fam faeth yn rhedeg yn orffwyll drwy strydoedd Dinbych-y-pysgod yn wylo am ei gŵr. Bu hi farw pan oedd James yn 6 oed ac anfonwyd ef wedyn at wraig weddw arall. Gyda hi cafodd fynychu ysgol, lle dysgodd ddarllen ei Feibl.

Ond roedd cost cynnal y tlodion wedi codi gymaint oddi ar ddiwedd Rhyfeloedd Napoleon fel bod y llywodraeth yn awyddus i fabwysiadu ffordd ratach o ofalu amdanynt. Ym 1834 pasiwyd Deddf Newydd y Tlodion. Adeiladwyd tlotai drwy'r deyrnas lle'r arferwyd safonau byw mor elfennol a chyntefig fel mai dim ond y gwir anghenus oedd yn fodlon aros ynddynt. Anfonwyd James i dloty Penfro lle bu am y pum mlynedd nesaf. Rhedodd i ffwrdd ddwywaith, gan fynd i edrych am ei fam bob tro. Yr oedd hon wedi ailbriodi ac yn magu teulu newydd. Yr ail dro, cafodd James afael arni ac arhosodd gyda hi am rai wythnosau ond ni fu'n amser hapus iddo. Ni châi eistedd wrth y bwrdd gyda gweddill y teulu. Gorfodwyd ef i fwyta ar ei ben ei hun mewn cornel. Cofiai i'w fam ddweud wrtho unwaith na theimlai unrhyw gariad tuag ato, mwy nag at ddieithryn yn y stryd. Yn y diwedd cytunodd i fynd yn ôl i'r tloty. Teimlai, meddai, fod y tloty yn ei drin yn well nag y gwnâi ei fam. Yn wir, y mae ei atgofion am y tloty yn eithaf cynnes. Cafodd rywfaint o addysg yno. Dysgodd ysgrifennu a gwneud syms. Credai fod y meistr yn ei drin yn deg. 'Yr oedd Mr Large yn trin pawb yn garedig. Teimlem ei fod yn gwneud ei waith yn dda a hoffai pawb ef. Er bod disgyblaeth lem yno, ni wnaeth lawer o niwed i mi. Yn hytrach, mae wedi fy nghadw i fyny at y marc ar hyd fy oes.' Rhyfedd fod personoliaeth mor gynnes a deniadol wedi tyfu o fagwraeth mor galed a digariad. O'r diwedd cafodd waith fel cowmon ar fferm gyfagos a bu'n gweithio yno am saith mlynedd, hyd nes iddo glywed un o genhadon y Mormoniaid yn pregethu am y dyddiau diwethaf a oedd yn agosáu a'r angen i ffoi i ddiogelwch y mynyddoedd yng ngorllewin America. Yr oedd hyn ym 1851, pan oedd yn 21 oed. Yn awr dyma ef, yn 29 oed, ar ei ffordd i Seion.

Ym 1859, ychydig o'r Saint ar y trywydd oedd wedi dod yn syth o Gymru. Yr oedd James, fel y mwyafrif ohonynt, wedi treulio peth amser yn nwyrain America yn ceisio ennill digon i orffen y daith. Yr oedd wedi gadael Cymru ym 1856 yng nghwmni Joseph Cadwallader Davies, brawd ei gariad, Alice, ac aeth i Efrog Newydd i weithio, yn gyntaf ar y tir ac yna ar safle adeiladu ac mewn ffatri. Llwyddodd o fewn 12 mis i ennill digon i dalu am docyn i Alice a daeth hi allan ato a phriodwyd y ddau yn Iowa City ym 1858. Yno, bu'n rhaid iddynt edrych am waith unwaith eto ond, y tro hwn, buont yn eithriadol o anlwcus yn eu cyflogwyr. Aethant i weithio'n gyntaf at ŵr oedd yn ceisio tyfu cansenni siwgr. Gwariodd hwnnw'n drwm ar beiriannau ager i wasgu'r sudd o'r cansenni ac addawodd gyflogau da i'w weithwyr unwaith y byddai'r siwgr wedi cyrraedd y farchnad. 'Ond y mae gaeafau Iowa yn oer iawn,' ysgrifennodd Alice, 'a'r hydref hwnnw daeth y rhew cyntaf ychydig yn gynnar a lladdwyd y planhigion, ac felly profodd ei fusnes siwgr yn fethiant ac ni fedrai dalu ei weithwyr.' Gadawyd James ac Alice yn waglaw.

Aethant i weithio wedyn at ffermwr o'r enw Barling, Alice yn y tŷ a James yn y caeau. Ar ôl bod yno am rai misoedd clywsant fod mintai ar fin gadael y Missouri am Utah a bod galw am ddynion i yrru'r wageni. Yr oedd caniatâd i bob dyn a gyflogid ddod â'i wraig gydag ef. Penderfynodd James ac Alice adael eu swyddi yn syth. 'Dywedsom wrth Mr Barling yr hoffem gael ein talu. Buom yn gweithio gaeaf cyfan yno heb dderbyn ceiniog o gyflog. Dywedodd pe baem yn aros gydag ef drwy'r haf, byddai'n ein talu ni yn yr hydref ond os gadawem cyn hynny, nid oedd y modd ganddo i'n talu.' Felly, unwaith eto, bu'n rhaid i James ac Alice adael, wedi misoedd o waith, heb geiniog yn eu pocedi.

Ond pa ots! O'r diwedd roeddent ar eu ffordd i Ddinas y Llyn Halen, a gwell fyth, roedd Joseph, brawd Alice, hefyd wedi llwyddo i gael gwaith gyda'r fintai ac wedi dod â gwraig newydd gydag ef. Merch o Lanfair Talhaearn oedd Maria Williams, cyfnither i Elias Morris. Yr oedd Joseph a hi wedi croesi'r Iwerydd yn yr un llong ond arhosodd hi yn Efrog Newydd i weithio. Anfonodd Joseph lythyr ati o Iowa City ddwy flynedd wedyn yn esbonio bod lle iddi yn y fintai, os byddai hi'n fodlon ei briodi, gan ychwanegu, os oedd am dderbyn, fod yn rhaid iddi ddal y trên cyntaf i'r Gorllewin. Priodwyd y ddau y diwrnod cyn i'r fintai adael. Gellir dychmygu'r llawenydd yn y wagen wrth i'r ddau bâr ifanc gychwyn ar eu hantur. 'Ni theimlais erioed mewn gwell iechyd na phan groesais y paith,' ysgrifennodd Alice. 'Yr oedd digonedd o fwyd gennym a chawsom amser da.'

Ac y mae mwynhad James i'w synhwyro mewn sawl paragraff yn ei atgofion, fel hwn amdano yn ceisio croesi afon Skunk yn Iowa. Yr oedd yr afon wedi gorlifo'i glannau a neb â syniad sut i'w chroesi. 'Ni fedrem wneud dim ond syllu'n drist ar y dŵr,' ysgrifennodd James. Ond yna dechreuodd siarad â dau ymfudwr arall, ac esboniwyd iddo'r tric o ddatgymalu'r wageni i ffurfio rafft, yn union fel y gwnaeth mintai Daniel Daniels ar afon Bear flwyddyn ynghynt. 'Yr oedd rhai o'r criw yn gwrthod croesi fel hyn ond ni fedrwn weld unrhyw bosibilrwydd arall,' ysgrifennodd James. 'Gelwais ar y rhai oedd yn fodlon fy nilyn ac ymunodd y rhai eraill gyda ni heb unrhyw deimladau drwg. Bu'n rhaid i ni groesi'r afon dair gwaith cyn cael pawb i'r ochr draw, a'r tro olaf yr oedd yn bwrw eira'n drwm. Yr oedd pawb wedi ymlâdd ac wedi oeri gymaint, ond roedd adeilad gerllaw lle cawsom logi ystafell ac o fewn dim yr oedd tân braf ynghyn a'n dillad yn sychu o'i flaen a phawb yn canu a sgwrsio ac yn mwynhau eu hunain yn fawr.' Dyn gwerth ei gael mewn mintai oedd James.

Cyraeddasant y Dyffryn mewn 72 niwrnod, un o'r teithiau cyflymaf i fintai o wageni nwyddau trymion o'r fath ei gyflawni. 'Cawsom amser da ac ystyried pellter y daith,' ysgrifennodd James. 'Prinder dŵr nawr ac yn y man ac ambell ffrae rhwng y gyrwyr ond dim mwy nag y buasech yn ei ddisgwyl ar daith mor llafurus.' Cyhoeddodd y *Deseret News* fod y fintai wedi cyrraedd 'mewn cyflwr da, heb ddioddef unrhyw ddamwain o bwys, heblaw colli dros 60 o'r 448 o anifeiliaid a adawodd Florence, yn bennaf i afiechydon'. 'Pan ddaethom allan o Emigration Canyon a gweld Dinas y Llyn Halen o'n blaenau,' ysgrifennodd James, 'O! mor ddiolchgar yr oeddem i'r Arglwydd. Dim ond y rhai sydd wedi byw y profiad sy'n gwybod mor nefolaidd yw'r teimlad a ddaw i Sant y Dyddiau Diwethaf pan wêl Ddinas y Saint am y tro cyntaf. Rhedai dagrau o lawenydd i lawr fy ngruddiau a diolchais i'r Arglwydd am fy nghadw gyhyd i gael profi'r fath fendithion.' Cawsant groeso mawr gan Brigham Young a gwahoddiad i aros i swper. 'Dyma'r tro cyntaf erioed i mi weld y Llywydd Young,' ysgrifennodd James. 'Gwisgai het fawr o wellt wedi ei gwneud yn lleol. Cynhesodd fy nghalon tuag ato, ac arhosodd fy nheimladau felly drwy gydol fy mywyd.'

Er i James gadw dyddiadur am gyfnodau meithion wedi hynny, nid yw'r cofnodion i'w cymharu â'r rhai a ysgrifennodd ar y trywydd. Profodd y daith yn llawn arwyddocâd iddo. Y mae cerdded y trywydd yn 'ddefod newid byd' (*rite of passage*) iddo. Y mae'n gadael o'i ôl y bywyd anodd yn yr hen wlad, y wyrcws, y tlodi a chreulondeb ei fam, ac yn edrych ymlaen at ail gyfle a bywyd gwell. Yn gwmni iddo yn y wagen y mae ei gariad a'i ffrindiau gorau. Y mae'n aelod o fintai gyfeillgar a pharod ei chymwynas. O'i gwmpas y mae'r Gorllewin Gwyllt yn ei ogoniant. Y trywydd, yn sicr, oedd uchafbwynt ei fywyd, fel i gynifer o'r Saint. Dangoswyd iddo bosibiliadau newydd, ymestynnwyd ef, heriwyd ef, a phrofodd yn deilwng o'r her.

1860

Yn eisiau,

Bechgyn ifainc, ysgafn a gwydn, heb fod dros ddeunaw oed.

Rhaid iddynt fod yn farchogion penigamp, yn barod i
Fentro'u bywydau'n ddyddiol.

Y mae bod yn amddifad yn fantais.

Y mae'r poster recriwtio enwog hwn i'r gwasanaeth a gychwynnwyd yng ngwanwyn 1860 yn rhan o chwedloniaeth y Gorllewin Gwyllt. Ar y 3ydd o Ebrill, gadawodd y 'Pony Express' cyntaf o St Joseph, Missouri, a ddeng niwrnod wedyn, wedi croesi'r Gwastatir Mawr, y Rockies a'r Sierra Nevada, cyrhaeddodd ben ei daith yn Sacramento, Califfornia. Dyma un o hoff ddelweddau America – y gwibiwr dewr ar ei geffyl chwim, y marchog unig ar garlam drwy diroedd peryglus yr Indiaid, cludwr y post yn cysylltu cenedl yn y misoedd tywyll cyn cychwyn y Rhyfel Cartref ym 1861. Ac i'r ymfudwyr hefyd, yr oedd cael cip ar y 'Pony Express' yn fythgofiadwy. 'Yr oeddwn yn gwarchod yr anifeiliaid,' ysgrifennodd un. 'Tua hanner nos oedd hi pan glywais, ymhell bell i ffwrdd, sŵn carnau ceffyl yn curo. Yr oedd ein wageni wedi eu ffurfio'n gylch bob ochr i'r ffordd. Noson lonydd oedd hi, cyn ddistawed â'r bedd. Pan oedd o fewn clyw, gwaeddais, "Pwy ddaw yna?" Peidiodd sŵn y carnau ac o'r tywyllwch clywais lais. "Pony Express." "Yn eich blaen," gwaeddais innau. Yna cychwynnodd sŵn y carnau eto a charlamodd i ffwrdd drwy'r gwersyll.'

Y disgrifiad enwocaf yw hwnnw gan Mark Twain. Gwelodd ef y 'Pony Express' drwy ffenestr ei goets ar daith i Nevada y flwyddyn wedyn. 'Dyma fe'n dod! Gwthiodd pob gwddf ymlaen a chraffodd pob llygad. Draw ymhell ar orwel didoriad y paith ymddangosodd smotyn du allan o'r glesni ac roedd yn amlwg ei fod yn symud. A'r fath symud! Ymhen eiliad neu ddwy yr oedd yn ddyn ac yn anifail – yn codi a gostwng, codi a gostwng, yn sgubo tuag atom, yn nes ac yn nes, yn fwy a mwy clir, ei amlinelliad yn fwy a mwy pendant, agosach ac agosach eto, a daw cryndod y carnau yn ysgafn i'n clyw, eiliad arall, a "Hwi!" a "Hwre!" o'n dec uchaf a chwifiad llaw'r marchog, ond heb ateb, a dyna'r dyn a'r ceffyl yn ffrwydro heibio i'n hwynebau syfrdan a gwibio i ffwrdd fel cynhyrfiad olaf corwynt! Mor sydyn oedd y cyfan, fel fflach o ffansi ansylweddol! Oni bai am blufyn o ewyn gwyn a adawyd yn crynu ar ochr y sach lythyrau wedi i'r weledigaeth felltennu heibio, byddem yn amau nad oeddem wedi gweld ceffyl a dyn go iawn o gwbl.'

Mewn cyferbyniad llwyr â chyflymder y 'Pony Express', sylwodd Mark Twain hefyd ar fintai o Formoniaid yn trampio'n flinedig heibio. 'Dwsinau o ddynion, merched a phlant trist yr olwg mewn dillad o frethyn cartref, wedi cerdded fel y cerddent yn awr, ddydd ar ôl dydd, am wyth wythnos hir, gan deithio yn yr amser hwnnw yr un pellter ag y teithiodd ein coets ni mewn wyth niwrnod a thair awr – sef 798 milltir. Yr oeddent yn llychlyd a blêr a rhacslyd, heb na het na bonet, ac mor flinedig yr olwg.'

Un arall ar y trywydd ym 1860 oedd y teithiwr a'r newyddiadurwr enwog Richard F. Burton, ar ei ffordd i Ddinas y Llyn Halen i ymchwilio ar gyfer ei lyfr nesaf, *The City of the Saints*. Gwelodd ef hefyd y minteioedd Mormonaidd ond disgrifiodd hwynt ychydig yn garedicach. 'Er mor ddirodres eu hymddangosiad, ni welais unrhyw arwydd o afiechyd na newyn yn eu plith. I'r gwrthwyneb, yr oedd eu cyflwr yn adrodd cyfrolau am effeithiolrwydd eu trefniadau teithio.' Nododd ei fod wedi pasio mintai dan arweiniad gŵr o'r enw John Smith ar fore'r 23ain o Awst, ar y ffordd i orsaf newid ceffylau Muddy Creek. Cyrhaeddodd Burton orsaf Muddy Creek am hanner dydd y diwrnod hwnnw, ychydig oriau'n ddiweddarach. Ond ni chyrhaeddodd mintai John Smith tan y 27ain, bedwar diwrnod wedyn, ac erbyn hynny yr oedd un o'r fintai, sef Catherine Jones Bennett o Gei Connah yn Sir y Fflint, wedi marw.

Afon fechan ddi-sôn-amdani yng nghornel dde-orllewinol Wyoming yw Muddy Creek. Nid yw'n hawdd dod o hyd, heddiw, i hen orsaf y goets ar ei glannau. Wrth ddod o'r dwyrain, rhaid troi oddi ar Interstate 80, y brif drafford i Ddinas y Llyn Halen, yn union cyn croesi Muddy Creek a dilyn y lôn wledig ddi-darmac am ryw bedair milltir i fyny'r cwm. Yna, gadael y car a cherdded, dilyn y llwybr am ychydig a chroesi'r afon a chyrraedd clwstwr o goed ac adfeilion. Hwn oedd safle'r hen sianti bren lle câi teithwyr y goets a marchogion y 'Pony Express' newid eu ceffylau a chael rhywbeth i'w fwyta. Deuai nifer o finteioedd y Saint yma i noswylio, er mwyn bod yn siŵr o ddŵr glân a phorfa dda a chwmni ceidwad y sianti a'i wraig – 'hen Saesnes flin' yn ôl Burton. Wrth ochr yr adfeilion y mae plac modern wedi ei amgylchynu gan ffens isel. Hwn yw bedd Catherine Bennett.

Gyda hi teithiai ei gŵr, Benjamin, a'i merch, Elizabeth. Teulu o bysgotwyr a morwyr oedd y Bennettiaid. Bu Benjamin, fel ei dad, yn un o'r peilotiaid ar afon Dyfrdwy. Yn ôl y traddodiad teuluol, ymweliad gan Brigham Young â Phenarlâg a arweiniodd at eu tröedigaeth, yn Hydref 1840, ac yn fuan wedyn bedyddiwyd nifer ohonynt. Ni wyddom sut daith gafodd Catherine i Muddy Creek na sut y bu farw. Yr unig gyfeiriad ati yw'r ychydig eiriau hyn yn nyddiadur un o'r fintai: 'Dydd Iau, 27 Medi. Cychwynnwyd cyn brecwast. Teithio 8 neu 9 milltir i'r gwersyll ar y Muddy lle'r arhoswyd am weddill y diwrnod a'r noson. Yn y lle hwn y claddwyd y Chwaer Bennett, hen chwaer mewn gwth o oedran, a fu farw'r diwrnod cynt.' Yr oedd Catherine yn 67, saith mlynedd yn hŷn na'i gŵr. Bu ond y dim iddi gyrraedd Seion. Can milltir ac wythnos arall a byddai yno.

Bedd modern ydyw hwn. Codwyd ef a rhoddwyd plac arno gan deulu'r Bennettiaid ym 1998, i gofio eu hen hen hen nain. 'Catherine Bennett Jones (1792–1860). Codwyd y plac hwn gan ei theulu yn America a Chymru.' Nid yw'n hollol sicr mai hwn oedd union fan ei chladdu gan nad oes arlliw o'r bedd gwreiddiol wedi goroesi.

Yn annisgwyl efallai, ychydig iawn o feddau sydd i'w gweld ar y trywydd heddiw, a llai fyth lle gellid dweud yn bendant pwy sy'n gorwedd ynddynt. Ychydig o sicrwydd sydd am nifer yr ymfudwyr a fu farw. Amcangyfrifwyd fod rhwng 300,000 a 500,000 ohonynt wedi defnyddio'r trywydd cyn i'r trên ddod ym 1869, naill ai i fynd i Galiffornia neu i Oregon neu Utah. O'r cannoedd o filoedd hyn, amcangyfrifwyd fod rhwng 4 y cant ac 8 y cant wedi marw ar y daith, y rhan fwyaf ohonynt o'r colera yn y blynyddoedd cynnar. Golygai hyn felly bod rhwng chwech ac ugain bedd i bob milltir o'r trywydd o'r Missouri i Sacramento. Diflannodd llawer ohonynt oherwydd i'r teuluoedd eu cuddio'n fwriadol. Ofnent y codai'r Indiaid y cyrff er mwyn dwyn y dillad a'r mân dlysau oedd arnynt. 'Y mae cynifer o dadau, mamau, brodyr a chwiorydd yn hiraethu am y lleoliadau unig hyn,' ysgrifennodd un o'r ymfudwyr. 'Ond ni chânt weld y cyrff annwyl eto tan ddydd yr atgyfodiad, oherwydd gwnaethpwyd y twmpathau yn unffurf â'r ddaear fel bod y man yn amhosibl i'w ganfod.' Collwyd eraill oherwydd garwder yr hin. Twmpathau o gerrig oedd yn marcio'r rhan fwyaf ohonynt, wedi eu codi'n frysiog a'u taflu at ei gilydd, gydag ychydig eiriau wedi eu crafu ar benglog byfflo neu eu cerfio ar ddarn o bren. Ni fedrent wrthsefyll y gwynt a'r oerfel rhewllyd yn hir. O'r ychydig feddau sydd wedi goroesi, llai fyth sydd ag enw yn gysylltiedig â hwynt. Dim ond deugain yn Wyoming gyfan!

Heddiw, y mae chwilio am feddau coll yr ymfudwyr yn hobi poblogaidd ar hyd y trywydd, a'r Mormoniaid ymysg y mwyaf brwd o'r hobïwyr. Os darganfyddir un, yn enwedig os oes enw pendant yn gysylltiedig ag ef, y mae'n creu cryn gyffro. Er enghraifft, ym 1862, ar lethrau gorllewinol South Pass, ddwy flynedd ar ôl marwolaeth Catherine, bu farw gwraig o'r enw Charlotte Dansie ar enedigaeth ei phlentyn. Saith deg saith mlynedd yn ddiweddarach, aeth dau o'i hwyrion i chwilio am ei bedd. Gwyddent yn fras lle bu hi farw ond roedd degau o aceri ganddynt i'w cribo. Gwyddent hefyd fod Charlotte a'i phlentyn wedi'u claddu gyda'i gilydd yn yr un bedd a bod ei gŵr, ar fore'r angladd, wedi rhwygo caead oddi ar un o'r bocsys yn y wagen, caead wedi ei addurno â llewod pres, a'i osod dros y cyrff. Gwyddent hefyd fod cadwyn o'i hoff leiniau gleision wedi ei gosod o amgylch ei gwddf cyn ei gollwng i'r bedd. Ar ôl chwilio'n hir ond heb lwyddiant, digwyddodd yr wyrion gyfarfod â bugail yn gwarchod ei braidd yn y mynyddoedd, a dywedodd hwnnw wrthynt ei fod yn gwybod am fedd oedd wedi ei ddarganfod yn ddiweddar ond a oedd wedi ei ysbeilio gan y darganfyddwyr. Arweiniodd hwynt at fedd mam a'i phlentyn ac yn y bedd daethant o hyd i gaead pydredig ac arno addurniadau llewod pres. Gwyddai'r bechgyn eu bod wedi darganfod bedd eu nain. Cyfaddefodd y bugail yn ddiweddarach mai ef ei hun a ysbeiliodd y bedd a'i fod wedi cymryd cadwyn o leiniau gleision ohono. Rhoddodd y gadwyn yn ôl i'r teulu. Heddiw y mae carreg yn dynodi'r man, a rhoddwyd y tir i'r teulu i sicrhau bod bedd Charlotte Dansie a'i phlentyn yn cael ei barchu am byth.

Er mai dim ond ychydig o Formoniaid a gerddodd y trywydd o'u cymharu â'r cannoedd o filoedd o fwynwyr a ffermwyr a'u bryd ar Galiffornia neu Oregon, ac er cyn lleied o Gymry oedd ymysg yr ychydig hynny, eto y mae tri o'r deugain bedd yn Wyoming sydd ag unigolion adnabyddadwy yn gorwedd ynddynt yn feddau Cymry – beddau Catherine a dwy arall. Dim ond ar ddechrau'r ganrif hon y darganfuwyd, neu yr ailddarganfuwyd, un ohonynt.

Hobi Bill Lehr yw astudio sgorpionau. Athro gwyddoniaeth yw Mr Lehr yn Ysgol Ganol Big Piney. Gorwedd y pentref i'r gorllewin o South Pass, 50 milltir i'r gogledd o'r trywydd. Ar ddiwrnod o Fedi yn 2001 aeth Mr Lehr i lawr i gyfeiriad y trywydd i edrych am sgorpionau ac wrth droi'r cerrig gwelodd enw a dyddiad wedi eu cerfio ar un ohonynt. 'L. M. Edwards. Aged 4 years. 1861.' 'Yn wyrthiol,' meddai un o arbenigwyr Cymdeithas Trywydd Oregon-Califfornia, y gymdeithas sy'n casglu'r wybodaeth am feddau'r ymfudwyr, 'yn wyrthiol, nid yw'n ymddangos fel petai'r bedd hwn wedi ei aflonyddu o gwbl. Heblaw bod y garreg wedi cwympo ar ei hwyneb, mae yn yr union gyflwr heddiw ag ydoedd pan adawodd y teulu Edwards hi ar y diwrnod trist hwnnw ym 1861.' Ond pwy oedd L. M. Edwards? Nid oes sôn am deulu o'r enw Edwards yn croesi'r paith y flwyddyn honno. Nid yw hynny'n anghyffredin. Collwyd enwau nifer fawr o'r Mormoniaid cynnar a groesodd. Ond y mae teulu o Edwardsiaid gyda phlentyn sydd â'i henwau cyntaf yn cychwyn gydag L ac M yn ymddangos ar restr y teithwyr ar yr *SS City of Manchester* a adawodd Lerpwl ar yr 16eg o Ebrill, 1861. Disgrifir y penteulu fel John Edwards, llafurwr oedd yn hanu o Abergele. Mae ganddo wraig, Eleanor, a phedwar plentyn, John, Eleanor, William a Leah M, sy'n dair blwydd oed. Rywbryd rhwng gadael Lerpwl a chyrraedd man ei marw yr oedd Leah wedi dathlu ei phen-blwydd olaf. A dyna'r cyfan a wyddom amdani. Y mae man ei gorffwys yn cael gofal tyner heddiw a mwy o sylw nag a gafodd Leah druan yn ystod ei bywyd.

Ond y trydydd bedd Cymreig yw'r un mwyaf diddorol, yn bennaf oherwydd ei leoliad. Bedd merch fach yw hwn hefyd. Ei henw oedd Annie Jane John, unig blentyn David a Mary John. Yr oedd yn wyth mis a phum niwrnod oed pan fu farw ar yr 20fed o Awst, 1861. Gŵr o Gasnewydd Bach yn Sir Benfro oedd ei thad. Ni chafodd yr un o'r Saint Cymreig cynnar well addysg na hwn. Paratowyd ef i fod yn weinidog gyda'r Bedyddwyr. Cafodd fynd at diwtor preifat ac yna i academi yn Hwlffordd lle dysgodd Ladin a Groeg. Ond yn 15 oed, cyfareddwyd ef gan neges y Mormoniaid a, heb ganiatâd ei dad, mynnodd gael ei fedyddio yn un ohonynt. Er hynny, o barch i'w dad, addawodd na fyddai'n gadael y Bedyddwyr hyd nes iddo ddyfod i oed. Ar ei ben-blwydd yn 22 ym mis Rhagfyr 1856, breuddwydiodd fod un o angylion yr Arglwydd wedi dangos iddo holl fynyddoedd y Gorllewin a dweud wrtho mai Mynyddoedd Tragwyddoldeb oeddent, trwy'r rhai y daw'r Saint i Seion. Fis yn ddiweddarach, ymddangosodd y cerddi hyn ganddo yn *Udgorn Seion*:

Mi gollais fy holl ffrindiau gynt
Pan unais gyda'r Saint.
Er hynny, elw yw i mi.
Rhyfeddol yw fy mraint.

Gadawaf Babilon cyn hir.
Mi af i Seion draw
Ac yno caf addoli'm Duw
Heb erlid, ing na braw.

Aeth pum mlynedd heibio cyn iddo gael mynd. Erbyn hynny yr oedd wedi priodi â Mary Wride, a'i blentyn cyntaf, Annie, wedi ei geni. Hwyliodd y teulu o Lerpwl yng ngwanwyn 1861 ond cyn iddynt gyrraedd America dechreuodd iechyd Annie dorri. 'Daliodd nifer ar y llong anwydau trymion, gan gynnwys Annie Jane, fy nghyntaf-anedig,' ebe David yn ei ddyddiadur. 'Cymerwyd hi i'r dec gan wraig ifanc o'r enw Mary Anne Thomas a phan ddeuthum o hyd iddynt, roedd wyneb a thalcen fy maban yn las, dŵr yn rhedeg o'i llygaid a'i thrwyn, a'r oerfel wedi gafael yn ei hysgyfaint.' Ni chollodd yr oerfel ei afael ar Annie druan wedi hynny. Erbyn y 19eg o Awst, yr oeddent yn gwersylla yn un o'r ardaloedd mwyaf anghysbell ar y trywydd, filltir a hanner i'r gorllewin o'r man lle rhwyga afon Sweetwater drwy greigiau geirwon Devil's Gate. Gwyliodd Barry Wride, brawd-yng-nghyfraith David, iechyd ei nith fechan yn dirywio. 'Awst 19. Annie Jane John, merch fy chwaer, yn wael iawn heno ac wedi bod felly am ddeuddydd neu dri.'

Pan fu Annie farw yr oedd David allan ar y paith. 'Galwyd fi allan ar ddyletswydd gwarchod am 2 o'r gloch y bore. Teimlwn yn amharod i fynd oherwydd bod fy mhlentyn mor wael ond gwyddwn ei bod yn rheidrwydd arnaf i wneud fy siâr o'r gwaith. Gadewais fy ngwraig a'm plentyn yn mwynhau cwsg melys. Gadewais heb ddweud gair rhag aflonyddu arnynt. Cerddais tua milltir at y gwartheg. Yr oedd yr anifeiliaid yn dawel ac yn gorwedd. Credais nad oedd unrhyw berygl o ymosodiad gan Indiaid nac o'r anifeiliaid yn crwydro felly taenais fy nghroen byfflo ar lawr, gorweddais arno a gosodais fy mhistol wrth fy ymyl, y ffurfafen dywyll yn do uwch fy mhen. Ni ddeallwn bryd hynny fod angylion Duw yn gwarchod gyda mi.' Cwympodd i gysgu a breuddwydiodd. Fel llawer o'r Mormoniaid cynnar, credai David fod ystyr i'w freuddwydion a bod Duw'n cysylltu ag ef drwyddynt. Felly nododd fanylion ei freuddwyd yn ofalus. 'Gwelais fy ngwraig yn cerdded tuag ataf dan wenu, wedi ei gwisgo mewn gwisg fer, wen, sanau hir gwynion a sliperi o sidan du, a'i hwyneb a'i gwddf cyn wynned â'r eira. Ceryddais hi am ddod ataf yn gwenu a minnau mewn poen. Atebodd nad oedd wedi sylweddoli fy mod mewn poen. Dywedais wrthi am edrych ar fy nghoes dde. Yr oedd yn noeth, wedi ei gorchuddio â briwiau tywyll, hyll, ac uwchlaw iddynt, yn uchel ar fy nghlun, yr oedd chŵydd du yn arllwys allan waed tywyll, tew, a redai i lawr fy nghoes a'm troed a'm bodiau, a chwympo i'r ddaear o ben fy modiau a diflannu, gan adael dim o'i ôl.' Beth a wnâi Freud, tybed, o'r fath freuddwyd? 'Pan welodd fy ngwraig fy mhoen, wylodd yn hidl gan ddweud, "Rhaid i mi fynd. Mae Annie Jane mor wael." Deffrois a gadael y fuches am chwech a mynd 'nôl i'r gwersyll, a'r peth cyntaf a glywais oedd bod Annie Jane wedi bod yn wael iawn oddi ar dri o'r gloch y bore. Yr oedd fy mreuddwyd mor drwm ynof fel i mi golli fy nerth i gyd a chymerwyd fy ffydd oddi arnaf. Bu Annie farw ym mreichiau ei mam am hanner awr wedi wyth. Collodd cannoedd a miloedd o saint eu heinioes rhwng y Missouri a'r Llyn Halen, pobl wedi ymlâdd yn llwyr, merthyron i ludded y diffeithwch. Ymysg y merthyron hyn y mae fy merch fach i.'

Dechreuodd fwrw yn gynnar ar fore'r 20fed o Awst a bu'n glawio drwy'r dydd. Paratowyd y corff i'w gladdu gan rai o'r chwiorydd ac yna cariwyd ef ar un o'r wageni i'r gwersyll nesaf 15 milltir i'r gorllewin. Gwnaethpwyd arch gan y Brawd John Turner ac agorwyd y bedd gan dri Chymro arall, sef Benjamin Evans, William Howells a David P. Thomas. 'Awst 21. Dewiswyd deuddeg gŵr ifanc i gario'r corff i'r bedd. Rhoddwyd hi i'r pridd am saith o'r gloch y bore yma. Gosodwyd ei henw ar y bedd a phentyrrwyd twmpath o gerrig arno fel na fedrai'r anifeiliaid gwylltion dyrchu i lawr at y corff.' Dilynir y disgrifiadau o'r angladd gan ddisgrifiadau manwl o leoliad y bedd, mor fanwl nes ei bod yn bosibl, hyd yn oed heddiw, cerdded yn syth i'r man. 'Bymtheg milltir i'r gorllewin o Devil's Gate, lle mae'r afon yn torri drwy ddwy graig fawr sydd bron â chyffwrdd ei gilydd. Claddwyd hi ar ochr bryn bychan 600 troedfedd i'r dwyrain o graig uchel a thua'r un pellter o'r afon.' Er bod y garreg fedd gyda'i henw wedi hen ddiflannu, y mae'r carn bychan o gerrig yno o hyd.

Nid yw'n fan prydferth. Cwyd creigiau ysgythrog yn gylch bygythiol oddi amgylch iddo. Gerllaw, gorwedd un o'r llynnoedd halen gyda'r alcali gwenwynig wedi sychu yn goler wen o'i gwmpas. Y chydig sy'n tyfu yma heblaw'r llwyni wermod holl bresennol. Ond y mae hwn yn dir sanctaidd i Formoniaid. Yn Devil's Gate y bu mintai Martin yn llechu rhag stormydd 1856. Chwe milltir ymhellach i'r dwyrain mae Independence Rock, cofrestr y paith, lle cerfiodd cenedlaethau o deithwyr eu henwau yn y wenithfaen, miloedd ar filoedd ohonynt, helwyr, masnachwyr, ffermwyr, cenhadon, '49ers' a Saint, y rhan fwyaf erbyn hyn yn annarllenadwy. I'r gorllewin y mae golygfa o orwel pell sy'n rhagori ar holl orwelion y trywydd hyd yma. Ymestyn diffeithwch eang, gwastad cyn belled ag y gwêl y llygad, gan godi'n araf i gyfeiriad Rocky Ridge, lle collwyd cynifer o fintai Willie. Allan o'r gwastatir hwn saetha mynyddoedd creigiog fel gwaywffyn i'r awyr, gan gwympo'n ôl eto i'r ddaear yr un mor sydyn. Y mae'n olygfa arallfydol. Dim ond oriawr yn dripian dros y creigiau, neu fagl yma a thraw, a gallasai fod yn gefndir i un o luniau Dalí.

Ac nid oes dim sy'n fwy swreal yn y tirwedd rhyfedd hwn na Jeffrey City. Mewn gwlad lle nad oes pobl yn byw, lle nad oes unrhyw arwydd o ddiwydiant nac amaeth, wele bentref modern gyda phob cyfleustra angenrheidiol i fywyd cysurus. Ynddo y mae blociau o fflatiau modern heb neb yn byw ynddynt, meysydd chwarae heb neb yn chwarae arnynt, pwll nofio o faint Olympaidd heb neb i grychu wyneb y dŵr ac ysgol i 600 o blant heb yr un disgybl. Y mae cerdded strydoedd gwag Jeffrey City fel cerdded trwy dref o ysbrydion, a dyna ydyw – tref ysbrydion. Fe'i hadeiladwyd yn y 1970au i gartrefu gweithwyr mwynfa wraniwm gerllaw. Pan oedd y Rhyfel Oer yn ei anterth, a galw am fwy a mwy o fomiau niwclear, tyfodd y boblogaeth i dros 4,000. Ond pan ddechreuodd y Rhyfel Oer ddadmer, aeth perchnogion y fwynfa yn fethdalwyr a diflannodd y pedair mil bron dros nos, gan adael Jeffrey City i'r ysbrydion.

Ac yng nghanol y tirwedd estron, anghynnes hwn y mae bedd Annie John. 'Gadawyd hi,' yn ôl un o'r ymfudwyr, 'lle na thyfai blodau, a lle nad oedd sŵn i darfu ar y distawrwydd ond wylo di-baid y gwynt ac udo'r bleiddiaid yn y tywyllwch.'

1861

YM 1861 PYLODD YCHYDIG o ramant y trywydd. Yn eu henoed, parhaodd yr ymfudwyr a groesodd ar ôl 1860 i frolio'r treialon a orchfygwyd ganddynt ar eu taith – dyfnder yr eira, ystyfnigrwydd yr ychen, ffyrnigrwydd y bleiddiaid ac yn y blaen – ond gwyddent yn eu calonnau fod y dyddiau caletaf wedi mynd heibio cyn iddynt hwy droedio'r trywydd, a'i fod, ar ôl 1860, dipyn yn llai peryglus nag y bu. Fel arfer, Brigham Young oedd yn gyfrifol.

Hyd at 1860, arferai'r Mormoniaid brynu eu hanifeiliaid a'u wageni ar gyfer y daith yn y man cychwyn, boed ar y Mississippi neu, yn ddiweddarach, ar y Missouri. Dyma brif gost yr ymfudiad, drutach na chroesi'r Iwerydd, drutach na'r daith drên o Efrog Newydd i'r Missouri. Prynwyd miloedd o anifeiliaid bob tymor am brisiau uchel ac yna, ar ôl croesi'r paith a'r Rockies a chael yr ymfudwyr i Utah, ceisiwyd eu gwerthu ond yn aml heb lwyddiant. Erbyn hyn roedd mwy na digon o ychen a wageni yn y Dyffryn ac, o ganlyniad, plymiodd eu gwerth. Ymddangosai fod y broblem yn debygol o waethygu mewn blynyddoedd i ddod oherwydd yr oedd y Rhyfel Cartref rhwng taleithiau'r De a thaleithiau'r Gogledd ar fin torri allan. Byddai angen miloedd o ychen ar y byddinoedd a byddai hynny'n siŵr o godi pris yr anifeiliaid yn y Dwyrain yn uwch eto. Does dim rhyfedd, felly, fod Brigham Young yn awyddus i ddyfeisio ffordd ratach o gael yr ymfudwyr i Utah.

Cymerodd ddiddordeb mawr yn arbrawf ei nai, Joseph W. Young. Yr oedd hwn wedi cychwyn am y Missouri o Ddinas y Llyn Halen yn gynnar y flwyddyn cynt, yn arwain mintai o 29 wagen ac yn cario llwyth o fwydydd o Utah. Gadawodd storfeydd o fwyd ar hyd y trywydd gan gyrraedd Florence mewn 65 niwrnod. Gwerthodd y bwyd oedd yn sbâr i fasnachwyr lleol, llwythodd 22 tunnell o beiriannau ar gyfer ffatri bapur yn Utah ar ei wageni gweigion ac ar y 23ain o Orffennaf cychwynnodd am adref gan adlenwi ei wageni bwyd o'r storfeydd a adawyd ganddo ar hyd y trywydd. Yr oedd yn ôl yn Utah ar y 3ydd o Hydref heb wario'r un senten ar y daith. Yn wir, gwnaeth elw bychan trwy werthu'r bwydydd sbâr yn Florence. Dyma'r tro cyntaf i fintai fynd 'lawr a 'nôl' mewn tymor.

Nid oedd Brigham yn araf i weld manteision yr arbrawf. Galwodd ar bob cymuned yn Utah i gyfrannu ychen neu wagen neu harnais neu fwyd, a dod â hwy i Ddinas y Llyn Halen erbyn canol Ebrill 1861. Byddai eu cyfraniadau yn cyfrif fel tâl degwm. Galwodd ar feibion ifainc y ffermydd i ddod yno fel gyrwyr, bechgyn dibriod heb gyfrifoldebau teuluol, wedi eu trwytho ym mhethau'r paith, yn hyddysg mewn sgiliau trin anifeiliaid a rheoli wageni. Yn ufudd i'w alwad daeth 200 o wageni, 2,000 o ychen a 250 o yrwyr i'r oed. Yn ychwanegol cyfrannwyd 150,000 pwys o flawd a digon o fwydydd a nwyddau eraill i gynnal y gyrwyr a'r ymfudwyr ar eu taith.

Dibynnai'r trefniant newydd ar gynllunio gofalus ac amseru da. Petai'n rhaid i'r fintai o'r Dyffryn aros yn hir yn Florence am yr ymfudwyr, gallasent wynebu eira a lluwchfeydd ar y Rockies ar y ffordd yn ôl. Ar y llaw arall, petai'r ymfudwyr yn cyrraedd Florence yn rhy fuan, byddai costau bwyd a llety ychwanegol sylweddol i'w talu. Ar yr ochr draw i'r Iwerydd, dechreuodd y cloc dician fisoedd ynghynt pan logodd Llywydd y Genhadaeth Brydeinig, George Q. Cannon, longau yn y Llychlyn i gario Saint Sweden a Denmarc i Hamburg, er mwyn dal llong arall i Hull, lle caent drên i Lerpwl, mewn pryd i fyrddio un o'r llongau a logwyd gan y Genhadaeth i gario'r Saint i Efrog Newydd. Ar yr un pryd, byddai'r Saint o bob rhan o Brydain yn ymgasglu yn Lerpwl hefyd ac yn ymuno â'r Llychlynwyr. Hwyliodd y *Manchester* ar yr 16eg o Ebrill (yn cario 378 o Saint), yr *Underwriter* ar y 23ain o Ebrill (yn cario 623) a'r *Monarch of the Seas* ar yr 16eg o Fai (yn cario 955). Yn Efrog Newydd ymunodd dros fil yn ychwanegol o Saint yr Unol Daleithiau â'r fintai. Yna trên o Efrog Newydd i Quincy, Illinois drwy Chicago, gan newid trên yn aml er mwyn cael y fargen orau a'r pris rhataf. O Quincy, 20 milltir ar agerfad i lawr y Mississippi i Hannibal, yna trên i St Joseph ac yna dau ddiwrnod ar agerfad i fyny'r Missouri i Florence. Amserwyd y teithiau'n berffaith a chyrhaeddodd yr ymfudwyr y gwersyll ymgynnull ychydig ddyddiau wedi i'r fintai gyrraedd o Utah. Ar Fehefin y 25ain, gadawodd y wageni cyntaf am y Dyffryn.

Newidiwyd byd yr ymfudwyr cyffredin pan ddechreuodd

bechgyn y Dyffryn ddod i'w nôl. Nid oedd rhaid iddynt bellach ddysgu 'geeio' a 'hoio'. Nid oedd eisiau iddynt bellach seimio echelau a thynhau cylchoedd haearn yr olwynion. Nid oedd rhaid iddynt boeni am y prinder dŵr rhwng afonydd Platte a Sweetwater nac am beryglon y dŵr alcali ar y Poison Spider Road. Yr oedd arbenigwyr wrth law, bechgyn profiadol oedd wedi treulio misoedd o'u bywydau ar y paith.

Rhyfedd yw darllen dyddiaduron y daith hon o'u cymharu â'r rhai cynt. 'Penderfynais fynd i ddringo mynydd gyda rhai o'r hogiau,' medd un o'r ymfudwyr, 'felly i ffwrdd â ni ar garlam.' Anodd dychmygu un o drolwyr 1856 yn gadael y fintai i fynd i ddringo mynydd cyfagos. 'Ymddangosai fel petai ddim ond rhyw hanner milltir i ffwrdd ond yr oedd mewn gwirionedd lawer pellach. Ar ôl sawl llithriad daethom o'r diwedd i'r copa, tua 500 troedfedd uwchlaw'r dyffryn. Cawsom olygfa hyfryd o'r mynyddoedd yn y pellter. Ymddangosai'r fintai mor fychan wrth iddi rowlio ar hyd llawr y dyffryn mor bell oddi tanom.' Nid arloeswr yn herio enbydrwydd y paith oedd y dyddiadurwr hwn, ond twrist. Golwg twrist oedd ganddo ar y byd ac iaith twrist oedd ganddo i'w ddisgrifio. 'Darllenais *Gramadeg Davidson* bore 'ma gyda Ben Raybould,' ysgrifennodd un arall ohonynt. 'Yr ydym am addysgu ein gilydd ar ein ffordd dros y Gwastatir drwy astudio gramadeg. Cawsom ein plesio gan ffordd ddifyr Davidson o ddysgu pwnc sydd mor aml yn sych ac anniddorol.' 'Wedi fy swyno gan y golygfeydd,' ysgrifennodd un arall eto. 'Daw lluniau newydd i'n llygaid ar gopa pob bryn a chwyth awelon tyner arnom gan ein cryfhau ar gyfer ein hymarferion.' Trodd yr antur yn drip, y daith yn wibdaith.

Ychwanegai hwyl y gyrwyr, bechgyn ifainc tua'r 20 oed gan mwyaf, at y sbort a'r sbri. Swydd boblogaidd iawn oedd bod yn yrrwr mewn mintai 'lawr a 'nôl'. Pa lanc ifanc na ddewisai chwe mis yn ymweld â llefydd diddorol mewn cwmni difyr yn lle gweithio ar fferm anghysbell ei dad? Ac roedd y fintai 'lawr a 'nôl' yn lle da i ganfod gwraig. Câi'r bechgyn y dewis cyntaf o ferched yr ymfudwyr. Gweithiodd nifer o Gymry fel gyrwyr ar y minteioedd hyn, bechgyn fel Evan Samuel Morgan, y bachgen o Gwm Tawe a fu'n chwilio am waith ym mhyllau glo Sir Fôn, Taliesin Hughes, y brawd mawr a edrychodd ar ôl ei frodyr a'i chwiorydd bach, a Henry Davis Rees, mab Thomas a Margaret Rees, sylfaenwyr pentref glofaol Wales.

Disgwylid i'r bechgyn weithio'n galed iawn ond roedd hynny yn eu natur. Bu John Jenkins 'lawr a 'nôl' i'r Missouri deirgwaith. Cadwai ddyddiadur, ac ar ei drydedd daith ym 1866 y mae'n disgrifio nofio 800 o wartheg ac ychen dros afon Platte. 'Wedi wyth awr o waith cawsom yr anifeiliaid i lawr at lan yr afon ac yn barod i groesi. Yna galwodd y capten am wirfoddolwyr i fynd i'r dŵr i'w cadw rhag nofio yn eu holau. Camodd wyth ohonom ymlaen. Disgwylid i ni afael yng nghynffonnau'r anifeiliaid a'u gyrru ymlaen. Pan nofient i mewn i glwstwr byddem yn gollwng eu cynffonnau'n gyflym a gafael mewn rhai eraill rhag i ni gael ein gwasgu rhyngddynt. Buom yn y dŵr am chwe awr cyn cael y gyr cyfan i'r ochr draw.' Rhyfedd meddwl mai bachgen a fagwyd yn y Bont-faen oedd John Jenkins. Yr oedd wedi ei 'orllewino' yn llwyr.

Bachgen arall o Gymro ar y trywydd y flwyddyn honno oedd Amos Jones o Riwabon. Yr oedd Amos yn 24 mlwydd oed, wedi dod i'r Unol Daleithiau gyda'i deulu ym 1856 ar y *Samuel Curling* ac wedi gweithio yn Iowa oddi ar hynny. Ym 1861, gyda'r Rhyfel Cartref ar ffrwydro, penderfynodd y teulu orffen eu taith i'r Dyffryn cyn gynted â phosibl a rhestrir enwau ei fam a'i dad a'i chwe brawd a chwaer yn aelodau o fintai Homer Duncan y flwyddyn honno. Ond nid oes golwg o enw Amos. Yr oedd ef wedi gadael ei deulu ac wedi cael gwaith yn helpu i godi gwifren delegraff ar draws y cyfandir. Cyflogwyd ef gan gwmni'r Pacific Telegraph fel un o'r 400 o ddynion a weithiai ar y wifren. Rhoddai'r llywodraeth yn Washington y pwysau mwyaf ar gwblhau'r gwaith ar fyrder. Gan fod y Rhyfel Cartref wedi cychwyn, roedd cadw mewn cysylltiad agos â'r taleithiau yn y Gorllewin yn bwysicach nag erioed. Gosodwyd cymalau yng nghytundebau'r cwmnïau adeiladu a fyddai'n eu cosbi'n drwm os na orffennent y gwaith ar amser. Gofynnodd y Pacific Telegraph am help Brigham Young a'i bobl i gyflenwi'r polion angenrheidiol ar gyfer mil o filltiroedd o wifren. Gwnaeth y Mormoniaid eu gwaith mor effeithiol a diffwdan fel bod Edward Creighton, prif arolygydd y prosiect, yn awyddus i gyflogi rhagor ohonynt. Aeth i Florence i chwilio am 75 i 80 o weithwyr ychwanegol o blith y Saint a oedd ar fin cychwyn oddi yno, gan addo iddynt hanner eu cyflog yn y man a'r lle a'r gweddill ar ôl i'r wifren gyrraedd Dinas y Llyn Halen. Addawodd hefyd y caent eu rhyddhau ar ddiwedd y gwaith yn Ninas y Llyn Halen. Un o'r dynion a dderbyniodd y cynnig oedd Amos Jones.

Gellir synhwyro'r diddordeb oedd yn y telegraff o'r aml gyfeiriadau sydd ato yn y dyddiaduron. 'Y mae'r cwmni telegraff yn gwersylla tu ôl i ni.' 'Pedair mintai o asynnod yn ein pasio, wedi'u llwytho'n drwm gan weiar y telegraff.' 'Gwelsom bolion telegraff, newydd eu codi, yr ochr draw i'r afon.' Dilynai'r telegraff y trywydd yr holl ffordd i Utah. Gosodai'r gangiau bolyn bob 70 llath gan lam-llyffantu ei gilydd ar draws y cyfandir. Cwblhaent dair milltir y dydd ar dir caregog a deuddeg milltir a mwy ar dir tywodlyd. Adeiladent gyfnewidfaoedd bob pymtheg milltir. Cyrhaeddodd y wifren, ac Amos gyda hi, Ddinas y Llyn Halen ar yr 17eg o Hydref, wedi croesi 800 milltir o ddiffeithwch mewn deufis. Chwe niwrnod yn ddiweddarach cyrhaeddodd y wifren o Carson City yn y gorllewin. Y noson honno, unwyd y ddwy ac anfonwyd neges o Galiffornia at yr Arlywydd Lincoln yn y Tŷ Gwyn. 'Dymuna pobl California yn y neges delegraff hon, y neges gyntaf i'w hanfon ar draws y cyfandir, ddatgan eu ffyddlondeb i'r Undeb a'u penderfyniad i sefyll gyda'r llywodraeth yn y dyddiau anodd hyn.' Nid oedd dyfodol mwy i'r 'Pony Express'. Ni chymerai ddim ond eiliad yn awr i'r telegraff wneud yr hyn y cymerai'r 'Pony Express' wyth niwrnod, 80 dyn a 100 ceffyl i'w gyflawni. Ddeuddydd ar ôl anfon y neges delegraff gyntaf hon, aeth y 'Pony Express' yn fethdalwr. Yr oedd ei awr lachar, fer wedi darfod.

Drwy'r degawd nesaf gwnaed defnydd cyson o'r telegraff gan finteioedd y Saint a chyfrannodd yn sylweddol at wneud y trywydd yn saffach lle. Nid âi'r un diwrnod heibio nad oedd Brigham Young yn cael clywed am hynt ei bobl allan ar y paith a gwnâi'n siŵr fod y negeseuon hynny, oddi wrth gapteiniaid ei finteioedd, yn ymddangos yn rheolaidd ym mhapurau dyddiol Utah. Dyma gam arall yn y broses o ddofi'r Gorllewin Gwyllt.

Yn ddiamheuol, yr enwocaf o'r Cymry a groesodd i Utah y flwyddyn hon oedd Martha Hughes. Ychydig yng Nghymru sy'n gwybod amdani heddiw, ond yn Ninas y Llyn Halen cofir amdani o hyd yn gynnes iawn. Gwelir ei henw ar brif adeilad Adran Iechyd y dref, ar gadair yn Adran Radioleg Prifysgol Meddygaeth Utah ac ar wobr a gyflwynir yn flynyddol i'r rhai a gyfrannodd fwyaf tuag at iechyd mamau a phlant yn Utah. Gyferbyn â'r deml, ar un o brif strydoedd y ddinas, y mae plac yn ei choffáu ac yn rotwnda senedd-dy Utah mae cerflun wyth troedfedd o uchder ohoni. Ysgrifennwyd drama gerdd a gwnaethpwyd ffilm lwyddiannus am ei bywyd.

Ganwyd Martha yn ferch i saer yn Llandudno ym 1857. Pedair oed oedd hi yn croesi'r paith. Ni fu'r daith yn bleser iddi hi na'i theulu. Bu farw ei chwaer fach, Annie, nad oedd eto'n flwydd oed ac yna clafychodd ei thad, heb feddyginiaethau wrth law i drin ei salwch. Bu ef farw hefyd, dridiau ar ôl cyrraedd y Dyffryn. Yn ifanc iawn, penderfynodd Martha mai gyrfa yn gofalu am gleifion a ddewisai hi. Ni freuddwydiodd bryd hynny y câi fod yn ddoctor, ond erbyn iddi gyrraedd ei deunaw roedd syniadau Brigham am le merched yn y gymdeithas ac am fanteision meddyginiaeth fodern yn dechrau newid. Pan ddaeth y trên i Utah ym 1869, daeth ag ymfudwyr lu nad oeddent yn Formoniaid, a daethant hwy â syniadau modern gyda hwynt, am driniaethau gwyddonol ac am feddyginiaethau newydd a oedd yn effeithiol a llwyddiannus. Argyhoeddwyd Brigham, a newidiodd ei farn am ddoctoriaid. Teimlai hefyd ei bod yn weddus bod merched yn ymdrin â chlefydau merched. 'Daeth yr amser,' meddai, 'i wragedd gamu ymlaen fel doctoriaid yng nghymoedd y mynyddoedd.'

Galwyd Martha gan yr Eglwys i fynd i Brifysgol Michigan i ddilyn cwrs gradd mewn meddygaeth. Hi oedd y drydedd ferch yn Utah i wneud hynny. Wedi cwblhau ei gradd yn llwyddiannus apwyntiwyd hi i staff yr ysbyty merched cyntaf yn Ninas y Llyn Halen ac ymddangosai fod gyrfa foddhaol a defnyddiol o'i blaen. Ond ym mis Ebrill 1886, trodd ei chefn ar y cyfan a ffoi o Utah. Gyda hi aeth â'i baban, Elizabeth, oedd yn saith mis oed ac o'i hôl gadawodd ŵr a briodod mewn seremoni gyfrinachol ddeunaw mis ynghynt. Un o gyfarwyddwyr yr ysbyty oedd Angus Munn Cannon, dyn amlwg yn y gymdeithas Formonaidd a brawd i George Q. Cannon, llywydd y Genhadaeth ym Mhrydain ym 1861. Martha oedd ei bedwaredd wraig. Yr oedd 22 mlynedd yn hŷn na hi.

Ni allai Martha fod wedi cychwyn ar briodas amlwreiciol ar

amser mwy anffodus. Yr oedd y llywodraeth yn Washington yn benderfynol o ddileu arfer yr ystyrient hwy ei fod yn farbaraidd ac yn anghristionogol. Ond gwrthodai Brigham Young ryddhau'r wybodaeth am briodasau amlwreiciol iddynt, gan ei gwneud yn amhosibl i'r llysoedd ffederal brofi eu hachosion. Felly, ym 1882, pasiwyd deddf ffederal yn condemnio unrhyw un a ddaliwyd yn cyd-fyw â mwy nag un ferch i chwe mis o garchar. Nid oedd yn rhaid profi eu bod yn briod na'u bod yn rhannu'r un gwely. Gosodwyd ditectifs i wylio rhai o ddynion amlycaf y gymdeithas, ac un o'r cyntaf i gael ei ddal oedd Angus. Dedfrydwyd ef i chwe mis o garchar. Yn ei ddyddiadur y mae'n disgrifio ei barti ffarwél, gan restru'r ffrindiau a'r perthnasau a ddaeth i'w hebrwng i'r carchar. Yn y cerbyd blaen, yn arwain yr orymdaith, eisteddai Angus ei hun a'i gyfreithiwr a marsial y dref. Yn yr ail, ei wraig Amanda a'i meibion Jesse a Quayle. Yn y trydydd, ei wraig Clara a'i phlant Angus ac Alice. Yn y pedwerydd, ei wraig newydd, Martha, gyda matron yr ysbyty i gadw cwmni iddi. Yna daeth tri o feibion eraill Angus. Yng ngherbyd olaf yr orymdaith eisteddai Elias Morris. Yr oedd ei ferch, Addie, yn briod ag un o feibion Angus ac roedd Elias yno, nid yn unig i'w chefnogi hi a'i deulu-yng-nghyfraith, ond i ddangos ei ochr beth bynnag fo'r gost. Yn ddiweddarach bu'n rhaid iddo ef hefyd ymddangos gerbron llys am fod yn briod â mwy nag un wraig, ond gyda'i adnoddau enfawr a'i gyfrwystra arferol, llwyddodd i osgoi unrhyw gosb.

Dim ond megis cychwyn yr oedd treialon Martha. Y berthynas gyda'r wraig gyntaf yn unig oedd yn gyfreithlon yn llygad y gyfraith. Yr oedd unrhyw arwydd bod gan ddyn berthynas â gwraig arall yn siŵr o ddenu sylw'r awdurdodau ac arwain at ymweliad gan y ditectifs ffederal. Pan anwyd plentyn i Martha ac Angus, felly, yn ystod carchariad Angus, penderfynodd Martha mai gadael Utah am gyfnod fyddai orau iddi. Daeth yn ôl i Ewrop, gan ymweld â'r teulu yng Nghymru am gyfnod byr ac yna crwydro'r cyfandir ar ei phen ei hun, gyda'r babi, yn teimlo'n unig iawn.

Heb fod o'r ffydd, nid yw'n hawdd i ni ddeall beth a yrrai ferch synhwyrol ac addysgedig i ddewis priodas o'r fath. Yn achos Martha y mae'n bosibl amgyffred peth o'r gwewyr meddwl y tu ôl i'w phenderfyniadau trwy gyfrwng y llythyrau a anfonwyd ganddi at

Angus. Cadwodd ef bob un ohonynt a phan fu farw aethant i gyd i archifdy'r Eglwys. Cawn ddarllen am y briodas ynddynt drwy lygaid Martha ei hun, cofnod gwerthfawr o dreialon Cymraes mewn priodas amlwreiciol. Yn sicr, nid cael ei gwthio i briodas amlwreiciol gan gymdeithas batriarchaidd a gormesol oedd hanes Martha. Yn ei dewis o yrfa ac yn ei brwydr i gael yr addysg a ddymunai, dangosodd lawer o'r annibyniaeth barn a'r ffeministiaeth a ddaeth yn nodweddiadol ohoni yn ddiweddarach yn ei gyrfa. Gwyddai cyn priodi na châi gyd-fyw â'i gŵr. Gwyddai mai cyfarfodydd brysiog ac ymweliadau prin a gâi. Gwyddai mai priodas ddigartref fyddai hi. Er hynny, roedd yn benderfynol o'i briodi.

Credai eu bod yn byw yn ôl dymuniad Duw, fel y datgelodd i'w Broffwyd Joseph Smith. 'Byddai byw y bywyd amlwreiciol yn annioddefol,' ebe Martha, 'heb y sicrwydd pendant oddi wrth Dduw fod yr egwyddor yr ydym yn ymladd ac yn ymdrechu i'w chadw yn ei holl burdeb ar y ddaear wedi ei hordeinio ganddo Ef ac mai arfau yn ei ddwylo Ef ydym.' Dro arall, ysgrifennodd, 'Pe na bawn yn credu bod amlwreiciaeth yn caniatáu i mi fod gyda'r etholedig rai trwy dragwyddoldeb, byddwn wedi cadw'n glir o briodas o'r fath.' Yn sicr, yr oeddent mewn cariad. Pan glywodd Angus am ei phenderfyniad i adael am Ewrop ysgrifennodd ati gan ddweud, 'Gadewais ti heno gyda'r galon dristaf i mi ei theimlo erioed.' 'Yr wyf yn dechrau sylweddoli, fwy nag erioed,' atebodd Martha, 'mor annwyl wyt i mi.' Ond yn fuan, dechreuodd problemau ymarferol eu perthynas gymhleth amlygu eu hunain. 'Ni fedri fyth ddychmygu fy sefyllfa oni bai i ti gael dy alltudio saith mil o filltiroedd o dy gynefin, dy hunaniaeth wedi ei dryllio, yn ofni sibrwd dy enw dy hun ac yn llythyru ag un person yn unig. Ysgrifennaf hyn, nid i ennill dy gydymdeimlad, ond i esbonio i ti mor bwysig yw dy lythyrau i mi.' Suddai ei chalon yn aml yn ei hunigrwydd a'i hunandosturi. 'Nid oes gennyf ddigon o arian i'n cynnal tan y Nadolig. Ysgrifennaf atat i'th atgoffa i ddanfon £50 ar droad y post.' Hiraethai 'am gael edrych ar wynebau ein hanwyliaid' a phoenai am 'ei babi bychan gwelw sydd ag angen dirfawr am gysuron cartref'.

Nid ymddangosai fod tair gwraig gyntaf ei gŵr yn broblem iddi. Yn wir, nid oes y fflach leiaf o genfigen tuag atynt yn ei llythyrau cynnar. Yr oedd y tair gymaint yn hŷn na hi ac y mae lle i gredu mai teimlad o ddyletswydd a arweiniodd Angus at ddwy o'i briodasau. Aeth at Brigham Young ym 1858 i ofyn am ganiatâd i briodi ei wraig gyntaf a chafodd wneud hynny ar yr amod ei fod yn priodi ei chwaer hefyd, gan fod honno dipyn yn hŷn ac wedi methu ffeindio gŵr. Yna, ychydig flynyddoedd yn ddiweddarach, priododd ei drydedd wraig, Clarissa. Gwraig weddw oedd Clarissa gyda dau o blant a dau arall wedi eu mabwysiadu. 'Efallai fod y briodas hon,' meddai un sylwebydd, 'yn enghraifft o ochr ddyngarol amlwreiciaeth.'

Ond yna, wedi cwblhau ei dymor yn y carchar, priododd Angus am y pumed tro a phrofodd y briodas hon yn anos i Martha ei derbyn. Esboniad Angus oedd ei fod yn 'rhoi ei ddefosiwn i'r Eglwys uwchlaw popeth a'i bod yn ddyletswydd arno i genhedlu plant er mwyn cynyddu gogoniant Duw'. 'Hoffwn pe medrwn edrych ar ddwyfoldeb y peth yn unig,' ysgrifennodd Martha yn ôl ato, 'ond y mae cymaint o'r pridd yn ein natur ni'n dau fel na fedraf wneud hynny'n hawdd.' Merch John Bennion, gwrthrych pennod gyntaf y llyfr hwn, oedd Maria Bennion, y wraig newydd. Yr oedd ei thad yn gyfeillgar iawn ag Angus. Merch fawr, nobl, 29 oed oedd Maria, yn enwog am fedru taflu llo heb drafferth. Ni fu hi ac Angus yn cyd-fyw ond llwyddodd y ddau i genhedlu pedwar o blant. Yn sicr, teimlai Martha fod Maria yn fwy o gystadleuaeth iddi na'r tair gwraig arall ac am y tro cyntaf daw nodau o genfigen i mewn i'r llythyrau. 'Rwy'n casáu'r enw Marie, a heb ei hoffi hyd yn oed cyn i mi gael rheswm dros fod yn genfigennus ohono.' Galwai hi yn 'Big Marie'. Cysurai ei hun drwy feddwl mai hi ei hun oedd gwir gariad Angus. Ond yna, cyn iddi ddychwelyd o Ewrop, roedd Angus wedi priodi eto – ei chweched wraig.

Merch 38 mlwydd oed oedd Johanna. Efallai fod hon eto yn briodas 'ddyngarol'. Parhâi Angus i ddatgan ei gariad wrth Martha. 'Er dy fod yn amau, fe'th gerir di gan y gŵr yr aberthaist bopeth er ei fwyn.' Atebai Martha mewn llythyrau a lithrai ar adegau i iselder dwfn anobaith. 'Oni bai am Lizzie fach a chrefydd ein Duw, ni fyddai ots gennyf os na welswn y Llyn Halen fyth eto.' Daeth yn ôl i'r Unol Daleithiau ymhen dwy flynedd ac aeth Angus i'w chyfarfod i Efrog Newydd ond ni feiddiodd y ddau ddechrau cyd-fyw yn Utah. Aeth Martha i Michigan, lle'r oedd ganddi ffrindiau coleg, ac aeth

Angus yn ôl i Ddinas y Llyn Halen ac ailddechreuodd y llythyru. Ysgrifennodd Martha am deulu y daeth i'w hadnabod yn Michigan. 'Y mae'r wraig yn hapus yn ei sicrwydd o ffyddlondeb ei gŵr ac mae ef yr un mor falch o'r partner a ddewisodd am oes. Ac yn eu cartref, yng nghwmni ei gilydd, y mae eu hapusrwydd mwyaf.' Cymharodd hyn â'u priodas hwy, 'ychydig gyfweliadau cyfrinachol wedi eu trwytho gan yr ofn o gael ein darganfod'. Ond yna brysiodd i'w sicrhau o'i chariad diysgog. 'Byddai'n well gennyf dreulio awr yn dy gwmni di nag oes gyfan yng nghwmni un arall.'

Trwy gydol y 1880au tynhaodd y wladwriaeth ei gafael ar y Saint amlwreiciol a gwasgwyd hwynt yn ddidrugaredd. Carcharwyd cannoedd ohonynt. Cymerwyd mwy a mwy o asedau'r Eglwys oddi arni. Ym 1890, dair blynedd ar ddeg wedi marwolaeth Brigham Young, ildiodd yr Eglwys a chyhoeddodd y Proffwyd ar y pryd, sef Wilford Woodruff, y gŵr a ysgrifennodd y disgrifiad gwych o stampîd wrth groesi'r paith ddeugain mlynedd ynghynt, iddo gael cyfarwyddyd o'r Goruchaf mai un wraig yn unig oedd i fod i bob Sant o hyn ymlaen. Addawodd y Mormoniaid na fyddent yn caniatáu rhagor o briodasau amlwreiciol ac na châi dyn gyd-fyw â mwy nag un wraig.

Erbyn hyn roedd Martha yn ôl yn Ninas y Llyn Halen ac wedi cychwyn ar yrfa newydd. Agorodd goleg hyfforddi nyrsys a dechreuodd ymgyrchu i gael carthffosiaeth a dŵr glân i'r dref. Gan fod cynifer o wragedd a phlant yn ddibynnol ar Angus erbyn hyn, ychydig o help a gâi ganddo i'w chynnal hi a'i phlentyn. Bu'n rhaid i Lizzie a hithau ymgartrefu gyda'i mam a'i llystad ac adlewyrchir ei diflastod yn y chwerwder cynyddol yn y llythyrau. 'Sut wyt ti'n disgwyl i mi deimlo pan gyfarfyddaf â thi yn gyrru un arall o dy aml wragedd o gwmpas mewn cerbyd drudfawr liw dydd golau? Yr wyf heb yr un geiniog, yn gorfod benthyg i dalu hen ddyledion. Wedi'r holl aberth, caf fy nhrin fel ci gennyt.' Yn llygad y gyfraith, diddymwyd eu perthynas yn gyfan gwbl, ond y mae'n glir na ddiddymwyd hi mewn ffaith. Yr oedd ychydig o'u cariad yn para o hyd. Nid cynt y cychwynnodd Martha ar ei gyrfa newydd nad oedd yn feichiog unwaith eto a bu'n rhaid rhoi'r gorau i'w breuddwydion a bwrw iddi i fagu plentyn arall. 'O, am gartref a gŵr i mi fy hun, a thad y gall fy mhlant ddod i'w adnabod, a'r holl bethau bychain sy'n gwneud bywyd yn werth ei fyw.' Nid oedd gobaith am hynny yn awr.

Am rai blynyddoedd bu Martha'n weithgar o blaid hawliau merched. Rhoddwyd y bleidlais i ferched Utah yn gynnar iawn, a gelynion y Mormoniaid yn Washington oedd yn gyfrifol am hynny. Credent y byddai'r gwragedd, dim ond iddynt gael y bleidlais, yn siŵr o'i defnyddio i dorri'n rhydd o hualau amlwreiciaeth a mynnu priodasau confensiynol. Rhoddwyd y bleidlais iddynt ym 1870, ond, yn gwbl groes i'r disgwyl, pleidleisiodd y chwiorydd yn gadarn o blaid y *status quo*. Yr oedd amddiffyn eu ffydd a sefyll ochr yn ochr â'u dynion, gan droi wyneb unedig tuag at y byd, yn bwysicach o lawer iddynt na threialon eu priodasau. Dadleuent mai dim ond rhyw 25 y cant o ferched yr Eglwys oedd mewn perthynas amlwreiciol ac mai o ddewis oedd hynny. Dadleuent hefyd, os oedd merch yn hollol anhapus yn ei phriodas, fod ysgariad yn gymharol hawdd i'w gael yn Utah. Ym 1889, cydnabu eu gelynion nad oedd gobaith ganddynt goncro amlwreiciaeth drwy roi'r bleidlais i ferched, felly dilëwyd y ddeddf a chollodd merched Utah eu pleidlais. Cythruddodd hyn Martha yn fawr a dechreuodd ymgyrchu'n galed ac yn effeithiol dros adennill y bleidlais i ferched. Barn y *Chicago Record* oedd 'y dylid ystyried Dr Martha Hughes Cannon fel un o ddadleuwyr galluocaf y genedl dros hawliau merched'.

Tiriogaeth oedd Utah o hyd, heb ganiatâd eto i fod yn aelod llawn o'r Unol Daleithiau, ond pan roddwyd y gorau i amlwreiciaeth addawodd y llywodraeth ffederal y câi ei gwneud yn dalaith. Llwyddwyd i gael cymal yn sicrhau pleidlais i ferched yng nghyfansoddiadau'r dalaith newydd ac enwebwyd Martha fel un o'r pum ymgeisydd Democrataidd am y pum sedd yn Ninas y Llyn Halen. Yn sefyll yn eu herbyn yr oedd pum ymgeisydd y Blaid Weriniaethol, ac un ohonynt oedd Angus. Fel y gellid disgwyl, bu cryn dynnu coes yn y wasg. Pan ddaeth diwrnod y bleidlais, Martha a'r Democratiaid a enillodd. Hi oedd y wraig gyntaf i'w hethol i Senedd Utah, ac yn wir y wraig gyntaf i'w hethol i senedd unrhyw dalaith yn yr Unol Daleithiau, a dyna pam mae cerflun ohoni yn y Senedd-dy.

Bu'n llwyddiant mawr yno, yn ymladd yn bennaf dros faterion yn ymwneud ag iechyd cyhoeddus. Cyflwynodd nifer o ddeddfau yn ymwneud ag addysg i'r dall a'r byddar, iechyd a diogelwch i ferched mewn diwydiant, a deddfau i wella carthffosiaeth, i warantu dŵr glân ac i hybu glendid ac yn y blaen.Ym 1899 ceisiwyd ei henwebu fel ymgeisydd am sedd yn Senedd yr Unol Daleithiau. Petai wedi cael ei hethol – ac yr oedd ganddi siawns dda – hi fyddai'r wraig gyntaf i eistedd yn y Senedd-dy yn Washington. Ond nid felly yr oedd hi i fod. Drylliwyd ei chynlluniau drachefn. Unwaith eto, roedd yn feichiog.

Nid yw Martha, yn y llythyrau, yn mynegi ei theimladau am y plentyn olaf hwn. Ai damwain oedd ei genhedlu ynteu a oedd Martha yn hapus i aberthu ei gyrfa? Wyddom ni ddim. Rhoddodd enedigaeth i Gwendolyn yn Ebrill 1899. Yr oedd y babi yn brawf bod Angus a hithau yn dal i dorri'r cyfraith. Arestiwyd ef a bu'n rhaid iddo dalu dirwy o $100. Daeth gyrfa wleidyddol Martha i ben. Parhaodd yn ei gwaith meddygol ond treuliodd ragor o'i hamser yn magu ac addysgu ei phlant. Erbyn hyn dengys y llythyrau fod y berthynas rhyngddi hi ac Angus wedi dirywio i'r fath raddau fel mai ychydig oedd ar ôl ond mân gwerylon a dadleuon cyson am bres. 'Annwyl Angus, Os gweli di'n dda, wnei di anfon y tâl misol. Y mae'n rhaid i'r plant gael eu bwydo a'u dilladu ac y mae'n fwy anodd i mi ennill yr arian.' 'Annwyl Angus, Rwy'n teimlo cywilydd i orfod gofyn am fenyn. Os na elli drefnu rhaniad teg o gynnyrch y fferm, yna nid wyf eisiau dim ohono.' 'Annwyl Angus, Yr ydym ni, yr aml wragedd modern, yn dod i ddeall ein lle. Yn araf efallai ond...'

Yn gyhoeddus, y tu allan i'r briodas, amddiffynnai Martha amlwreiciaeth i'r carn. Dywedai iddi roi annibyniaeth iddi. 'Os oes gan ŵr bedair gwraig, yna caiff y gwragedd dair wythnos o ryddid ym mhob mis.' 'Rhowch i mi wraig sy'n meddwl am bethau heblaw'r stof a'r badell olchi a chlytiau babis ac mi ddangosaf i chwi, naw gwaith allan o ddeg, fam lwyddiannus.' Ond y mae tystiolaeth y llythyrau yn awgrymu fel arall. Hoffai pe deuai ei gŵr adref ati bob nos, ond nid oedd hynny'n bosibl. Hoffai pe bai wedi cael rhagor o'i ofal a'i sylw ond ni allai ei roi. Hoffai pe bai wedi cael ei holl gariad, ond nid oedd hynny i fod. Gadawodd Utah ac aeth i fyw at ei mab yn Los Angeles, ac yno y bu farw ym 1932.

1862

UN BORE YM 1979 yr oedd yr Athro Ronald D. Dennis ar ei ffordd i St John, pentref bychan gwledig yr ochr draw i Fynyddoedd Oquirrh yng nghanolbarth Utah. Yr oedd wedi clywed bod Benjamin Evans, un o'r ymfudwyr cynnar, wedi dod â chopi Cymraeg o *Lyfr Mormon* allan gydag ef a bod y copi wedi ei gadw gan y teulu yn eu cartref yn St John. Gobeithiai fod mwy o bapurau Benjamin Evans wedi eu cadw hefyd.

Yr Athro Dennis o Provo yn Utah yw'r arbenigwr mawr ar bopeth sy'n ymwneud ag ymfudiad y Saint o Gymru i'r Unol Daleithiau. Bu'n athro Portiwgaleg ym Mhrifysgol Brigham Young yn Provo ar hyd ei yrfa ond yma yng Nghymru yr ydym yn ei adnabod fel ymchwiliwr diwyd i hanes yr ymfudwyr Cymreig. Deillia ei ymchwil nid o unrhyw gymhellion ysgolheigaidd, meddai, ond o'i ddaliadau crefyddol. 'Ym 1963, ychydig fisoedd ar ôl gorffen dwy flynedd a hanner o ddyletswydd genhadol ym Mrasil, yr oeddwn yn trafod hanes teuluol ac achyddiaeth mewn dosbarth ysgol Sul yn Provo. Pan ddarllenodd yr hyfforddwr chweched adnod y bedwaredd bennod o Lyfr Malachi i ni, am y Proffwyd Elias "yn troi calonnau'r plant i'w tadau", teimlais yn fy enaid gymhelliad i droi fy nghalon i at fy hynafiaid, cymhelliad sy'n parhau i'r dydd hwn.' Dyma a ddywed yr adnod: 'Wele fi'n anfon atoch Eleias y proffwyd cyn dod dydd mawr ac ofnadwy'r Arglwydd. Ac efe a dry galonnau'r tadau at y plant a chalonnau'r plant at y tadau, rhag imi ddod a tharo'r ddaear â difodiant.' 'I Saint y Dyddiau Diwethaf,' esboniodd yr Athro Dennis, 'y mae "troi calon at y tadau" yn golygu llawer mwy na dysgu am fanylion bywgraffyddol ein hynafiaid. Golyga hefyd weinyddu iddynt yr ordinhadau achubol yn ein 141 o demlau ledled y byd. Rhoddwn ddehongliad llythrennol ar 1 Cor. 15:29 am fedyddio'r meirw, a gweinyddwn a chofrestrwn fedydd ar eu rhan yn ein temlau.'

Gwyddai'r Athro Dennis fod y Capten Dan Jones yn un o'i hen deidiau ac ym 1973 dechreuodd ddysgu Cymraeg er mwyn 'troi ei galon' yn fwy effeithiol tuag ato a dysgu mwy am ei gyfraniad i'r genhadaeth yng Nghymru trwy gyfieithu ei lyfrau a'i bamffledi. Ym 1976 daeth i Gymru i berffeithio'i Gymraeg a threuliodd fisoedd yn cribo drwy gatalogau'r Llyfrgell Genedlaethol a llyfrgelloedd eraill, yn chwilio am gyhoeddiadau Dan Jones a'r cenhadon cynnar eraill. Dadorchuddiodd stôr gyfoethog o ddogfennau yn yr iaith Gymraeg, na wyddai haneswyr y Mormoniaid amdanynt, yn ymwneud â dyddiau cynnar yr Eglwys Formonaidd yng Nghymru. Wedi hynny, gwnaeth yr un ymchwil mewn llyfrgelloedd mawrion yn yr Unol Daleithiau, yn Yale a Harvard ac, wrth gwrs, yn Utah ei hun, gan ddarganfod cyfoeth o dystiolaeth newydd. Cyhoeddodd y cyfan mewn cyfres o lyfrau gan gychwyn gyda *The Call of Zion: The Story of the First Welsh Mormon Emigration* (1987), hanes yr ymfudiad mawr cyntaf ym 1849 dan oruchwyliaeth Dan Jones. Y mae wrthi o hyd yn cyfieithu *Udgorn Seion* i'r Saesneg. Rhoddodd holl ffrwyth ei ymchwil ar http://welshmormon.byu.edu ac o'r wefan werthfawr hon y daw'r rhan fwyaf o'r wybodaeth sydd yn y llyfr hwn. Nid oes yna dudalen yn fy llyfr nad yw ymchwil yr Athro Ron Dennis wedi ei chyfoethogi.

Wedi cyrraedd tŷ teulu Benjamin Evans yn St John y bore hwnnw, siom a gafodd yr Athro Dennis. Nid oedd y gyfrol mewn cyflwr da o gwbl, llawer o'r tudalennau wedi eu difrodi a llawer ar goll, ac nid oedd golwg o unrhyw ddogfen arall o werth hanesyddol yn y tŷ. Ond wrth sgwrsio gyda'r teulu daeth i ddeall bod llyfr arall, a allasai fod o ddiddordeb mwy, wedi ei gadw mewn cartref yr ochr draw i'r pentref. Dyddiadur oedd hwn wedi ei ysgrifennu gan Gymro, yn cynnwys ei hanes yng Nghymru cyn iddo hwylio, a disgrifiadau manwl o'i daith o Lerpwl i Ddinas y Llyn Halen. Yr oedd yng ngofal dyn o'r enw Paul Stookey. Nid yn aml y deuai'r Athro Dennis ar draws trysor o'r fath.

Aeth i alw ar Mr Stookey a chafodd weld y dyddiadur. Ymddangosai ôl traul a defnydd caled ar y cloriau ond, oddi mewn, roedd mewn cyflwr da. Esboniodd Mr Stookey mai ei daid, William Ajax, oedd yr awdur, enw na chlywodd yr Athro Dennis erioed mohono o'r blaen. Dechreuodd ddarllen y dyddiadur.

'Mawrth 13, 1862. Dyma ddiwrnod fy mhen-blwydd. Ganwyd fi ar y 13eg o Fawrth, 1832 yn Llantrisant, Sir Forgannwg felly yr wyf yn 30 mlwydd oed heddiw. Enw fy nhad oedd Thomas Truman Ajax ac enw fy mam oedd Rebecka Darcus. Ni wnaethant fyth briodi, er i'm tad gael tri o blant gyda fy mam. Clerc oedd fy nhad, gydag enw da, yn ennyn tipyn o barch. Ond yr oedd ganddo ddau wendid mawr. Yr oedd fwy neu lai'n gaeth i'r ddiod ac yr oedd ganddo blant gan nifer o wragedd heblaw fy mam. Merch i glerc tollau yw hi ac o bopeth a glywais amdani, y mae'n ymddangos yn wraig ddiwyd a gonest. Y mae ganddi hi ei ffaeleddau wrth gwrs. Ei gwaith, fel y cofiaf, oedd mynd i olchi i dai byddigion. Magwyd fi o'm babandod gan William a Frances Maxwell a galwaf hwynt yn dad a mam.'

Syfrdanwyd yr Athro Dennis gan onestrwydd a diffuantrwydd y dyddiadur. 'Gwnaeth argraff ddofn arnaf,' meddai. 'Y mae'n glir iddo gael ei ysgrifennu gan ŵr addysgedig, mor gysurus yn Saesneg ag oedd yn y Gymraeg.' Aeth William Ajax ymlaen i ddisgrifio'i blentyndod, ei bum mlynedd yn yr ysgol a'r deng mlynedd y bu'n crwydro de-ddwyrain Cymru yn gweithio i amrywiaeth o gyflogwyr, yn gariwr brics i adeiladwyr rheilffordd y Taff Vale, yn gariwr cerrig i adeiladwyr oedd yn ehangu'r Hen Bont ym Mhontypridd, yn gweithio i Crawshay yn Nhrefforest ac ym mhwll glo Gough ym Mhen-y-cae, Glynebwy. Yno, yng Nglynebwy, ym 1853, yn 21 oed, ymunodd â'r Saint. Anfonwyd ef i'r Gogledd i genhadu a gweithiodd mewn gwaith aur yn Nolfrwynog ger Dolgellau ac yn y chwarel yn Ffestiniog. Yn ystod y cyfnod hwn ymdrechodd i addysgu ei hun ymhellach drwy ddarllen yn eang ac astudio Lladin, Groeg a Ffrangeg yn ei ychydig oriau sbâr. Yna, ar gychwyn 1859, ac yntau yn 27 mlwydd oed, apwyntiwyd ef yn glerc yn swyddfa'r Genhadaeth yn Abertawe. Yr hyn a ddiddorai yr Athro Dennis fwyaf oedd bod cyfrifoldebau William, o wanwyn 1859 hyd at wanwyn 1863, yn cynnwys golygu *Udgorn Seion*.

Cyfnod o newidiadau mawrion yn hanes y Genhadaeth Gymreig oedd y blynyddoedd hyn. Oddi ar ganol y 1850au bu dirywiad cyson yn yr aelodaeth. Cwympodd nifer y Saint Cymreig o 4,318 ym 1854 i tua 1,900 ym 1859. Yn flynyddol, ymadawai'r aelodau gorau am Utah ac ni chodai gwaed ifanc newydd yn eu lle. Diflannodd y cyffro a'r cynnwrf a fu'n gymaint rhan o'r cyfarfodydd cynnar a chwympodd y cynadleddau i ddyled. Ac nid oedd ymfudo i America mor atyniadol ag y bu. Treiddiai'r newyddion am y newyn yn Utah, am amlwreiciaeth, am y diwygiad ffyrnig, am ryfel Buchanan, am gyflafan Mountain Meadows ac am y Rhyfel Cartref i'r cartrefi mwyaf anghysbell yng nghefn gwlad Cymru, gan wneud i lawer ailystyried eu hawydd i ymfudo. Erbyn hyn hefyd, roedd safon byw'r dyn cyffredin ym Mhrydain yn gwella.

Adlewyrchwyd cyflwr yr Eglwys yng nghylchrediad truenus yr *Udgorn*. Yn ôl William Ajax, roedd y cylchgrawn yn ffodus i werthu 500 o gopïau'r wythnos o'i gymharu â'r 2,000 a rhagor a werthid yn nechrau'r 1850au. Un canlyniad oedd bod llawer o rifynnau'r cylchgrawn yn ei flynyddoedd olaf wedi mynd ar goll. Parhawyd i'w gyhoeddi'n wythnosol hyd at 1862 ond dim ond 17 o'r 200 a rhagor o rifynnau a gyhoeddwyd rhwng 1858 a 1862 sydd wedi goroesi ac nid oes yr un copi o unrhyw rifyn o'r chwe mis olaf wedi ei gadw. Dim ond am ddwy flynedd y bu William Ajax yn cadw ei ddyddiadur, o Ionawr 1862 hyd Ragfyr 1863, ond y mae'n cydredeg â'r cyfnod hwn pan nad oes yr un copi o'r *Udgorn* ar gael. Yn aml felly, yn y misoedd olaf hyn, dyddiadur William Ajax yw'r ffynhonnell orau sydd gennym i esbonio digwyddiadau hollbwysig yn hanes y Genhadaeth Gymreig. Gwyddem y ffeithiau moel – bod y swyddfa yn Abertawe, prif swyddfa'r Genhadaeth yng Nghymru, wedi ei chau, bod yr *Udgorn* a'r wasg wedi eu symud i brif swyddfa'r Genhadaeth Brydeinig yn Lerpwl a bod y Genhadaeth honno wedi penderfynu rhoi'r gorau i gyhoeddi yn Gymraeg – ond ni wyddem am y dadleuon a'r ymgyrchoedd a arweiniodd at y canlyniadau hyn. Y mae dyddiadur William Ajax yn taflu golau gwerthfawr ar y cyfnod.

Yn Ionawr 1862, poenai William yn ddirfawr am ddyfodol y cylchgrawn a gwyddai fod uchel swyddogion yr Eglwys yn amheus o'i werth. Am rai blynyddoedd yr oeddent wedi bod yn annog eu haelodau Cymraeg i droi eu cefnau ar yr iaith. Ym 1856 cyhoeddasant yn yr *Udgorn* mai Saesneg oedd dethol iaith Duw a bod eisiau i'r Cymry ei harddel. 'O blith yr amledd o ieithoedd, gwelodd yr Arglwydd yn dda i ethol Saesneg fel y cyfrwng i ddatguddio cyflawnder yr Efengyl. Hon yw iaith gyffredinol y Saint yn Seion.' Neu, fel y dywedodd Brigham Young yn llawer mwy cryno a chwta wrth griw o newydd-ddyfodiaid i'r Dyffryn, 'Eich dyletswydd gyntaf yw dysgu byw, hynny yw dysgu sut i blannu cabetsien, sut i fwydo mochyn, sut i adeiladu tŷ a phlannu gardd. Yr ail ddyletswydd yw dysgu siarad Saesneg. Dyma iaith *Llyfr Mormon*, iaith y Dyddiau Diwethaf ac iaith Duw.' Pwyswyd ar dri o'r cadarnaf o'r Cymry yn Ninas y Llyn Halen – John S. Davis, Thomas Jeremy a Dan Jones – i ategu neges yr uchel swyddogion a gwnaethant hynny mewn llythyr i *Udgorn Seion* ym 1856. Y mae'n siŵr bod ysgrifennu'r llythyr hwn wedi bod yn boen calon i'r tri. John S. Davis, y Cymro pybyr hwnnw a alwodd ar ei gyd-Gymry ym 1851 i 'beidio â diystyru eich iaith', oedd yr awdur ar ran y tri. 'Yr ydym yn annog y Cymry i ddysgu Saesneg,' ysgrifennodd, 'a pheidio ymarfer yr iaith Gymraeg gan fod hynny yn rhwystr i bersonau ddysgu'r iaith arall. Byddai'n dda gennyf glywed fod y Cymry yn yr hen wlad yn eu hefelychu.' Gymaint y newid wedi deng mlynedd yn America. 'Danfonwyd ni i udganu yn iaith ein mam... A pha Ddic Siôn Dafydd a ymdrecha i'n rhwystro?' oedd hi ym 1851. 'Anghofiwch hi!' oedd hi yn awr.

Ond gwrthododd William Ajax dderbyn y neges hon ac ymaflodd yn ffyrnig i achub yr *Udgorn*. 'Y mae'r Cymry, fel pob cenedl arall, yn ymfalchïo yn eu hiaith ac ni fedrid eu cynddeiriogi'n waeth na thrwy siarad yn ddilornus amdani,' ysgrifennodd. 'Ni fedr yr un iaith ddatgelu hanfodion crefydd i'r Cymro gystal â'r Gymraeg. Efallai iddo fedru siarad yn rhugl yn Saesneg a chynnal ei fusnes yn yr iaith honno, ond nid oes yr un iaith fedr gyffwrdd â'i galon gystal â'r Gymraeg. Ac oherwydd bod gan grefydd fwy i'w wneud â'r galon nag unrhyw beth arall, y mae o'r pwys mwyaf fod hanfodion iachawdwriaeth yn cael eu datgelu iddo drwy gyfrwng yr iaith sydd agosaf at ei galon... Am y rhesymau hyn a nifer o rai eraill, byddai peidio cyhoeddi'r *Udgorn* yn cael effaith andwyol ar waith Duw yng Nghymru.'

Ond ofer fu ei ymdrechion. Yn Ebrill 1862, ar ôl 469 o rifynnau, daeth yr *Udgorn* i ben a rhyddhawyd William a'i wraig, Emma, i ymfudo i America. Cawsant bythefnos o rybudd, pythefnos i werthu eu heiddo i gyd, i brynu popeth angenrheidiol ar gyfer eu bywyd newydd, i bacio'u bagiau a ffarwelio â'u teulu. Ar y 18fed o Fai ymunasant â chwmni bychan o 36 o Saint ar fwrdd yr *Antarctic*, y cwmni olaf i adael ym 1862.

Yr oedd y Rhyfel Cartref yn America yn ei ail flwyddyn erbyn hyn a'r ymladd yn dwysáu. Amharodd ar daith nifer o'r ymfudwyr

Cymreig. Ar ei ffordd i Utah, collodd Elizabeth Davis o Eglwys-bach, Dyffryn Conwy, y rhan fwyaf o'i heiddo pan ymosododd milwyr o fyddin y De ar ei thrên. Dygwyd popeth o werth o'i chistiau a llosgwyd y gweddill. 'Wedi i ni adael Efrog Newydd,' ysgrifennodd William Probert, 'stopiwyd ni yn aml gan filwyr o fyddin y Gogledd yn chwilio am arfau. Weithiau cadwent nhw ni yn aros drwy'r nos ac yna ein harchwilio yn y bore a chaniatáu i ni adael.' Bu'n rhaid i Edward Edwards, bachgen ifanc 22 mlwydd oed o Ferthyr, wisgo bonet a siôl wrth deithio drwy daleithiau'r Dwyrain rhag iddo gael ei bresio i rengoedd yr Undeb. Stopiwyd llong David William Davis o Aberaman ar y Missouri a galwyd ar y capten i ddangos ei faner. Yr oedd ganddo ddwy faner, baner y De a baner y Gogledd, un ar gyfer pob argyfwng. Yn anffodus, cododd y faner anghywir a bu ef a'i griw a'r teithwyr ar ei agerfad i gyd yn garcharorion am dair wythnos. Ond ar y cyfan, llwyddodd mwyafrif yr ymfudwyr i lithro'n dawel a didrafferth rhwng rhengoedd y ddwy fyddin.

Un o ganlyniadau'r rhyfel oedd gwneud i lawer o'r Saint a fu'n oedi yn nwyrain yr Unol Daleithiau benderfynu gwthio yn eu blaenau ar frys i Utah. Un o'r rheini oedd Thomas John, crydd, gynt o Fathri yn Sir Benfro. Bu ef yn yr Unol Daleithiau o'r blaen, cyn iddo glywed am Formoniaeth, ond trodd am adref gan iddo fethu ennill bywoliaeth yno. Ym 1860, ceisiodd eto. Yr oedd, erbyn hyn, wedi cael tröedigaeth, wedi priodi ac yn dad i 11 o blant. Hwyliodd ar ei ben ei hun, i baratoi'r ffordd i'r teulu, a chafodd waith fel crydd yn Williamsburg, dros yr afon o Efrog Newydd. Yr oedd galw mawr am gryddion bryd hynny, i wneud gwregysau a phaciau lledr a blychau cetris a phethau tebyg i'r milwyr. 'Amser llewyrchus dros ben,' medd ei gofiant, 'yn enwedig i'r rhai hynny a allai ddefnyddio edau a mynawyd [sef nodwydd fawr y crydd].' Enillodd ddigon yn y flwyddyn gyntaf i dalu costau'r teulu i America ond bu'n rhaid iddynt hwythau hefyd dreulio amser yn Williamsburg cyn bod ganddynt ddigon i gwblhau'r daith i Utah. Cychwynnodd y rhyfel ac, yn hollol groes i'r disgwyl, chwalwyd byddinoedd y Gogledd yn y brwydrau cyntaf. 'Dychrynwyd y Gogleddwyr gan ganlyniad brwydr Bull Run,' medd Thomas John, 'ac ofnwyd fod Washington a Thrysordy'r Unol Daleithiau ar fin cwympo i ddwylo'r gelyn.' Yr oedd yn falch o gael gadael am Utah yng ngwanwyn 1862.

Un arall o'r Cymry a ffôdd i Utah rhag y rhyfel oedd John Evans, yn enedigol o Lanymddyfri. Yn 8 oed, rhedodd John i ffwrdd o'i gartref yr holl ffordd i Ferthyr Tudful i chwilio am ei dad, a'i ganfod yno. Yn 9 oed, yr oedd yn gweithio yng ngwaith haearn Penydarren, yn stopio'r tramiau drwy roi blociau pren o dan eu holwynion. Gadawodd Gymru yn 25 oed ym 1854 gyda'i wraig Elizabeth. Bu'n gweithio mewn gweithfeydd haearn a phyllau glo yn Missouri, Iowa a Nebraska ond erbyn 1861 roedd wedi gadael mwg y diwydiannau trymion ac wedi ymsefydlu ymhell, bell allan ar y paith. Arloeswr go iawn oedd John Evans, yn byw ar ffin eithaf yr Unol Daleithiau, mewn tyddyn unig ar Drywydd y Mormoniaid, rhyw 170 milltir o'r Missouri, ychydig i'r gorllewin o Wood River Centre. Pan ddaeth William Ajax heibio ym 1862, nododd fod cartrefi'r ymsefydlwyr yn peidio ar ôl yr hanner dwsin o gabanau yn Wood River Centre. Dyna'r pentref olaf yn America, os gellid ei alw'n bentref. Yn ei gaban unig, tu hwnt i'r pentref olaf hwn, tyfai John Evans ffrwythau a llysiau i'w gwerthu i'r milwyr a'r mwynwyr a'r ymfudwyr a ddeuai heibio ar y trywydd a gwnâi fywoliaeth dda. Bu'n helpu i osod y llinell delegraff, daeth yn arbenigwr ar adeiladu tai tyweirch a phenodwyd ef yn siryf yr ardal. Yr unig addysg a gafodd erioed oedd ychydig ysgol Sul yng Nghymru, lle dysgodd ddarllen ei Feibl. Er hynny, ysgrifennodd hunangofiant difyr. Dyma'i ddisgrifiad o'r bore pan glywodd fod y Rhyfel Cartref wedi cychwyn. Cedwais ef yn y Saesneg gwreiddiol oherwydd rhan o'i swyn yw'r sillafu a'r atalnodi gwreiddiol:

'we lived on Wood River when the war broke out betweene the north and the south of the united states thare was a companey of souldears came that vearey same day from fort carney on foot 15 miles Distance about ten a clock am and stopt at my house for Bracfast and I was vearey much surprise to see them for I new saveararal of them so I asked them whare ware thay going and thay answard to the war then said I what war then thay said to the south thay have commence fiteing thar this morning and we got a telegram from thare this morning at four a clock to come down imedeatly and so thay eate Bracfast close By my house and thay drank all the milk that we had and all the watter that was in the well and after Bracfast thay ware off agine and so we said good By to ech other and now after this I went down to wood river Centre about three miles from my place to see Broather Joseph E Johnson to try to find out what we better do in the future and he answard me like this what so evear you do don't you make eney Calcultion to stop in this countrey a nother winter for this war is the verarey war that the prophet Joseph Smith predicted 29 years ago I have hurd all about it maney time and this is the vearey same war and now thes indans will know all about this that the nashon is at war with ech other and fiteing one ageinst the other and thay will take advantage of it and take the law into thair own hands and Do thinges just as thay plese and it wont be safe to live hear eney longer I would not live hear another winter for all I am werth and so I made up my mind to go to Utah this summar.'

Ac fe aeth, ef ac Elizabeth a'r bechgyn, Moroni, Madoc a Gower. Daeth John Evans i fod yn un o hoelion wyth y gymdeithas Gymraeg yn Utah. Yr oedd ef a'i wraig yn ddeuawd poblogaidd yng nghyngherddau'r Cymry. Trefnai eisteddfodau o gwmpas ei gartref yn Brigham a Willard, canai'r ffliwt a dawnsiai ddawns y glocsen yng ngwyliau blynyddol y 'Cumbrians' a'r 'Sons and Daughters of Wales', a bu'n aelod o gôr enwog y Tabernacl am ymron i 30 mlynedd.

Yn ei ddyddiadur y mae William Ajax yn sôn am Gymro arall a fu'n byw yn nwyrain yr Unol Daleithiau am rai blynyddoedd ond a oedd yn awr yn awyddus i symud i Utah. David Bevan Jones oedd hwn, neu, i roi iddo ei enw barddol, Dewi Elfed, un a fu, fel William ei hun, yn weithgar iawn yn yr Eglwys cyn gadael Cymru. Gadawodd Gymru ym 1860 gyda'i wraig a dau o'i blant a bu'n byw oddi ar hynny, hyd y gwyddom, yn Efrog Newydd. Ym 1862 ymunodd â William a'r Cymry eraill o'r *Antarctic*, a theithiodd gyda hwynt i'r gwersyll ymgynnull yn Florence. Aderyn lliwgar, os ychydig yn frith, oedd Dewi Elfed. Efallai mai saga fwyaf cofiadwy ei fywyd cythryblus oedd 'Helynt Capel Gwawr', pan ddaethpwyd â holl ddrama'r O. K. Corral i ganol Regent Street, Cwmaman, Aberdâr. Croniclwyd y manylion mewn traethawd meistrolgar ar fywyd Dewi gan yr hanesydd D. L. Davies (gweler y Ffynonellau). Y mae'n stori sy'n werth ei hailadrodd. Cychwynnodd ei yrfa gyda'r Bedyddwyr. Yr oedd yn weinidog ar Gapel Gwawr yng Nghwmaman pan gafodd ei dröedigaeth i Formoniaeth. Ymddangosai fod nifer o'i braidd wedi troi gydag ef ac, o ganlyniad, teimlai Dewi fod ganddynt yr hawl i barhau i gynnal eu cyfarfodydd yng Nghapel Gwawr. Ond nid felly y teimlai'r Parchedig Thomas Price, arweinydd tanbaid a phwerus y Bedyddwyr yn Aberdâr. Iddo ef, roedd gweld carfan o'i hen aelodau yn plymio ar eu pennau i uffern yn ddigon poenus, ond yr oedd eu gweld yn gwneud hynny mewn adeilad y llafuriodd ef i'w godi a'i gysegru er budd y Bedyddwyr yn annioddefol. Penderfynodd Thomas Price, doed a ddelo, y cymerai'r Bedyddwyr y capel yn ôl a pharatôdd i ymosod arno. Cyhuddodd Dewi Elfed ef o 'boeni mwy am y gwlân nag am fywydau ei braidd'. Ond roedd y Parchedig Thomas Price yn benderfynol o adennill ei gapel. Caeodd Dewi ei hun yn yr adeilad gydag un o'i ddilynwyr ffyddlonaf, gan gloi'r drysau a bolltio'r ffenestri. Wrth i'r Parchedig Thomas Price gerdded i fyny Regent Street casglodd dros ddwy fil o dyrfa y tu ôl iddo, a phawb yn awyddus i'w weld yn rhoi cweir i'r Mormoniaid. Ar un ochr iddo, cerddai siryf Sir Forgannwg, yno i sicrhau'r heddwch. Ar yr ochr arall, saer coed gyda'i fag o arfau i dorri i mewn i'r capel pe bai raid. Gwrthododd Dewi Elfed agor y drws iddynt. Llwyddodd y saer i agor un o'r ffenestri a gwthiwyd y Parch. Thomas Price i mewn. Clywodd y dorf sŵn helfa wyllt, esgidiau trymion yn taranu i lawr y galeri, a bloeddiadau yn atsain o'r festri. Yn sydyn, hyrddiwyd y drysau ar agor ac yno safai Thomas Price gyda'r ddau Formon, un o dan bob braich. 'Clywsoch sôn am fwrw allan gythreuliaid,' rhuodd. 'Dyma i chi esiampl fodern.' A chyda hynny, i gymeradwyaeth fonllefus y dorf, ciciodd y ddau i lawr grisiau'r capel. Fersiwn y Bedyddwyr o'r stori yw hon, wrth gwrs. Y concwerwyr piau'r hanes.

Yn sicr, roedd gan Dewi Elfed dueddiad i godi stŵr a thynnu sylw ato'i hun lle bynnag yr âi. Tueddai i ruthro i mewn i bob ffrae. Cwerylodd â Dan Jones a Daniel Daniels. Torrwyd ef allan o'r Eglwys ar un adeg oherwydd i hanner canpunt ddiflannu o gyfrif ei gynhadledd, ond ymddiheurodd, talodd yr arian yn ôl ac ailfedyddiwyd ef yn y ffydd.

Yr oedd yn fardd da a chyhoeddai ei gerddi a'i emynau yn yr *Udgorn*.

Trwy holl drablith fy helyntion,
Tystiolaethais 'nol fy nerth
Am wirionedd egwyddorion
Pur efengyl – mawr eu gwerth.

Methodd trais a hudoliaethau
Dynnu hwn o'm hysbryd byw;
Methodd byd a'i demtasiynau
Ladd fy nghariad at fy Nuw.

Yr oedd yn bregethwr grymus a diflino hefyd, a chrwydrai'r De benbaladr i ledaenu'r neges. 'Yr wyf yn benderfynol o bregethu a thystiolaethu ym mhob tref, pentref, cilfach a chongl,' meddai. Trefnodd Eisteddfod y Mormoniaid trwy gyfrwng yr *Udgorn* gyda thestun Mormonaidd i bob cystadleuaeth. 'Ymdrechaf,' meddai, 'i ymweled â'r Saint, eu haddysgu a'u hyfforddi ac adeiladu'r Eglwys ym mhob dull galluadwy imi.' Ond fel y rhan fwyaf o'r Saint, yr oedd ei fryd hefyd ar ymfudo.

Doed, O doed y ddedwydd awr,
Caf fod yn rhydd o Fabel fawr;
Ar Seion draw, a'i llwyddiant hi
Mae tynfa serch fy nghalon i.

Ac ym 1862 cafodd ei ddymuniad. Daw stori Dewi Elfed i ben yn fuan wedi iddo gyrraedd Utah. O fewn y flwyddyn yr oedd yn farw o'r diciâu. Profodd ei ymadawiad ef ac ymadawiad William Ajax yn golled fawr i'r Eglwys yng Nghymru ac ni chodwyd arweinwyr tebyg iddynt o blith y Saint Cymreig wedi hynny. Hwynt hwy oedd yr olaf o'u bath. Y cenhadon o Utah a fyddai'n rhedeg y sioe yng Nghymru o hynny ymlaen.

Megis dechrau, ar y llaw arall, yr oedd stori William Ajax. Y mae ei ddyddiadur yn werthfawr nid yn unig oherwydd y goleuni a daflwyd ganddo ar hanes yr Eglwys, ond hefyd oherwydd ei ddisgrifiadau manwl o'r daith dros y paith a'r Rockies i'r Llyn Halen. Yn ôl yr Athro Dennis, dyddiadur William yw'r disgrifiad gorau o'r daith i Utah a ysgrifennwyd gan unrhyw Gymro. 'Nid oes dim a welais erioed gan Gymro,' meddai, 'yn dod yn agos at y dyddiadur hwn.' Yr oedd gan William ddiddordeb ym mhopeth a ddigwyddai o'i gwmpas, a chofnodai ei brofiadau yn ofalus bob nos.

'Dydd Gwener, Awst 8fed. Treuliwyd y diwrnod cyfan yn cael y wageni dros y Loup Fork. Galwyd am wirfoddolwyr i wthio'r fferi ar draws yr afon ac fe gynigiais helpu ac o ganlyniad roeddwn yn y dŵr o 9 y bore tan 5 yr hwyr. Yr oedd yn waith caled oherwydd codai'r afon i'n ceseiliau mewn mannau ond teimlem yn hapus tra ein bod wrth y gwaith. Gwthiasom y goets fawr drosodd hefyd yn y pnawn. Yr oedd gwinwydd yn tyfu yn y coed cyfagos ond gan bod y rhai aeddfed wedi eu casglu i gyd, ni chawsom lawer o fudd ohonynt ac ni fedrwn fynd i'w casglu gan fy mod yn gweithio. Casglodd rhai pobl lwythi ohonynt a gwneud sawl tarten flasus. Gadawsom yr afon wrth iddi fachlud ac roeddem yn y gwersyll erbyn hanner nos. Gwelsom seren wib wrth deithio. Edrychai'n debyg i roced.'

'Dydd Mawrth, Medi 6ed. Diwrnod oer, a bore oer iawn. Chwythai mor galed fel i'n pabell gwympo lawr. Dim coed yma, dim ond llwyni saets. Bu'n rhaid i ni adael yr ych ganfuwyd yn Willow Springs ar ôl oherwydd ni fedrai gadw i fyny. Methodd llawer o'n hanifeiliaid heddiw. Hyd yma yr oeddent wedi gwneud yn dda iawn. Ni fu rhaid i ni adael yr un ar ôl. Aethom heibio i greigiau wedi eu ffurfio fel tyrau eglwysi heb ddim yn tyfu arnynt ond cedrwydd a choed pin, a'r rheini yn wasgaredig iawn. Pan oeddem o fewn milltir i'r cyntaf o'r tri rhyd dros afon Sweetwater, aethom heibio i fedd llofrudd. Arno ysgrifennwyd y geiriau a ganlyn: "Charles R. Young, 43 mlwydd oed. Safodd ei brawf gerbron rheithgor o aelodau'r fintai ar y 7fed o Fehefin a'i gael yn euog o ladd George Scott ar y 6ed. Saethwyd ef yn farw gan R. Kennedy, arweinydd y fintai, ar yr 8fed."' Enghraifft dda o gyfiawnder garw a chyflym y Gorllewin Gwyllt.

Teithiodd William ac Emma ym mintai Ansil Harmon, y ddegfed fintai i adael Florence yng Ngorffennaf 1862. Yn nyddiau cynnar y daith ymddangosai popeth yn antur euraid iddynt – nofio yn yr afonydd, ymweld â llwyth o Indiaid cyfeillgar, cyfarfod â hen ffrindiau yn y minteioedd eraill, rhannu sgyrsiau diddorol â hwy ac edmygu'r golygfeydd oedd, meddai William, 'yn debyg iawn i'r tirwedd i'r gorllewin o Abertawe'. Yn fuan ar ôl cyrraedd afon Platte edrychai ymlaen at weld un o ryfeddodau'r paith, sef 'Y Goeden

Unig', hen boplysen gotwm (*cottonwood*) fawr a dyfai ar ei phen ei hun ymhell o unrhyw goed eraill. Yr oedd hon yn garreg filltir bwysig i'r ymfudwyr. Cerfiodd Brigham Young ei enw arni ym 1847 a cheisiai pob Sant oddi ar hynny wneud yr un peth. Yn naturiol felly, erbyn amser William roedd yr hen goeden mewn cyflwr truenus. Ac yr oedd mewn gwaeth cyflwr erbyn i William ymadael oherwydd cerfiodd arni englyn cyfan o'i waith ei hun.

Er maint yw trwch y llwch a'r llaid – a fwriwyd
    Ar fawredd Mormoniaid,
    Da yw ein ple – Duw o'n plaid
    Er hyll floedd yr holl fleiddiaid.

Ac yna ychwanegodd gyfieithiad Saesneg!

Heddiw saif cerflun hynod afluniaidd ac anysbrydoledig lle unwaith safai'r 'Goeden Unig'. Y mae ar ffurf boncyff coeden, yn goncrit i gyd, a hwnnw wedi ei grychu i greu argraff o risgl. Tyf canghennau concrit allan ohono – y peth rhyfeddaf a welsoch erioed. Codwyd y goeden goncrit hon gan y boblogaeth leol er cof am 'Y Goeden Unig', oherwydd, y flwyddyn ar ôl i William basio, methodd yr hen goeden â chynhyrchu dail o gwbl ac ym 1865 chwythwyd hi i lawr mewn storm. Tybed ai englyn William a'r cyfieithiad a'i lladdodd?

Y noson honno yn Lone Tree, collodd yr antur beth o'i sglein. Bu farw un o blant y fintai. Drannoeth, yn Grand Island, un arall. A thradwy, ddau arall. Cyn diwedd y daith claddwyd dros bump ar hugain, un o bob ugain o'r fintai, llawer ohonynt yn blant. Ni lwyddwyd i adnabod na thrin yr afiechyd a'u lladdodd.

Bedwar diwrnod o ddiwedd eu taith collwyd dwy ferch fach arall mewn damwain gas. Yr oeddent erbyn hyn yn Echo Canyon, yr hollt ddramatig ym Mynyddoedd Wasatch sy'n caniatáu mynediad i Utah. Dyma un o'r llefydd peryclaf ar y trywydd, y llwybr yn gul a'r llethrau'n cwympo'n serth i'r afon. Yr oeddent yn hwyr yn cychwyn y diwrnod hwnnw, ac yn eu hawydd i gwblhau'r daith penderfynwyd parhau i deithio ar ôl iddi ddechrau nosi. Cerddai William gyda chriw o'r dynion tua dwy filltir o flaen y wageni. Yn un o'r wageni teithiai ei wraig, Emma, gyda dwy o'i ffrindiau a thair merch fach.

Troellai'r wageni i lawr yr ochrau serth yn y tywyllwch. Aeth olwyn yn rhy agos at y dibyn a llithrodd y wagen oddi ar y ffordd gan rowlio ar ei phen i'r afon, 30 troedfedd islaw. Taflwyd llwyth y wagen yn bendramwnwgl ar ben y merched.

Cafwyd dwy o'r rhai ieuengaf wedi boddi o dan bwysau'r llwyth. Ymddangosai hefyd fod Emma mewn cyflwr difrifol. Daliwyd ei choesau a'i chefn o dan ddau focs mawr a chodai'r dŵr o'i chwmpas yn gyflym ond, ar y funud olaf, llwyddwyd i'w rhyddhau. 'Credai Emma ar y cychwyn fod ei hasgwrn cefn wedi torri,' ysgrifennodd William, 'ac aeth adroddiad i'r perwyl hwnnw cyn belled â Dinas y Llyn Halen. Ond yn ffodus daeth ati'i hun ac o fewn deuddydd yr oedd yn gallu symud o gwmpas.'

Bedwar diwrnod yn ddiweddarach daethant i ben eu taith. 'Petai ein hen gyfeillion yng Nghymru wedi ein gweld yn cyrraedd y ddinas byddent wedi syllu'n anghrediniol arnom ac yna wedi tosturio drosom. Yr oedd ein cyflwr yn druenus i'w ryfeddu ac nid oedd gennyf na het i'm pen na phâr o esgidiau i'm traed. Gwisgwn un esgid o ddau bâr gwahanol… Codwyd ein pebyll yn y sgwâr a dadlwythwyd ein wageni yn syth wedi i ni gyrraedd. Yr oedd tua pedwar o'r gloch y pnawn. Daeth tyrfa o bobl y ddinas i'r sgwâr i'n croesholi: pwy oedd yn ein mintai, pwy oedd ein ffrindiau, pwy oedd yn y minteioedd eraill ac yn y blaen, gan ddefnyddio amryw o ieithoedd, ond yn bennaf Saesneg, Daneg a Chymraeg. Y Gymraeg oedd iaith bron pob un o'r cwestiynau a gefais i. Yr oedd ugeiniau o'm cwmpas yn siarad yr iaith. Ni feddyliais erioed fod cynifer o Gymry yn y ddinas ac ni ddisgwyliais y byddent mor garedig.' Yna rhestrodd enw ac ardal enedigol pob Cymro Cymraeg yn ei fintai: Thomas Williams a'i deulu o Sirhywi; David Williams, James Gough a Jane Williams o Victoria a Daniel Jones o Ben-y-cae, y ddau le erbyn heddiw yn rhannau o Lynebwy; Jane Jones a Catherine Thomas o Drinant, ymhellach i lawr yr Ebwy; Phoebe Davis a Sarah Humphries o Dredegar; David Todd a'i deulu o Gwmtyleri; Hannah Treharne o Gaerfyrddin; John Evans o Sir Benfro; a John Davis o Fethesda, Sir Gaernarfon. Deuddeg o'r 17 oedolyn o gymoedd Gwent a chwech yn ferched sengl.

Yn ei fisoedd cyntaf wedi cyrraedd Seion bu William Ajax yn labro ar safleoedd adeiladu, yn cario brics a sment. Nid oedd yn ofni llafur caled. Yna daw'r dyddiadur i ben. Nid oes sicrwydd beth fu ei hanes wedyn. Y mae'n diflannu o'n golwg, er bod sôn iddo ymladd yn y rhyfel creulon rhwng y Mormoniaid a llwyth yr Ute, y rhyfel a alwyd yn Rhyfel Black Hawk. Ond ym 1868 ailymddangosodd, yn bartner erbyn hyn mewn cwmni o'r enw Watt, Sleater ac Ajax, cwmni oedd ar fin agor siop fawr yng nghanol Dinas y Llyn Halen. Gwariodd y partneriaid ar leoliad da a phrynwyd stoc eang o nwyddau. Arbenigent yn nwyddau'r gegin a'r ardd, mewn cerbydau a wageni a stofiau i losgi olew, glo neu goed. Watt a fuddsoddodd fwyaf yn y fenter. Roedd gan Sleater gysylltiadau da yn Chicago, lle caent y nwyddau gorau am brisiau cystadleuol. William oedd i edrych ar ôl y siop. Ond ni ellid bod wedi dewis amser mwy anffodus i agor siop yn Ninas y Llyn Halen. Cawsant eu hunain benben mewn cystadleuaeth â'r grym mwyaf pwerus yn y wlad, sef Brigham Young ei hun.

Poenai Brigham, fel arfer, am les ei bobl. Gwelai fod mwy a mwy o fasnachwyr gwrth-Formonaidd yn codi stondinau ac yn agor siopau yn Utah ac yn gwneud elw da. Dymunai i'r elw hwnnw gael ei gadw o fewn y gymuned Formonaidd ac felly cyhoeddodd ei fod yn bwriadu agor cadwyn o siopau drwy'r dalaith a bod y Saint i gyd i siopa yn y rheini yn unig. Gwahoddodd bob perchennog siop i werthu ei fusnes i'r Eglwys am gyfranddaliadau yn y siop newydd, y ZCMI (Zion's Co-operative Mercantile Institution). Ond roedd gan Watt, Sleater ac Ajax ddyledion sylweddol i'w talu a gwyddent na fyddai cyfranddaliadau yn y ZCMI yn dderbyniol i'w credydwyr, felly penderfynasant herio awdurdod y Proffwyd a pharhau mewn cystadleuaeth ag ef. Yn nechrau 1869, agorasant ddrysau eu siop newydd. Yn fuan wedyn, ar y 1af o Fawrth, 1869, agorodd y Co-op cyntaf yng nghanol Dinas y Llyn Halen. Cyn diwedd y flwyddyn yr oedd cangen o'r Co-op ymhob pentref drwy'r wlad a 17 ohonynt yn Ninas y Llyn Halen. Ond parhaodd William i gadw drysau ei siop ar agor a gwerthu ei nwyddau yn rhatach na siopau'r ZCMI. Yna, un bore, cyrhaeddodd ei waith a chanfod rhybudd yn enw Brigham Young wedi ei blastro dros y drws, yn gwahardd y Saint ffyddlon rhag siopa yno. Ymhen ychydig wythnosau yr oedd Watts, Sleater ac Ajax yn fethdalwyr ac, i rwbio halen yn y briw, torrwyd y tri ohonynt allan o'r Eglwys. Golchwyd enw William oddi ar lechen hanes y Mormoniaid. Dyna pam nad oedd yr Athro Dennis wedi clywed amdano pan ddaeth ar draws ei enw am y tro cyntaf. Nid dyn i chwarae ag ef oedd Brigham Young.

Nid oedd bywoliaeth bellach i William yn y ddinas. Unwaith eto, symudodd gydag Emma, a'r naw plentyn oedd ganddynt erbyn hyn, allan i'r gorllewin, i lannau Faust Creek ar ganol dyffryn anghysbell afon Rush, lle bu'n byw weddill ei oes. Canolbwyntiodd ar dyfu gwair a'i werthu i fwynwyr y gwaith aur cyfagos. Tyfodd y busnes a dechreuodd William feddwl am agor siop fechan i ddenu'r ychydig deithwyr a ddeuai heibio. Allan yn yr unigeddau hyn, nid oedd y Co-op yn cystadlu ag ef. Oherwydd y gwres a'r llwch, penderfynodd adeiladu ei siop o dan y ddaear, a chyda'i raw a'i ferfa cloddiodd dwll enfawr a'i leinio â distiau pin a gosod to o bren meryw (*juniper*) drosto a chlai a thyweirch ar ben hwnnw. Cynyddodd maint ei siop bob blwyddyn. Aeth yn obsesiwn ganddo i ymestyn y twll. Cariodd ferfa ar ôl berfa o bridd oddi yno gan wneud rhagor o ystafelloedd tanddaearol, nes yn y diwedd yr oedd ganddo 11,000 o droedfeddi sgwâr, maint pedwar cwrt tennis, o siop o dan y ddaear. Ar yr wyneb, adeiladodd westy moethus i gysgu hanner cant, a thŷ bwyta o'r un safon. Tyfodd pentref bychan o'i gwmpas a galwyd y pentref yn 'Ajax'. Yr oedd yno stablau i dros 100 o geffylau, ffaldiau i 300 o warlheg a chorlannau i 6,000 o ddefaid. Gwerthai William bopeth yn ei siop: offer fferm, offer gwaith aur, bwyd, dillad, harneisiau, cyfrwyau, diodydd, baco, llyfrau, carpedi, celfi, addurniadau tŷ, gemwaith, siandelïers, mwy o amrywiaeth nag unrhyw siop yn Ninas y Llyn Halen. Ac roedd ei werthiant yn uwch hefyd. Deuai pobl yno ar dripiau, siopa gyda'r dydd, gwledda yn y bwyty a chael eu diddanu gan fand pres y teulu gyda'r hwyr ac yna aros yn y gwesty gyda'r nos. Galwyd ef yn wythfed rhyfeddod Utah. Ar ôl marwolaeth William ym 1899, bu'r plant yn rhedeg y busnes am gyfnod ond lloriwyd hwy yn y diwedd gan dranc y gwaith aur cyfagos a thwf siopa catalog. Heddiw diflannodd pob golwg o bentref Ajax. Y mae yno hysbysfwrdd, wedi ei godi ar y cyd gan ddisgynyddion William ac Emma Ajax a Meibion Arloeswyr Utah, yn adrodd ychydig o stori hynod y lle. Ond dyna'r cyfan. Dim ond ychydig dwmpathau o bridd sydd i ddangos safle'r gwesty, a ffens rydlyd a phant aneglur i ddynodi'r man lle safai siop unigryw William Ajax.

1863

CYNYDDAI'R PRYSURDEB AR Y trywydd yn flynyddol. Erbyn hyn, atgof yn unig oedd tawelwch ac unigrwydd y paith yn y blynyddoedd cynnar. Cerddodd John Woodhouse y trywydd am y tro cyntaf ym 1852. Ddeng mlynedd yn ddiweddarach, cerddodd yr un llwybr eto gan groniclo'r newidiadau. Ym 1852, cofiai fod tail byfflo yn gorwedd ym mhobman ac mai gwaith hawdd oedd casglu digon fel tanwydd i goginio swper. Erbyn 1862 roedd yn rhaid casglu'n ddiwyd i gael digon i gynnau'r tân lleiaf. Ym 1852, gorweddai esgyrn byfflo ar hyd y trywydd ym mhobman. Erbyn 1862 yr oeddent wedi diflannu, wedi eu casglu i gyd a'u cludo yn ôl i'r Dwyrain a'u malu i wneud gwrtaith a glud. Ym 1862, pasiwyd y Ddeddf Tyddynnod (Homestead Act) gan y llywodraeth ffederal, y ddeddf oedd yn caniatáu i bwy bynnag a godai dyddyn ar y paith a datblygu 160 erw o'i gwmpas ei berchnogi am ddim ar ôl pum mlynedd. O ganlyniad, dechreuwyd gweld twf yn niferoedd y ffermydd bychain ar hyd y trywydd, er na ddaeth y llif mawr o ymgartrefwyr tan ar ôl y Rhyfel Cartref. Pasiwyd hefyd Ddeddf y Rheilffordd Drawsgyfandirol. Y ddeddf hon a ddaeth â chwmnïau rheilffyrdd yr Union Pacific a'r Central Pacific i fodolaeth, y naill i adeiladu'r rheilffordd o Omaha i'r gorllewin a'r llall o Sacramento i'r dwyrain. Erbyn 1863 roedd yn hysbys fod yr Union Pacific am osod ei gledrau ar hyd afon Platte, gan ddilyn Trywydd y Mormoniaid am y 300 milltir cyntaf. Sicrhaodd hyn ddyfodol llewyrchus i bob cymuned a phentref ar ei lwybr a chynnydd mawr ym mhrysurdeb y dyffryn.

Yn y flwyddyn hon gadawodd aelodau o ddau deulu, teuluoedd Benjamin Jones a Titus Lazarus Davis, eu cartrefi yng Nghymru a chychwyn am Utah. Y mae'n annhebyg fod y ddau benteulu yn adnabod ei gilydd cyn cychwyn ond o'r flwyddyn hon ymlaen dechreuodd eu bywydau weu drwy ei gilydd. Yr oedd ganddynt lawer yn gyffredin. Ganwyd y ddau yn Sir Gaerfyrddin, Titus yn Llangeler a Benjamin 20 milltir i'r de-ddwyrain yn Llanfynydd. Cryddion oedd y ddau, Titus yn gweithio yn Llanwenog yng nghartref ei wraig ac yna yn ardal Dre-fach Felindre a Chwm-du ger Talyllychau a Benjamin yn Llanbedr Pont Steffan. Priododd y ddau ferched ffermydd a dechrau magu teuluoedd mawrion. Deg o blant fu byw trwy eu babandod yn nheulu Benjamin a saith yn nheulu Titus. I'w cynnal, bu'n rhaid i Titus a Benjamin symud i ardaloedd mwy poblog i chwilio am waith, Titus i Ddowlais a Benjamin i Langatwg yng Nghwm Nedd.

Yn Chwefror 1849 daeth y Capten Dan Jones heibio i gartref Benjamin. Arhosodd i bregethu yn y pentref gan hau'r had a arweiniodd at fedydd Benjamin y flwyddyn ddilynol. Gwyddai Benjamin beth fyddai ymateb ei gymdogion a dewisodd gael ei fedyddio ganol nos, yn gyfrinachol, ond buan y daeth y gymdogaeth i wybod am ei dröedigaeth a diflannodd ei waith a llawer o'i ffrindiau. Yr oedd Esther, ei wraig, yn amharod iawn i dderbyn y ffydd newydd. Ceisiodd berswadio'i gŵr i dderbyn cynnig y ficer o swydd fel clerc yr eglwys, swydd a fyddai'n cynnig cyflog, ond gwrthododd Benjamin. Am gyfnod aeth pethau'n ddrwg rhyngddynt ond yn y diwedd ildiodd Esther a chytunodd hithau i dderbyn bedydd hefyd.

Yn y cyfamser, cafodd Titus Davis hefyd dröedigaeth ac, yn yr un modd, achosodd hyn drafferth yn ei briodas yntau. Ni ddaeth ei wraig, Mary Gwenllian, gydag ef i Ddowlais. Arhosodd hi yn y cartref yng Nghwm-du ond denwyd y plant hŷn i'r mwg, un ar ôl y llall, i chwilio am waith. David, y brawd hynaf, a aeth gyntaf, yn 16 oed ym 1857, i weithio mewn siop groser a lletya gyda theulu Saesneg eu hiaith ym Merthyr. Yna Timothy, i weithio mewn gwaith haearn yn Nowlais, a Thomas a John i fod yn bartneriaid iddo, ac yna Gwennie, yr unig chwaer, i gadw tŷ iddynt i gyd. Gadawyd y fam, Mary Gwenllian, yn Dre-fach gyda'r plant iau, i edrych ar ôl tyddyn bychan y teulu. Un ar ôl y llall, derbyniodd y plant yn Nowlais y ffydd newydd a bedyddiwyd hwy yn Saint. Dechreuodd Titus freuddwydio am ymfudo.

Yn Llangatwg, roedd Benjamin hefyd a'i fryd ar hwylio am America, ond ystyfnigodd Esther eto. Bu cadoediad rhyngddynt am rai blynyddoedd ond yn awr dechreuodd yr hen densiynau ailgodi i'r wyneb. Ym 1863 cyhoeddodd Mary, y ferch hynaf, a oedd erbyn hyn yn 22 oed, ei bod yn bwriadu gadael am Utah y flwyddyn honno, doed a ddelo, a chaniatawyd iddi fynd gan ei rhieni. 'Daeth fy rhieni a'm chwiorydd a'm brawd i lawr i'r harbwr i ddweud ffarwél,' ysgrifennodd Mary. 'I wneud y ffarwelio'n llai poenus codwyd fy mrawd Joseph i ben casgen lle medrwn ei weld a thros y dŵr clywais nodau clir ei lais annwyl yn canu. Wylais yn hidl oherwydd gwyddwn na welwn rai ohonynt fyth eto. Profodd hyn yn wir gan mai dyna'r tro olaf i mi edrych ar wynebau annwyl fy mam a'm brawd bach, John.' Drannoeth cyrhaeddodd Lerpwl ac ar y 30ain o Fai hwyliodd am America ar y *Cynosure*. Penderfynodd Benjamin y byddai'n ei ddilyn yn fuan, gyda faint bynnag o'r teulu a fyddai'n fodlon dod gydag ef. Ymddangosai fod rhwyg yn y teulu yn anochel.

Yn y cyfamser roedd Titus a'i blant yn Nowlais hefyd yn cynllunio i adael am Seion cyn gynted ag y gallent ond, yn ôl yn Dre-fach, gwyddai Mary Gwenllian nad elai hi fyth. Ni fedrai wynebu ffarwelio â'i rhieni a'i brodyr a'i chwiorydd a'r pedwar bedd ym mynwent Llanwenog lle claddwyd ei babanod. Nid oedd yn hapus chwaith i adael y Bedyddwyr, yr achos y magwyd hi ynddo. Trodd at y gweinidog a'r aelodau am gyngor, a'u barn hwy, yn naturiol, oedd mai cwlt peryglus oedd Mormoniaeth ac mai trueiniaid anghristnogol ac amlwreicwyr barbaraidd oedd y Saint. Ceisiodd Titus a'r plant bopeth i'w chael i newid ei meddwl ond ni thyciai dim. 'Byddai'n well gennyf hel cardod o gwmpas y wlad,' meddai, 'na mynd i Utah. Ni fedraf adael fy hen gartref a beddau fy mabanod.'

Yng ngwanwyn 1863, daeth yr amser i Titus a'r plant adael. Gadawyd Jenkin, a oedd erbyn hyn yn 7 oed, yn gwmni i'w fam ond aeth Henry, y bychan, gyda'i dad. Anodd dyfalu teimladau Mary Gwenllian wrth iddi ffarwelio â'i theulu. 'Cofiaf hi yn cerdded i fyny'r lôn gul i'r briffordd gyda mi,' ysgrifennodd ei mab, Thomas, yn ei atgofion, 'ac yn y briffordd yn dweud "Ffarwél" wrthyf. Dyna'r tro olaf imi ei gweld yn y bywyd hwn. Yr oeddwn yn rhy ifanc i ddeall beth oedd yn digwydd ac wedi fy nghynhyrfu ormod gan y daith o'm blaen. Ni feddyliais am foment fy mod yn ffarwelio â hi am byth.' Yn dawel, gafaelodd Mary Gwenllian yn llaw Jenkin a throi am adref. Druan ohoni. Ni fedrodd wneud i'r tyddyn bychan dalu ar ôl i'w gŵr a'r plant adael a suddodd i ddyled a thlodi. Bu Jenkin yn warchodol iawn ohoni drwy ei hoes a gwnaeth ei orau i gadw'r cysylltiad â'r teulu yn Utah. Ond bywyd anodd a gafodd yntau hefyd, yn aml yn wael a bob amser yn dlawd.

Yn gynnar un bore ym Mai, gadawodd Titus a'r plant y tŷ yn Nowlais a cherdded i'r orsaf ym Merthyr i ddal y trên i Gaerdydd. Ar y funud olaf cafodd y mab hynaf, David, alwad i genhadu a bu'n rhaid iddo aros yng Nghymru am flwyddyn arall. Teimlwyd ei golli'n fawr gan mai ef oedd yr unig un a fedrai siarad Saesneg yn rhugl. Ymlaen drannoeth i Lundain, lle disgwyliai eu llong, yr *Amazon*, amdanynt yn noc Shadwell yn Wapping, un o ychydig longau'r Mormoniaid a hwyliodd o Lundain. Yr oedd 800 o Saint o Gymru a Lloegr arni.

Y bore cyn iddi hwylio, camodd newyddiadurwr ar fwrdd yr *Amazon*, gyda'r bwriad o ysgrifennu erthygl ar gyfer ei gylchgrawn, *All the Year Round*. Y mae'r erthygl a ysgrifennodd y diwrnod hwnnw i'w darllen heddiw yn y casgliad enwog o draethodau a gyhoeddwyd ganddo yn ddiweddarach o dan y teitl *The Uncommercial Traveller*. Enw'r newyddiadurwr oedd Charles Dickens. Y mae'n glir mai pwrpas gwreiddiol Dickens wrth ymweld â'r llong oedd ysgrifennu erthygl ddirmygus am y Saint, pobl yr oedd wedi clywed llawer peth sarhaus yn eu cylch ond heb eu cyfarfod erioed. Newidiodd ei feddwl amdanynt yn fuan. 'Y mae'r bobl hyn mor gwbl wahanol i bawb arall a welais erioed mewn amgylchiadau tebyg fel i mi ryfeddu i mi fy hun yn uchel, "Pwy fyddai dieithryn yn tybio ydyw'r ymfudwyr yma?" Atebodd capten yr *Amazon*, a safai wrth fy ochr: "Pwy yn wir? Daeth y rhan fwyaf ohonynt ar fwrdd y llong gyda'r hwyr neithiwr. Daethant o wahanol rannau o'r wlad mewn cwmnïau bychain, heb erioed gyfarfod â'i gilydd o'r blaen. Er hynny, nid oeddent wedi bod mwy nag ychydig oriau ar y bwrdd nad oeddent wedi ffurfio heddlu, wedi cyfansoddi eu rheolau eu hunain ac wedi gosod eu gwyliadwriaeth eu hunain ar ben pob un o'r grisiau. Cyn naw o'r gloch roedd y llong mor drefnus a thawel â *man-o'-war*. Nid oedd neb mewn tymer ddrwg, neb yn feddw, neb yn rhegi nac yn yngan geiriau anweddus, neb yn ymddangos yn ddigalon, neb yn wylo." Euthum ar fwrdd eu llong i dystiolaethu yn eu herbyn,' ysgrifennodd Dickens, 'os dyna oedd eu haeddiant, gan lwyr gredu mai fel yna y byddai. Ond i'm mawr syndod, nid felly yr oedd.' Sylwodd ar 'gadernid bwriad' y Saint a'u 'hunan-barch dirodres'. 'Beth sydd o flaen y bobl hyn druain ar lannau'r Llyn Halen a chyda pha gamargraffiadau melys y maent yn twyllo eu hunain, nid wyf yn abl i ddweud.'

Yn anffodus, nid oedd Dickens mor deg wrth drin y Cymry. Nid oedd ganddo air caredig i'w ddweud amdanynt. 'Yn sicr,' ysgrifennodd, 'wynebau rhai o'r Cymry oedd y lleiaf deallus, gyda llawer o hen bobl yn eu mysg. Byddai rhai o'r ymfudwyr hyn wedi gwneud cawlach o bethau oni bai bod arweiniad parod wrth law o hyd. Yr oedd eu deallusrwydd yn ddiau o radd is na'r rhelyw a'u pennau o siâp gwael.' Ysgrifennodd yr un mor filain o hiliol am yr Iddewon a welodd yn Wapping. 'Lawr ger y doc, ymgripiai plant Israel i bob lloches lom a chornel dywyll oedd ar gael i'w llogi, ac yno yr hongient eu sbwriel – watshys piwter, hetiau sowestar, oferôls yn dal dŵr, "Firtht rate articleth, Thjack."' Plentyn ei oes oedd Dickens.

Gwrandawodd ar gôr yn canu a mwynhaodd eu sŵn yn fawr. Edrychai ymlaen at gael clywed y band oedd i deithio ar y llong ond fe'i siomwyd. 'Yr oedd band i fod yma,' ysgrifennodd, 'ond roedd "y cornet" yn hwyr yn cyrraedd.' Band o Gaerdydd oedd hwn, a gwyddom beth o'i hanes. Fe'i ffurfiwyd ym 1861. Mr Toozer oedd 'y cornet' a gyrhaeddodd yn hwyr (ni fedrai fod wedi bod ag enw mwy Dickensaidd) ac ef oedd y chwaraewr mwyaf profiadol yn y band heblaw am yr arweinydd, George Parkman, trombôn, a Rice Hancock ar y tiwba bas. Bechgyn ifainc, aelodau o gangen yr Eglwys yng Nghaerdydd, oedd gweddill yr aelodau. Ym 1862 daeth esgob dinas Ogden draw o Utah ar ymweliad â Chaerdydd. Clywodd y band yn chwarae a chafodd ei blesio'n fawr. Dywedodd wrthynt nad oedd gan dref Ogden fand, a bod gwahoddiad cynnes iddynt i gyd i ddod draw i lenwi'r bwlch, a chytunodd y rhan fwyaf o'r band fynd.

Cyrhaeddodd Mr Toozer, y cornet coll, gyda'r hwyr a hwyliodd yr *Amazon* am ddau o'r gloch fore trannoeth. 'Ar hyd y doc ac ar lannau'r afon safai tyrfaoedd o bobl, rhai'n cymeradwyo, rhai'n wylo,' ysgrifennodd Thomas Davis. 'Haliwyd y llong fawr o'i hangorfa yn y doc allan i afon Tafwys a chaeodd y gatiau mawr y tu ôl i ni. Tynnwyd ni i lif yr afon gan stemar fach ac yna, pan gydiodd yr awel yn ein hwyliau, gadawodd ni. Wrth i'r llong wthio'i ffordd i lawr afon Tafwys chwaraeai'r band "Yankee Doodle" a'r "Star

Spangled Banner".' Wedi gadael Llundain ac aber afon Tafwys, trodd i lawr y Sianel ac yna i fyny arfordir y gorllewin i Lerpwl, i gasglu rhagor o deithwyr. Ar y 4ydd o Fehefin, bum niwrnod wedi i'r *Cynosure* hwylio gyda Mary Jones, merch Benjamin, ar ei bwrdd, dilynwyd hi gan Titus a phump o'i blant ar yr *Amazon*.

Chwaraeai'r band wrth i'r llong hwylio i mewn i harbwr Efrog Newydd chwe wythnos yn ddiweddarach. Erbyn hyn rhuai'r Rhyfel Cartref drwy'r taleithiau ac ymladdwyd brwydr Gettysburg bythefnos ynghynt. Llenwid yr harbwr â llongau rhyfel ac wrth i'r *Amazon* hwylio i'w doc, gyda'r band yn chwarae o hyd, dechreuodd nifer o fandiau eraill ymuno â hwynt o fyrddau'r llongau hynny. Rhwyfodd cwch atynt ar draws yr harbwr a daeth swyddog ar y dec a chynnig swyddi i'r band cyfan ar ei long. Ond gwrthodwyd ei gynnig. Yr oedd y band a'i fryd ar Utah.

Erbyn hyn, croesai Mary Jones yn y trên o Efrog Newydd i St Joseph ar y Missouri. Nid oedd fwy na diwrnod ar y blaen i Titus a'i deulu gan fod y *Cynosure* wedi croesi'r Iwerydd dipyn arafach na'r *Amazon*. Bu bron iddi golli rhagor o amser pan neidiodd oddi ar y trên i achub plentyn oedd mewn perygl o gael ei adael ar ôl. Erbyn iddi gael gafael arno, roedd y trên wedi mynd. Rhedodd i swyddfa'r gorsaf-feistr ac esbonio ei sefyllfa yn ei Saesneg bratiog. Cafwyd lle iddi hi a'r plentyn mewn 'express' a phan ddisgynnodd y rhieni gofidus oddi ar eu trên yn St Joseph, dyna lle'r oedd Mary Jones a'u plentyn yn aros amdanynt ar y platfform. 'Arhosodd ein cwmni yn St Joseph am bythefnos,' ysgrifennodd Mary. 'Wedyn aethom i fyny'r Missouri i Florence, Nebraska a daeth fy nghefnder, John L. Edwards, i'm croesawu yno. Fe blesiodd hynny fi'n fawr iawn oherwydd nid oeddwn wedi disgwyl ei weld yno.' Yr oedd gan y gŵr hwn ran bwysig i'w chwarae yn y stori. Gadawodd John Lodwick Edwards Gymru gyda'i rieni chwe blynedd ynghynt, pan oedd yn 18 oed. Mae'n fwy na thebyg i Mary ac yntau gadw mewn cysylltiad oddi ar hynny. Heblaw bod yn gefndryd, yr oeddent yn union yr un oedran. 'Aeth â fi i dŷ bwyta am bryd o fwyd ac yna 'nôl â ni i'r lanfa lle llwythwyd fy mhethau ar ei wagen ac i ffwrdd â ni am y gwersyll ymgynnull, ddeng milltir i ffwrdd. Cyrhaeddom yno tuag awr wedi'r machlud. Pan ddisgynnais o'r wagen, roedd swper yn barod a chyflwynodd fy nghefnder fi i'r cogydd, George

Harding. Brodor oedd ef o'r un pentref â'm cefnder.' George oedd ffrind gorau John L. Edwards. Trigai'r ddau ym mhentref Willard, y pentref lle'r oedd Shadrach Jones wrthi'n adeiladu'r tai cerrig gorau yn Utah ac yn cynnal y dawnsfeydd bywiocaf. Hanai George o hen deulu Mormonaidd a ddilynodd Joseph Smith ar draws y cyfandir 20 mlynedd ynghynt. Cwympodd mewn cariad â Mary. 'Daeth i fod yn gymar oes i mi,' meddai Mary yn ei hunangofiant.

Ddiwrnod neu ddau'n ddiweddarach, cyrhaeddodd Titus a'i deulu. Yr oeddent wedi cael taith hir ac anodd i'r Missouri. Dargyfeiriwyd eu trên drwy Ganada i osgoi'r rhyfel. Yna i lawr i St Joseph, lle daliwyd yr agerfad i Florence. 'Yr oeddem yn hapus i gyrraedd yno a chael gorffwys am ychydig ddyddiau,' ysgrifennodd Thomas, y mab. 'Rhoddwyd i ni ein tocyn o fwyd, ychydig o saim cig moch, ychydig o flawd a phecyn o furum. Profodd ein hymgais cyntaf i wneud bara yn drychinebus ond gwellodd ein hymdrechion gyda phrofiad. Ddeuddydd yn ddiweddarach aethpwyd â ni i wersyll y bechgyn a oedd i'n cario i Utah. Digwyddodd fy nhad adnabod un o'r bechgyn ddaeth i'n hôl ni o'r lanfa, sef John Lodwick Edwards. Yr oedd fy nhad yn arbennig o hapus o'i adnabod.'

John L. Edwards oedd y glud ddaeth â'r ddau deulu ynghyd. Yr oedd yn gefnder i Mary Jones ond yr oedd hefyd wedi ei fagu yn Llanwenog, y pentref lle bu Mary Gwenllian, gwraig Titus, yn byw tan ei phriodas. Y mae'n siŵr fod Titus ac yntau yn adnabod ei gilydd yn dda. Penderfynwyd yn syth fod Titus a'r plant i deithio gyda John L. a symudwyd hwy a'u pecynnau i'w wagen at Mary Jones. Dyma'r tro cyntaf, hyd y gwyddom, i deulu Titus Davis a theulu Benjamin Jones ddod i gyswllt â'i gilydd.

Nid wageni ysgafn fel wageni'r ymfudwyr cynnar oedd gan fechgyn y Dyffryn ond rhai mawr, trymion, a adeiladwyd i gario llwythi trymion, gyda phedwar neu chwe iau o ychen yn eu tynnu. Er hynny, nid oedd lle i'r ymfudwyr deithio ynddynt. Llenwyd y wageni â llwythi o beiriannau a phoptai, llestri a sosbenni, pob math o nwyddau ac offer i'w gwerthu yn siopau'r ZCMI, a disgwylid i'r ymfudwyr gerdded yr holl ffordd. Gyda'r nos taenwyd plancedi ar ben y llwyth a gwthiai'r merched a'r plant rhyngddynt a'r gorchudd cynfas i noswylio. Cysgai Mary a Gwennie gyda'i gilydd yn wagen John L. Edwards a Henry bach yn cysgu rhyngddynt. Cysgai'r dynion o dan y wageni. Ar y daith honno, ffurfiwyd cyfeillgarwch oes rhwng Mary a Gwennie. Yr oedd ganddynt ddigon i'w drafod ac i'w rannu, oherwydd fel y cwympai Mary mewn cariad â George Harding, yr oedd Gwennie yn cwympo mewn cariad â John Lodwick Edwards.

Cafwyd taith ddidrafferth i'r Dyffryn. Rhoddodd y band gyngerdd i'r milwyr yn eu tair caer fawr ar y trywydd, sef Fort Kearny, Fort Laramie a Fort Bridger, a ffurfiodd yr ymfudwyr gôr i'w diddanu ymhellach. I ychwanegu at eu lluniaeth annigonol aethant i bysgota yn afon Platte. Tynnwyd gorchudd cynfas oddi ar un o'r wageni a'i ddefnyddio fel rhwyd 'seine' a'i halio drwy'r afon lle'r oedd y dŵr yn fas, a llwyddwyd i ddal dros dunnell o bysgod. Nid oedd halen i'w cadw felly bwytawyd y cyfan yn y man a'r lle mewn un wledd fawr. Dim ond un farwolaeth a fu yn eu rhengoedd, sef merch fach a fwytaodd ffrwythau gwenwynig oddi ar y perthi. Ar ddiwedd y daith penderfynwyd fod y fintai i orymdeithio i mewn i Ddinas y Llyn Halen gyda Band Caerdydd ar y blaen. Daeth William Ajax i lawr i'r dref i'w cyfarch ac ysgrifennodd ddisgrifiad byw o'r olygfa yn ei ddyddiadur.

'Cyrhaeddodd y fintai olaf yma ar y 15fed o Hydref. Cyrhaeddodd un arall ar y 14eg a thair arall ar y 4ydd. Yr oedd nifer dda o Gymry ymhob un o'r rhain, rhyw 300 i gyd. Yn un ohonynt teithiai band o Gaerdydd a wnâi sŵn hyfryd iawn, 16 aelod i gyd, llawer ohonynt yn adnabyddus i mi. Daeth eu mintai i mewn i'r ddinas mewn gorymdaith. Ar eu blaen gosodwyd y Brawd Samuel Evans yn cario baner ac arni'r neges "Teyrnas Dduw neu ddim". Chwaraeodd y band yn y sgwâr ar ôl cyrraedd ac yna, ar ôl sbel fer i gael eu gwynt atynt, aethant ymlaen i gartref y Llywydd, Brigham Young, a chwarae yno am ryw awr. Gadawodd y band cyfan y diwrnod canlynol am Ogden.' Treuliodd Titus a'i blant a Mary Jones ddiwrnod neu ddau yn y ddinas yn aros i'r wageni ddadlwytho ac yna aethant ymlaen i Willard gyda George a John L. A dyna lle buont weddill eu hoes.

Mewn llythyr a gyrhaeddodd Gymru ar y 30ain o Dachwedd, darllenodd David fod ei dad a gweddill y teulu wedi cyrraedd yn saff. Ar y 9fed o Ragfyr aeth i lawr i Gwm-du i ddarllen y llythyr i'w fam. Ond yr oedd hi wedi clywed peth o hanes Titus yn barod. Ddeufis ynghynt, ddechrau mis Hydref, digwyddodd fynd i lawr i farchnad Llandeilo a chyfarfod â dyn yno a oedd newydd ddod yn ôl o Ddinas y Llyn Halen. Yr oedd wedi pasio Titus a'r plant 600 milltir allan ar y paith, rywle yng nghyffiniau Chimney Rock. Dywedodd wrthi fod pawb yn iach ac yn cofio ati. Ceisiodd David unwaith eto ei darbwyllo i ddod gydag ef i Utah yn y gwanwyn, ond gwrthododd.

Priodwyd Gwennie a John L. ym mis Tachwedd. Yn y Gorffennaf canlynol, priodwyd Mary a George Harding. Daeth Benjamin Jones allan i fyw gyda Mary ym 1865 ac arhosodd yn Willard am weddill ei oes. Dilynwyd ef gan saith o'i feibion a'i ferched yn ystod y blynyddoedd dilynol. Ond, yn union fel yn achos Titus a Mary Gwenllian, gwrthododd Esther ddod, ac arhosodd yng Nghymru, ac arhosodd un mab, John, ac un ferch, Eliza, yn gwmni iddi.

Ym mis Mawrth 1864 aeth David Davis, mab hynaf Titus, i lawr i Gwm-du eto i wneud un cais arall i gael ei fam i ddod i Utah. 'Darllenais iddi lythyr fy nhad. Yr oedd yn falch o glywed oddi wrtho ond amlygodd yr un ysbryd anghrediniol.' Aeth i ymweld â hi am y tro olaf ym mis Ebrill, ychydig ddiwrnodau cyn ei ymadawiad am America. 'Ffarweliais â hi,' meddai. 'Gollyngodd ychydig ddagrau wrth i ni wahanu.'

Bu Utah yn garedig iawn wrth blant y ddau deulu. Bu meibion Titus yn amlwg ym mywyd y dalaith. Cafodd Thomas yrfa fel gwleidydd a gwasanaethodd yn Senedd-dy'r dalaith ac yn Nhŷ'r Cynrychiolwyr. Rhedodd David Davis siop groser lwyddiannus iawn yn Ninas y Llyn Halen. Datblygodd gariad at hwylio a bu'n berchen ar ddau gatamarán, y *Cambria* a *Cambria II*, a hwyliai yn rheolaidd ar y Llyn Halen. Ffermio wnaeth Gwennie a John drwy'u hoes, yn berchen *ranch* warsheg fawr ym mynyddoedd Promontory ar lethrau gogleddol y Llyn Halen. Yn ddiweddarach symudodd y ddau yn ôl at George a Mary yn Willard, i dŷ cerrig moethus a adeiladwyd iddynt gan Shadrach Jones cyn iddo ddychwelyd i Gymru ar ei daith genhadu olaf. Bu John L. yn faer Willard ddwywaith. Cofir am Mary a Gwennie fel aelodau gweithgar o'r gymuned, arweinwyr ym mhob ymgyrch bentrefol, o gadw gwenyn a gwneud canhwyllau o wêr y diliau mêl, i fagu gwyfynod sidan i wneud dillad i'w plant. Un flwyddyn cynhyrchodd Mary 150 llath o sidan, digon i wneud ffrog hardd i bob un o'i saith merch.

Ond ni fu Utah mor garedig i'r ddau benteulu. Parhaodd Titus i weithio fel crydd ond roedd ganddo ddyledion mawrion i'r Drysorfa Ymfudo. Chwiliodd am wraig i'w helpu i fagu'r plant ieuengaf, ac am gyfnod bu'n byw gyda merch o'r enw Zenobia Weeks, ond profodd y berthynas yn aflwyddiannus. Yn ei henoed adeiladwyd cartref bychan un ystafell iddo yng nghefn tŷ ei ferch.

Yn Chwefror 1879 derbyniodd Titus lythyr oddi wrth Jenkin, y mab a adawyd ganddo yng Nghymru. 'Annwyl Dad, Cymeraf fy mhìn i'm dwylo i anfon atoch ychydig linellau. Y mae wedi bod yn beth amser oddi ar i mi ysgrifennu atoch ac ni fu erioed amser tristach na hyn i mi ysgrifennu atoch, i ddwedud wrthych am fy ngalar o golli ein hanwylaf a'n caredig fam. Bu hi farw ar ddydd Mercher, y 29ain o Ionawr, am ddeg munud wedi deg. Aethom â'i chorff i'w gladdu ym mynwent Talyllychau. Yr oedd wedi gofyn am gael ei chladdu yno.'

Y mae'n siwr bod clywed am y dymuniad yma wedi dod ag atgofion cymysglyd yn ôl i Titus. Byddai'n cofio'r noson honno, flynyddoedd yn ôl, cyn i Formoniaeth eu rhannu, pan ddaeth Esther ac yntau drwy Dalyllychau ar eu ffordd adref i'r tyddyn yng Nghwm-du, yn cario cwch o wenyn. Teithient gyda'r nos, fel bod y gwenyn yn llai tebyg o ddianc. Daethant drwy'r fynwent wrth furddun yr hen abaty a chymryd saib ymysg y cerrig beddau. Yno, yng ngolau'r lleuad, gwefreiddiwyd hwy gan brydferthwch y dyffryn ac addawodd Titus iddi, pe bai hi farw gyntaf, y gwnâi'n siŵr y câi orwedd yn y fynwent honno. A phe bai ef farw gyntaf, gofynnodd iddi ei gladdu yntau yno hefyd. Caent orwedd yn ymyl ei gilydd hyd dragwyddoldeb. Gorffennodd Jenkin ei lythyr gyda'r geiriau yma: 'Y mae'n amser dweud ffarwél. Yr wyf yn rhedeg allan o bapur ac os ydych yn dda eich byd a minnau'n dlawd, gofynnaf rywbeth na wneuthum fyth o'r blaen, sef i chwi anfon ychydig help ariannol fel y caf dalu fy nyledion yma. Edrychais ar ôl fy annwyl fam tra oeddech chwi ymhell i ffwrdd a gobeithio eich bod yn dweud, "Da iawn, da a ffyddlon." Ysgrifennaf eto yn fuan.' Druan o Jenkin. Gobeithio i Titus a'r plant ei wobrwyo'n hael. Gofalodd yn dyner am ei fam a bu'n driw hefyd i'w dad a'i frodyr a'i chwiorydd yr ochr draw i'r byd, hyd orau ei allu.

Yn lle gorwedd gyda'i wraig ym mynwent Talyllychau, gorwedd Titus ym mynwent Willard, bum mil o filltiroedd i ffwrdd. Ond enw Mary Gwenllian sydd o dan ei enw yntau ar y bedd. 'Claddwyd hi,' medd y garreg, 'yn Nhalyllychau, Sir Gaerfyrddin.' Ac wrth ei ymyl y mae bedd Benjamin. Priododd Benjamin eto wedi cyrraedd Willard, a chafodd dri phlentyn gyda'i ail wraig. Eto i gyd, dim ond enw Esther sydd yn ymddangos ar ei fedd. 'Esther, gwraig yr uchod, a gladdwyd ym mynwent eglwys Pencarreg, Cymru.' Y mae'r hiraeth am Gymru, a'u hanwyliaid yno, yn edliw'n greulon drwy'r geiriau, a'r ddau fel pe baent yn edifar iddynt erioed adael eu cartrefi a ffarwelio â'u gwragedd.

1864

Wedi Cyflafan Grattan ym 1854 a Brwydr Blue Water y flwyddyn ganlynol, dirywio wnaeth y berthynas rhwng yr Indiaid a'r dyn gwyn ar y paith. Pan gyfarfyddent, roeddent yn wyliadwrus iawn o'i gilydd. 'Nid oedd yr Indiad i'w drystio,' oedd barn Ebenezer Crouch. 'Wrth i ni deithio heibio i'w pentrefi, gwisgent eu hunain yn eu holl geriach, esgyn ar eu ceffylau rhyfel a charlamu ar draws y paith i'n cyfeiriad fel pe baent am ymosod arnom. Ond dim ond dangos eu hunain yr oeddent, a rhoi ychydig o ofn i ni, yr hyn y llwyddent i'w wneud bob tro.' Adroddodd un hen wraig ei hanes yn ceisio gwneud ffrindiau ag Indiad drwy gynnig diod lemwn iddo. 'Daeth ataf a chymryd y cwpan o'm llaw ond gwrthododd yfed nes fy mod i'n yfed. Dechreuais yfed o gwpan arall ond estynnodd ei gwpan ef i mi, fel petai am i mi yfed o hwnnw'n gyntaf. Cymerais ef ac yfed a'i roi yn ôl iddo. Yfodd ohono ei hun wedyn a dweud, "Da, squaw, da, da."' Ychydig iawn o ymddiriedaeth oedd rhyngddynt.

Gan fod y Saint yn credu mai eu brodyr yn y ffydd oedd yr Indiaid, ond eu bod wedi crwydro ymhell oddi ar yr hen lwybrau, gwnaent ymdrech i fod yn gyfeillgar. 'Un o'n ffyrdd o'u diddanu,' ysgrifennodd John Jenkins o'r Bont-faen, 'oedd gosod dime mewn pren fforchiog, rhoi'r pren yn y ddaear rhyw bum cam ar hugain i ffwrdd ac yna annog yr Indiaid i saethu'r ddime o'r pren gyda'u bwâu saeth. Os oeddent yn llwyddiannus, caent gadw'r ddime. Yr oedd yn rhyfeddol pa mor aml y llwyddent i fwrw'r targed.' 'Ddoe,' ysgrifennodd dyddiadurwr arall, 'cawsom gawod drom o genllysg a daliwyd rhai o'n merched ni ynddi pan oeddent yn cerdded ymhell o flaen y fintai. Daeth Indiaid atynt a thynnu eu clogynnau, oedd wedi eu gwneud o ddarnau mawr o ddarpolin, a'u dal uwch eu pennau nes bod y storm yn gostegu.'

Yn y Dwyrain, yn agos at y Missouri, trigai'r Pawnee, Indiaid oedd wedi byw ochr yn ochr â'r dyn gwyn am flynyddoedd ac wedi dysgu ychydig o'u ffyrdd. Safent yn llwybrau'r minteioedd a cheisio iawndal oddi wrthynt am ganiatâd i groesi eu tiroedd hela, ond fel arfer derbynient fwy o ddirmyg nag o gardod. Am gildwrn, caniataent i'r ymfudwyr ymweld â'u gwersyll. Cymerodd William Ajax fantais o'r cynnig ym 1862. 'Ymddangosodd naw Pawnee yn agos i'n gwersyll, dau ddyn, pump *squaw* a dau *papoose*, ac aeth y Brawd J. Davies a minnau yn syth drosodd i'w gweld. Cefais gydio yn eu tomahôc ac ysgydwais law gyda'r ieuengaf o'r ddau blentyn oedd tua blwydd oed. Arhosom gyda hwy am ryw ugain munud yn eu gwylio yn pluo hebog i'w goginio. Erbyn hyn yr oedd tua deg ar hugain wedi dod draw o'n gwersyll a chraffent i gyd ar y naw enghraifft hyn o frodorion cynnar y cyfandir. Wedi iddynt orffen pluo'r hebog, daethant draw i'n gwersyll ni a derbyniasant bob caredigrwydd gennym.'

Ar y cyfan, anwybyddu'r Pawnee a wnâi'r ymfudwyr, ond mater arall oedd y Sioux a'r Cheyenne. Nid oedd neb yn eu hanwybyddu hwy. Gorweddai eu tiroedd hela hwy i'r gorllewin, rhwng Fort Kearny a'r Rockies, lle nad ymestynnai awdurdod y dyn gwyn. Wrth iddynt weld y tyddynnod bychain a'u 160 erw yn ymestyn ymhellach a phellach i fyny afon Platte bob blwyddyn, wrth iddynt sylweddoli nad oedd diwedd i'r llinellau hir o wageni a ymlusgai drwy eu tiroedd bob haf, ac wrth iddynt ddeall bod eu hen ffordd o fyw dan fygythiad, fe argyhoeddwyd y Sioux a'r Cheyenne fod yn rhaid gwneud safiad. Dyma'u cyfle, tra bod milwyr y gelyn i ffwrdd yn ymladd ei gilydd mewn Rhyfel Cartref ymhell i'r dwyrain, a'u grym ar y paith wedi ei wanhau. Dim ond pedair caer fechan, gyda 30 o filwyr ym mhob un, oedd rhwng Fort Laramie a chaer Pont Platte, sef y gaer olaf ar afon Platte, yn agos at leoliad dinas Casper yn Wyoming heddiw. Dim ond 120 o filwyr i amddiffyn dros 130 milltir o'r trywydd yn erbyn miloedd o Indiaid. Yng ngwanwyn 1864 cynyddodd nifer yr ymosodiadau ar y milwyr a'r ymfudwyr yn syfrdanol.

Ond, ar y cyfan, ni phoenwyd y Saint ganddynt. Yr oedd eu harweinwyr yn rhy brofiadol a'u minteioedd yn rhy fawr ac wedi eu harfogi'n rhy dda. Yn achlysurol, ymhell allan ar y paith, gwelent garfan o Sioux neu Cheyenne yn marchogaeth heibio, yn eu plu a'u paent rhyfel, ar eu ffordd i ymosod ar y Pawnee yn y dwyrain neu ar fintai fechan o ymfudwyr oedd ar goll rywle yn ehangder y paith, ar ben eu hunain, heb help wrth law.

Mintai felly oedd mintai Kelly a Larimer. Dim ond pum wagen

oedd ynddi, nifer llawer rhy fychan i fod yn saff. Josiah Kelly oedd un penteulu, yn teithio gyda'i wraig, Fanny, a Mary, eu merch 8 oed a'u dau gaethwas du. William Larimer oedd y penteulu arall, yn teithio gyda Sarah, ei wraig, a Frank, ei fab, a gyrrwr o'r enw Noah Taylor. Yr oedd dau arall yn y cwmni sef y Parchedig Sharp, hen ddyn oedd bron yn ddall, a dyn o'r enw Wakefield. Naw o bobl i gyd a dau blentyn. Yr oeddent ar eu ffordd i Montana i ymuno â'r rhuthr aur yno pan ymosododd 80 i 100 o Indiaid arnynt.

Digwyddodd hyn 15 milltir o Deer Creek, hanner ffordd rhwng Fort Laramie a chaer Pont Platte. Un o'r milwyr yno oedd bachgen ifanc o Ohio o'r enw Hervey Johnson. Y mae ei lythyrau ef at ei deulu, sy'n disgrifio'r digwyddiad hwn ymysg llawer o rai eraill, yn cyfleu tensiynau cynyddol y cyfnod yn arbennig o dda. 'Awn allan i edrych am Indiaid bob dydd, weithiau ddwy waith a thair gwaith y dydd. Ymosodwyd ar lawer o'r ymfudwyr, ysbeiliwyd a llosgwyd eu wageni, a phob diwrnod byddwn yn dod ar draws dynion wedi eu hanafu a'u lladd.' Un o'r minteioedd y daethant ar eu traws oedd mintai Kelly a Larimer. 'Gorchuddiwyd y ffordd gan ddillad, matresi, blawd, cig moch, halen ac ysbail o bob math, a phedwar dyn marw, un ohonynt yn negro, pob un wedi ei ladd â saethau. Yr oedd yr Indiaid ar ganol pentyrru'r ysbail yn un goelcerth fawr. Tri dyn yn unig sydd wedi eu harbed o'r gyflafan, dau ohonynt wedi eu clwyfo'n ddrwg, un gyda thri saeth yn ei gefn a'r llall wedi ei saethu trwy'i glun. Dim ond dwy wraig a dau o blant, bachgen a merch, oedd yn y fintai ac fe'u cipiwyd hwy i gyd a'u cario i ffwrdd gan y barbariaid.'

Dihangodd Sarah Larimer a'i mab y noson ganlynol, gan lwyddo i gyrraedd y gaer yn Deer Creek. Yna dihangodd Mary, merch fach Fanny Kelly, a llwyddodd i ddod o hyd i'r trywydd. Gwelwyd hi yno gan y milwyr y bore wedyn ond cyn iddynt fedru ei hachub daeth yr Indiaid yn ôl a bu'n rhaid iddynt ffoi. 'Aeth cwmni o'n hogiau ni allan eto ddoe,' ysgrifennodd Hervey, 'a chanfod corff y ferch fach wedi ei drywanu â nifer o saethau. Yr oedd blaidd mawr llwyd yn bwyta'r plentyn pan ddaethant ar ei thraws… Cyn i mi ymuno â'r fyddin teimlwn na fedrwn fyth ladd na chymryd bywyd, ond yr wyf dros hynny yn awr. Medrwn saethu Indiad fel y saethwn gi.'

Yr hyn wnaeth y 'gyflafan' hon yn enwog drwy America

oedd profiadau Fanny Kelly, yr ail wraig, tra oedd yn gaeth yng ngwersylloedd y Sioux. Bu'n garcharores am bedwar mis ond ar y 9fed o Ragfyr, wedi trafodaethau rhwng yr Indiaid a'r milwyr, rhyddhawyd hi. Ysgrifennodd lyfr, *Narrative of My Captivity Among the Sioux Indians*, sy'n llawn disgrifiadau o greulonderau a barbariaeth y Sioux. 'O ganlyniad i'r gamdriniaeth erchyll a'r arteithiau creulon a dderbyniais, bûm mewn poen angerddol a gofid meddwl dwys, tu hwnt i ddisgrifiad geiriau.' Gwerthodd y llyfr yn dda iawn a gwnaeth Fanny yn enwog.

Ar ddechrau Gorffennaf cyrhaeddodd criw o ymfudwyr Cymreig y gwersyll ymgasglu ar y Missouri heb syniad yn y byd am yr hyn oedd yn digwydd allan ar y paith. Bu'n rhaid iddynt aros am dair wythnos cyn i'r wageni fod yn barod i ymadael ac yn yr wythnosau hynny clywsant lawer si a stori am beryglon y daith o'u blaenau. Ar yr 21ain o Orffennaf, naw niwrnod ar ôl Cyflafan Kelly/Larimer, gadawodd dros 100 o'r Cymry am y Dyffryn, ym mintai William Warren. Yn eu harwain yr oedd Thomas Jeremy, a oedd newydd orffen ei ail gyfnod fel cenhadwr yng Nghymru.

Yr oedd yn gychwyniad nerfus. Dychmygent fod Sioux y tu ôl i bob llwyn wermod a Cheyenne ym mhob cwmwl o lwch. Er bod 65 wagen a 330 o ymfudwyr yn y fintai, arhosodd Warren i'r fintai nesaf ddal i fyny ag ef er mwyn dyblu eu niferoedd. Pwysleisiwyd fod pob dyn i gario gwn. 'Yr oedd yr Indiaid yn beryglus iawn yr haf hwnnw,' ysgrifennodd John Lee Jones, un o'r gyrwyr o'r Dyffryn, 'yn ymosod ar nifer o gwmnïau o fwynwyr ar eu ffordd i Montana a Chaliffornia. Ond yr oedd Duw yn ein gwarchod ni, y Saint. Teithiem mewn mintai o 110 o wageni a ymestynnai am bum milltir ar y trywydd, a gosodwyd gwarchodaeth ddwbwl bob nos.'

Am y pythefnos cyntaf, ni welsant unrhyw arwydd o'r Indiaid, ond yna, ar yr 8fed o Awst, daethant i ffermdy bychan, newydd ei osod ar dân, yn dal i losgi, a chorff dyn yn gorwedd ar y ffordd o'u blaen. 'Yr oedd y ddaear o'i gwmpas yn llychlyd a budr,' ysgrifennodd un o'r fintai, 'ac ar yr olwg gyntaf ni fedrem wneud allan p'run ai dyn gwyn ynteu Indiad ydoedd. Ond ar ôl ymchwiliad manylach daethom i'r casgliad mai corff dyn gwyn ydoedd a chymerwyd yn ganiataol mai hwn oedd perchennog y tŷ a losgai yn y cefndir, wedi ei ladd gan yr Indiaid yr un diwrnod, efallai o fewn awr cyn i ni gyrraedd.

Cymerodd yr Indiaid bopeth o werth o'r tŷ cyn ei danio. Yr oeddent wedi rhwygo'r matresi yn ddarnau a hedfanai'r plu o'n cwmpas yn yr awel. Ni chawsom wybod a laddwyd gweddill y trigolion. Efallai eu bod yn gorwedd rywle yn y tŷ neu yn y tyfiant o'i gwmpas neu efallai eu bod wedi eu cario i ffwrdd gan yr Indiaid.'

Y noson honno carlamodd uned o filwyr heibio, yn gweiddi bod ymosodiad llawer gwaeth wedi digwydd ychydig ymhellach i fyny'r trywydd. Ar fore'r 9fed daeth y Cymry a'u mintai i leoliad yr ymosodiad hwnnw, filltir a hanner o *ranch* o'r enw Plum Creek. 'Edrychai,' cofiodd Elizabeth Edwards o Ferthyr, 'fel bod brwydr ffyrnig wedi ei hymladd yno.' 'Llosgai'r wageni o hyd,' cofiodd Catherine Roberts o Eglwys-bach, Dyffryn Conwy, 'a phawb wedi eu lladd a'r milwyr yn torri beddau iddynt.' 'Ymosododd yr Indiaid ar fintai o naw a wageni, a lladdwyd y gyrwyr i gyd. Torrodd y milwyr un bedd mawr iddynt.'

Cymerwyd un ferch, Nancy, yn garcharores gan y Sioux. Merch 19 oed oedd hi, gwraig Thomas Morton, perchennog y fintai. Yr oeddent ar eu ffordd i Denver gyda llwyth o fwyd a nwyddau i'r mwynwyr yno. Ymysg y gyrwyr yr oedd ei brawd, William Fletcher, a'i chefnder, John Fletcher. Flynyddoedd wedyn, ysgrifennodd Nancy ei hatgofion o'r munudau ar ôl i'r Indiaid ymosod. 'Carlament heibio yn ubain a hwtian yn wyllt, gan ein hamgylchynu dro ar ôl tro a gyrru'r anifeiliaid yn wallgof. Gan obeithio dianc, neidiais o'r wagen. Gwaeddodd fy ngŵr, "'Nghariad i, be wyt ti'n wneud?" a dyna'r geiriau olaf i mi eu clywed o'i enau. Ceisiais gyrraedd yr afon a daeth fy mrawd a'm cefnder ataf gan weiddi nad oedd dianc i fod. Yr oedd yr Indiaid ym mhobman o'n cwmpas a'r awyr yn dew gan saethau. Yr eiliad honno trawyd fy nghefnder a chwympodd yn farw wrth fy nhraed. Yr eiliad nesaf trawyd fy mrawd deirgwaith, a chwympodd ef hefyd. Ei eiriau olaf oedd, "Dywed wrth Susan fy mod wedi fy lladd. Ffarwél, fy chwaer annwyl." Plygais i lawr ato ac wrth wneud hynny teimlais ddwy saeth yn fy nhrywanu yn fy ochr. Wrth i mi geisio eu tynnu allan daeth un o'r *chiefs* ataf a mynnu fy mod yn mynd gydag ef. Gwrthodais, gan ddweud fy mod am aros wrth gorff fy mrawd. Cyn i mi fedru yngan gair yn ychwaneg, tynnodd chwip hir o'i wregys a dechrau fy fflangellu'n ddidrugaredd a chyn i mi fedru ymwrthod mwy, codwyd fi tu cefn i un o'r marchogion ac i ffwrdd â ni. Wrth i ni adael, a thra oedd bloeddiadau buddugoliaethus yr Indiaid yn dal i ddiasbedain yn fy mhen, edrychais yn ôl ar y rheini oedd fwyaf annwyl i mi yn y byd yn gorwedd yn gelain yn y llwch, efallai i'w bwyta gan anifeiliaid gwylltion, a thorrais i lawr mewn dagrau ac wylo.'

Cadwyd Nancy yn garcharor gan yr Indiaid am bum mis. Cafodd ei cham-drin a'i dirdynnu'n arw. Dienyddiwyd amryw o bobl wynion, dynion a merched, o flaen ei llygaid. Ceisiodd ladd ei hun ond, yn y diwedd, gwerthwyd hi i un o'r masnachwyr Ffrengig am bedwar ceffyl, tair sach o flawd, 40 pwys o goffi, 75 pwys o reis, sachaid o halen, sachaid o bowdwr du, un cyfrwy, dwy ril o edau, tri phecyn o nodwyddau, deg crib, deg cyllell, bocs o faco, un reiffl, tri rifolfer, un cleddyf, dwy gôt a 30 mwclis o leiniau amryliw. Daethpwyd â hi yn ôl yn ddiogel i Fort Laramie.

Nid Cyflafan Plum Creek oedd yr unig ymosodiad gan yr Indiaid ar y diwrnod hwnnw, sef yr 8fed o Awst. Llosgodd y Sioux a'r Cheyenne nifer o *ranches* a gorsafoedd telegraff eraill i fyny ac i lawr y trywydd rhwng Fort Kearny a Julesburg. Ymosodwyd ar finteioedd bychain eraill hefyd, a lladdwyd nifer o'u hamddiffynwyr. Ymgyrch wedi ei gynllunio'n ofalus gan yr Indiaid oedd hwn i greu ofn ac arswyd yn y dyn gwyn, o un pen y dyffryn i'r llall, a buont yn hynod o lwyddiannus. Peidiodd pob masnach a phob busnes ar y trywydd. Peidiodd y goets fawr redeg, ffôdd yr ymsefydlwyr o'u cartrefi anghysbell ar y paith i'r gaer agosaf am loches, ac am gyfnod sychodd y llif ymfudwyr. Ond nid oedd troi'n ôl yn bosibl i fintai'r Cymry. Yr oeddent yn rhy bell allan ar y paith i feddwl am ddychwelyd i'r dwyrain. Gwthio yn eu blaenau, allan o diriogaeth y Sioux a'r Cheyenne, oedd eu gobaith gorau, er cymaint eu hofn.

'Wrth i ni deithio ymlaen,' ysgrifennodd un o fintai William Warren, 'gwelem, ar ôl iddi nosi, dai mewn fflamau ar y gorwel.' Ychydig nosweithiau ar ôl gadael Plum Creek, roedd Thomas Cropper ar wyliadwriaeth pan welodd Indiaid yn agosáu a gwaeddodd rybudd i'r gwersyllwyr. 'Cyfrais,' meddai, 'bedwar ar ddeg o Indiaid yn croesi'r afon nepell o'n gwersyll.' Heibio yr aeth yr Indiaid heb eu bygwth, o bosibl oherwydd iddynt sylweddoli bod Thomas Cropper wedi eu gweld. Ond brawychwyd y gwersyll yn ddirfawr. 'Wrth i mi ymwthio fy ffordd yn ôl i'm wagen,' ychwanegodd Thomas, 'clywn o'r wageni eraill sŵn dannedd yn rhincian gan ofn.'

Un o'r merched ifainc a eisteddai yn ei wagen y noson honno, yn gwrando'n grynedig ar synau'r nos o'i chwmpas, gan ddisgwyl, unrhyw foment, i lafn o Indiad mawr, cryf neidio i mewn i'w wagen a'i chipio i ffwrdd 'i dynged waeth nag angau' oedd Elizabeth Edwards, merch glöwr o Ferthyr, 14 mlwydd oed ac yn berchen ar ddychymyg byw iawn. Flwyddyn ynghynt bu farw ei thad o'r teiffws tra oedd yn cynllunio taith ei deulu i Seion. Ei eiriau olaf iddynt oedd, 'Ewch, a'r Arglwydd a'ch gwarchoda ac mi fydd yn falch ohonoch.' Yn ffyddlon i'w orchymyn, roedd ei weddw a'i phum plentyn yn awr ar eu ffordd i Utah.

Chwe diwrnod ar ôl gadael Plum Creek, cafodd Elizabeth fraw difrifol arall. 'Gwelais Indiad meddw yn dyfod tuag ataf yn tanio'i wn. Oerodd fy nghalon. Y tu ôl iddo deuai criw arall o Indiaid yn ceisio'i atal. Meddai'r dyn wrth fy ochr, "Paid ag ofni. Maent yn siŵr o'i ddal. Meddwyn yw e." Llewygais yn y man a'r lle, gan gwympo i'r llawr. Daeth dyn arall heibio a dweud, "Y mae hon wedi'i dychryn allan o'i chroen." A helpodd fi i'm traed.'

Ysgrifennwyd cofiant Elizabeth, sy'n cynnwys yr hanesion hyn, gan ei hwyres ym 1944, 17 mlynedd ar ôl ei marw ac 80 mlynedd ar ôl iddi groesi'r paith. I ba raddau y gellir ymddiried, tybed, mewn cofiant a ysgrifennwyd gyhyd wedi'r digwyddiad? Weithiau y mae'r cof yn chwarae triciau ac y mae'n anodd didoli'r gau o'r gwir.

Goroesodd fersiwn arall o ymosodiad yr Indiad meddw, sef fersiwn Thomas Cropper. Yr oedd Thomas yn 22 oed, yn brofiadol iawn ym mhethau'r paith ac yn un o'r dynion ifainc a anfonwyd i gyrchu'r ymfudwyr i Utah y flwyddyn honno. Ef ei hun a ysgrifennodd ei gofiant, ac y mae'n fanwl ac yn argyhoeddiadol. 'Wrth i ni yrru 'mlaen,' meddai, 'daeth pedwar Indiad tuag atom ar garlam gwyllt, un ohonynt o flaen y tri arall. Cydiodd pawb yn eu gynnau gan feddwl eu bod am ymosod arnom. Daliai'r Indiad oedd ar y blaen "shotgun" yn ei law a rhuthrodd i ganol ein rhengoedd, gan bwyntio'r gwn at y gwragedd a'r merched a gwneud iddynt sgrechian. Anelais ato a gweiddi allan i'n gyrrwr, James Jenkins, "Ddylwn i saethu?" Gwaeddodd ef yn ôl, "Paid saethu! Paid saethu!

Mae ei wn heb danio!" Yna daeth y tri arall ato a'i gymryd i ffwrdd. Yr oedd y creadur yn feddw.'

O gymharu'r ddwy fersiwn, y mae'n amlwg fod Elizabeth, yn ei henoed, yn cofio'r digwyddiad yn dda a'i bod wedi adrodd y stori yn gywir wrth ei hwyres. Er bod rhai manylion yn ei fersiwn hi ychydig yn wahanol i rai Thomas Cropper, yr un yw'r ddwy fersiwn yn y bôn.

Nid yw cofiannau'r hen bobl mor gywir bob tro. Ym mintai William Warren, gydag Elizabeth, teithiai Margaret Reese. Hanai hithau hefyd o Ferthyr Tudful ac yr oedd yn 19 oed, bum mlynedd yn hŷn nag Elizabeth. Fel yn achos Elizabeth, nid ysgrifennwyd ei hanes hithau tan ar ôl ei marwolaeth ym 1917. Dyma un o'i straeon hi o'r daith, fel y'i croniclwyd gan ei theulu. 'Un tro gwelodd ein harweinydd gwmni mawr o Indiaid yn dod tuag atom. Gweddïodd ar Dduw i'n harbed ac wedi gweddïo dywedodd, "Os byddwch ufudd i'm gorchmynion ni chaiff yr un ohonoch niwed." Yna dywedodd wrth y gwragedd a'r plant ddringo i mewn i'r wageni a chuddio eu hunain, ac i'r dynion gadw eu gynnau yn eu dwylo ond i beidio dweud gair ac i edrych yn syth yn eu blaenau. Pan ddaeth yr Indiaid i fyny atom ffurfiasant ddwy linell hir bob ochr i ni, gyda'u gwaywffyn hirion yn eu dwylo. Am dair milltir cerddasom ymlaen gyda'r Indiaid ar bob ochr i ni. Bob 'nawr ac yn y man byddent yn trywanu'r ychen gyda'u gwaywffyn ac yn tynnu gwaed, ond nid anafwyd yr un ohonom ni. Dair milltir ymhellach i lawr y trywydd daethom at olygfa frawychus – cwmni cyfan o bobl ar eu ffordd i Galiffornia i gyd wedi eu lladd, eu wageni wedi eu llosgi a phawb yn y cwmni'n farw. Helpodd fy nhaid gladdu 39 corff mewn un bedd hir. Yr un Indiaid oedd wedi cyflawni'r anfadwaith hwn.'

Y mae'n debyg mai disgrifiad dryslyd sydd yn y brawddegau olaf o'r ymosodiad yn Plum Creek. Y mae rhai ffeithiau fel pe baent yn canu cloch – mintai gyfan yn cael eu lladd, y meirw i gyd yn cael eu claddu yn yr un bedd. Ond nid oes unrhyw ddyddiadur na chofiant arall yn sôn am linellau hirion o Indiaid yn trywanu gwaed o'r ychen gyda'u gwaywffyn tra bod dynion y fintai yn edrych yn syth yn eu blaenau ac yn dweud dim. Tybed os nad atgof dryslyd o ymosodiad yr Indiad meddw sydd yma, a'r dynion a gafodd orchymyn i ymatal rhag tanio? Ond yr hyn sydd yn gyson yn stori Margaret ac yn storïau Elizabeth, ac ymhob stori arall am y daith i'r Llyn Halen ym 1864, yw'r ofn dirfawr o'r Indiaid, y nerfau wedi eu tynhau i'r eithaf a sŵn dannedd yn rhincian yn y nos.

Wedi pasio Fort Laramie yr oedd llai o fyfflo ac, o ganlyniad, llai o Indiaid, gan eu bod yn dibynnu arnynt am eu bwyd. Dechreuodd y fintai ymlacio. Yr oedd y gwaethaf drosodd. Ar y 7fed o Fedi daethant i'r gaer yn Deer Creek, y gaer lle gwasanaethai Hervey Johnson. Soniodd Hervey yn ei lythyr at ei deulu y mis hwnnw fod Sarah Larimer wedi dod i'r gaer. Sarah oedd y wraig a lwyddodd i ddianc pan gipiwyd hi gyda Fanny Kelly yng Nghyflafan Kelly a Larimer yn gynharach yn y flwyddyn. Yr oedd hi yno o hyd pan gyrhaeddodd Elizabeth ac roedd Elizabeth yn awyddus iawn i'w gweld. 'Lladdwyd ei gŵr a dygwyd ei meibion oddi arni. Y mae wedi colli'i phwyll ac yn agos at farwolaeth. Medrem ei gweld drwy ffenestr y caban. Meddyliais mai hi oedd y peth mwyaf truenus i mi ei weld erioed.' Mewn gwirionedd, roedd Sarah Larimer wedi dod dros ei phrofiad heb lawer o ôl-effeithiau, ei gŵr wedi gwella o'i anafiadau a'i fab yn ddiogel yn y gaer gyda hi. Ond yn nychymyg gor-ramantus Elizabeth, roedd wedi ei harteithio a'i threisio a'i chlwyfo am oes ac wedi dioddef 'tynged waeth nag angau!'

Bu'n rhaid i Elizabeth dyfu i fyny'n gyflym. Flwyddyn yn ddiweddarach yr oedd wedi priodi, a flwyddyn ar ôl hynny roedd yn fam. Ysgrifennodd ei hwyres yn y cofiant, 'Gofynnais iddi unwaith a oedd yn caru ei gŵr pan briododd hi ef, a hithau'n ferch ifanc, ramantus. Yr oedd hi'n 16 ar y pryd ac yntau'n 32. Atebodd nad oedd cariad rhyngddynt i gychwyn ond wrth i'r blynyddoedd fynd heibio ei bod wedi dod i'w garu yn fwy na'i bywyd ei hun.'

Ym mis Tachwedd, wedi i'r olaf o'r ymfudwyr adael y paith, anfonwyd carfan o filisia Colorado, dros 700 ohonynt, dan eu harweinydd, y Cyrnol John Chivington, i dalu'r pwyth yn ôl i'r Indiaid am eu hymgyrch yn nyffryn Platte yr haf hwnnw, ac i ddysgu gwers iddynt unwaith ac am byth. Ymosodwyd ar bentref o Cheyenne mewn lle o'r enw Sand Creek a lladdwyd tua 130 ohonynt, 30 o ddynion a thros 100 o wragedd a phlant. Gwnaethpwyd anfri bwystfilaidd i'r meirw – eu blingo a rhwygo'u perfeddion allan. Dywedwyd fod Chivington a'r rhan fwyaf o'i filwyr yn feddw ar y pryd.

Ffyrnigwyd yr Indiaid a dwysaodd eu hymgyrch yn erbyn y dyn gwyn. Yn Ionawr, ymosododd dros 1,000 ohonynt ar bentref Julesburg, un o'r cymunedau mwyaf yn Nebraska, gan losgi'r orsaf delegraff a gorsaf y goets fawr. Lladdwyd y 60 milwr yn y gaer ynghyd â 50 o bentrefwyr a ymunodd â hwynt i'w hamddiffyn. Crwydrodd yr Indiaid drwy ddyffryn Platte yn llosgi pob fferm a phob adeilad oedd heb eu llosgi ganddynt y flwyddyn cynt, ac yna yn Chwefror daethant yn ôl i Julesburg eto a llosgi gweddill y lle i'r llawr. Nid oedd yn amser da i fod yn ddyn gwyn ar y paith ac nid argoelai'n dda ar gyfer gweddill 1865.

1865

Y FLWYDDYN HON, PENDERFYNODD Brigham Young nad oedd am anfon y bechgyn a'u wageni i nôl yr ymfudwyr o'r Missouri. Y rhesymau swyddogol am y penderfyniad oedd bod cost yr ymfudiad yn drwm, bod prinder ychen yn y Dyffryn erbyn hyn a bod yr ymfudwyr yn araf i ad-dalu eu dyledion. Gwell ganddo, meddai, oedd gwario ar 'brysuro'r gwaith o adeiladu'r deml'. Y mae'n wir fod adeiladu'r deml yn brosiect cymhleth a chostus a bod y gwaith dipyn ar ei hôl hi. Dewiswyd y lleoliad o fewn dyddiau o gyrraedd y Llyn Halen ym 1847 ond y seiliau'n unig oedd wedi eu gosod erbyn 1862. Yna penderfynodd Brigham nad oedd yn hapus â safon y gwaith a gyflawnwyd, a gorchmynnodd i'w bobl ddymchwel y cyfan a dechrau eto. Y dyn a gyflogodd i oruchwylio'r gwaith o osod seiliau newydd oedd y Cymro cymhleth o Lanfair Talhaearn, Elias Morris.

Ond roedd rhesymau eraill dros beidio hybu'r ymfudiad ym 1865. Gwyddai Brigham fod y ffordd haearn yn mynd i ddisodli'r ychen a'r wagen yn fuan. Cychwynnwyd ei hadeiladu yr haf hwnnw, o Omaha yn y Dwyrain a Sacramento yn y Gorllewin, ac er mai dim ond 40 milltir a gwblhawyd yn y Dwyrain cyn y gaeaf, roedd argoelion gwych ar ei chyfer yn y flwyddyn ddilynol. Pan ddaeth y Rhyfel Cartref i ben yn Ebrill 1865, rhyddhawyd miliynau o ddoleri o gyfalaf i'w harllwys i'r prosiect, a miloedd o ddynion i weithio ar osod y cledrau. Yr hydref hwnnw gwelwyd dynion yng nghotiau hirion, llwydion byddin y De yn llafurio ysgwydd wrth ysgwydd â'r hen elyn yng nghotiau gleision byddin y Gogledd, yn uno eu gwlad unwaith eto, wedi rhwyg y pum mlynedd cynt, trwy gyfrwng y rheilffordd. Pan lofruddiwyd Lincoln, bum niwrnod wedi i Lee ildio i Grant, collodd y rheilffordd ei ffrind gorau, ond erbyn hynny roedd wedi codi digon o stêm i'w chario'n fuddugoliaethus i'w phen draw. O fewn tymor neu ddau gwyddai Brigham na fyddai raid i'r ymfudwyr gerdded mwyach drwy diroedd peryglus yr Indiaid, a bod dewis saffach a rhatach yn eu haros.

Ond y mae'n fwy posibl mai'r prif reswm dros benderfynu peidio ag anfon y wageni i'r Missouri ym 1865 oedd gwrthryfel yr Indiaid.

Gwadai Brigham hynny. 'Ni chaiff y Saint, yn eu cwmnïoedd disgybledig,' ysgrifennodd, 'dan arweiniad dynion cyfrifol a phrofiadol, unrhyw fath o drafferth.' Ond y gwir oedd fod yr Indiaid, yr haf hwnnw, yn creu ofn ac arswyd o un pen o'r Gwastatir Mawr i'r llall, a Mormon neu beidio, gwallgofrwydd fyddai annog pobl i groesi'r paith yn ddiangen. Ni chaniatâi'r fyddin i unrhyw fintai o lai na 50 wagen adael Fort Kearny a bu'n rhaid cau'r trywydd am gyfnod ar ddiwedd Mai. Yn niwedd Gorffennaf, ymosododd tua thair mil o Indiaid, dan arweiniad Crazy Horse, ymysg eraill, ar gaer fechan Pont Platte wrth droed y Rockies gan ladd 29 o'r 150 o filwyr oedd yn ei hamddiffyn. Cododd gwrthryfel o fewn ffiniau Utah hefyd, pan ymosododd llwyth yr Ute, o dan eu harweinydd Black Hawk, ar bentrefi'r Mormoniaid yn ne'r dalaith.

Ychydig o Saint, felly, oedd ar y paith ym 1865. Yn ôl y *Millennial Star*, papur yr achos yn Lloegr, gadawodd 1,301 o Saint Lerpwl y flwyddyn honno, yn cynnwys 540 o Loegr, 264 o Ddenmarc, 224 o Sweden, 79 o'r Alban, 75 o Gymru, 68 o Norwy, 17 o'r Swistir, tri Gwyddel, dau Almaenwr ac un Ffrancwr, ynghyd â 24 o Americanwyr ar eu ffordd adref. Ond yr oedd tipyn llai na hynny ar y paith. Yn ôl cyfrifiad yr Eglwys, dim ond tair mintai o ymfudwyr a groesodd, a'r rheini'n rhai cymharol fychan, 245 yn y fintai gyntaf yng ngofal Miner Atwood, 200 gyda Henson Walker yn yr ail ac ychydig yn fwy gyda William Willes yn yr olaf, cyfanswm o tua 650, hanner y nifer a adawodd Lerpwl. Llond llaw o Gymry oedd yn eu plith. Gwyddom fod y mwyafrif ohonynt wedi ymuno â'r fintai olaf o dan arweiniad Willes. Cofnodwyd enwau rhyw ddwsin: David Morris Davis a'i deulu o Gastell Nedd a Hopkin Jones a'i deulu, hefyd o Gastell Nedd; John Morse a'i deulu o Lanelli; a George Stokes, a fu'n Llywydd ar un o ganghennau'r De. Ni adawyd na hunangofiant na dyddiadur gan yr un ohonynt. Gwyddom iddynt gael taith gythryblus. Bu'n dymor gwlyb a stormus ac amharodd y llifogydd ar y paratoadau. Cofier fod Brigham wedi awdurdodi, ar ôl trychineb y fintai droliau ym 1856, 'na ddylid goddef dim un cwmni i adael afon Missouri yn ddiweddarach na'r dydd cyntaf o Orffennaf', ond roedd yn 15fed o Awst cyn i Willes adael. Collwyd amser ar y trywydd hefyd. Heb help y gyrwyr profiadol o Utah, rhaid oedd dibynnu ar yr ymfudwyr i yrru eu wageni eu hunain, fel yn y blynyddoedd a fu, a gwnaethant draed moch ohoni. O Fort Kearny, anfonodd Willes delegraff at Brigham yn cwyno am ei amgylchiadau. 'Annwyl Frawd, Daethom cyn belled â hyn ar ôl taith anodd o 23 diwrnod gan gwblhau dim ond 184 milltir oherwydd glaw trwm, gyrwyr dibrofiad ac anifeiliaid gwyllt. Dim ond un o bob tri o'n hieuau sydd wedi eu dofi. Y prif reswm dros ein harafwch yw henaint ein gyrwyr. Y maent i gyd yn fusgrell ac mewn gwth o oedran, heb unrhyw brofiad o drin ychen. Y Brawd Waylett oedd yr unig un a fedrai fy helpu i'w harneisio a'u rhoi yn yr iau, ac yn awr y mae ef yn rhy wael i wneud hynny, gan fy ngadael i wneud popeth fy hun, yr harneisio, dewis mannau gwersylla, gyrru dros bontydd peryglus, drwy bydewau mwd ac i fyny rhiwiau serth; oherwydd pan ddônt at y rhwystr lleiaf nid oes yr un o'r gyrwyr yn fodlon symud modfedd.'

Ar hyd afon Platte, yr holl ffordd i Julesburg, cydgerddai'r Saint â'r mapwyr a'r tirfesurwyr oedd yn marcio llwybr y rheilffordd. Dilynwyd hwynt gan gannoedd o labrwyr, yn symud tunelli o dywod a cherrig mewn berfa ar ôl berfa, i godi neu ostwng y tirwedd i'r marc. Yn araf, unionwyd llwybr i'r cledrau ar draws y paith. Arweiniodd hyn at gynyrfiadau seismig yn y farchnad dir. Denwyd buddsoddwyr a chyfalafwyr o bob math i'r dyffryn – pobl fel George Francis Train. Yr oedd hwn wedi gwneud un ffortiwn yn barod, yn prynu a gwerthu tir yn Omaha a Council Bluffs. Yn awr roedd ei lygaid ar wneud un arall. Sylweddolodd fod y rheilffordd yn mynd i alw yn Columbus a gwelodd ei gyfle. Pentref bychan o tua hanner dwsin o gabanau ar lan afon Platte oedd Columbus, ond roedd wedi ei leoli yn union hanner ffordd rhwng yr Iwerydd a'r Môr Tawel, yng nghanol yr Unol Daleithiau. Credai George Francis Train y byddai'r llywodraeth yn siŵr o leoli rhai o'i swyddfeydd gweinyddol yno ar ôl i'r rheilffordd gael ei gorffen. Gyda hynny mewn golwg, prynodd yr holl bentref. Ond roedd ganddo gystadleuaeth. Ychydig filltiroedd i ffwrdd roedd pentref bychan arall o'r enw Cleveland oedd hefyd yn ystyried ei hun yn ganolfan arfaethedig i lywodraeth yr Unol Daleithiau. Adeiladodd Cleveland westy crand ar gyfer y dynion busnes a'r gwleidyddion a oedd yn siŵr o ddod. Ni allai George Train ganiatáu'r fath gystadleuaeth. Yr haf hwnnw, yn fuan wedi i'r gwesty gael ei gwblhau, prynodd ef ac ychydig wythnosau wedyn gwelwyd yr olygfa ryfedda'n fyw, sef gwesty crand Cleveland, wedi ei osod ar olwynion a channoedd o geffylau a mulod yn ei dynnu, yn rhowlio i lawr y trywydd, ar ei ffordd i Columbus. Cwblhawyd y trawsgludiad yn llwyddiannus a gosodwyd ef yn daclus ar brif stryd Columbus. Yn y diwedd, ofer fu ymdrechion George. Ni ddaeth y llywodraethwyr i Columbus nac i Cleveland ac ni wireddwyd ei freuddwyd. Bu'n rhaid iddo adael y pentref heb wneud ail ffortiwn, ond cysurodd ei hun drwy fynd ar daith o amgylch y byd ac anfon disgrifiadau bywiog o'i anturiaethau yn ôl i bapurau America. Un o'i ddarllenwyr oedd Jules Verne, a symbylwyd hwnnw gan ei erthyglau i ysgrifennu *Around the World in Eighty Days*.

Parhâi'r Indiaid i boeni'r ymfudwyr. Un bore, a hwythau ddiwrnod neu ddau y tu hwnt i Fort Laramie, daeth mintai Willes ar draws penglog byfflo wedi ei osod mewn lle amlwg ar y trywydd. Arno yr oedd neges wedi ei chrafu mewn golosg. 'Medi 23. Gwersyllodd mintai Miner Atwood yma neithiwr. Pan oeddem wrthi'n codi'r pebyll aeth dwy o'r merched i lawr at y ffynnon i nôl dŵr. Cipiwyd un ohonynt gan Indiaid ac anafwyd nifer o'r dynion wrth geisio ei hachub. Ni lwyddwyd i'w hachub.' Ceir rhagor o fanylion am y digwyddiad yn nyddiaduron ac atgofion mintai Atwood. 'Yr oeddem newydd ryddhau'r anifeiliaid o'u hieuau ac wedi dechrau gyrru'r ychen a'r mulod i lawr i'r dŵr pan ruthrodd tua 15 o Indiaid i lawr o'r bryniau i ganol y gwartheg gan ubain a gweiddi. Yr oedd gan rai ohonynt ynnau a bwâu saeth. Taniasant at y gyrwyr a cheisio gwylltio'r anifeiliaid, ond rhedodd y rheini i gyfeiriad y gorlan ac ni lwyddodd yr Indiaid i gael gafael ar yr un ohonynt. Anafwyd saith o'r brodyr Sgandinafaidd a chymerwyd un chwaer ganddynt. Ni wyddom beth yw ei thynged. Ei henw yw Jensine Grundtvig.'

Un arall a ddisgrifiodd yr ymosodiad yn fanwl oedd Albert Wesley Davis. Bachgen ifanc 24 oed oedd Albert, o dras Gymreig. Ymfudodd ei deulu i America genedlaethau ynghynt. Ganwyd ei daid, David Davies, yn New Jersey ym 1789 a'i hen daid, Griffith John, yn Pennsylvania. Yr oedd Albert yn brofiadol iawn ym mhethau'r paith, wedi byw yn Utah oddi ar 1851 ac ar ei ffordd yn ôl yno ar ôl hebrwng ei ewythr i Omaha. Gwarchod yr anifeiliaid oedd yn pori allan ar y paith y tu hwnt i'r gwersyll yr oedd ef pan ymosododd yr Indiaid. 'Oddi tanaf yn y prysglwyn, dechreuodd yr Indiaid ubain fel dynion gwyllt a chlywais y gwersyllwyr yn gweiddi "Indiaid, Indiaid." Llwyddais i gael y mulod a'r ychen i ddechrau rhedeg i gyfeiriad y gwersyll. Wrth iddynt gyrraedd y gorlan daeth chwech o'r Indiaid ar garlam i lawr y bryn gan geisio troi'r anifeiliaid yn ôl heibio i mi. Yr oedd gennyf ddau bistol Colt arnaf, y ddau wedi eu llwytho. Tynnais un ohonynt a dechrau tanio at yr Indiaid, gan lwyddo i'w gyrru i ffwrdd o'r anifeiliaid. Pan gyrhaeddais y gorlan daeth y Brawd Romney ataf a rhoddais un o'r pistolau iddo ef gan ddweud wrtho am ei ail-lwytho cyn gynted ag y gallai. Wrth i ni gau'r anifeiliaid yn y gorlan dechreuodd y bobl weiddi bod mwy o Indiaid yn ymosod ar y gwersyll o'r ochr arall. Sbardunais fy ngheffyl a charlamu tuag atynt, ac wrth i mi ddod o fewn ergyd gwn iddynt, gwelsant fi'n dod a chan roi un ubain olaf troesant i ffwrdd a ffoi. Ymhellach i lawr y trywydd daethant wyneb yn wyneb â'r ymfudwyr nad oeddent eto wedi cyrraedd y gwersyll. Gwelais un yn cael ei amgylchynu ganddynt, ac wrth iddo geisio torri'n rhydd, saethwyd pum saeth i fewn iddo. Rhedodd i'r gwersyll a llwyddwyd i dynnu pedwar ohonynt allan ond roedd y bumed yn ei foch ac yn amhosibl ei symud. Daeth y Brawd Winberg ataf yn cario gefail bedoli gan ofyn i mi ddod i'w helpu i dynnu'r saeth allan. Daliodd ef ben y dyn a gafaelais i ym mhen y saeth gyda'r efail a chyda phlwc nerthol, tynnais ef allan o asgwrn ei ên.' Dyn handi iawn mewn argyfwng oedd Albert. Yn rhyfedd, nid yw'n sôn yn ei atgofion am golli Jensine. Dengys cofrestr y fintai fod Jensine yn 28 mlwydd oed ac yn teithio gyda'i gŵr, Frantz, a'i fab Severin, 7 oed. Ni welwyd hi ac ni chlywyd dim amdani fyth wedyn.

Oherwydd i fintai Willes gychwyn mor hwyr ac oherwydd iddynt gymryd eu hamser ar y trywydd, ni ddaethant at gaer Pont Platte tan y 25ain o Hydref. Yr oeddent 400 milltir o derfyn eu taith a'r gaeaf yn cau amdanynt. Ddeng mlynedd ynghynt bu mintai Martin mewn trafferth yn yr union le. Yma y dioddefodd y fintai honno am naw niwrnod yn yr eira, heb na bwyd na lloches, nes i'r achubwyr gyrraedd o Ddinas y Llyn Halen. I bob pwrpas, ymddangosai mintai Willes mewn gwaeth sefyllfa na mintai Martin. Yr oeddent wythnos yn hwyrach yn y flwyddyn yn cyrraedd, eu bwyd hwy hefyd ar fin gorffen ac ar y diwrnod hwnnw disgynnodd wyth modfedd o eira. Ond roedd ganddynt ddwy fantais fawr, sef wageni i gysgodi ynddynt ac, yn bwysicaf oll, y telegraff.

Wedi adeiladu gorsafoedd telegraff bob 15 milltir ar hyd y trywydd, anaml y byddai'r minteioedd allan o gysylltiad â gweddill y byd. Gwyddai pawb yn Ninas y Llyn Halen am hynt a helynt yr ymfudiad ar y paith. Darllenent negeseuon capteiniaid y minteioedd i Brigham Young yn ddyddiol yn eu papurau newydd, y *Deseret News* a'r *Semi-Weekly Telegraph*. Daeth y rhybudd cyntaf fod storm eira drom wedi taro'r fintai mewn neges o'r orsaf delegraff yng nghaer Pont Platte. Cyhoeddwyd hi yn y *Semi-Weekly Telegraph*. 'Cawsom ganiatâd caredig y Llywydd Young,' meddai'r papur, 'i osod y telegram a ganlyn o flaen ein darllenwyr. "Pont Platte, Hydref 27, 1865. Aeth mintai Willes heibio bedwar diwrnod yn ôl. Yr oedd y stoc mewn cyflwr gweddol a'r cwmni'n ymddangos mewn hwyliau da. Clywn yn awr eu bod wedi gwersylla yn agos at Willow Springs sydd bum milltir ar hugain oddi yma. Y mae'n debyg eu bod wedi eu dal mewn storm arw o eira, a bydd yn rhaid iddynt aros yno nes bod y sefyllfa'n gwella."' Cysylltodd y *Semi-Weekly Telegraph* â'r gorsafoedd telegraff yn yr ardal i gael gwybod mwy am y tywydd. Ymddangosai fod y storm yn parhau. 'Pont Platte. Y mae wedi bod yn bwrw eira yn drwm yma drwy'r bore ac yn gwneud hynny o hyd.' Yn hwyrach yr un diwrnod adroddodd yr orsaf ar bont Sweetwater fod Taylor, trefnydd yr ymfudiad y flwyddyn honno, gyda'i fintai achub, wedi mynd heibio ar ei ffordd i edrych am Willes, a chyhoeddwyd hyn hefyd yn y papur.

Un o'r gyrwyr yn y fintai achub oedd dyn ifanc o'r enw Heber McBride ac ysgrifennodd hwnnw ddisgrifiad bywiog iawn o'r achubiaeth. 'Hydref 24. Oer iawn. Aethom cyn belled â Devil's Gate ar afon Sweetwater. Y mae'r oerfel yn gwaethygu a'r gwynt yn chwythu'n gryfach. Hydref 25. Oer iawn eto y bore 'ma. Bwrw am awr neu ddwy ac yna troi'n eira. Y gwynt fel corwynt ac mor oer fel na all dyn sefyll ynddo'n hir. Aem yn ein tro i'r blaen i yrru'r anifeiliaid, ac yna yn ôl i gysgodi y tu ôl i'r wageni. Ni fedrem weld y llwybr yn glir, ac ar ôl iddi nosi aethom ar goll yn gyfan gwbl. Yr oeddem mewn pant dwfn, allan o'r gwaethaf o'r gwynt, a phenderfynasom aros yno. Cymerwyd pob blanced a chwilt oedd yn sbâr a'u lapio o gwmpas y ceffylau a'r mulod, i'w cadw rhag rhewi i farwolaeth, oherwydd yr oeddent yn chwysu gan i ni eu gweithio mor galed. Yna gwasgasom at ein gilydd yn un o'r wageni, gyda hynny o flancedi oedd ar ôl, i gadw'r oerfel allan. Hydref 26. Bore oer a chlir, 16 modfedd o eira ar lawr. Anfonwyd fi i lawr y dyffryn i chwilio am y llwybr, gyda gorchymyn i danio fy ngwn pe gwelswn ef. Collais olwg o'r wageni yn fuan, ond wrth i mi fynd yn fy mlaen aeth yr eira'n llai dwfn, ac ar ôl tua hanner milltir deuthum at y trywydd. Medrwn weld y llwyni uchel o chwerwlys bob ochr iddi. Rhoddais yr arwydd ac arhosais i'r wageni ddod ataf. Yna aethom ymlaen 12 milltir eto i'r lle y claddwyd fy nhad yn Hydref 1856.'

Does dim rhyfedd fod Heber mor barod i beryglu ei fywyd i geisio achub yr ymfudwyr oedd ar goll yn yr eira. Yr oedd wedi bod yma o'r blaen, yn aelod o fintai ddrylliedig Edward Martin ym 1856. Yn fachgen 12 mlwydd oed, yr oedd wedi gwylio'i dad yn marw yma yn yr eira. Yma, yr oedd ef a'i chwaer wedi gorfod cario'u mam a'u brodyr iau ar eu cefnau i ddiogelwch Devil's Gate. A dyna lle, naw mlynedd yn ddiweddarach, y daeth o hyd i fintai Willes, 'heb syniad beth i'w wneud,' ysgrifennodd Heber, 'oherwydd yr oeddent i gyd o'r Hen Wlad, heb arfer â'r math hyn o fywyd.' Gallasai fod wedi bod yn ysgrifennu amdano'i hun ym 1856.

Ysgrifennodd un o'r ymfudwyr am y fintai achub yn cyrraedd. 'Yr oedd y bwyd ar fin darfod. Yna, un bore, clywsom alw a gweiddi ac ofnem fod Indiaid yn ymosod. Ond y fintai o Utah oedd wedi cyrraedd, ac mor falch yr oeddem i'w gweld. Dywedwyd wrthym am ddal allan ein ffedogau ac fe'u llenwyd â thatws a nionod a llysiau eraill. A daethant â chig eidion hefyd. Y fath wledda a fu.'

Yr oedd eu llawenydd o gael eu hachub gymaint mwy cymedrol nag ymateb mintai Martin ym 1856. Nid rhyw lawenydd gwallgof, aflywodraethus oedd hwn, oherwydd ni fu mintai Willes yn y fath berygl â mintai Martin. Y gwahaniaeth rhwng 1856 a 1865 oedd y telegraff. Trwy gadw llygad ar y minteioedd ar y trywydd, cysylltu'n rheolaidd â'r swyddfa yn Ninas y Llyn Halen a galw am help yn gyflym pan oedd eisiau, gwnaeth y telegraff a'r telegraffyddwyr y trywydd yn llawer saffach lle. Ar yr 8fed o Dachwedd, derbyniodd Brigham Young y telegram yr oedd wedi bod yn aros amdano. Cyhoeddwyd ef wedyn yn y *Deseret News*. 'Bydd y telegram canlynol,' meddai'r papur, 'sydd wedi ei gyflwyno i ni i'w gyhoeddi gan y Llywydd Young, o ddiddordeb mawr i'n darllenwyr. "South Pass. Tachwedd 8fed. Bydd ein mintai yn gwersylla o fewn pum milltir i'r lle yma heno. Cawsom bopeth sydd ei eisiau arnom, ac anifeiliaid newydd hefyd. Miloedd o ddiolch. Willes.'"

1866

'Y MAE FY MEDDWL yn crwydro'r funud hon, a gwelaf fy hun eto fel yr oeddwn y diwrnod cyntaf pan gychwynnais dros y wlad fryniog honno. Yr oeddwn yn rhy hapus i gerdded. Rhedwn ar y blaen ac yna aros i'r fintai ddal i fyny â mi.' Nid oes neb wedi ysgrifennu am groesi'r paith gyda'r fath asbri a gorfoledd ag Evan Stephens. 'Yr ymfudiad o'r hen wlad i'r lle hwn, a thaith yr Arloeswyr ar draws y paith, yw'r holl gefndir i'm bywyd.' Deuddeg oed oedd Evan pan groesodd y paith gyda'i deulu ym 1866, bachgen difreintiedig o deulu tlawd ond yn llawn chwilfrydedd afieithus ac egni bachgennaidd. 'Wedi fy ngeni a'm magu mewn pentref hen ffasiwn... nid oeddwn wedi gweld llawer o'r byd pan gychwynasom am Ddinas y Llyn Halen. Bu'r daith dros y paith yn brofiad mor bleserus i mi fel na fedrwn gydymdeimlo o gwbl gyda'r rhai a'i teimlai'n fwrn.' Hwn, meddai, oedd profiad mawr ei fywyd, y profiad a liwiodd bob agwedd o'i yrfa wedi hynny. A gyrfa annisgwyl oedd hi hefyd. Datblygodd Evan ddoniau cerddorol a'i cododd i reng flaenaf ei gymdeithas. Pan oedd angen cerddoriaeth ar y Mormoniaid i ddathlu neu goffáu neu ogoneddu, at Evan y troent. Ef a gyfansoddodd 84 o'r 421 emyn yn eu Llyfr Emynau, ef a gyfansoddodd y gerddoriaeth i ddathlu cwblhau'r deml, ef a gyfansoddodd fwyafrif y caneuon yng ngwerslyfr canu ysgolion Utah, ef a gyfansoddodd eiriau ac alaw 'Utah, fe'th carwn', y gân a fu'n anthem y dalaith am gan mlynedd cyntaf ei hanes. Ef hefyd oedd y dyn a arweiniodd Gôr Tabernacl y Mormoniaid i enwogrwydd byd-eang ac i deithio i lwyfannau ar draws America.

Magwyd Evan ym Mhencader, y plentyn olaf mewn teulu o ddeg o blant. Gwas fferm oedd ei dad, yn bodoli ar ris isaf ysgol y gymdeithas wledig. Ychydig o addysg a gafodd. Cyn ei ddegfed pen-blwydd yr oedd yn cyfrannu i fywoliaeth y teulu fel bugail. Y mae'n debyg mai Dan Jones oedd yn gyfrifol am dröedigaeth y teulu, er na fedyddiwyd hwynt tan Orffennaf 1849, bum mis ar ôl i Dan Jones ddychwelyd i America ar y *Buena Vista*. Oddi ar hynny, am 15 mlynedd, bu'r teulu'n breuddwydio am gael ei ddilyn i Seion ond heb obaith o gynilo digon i dalu am y daith. Yna, yn nechrau'r

1860au aeth Thomas, y brawd hynaf, i lawr i'r De i weithio yn y pyllau glo ac erbyn 1863 yr oedd ganddo ddigon wedi ei gynilo i dalu am un tocyn i Utah. Ei fwriad oedd mynd ar ei ben ei hun ac ennill digon yno i ddod â gweddill y teulu drosodd. Ond gwangalonnodd ar y funud olaf, a thynnodd yn ôl, gan roi ei docyn i Ann, ei chwaer hynaf, i fynd yn ei le. Gwyddom iddi hi gyrraedd yn saff ac iddi gael gwaith fel gwniadwraig yng nghartref Brigham Young. Aeth Thomas yn ôl i'r De ac ymhen blwyddyn yr oedd ganddo ddigon i dalu am docyn arall, a'r tro hwn fe aeth ef ei hun. Gyda'i gilydd yn Utah, cynilodd Ann a Thomas ddigon i ddod â'u rhieni ac un plentyn allan atynt ym 1866. Benthyciwyd yr arian i ganiatáu i blentyn arall deithio gyda'r teulu ac, yn niwedd Mai, gadawodd Evan, ei frawd, Deio, a'i fam a'i dad am America. Yn teithio gyda hwy yr oedd un o'i chwiorydd hŷn, Mary, gyda'i gŵr a dau o'u plant, a daeth chwaer a brawd arall allan yn ddiweddarach.

Y mae'n glir fod y teulu wedi gadael eu paratoadau tan y funud olaf a bod trefniadau'r daith wedi eu rhuthro. Pan gyraeddasant y doc yn Lerpwl clywsant fod y Cymry wedi gadael fis ynghynt ar y *John Bright* ac, yn waeth, nad oedd lle iddynt ar yr *Arkwright*, llong olaf y Mormoniaid o Lerpwl y tymor hwnnw. Ond gwasgwyd hwy i mewn a rhoddwyd lle iddynt gysgu mewn caban ar y dec, un o'r lleoliadau brafiaf ar y llong. Yna, cawsant daith gymhleth ac araf o Efrog Newydd i'r man cychwyn ar y Missouri. Fel arfer, bargeiniodd asiantiaid yr Eglwys yn galed â'r gwahanol gwmnïau rheilffordd gan wasgu'r geiniog olaf ohonynt, a'r canlyniad oedd bod yr ymfudwyr wedi treulio pythefnos yn teithio o Efrog Newydd i Chicago drwy Montreal, yn newid trên yn ddi-baid ac yn aml mewn wageni gwartheg. Ar fwrdd y llong a gariai hwynt i fyny'r Missouri, gwnaeth Evan ei hun yn sâl drwy fwyta sbarion bwyd o fin sbwriel ar y dec. Pan gyrhaeddodd y teulu y gwersyll ymgasglu ym mhentref bychan Wyoming, lle cychwynnai'r ymfudiad y flwyddyn honno, nid oedd lle wedi ei gadw iddynt ym mintai'r Prydeinwyr a bu'n rhaid iddynt deithio mewn mintai o Lychlynwyr. Ond nid oedd dim yn amharu ar fwynhad Evan. 'Wrth gwrs, bachgen ifanc iawn oeddwn gyda mil o filltiroedd i gerdded a dau i dri chant o ferched Danaidd yn cyd-gerdded â mi. Sut medrwn fod yn anhapus? Collais y cyfle i ddysgu siarad

Saesneg wrth groesi'r paith ond yn lle hynny dysgais werthfawrogi a charu'r Llychlynwyr.'

Yn haf 1866 roedd sylw America gyfan wedi ei hoelio ar ddau 'ben y trac', pen draw'r cledrau, pen pellaf rheilffyrdd y Central Pacific a'r Union Pacific, un yn y Gorllewin, y llall yn y Dwyrain, lle chwysai'r gangiau o Tsieineaid yn y naill a Gwyddelod yn y llall yn gosod milltir ar ôl milltir o haearn ar draws y wlad. Erbyn hyn roedd y Central Pacific yn agosáu at gopa'r Sierra Nevada a'r Union Pacific yn gwthio ei ffordd tuag at y Rockies ar hyd dyffryn gwastad afon Platte. Symudai'r ddau ben yn araf tuag at ei gilydd, gan anelu i gyfarfod rywle yng nghanol y cyfandir ymhen dwy neu dair blynedd. Wedi rhwygiadau'r Rhyfel Cartref, dyma ddangos i'r byd fod gan America y sgiliau a'r cyfalaf, yr uchelgais a'r hyder a'r dyfalbarhad i gael y maen anferth hwn i'r wal. Chwyddai calonnau'r Americanwyr gan falchder wrth ddarllen yn eu papurau dyddiol am gampweithiau arwrol eu hadeiladwyr. 'Ânt ati â'r fath egni nas gwelwyd erioed o'r blaen yn hanes adeiladu rheilffyrdd yn y wlad hon nac mewn unrhyw wlad arall,' broliodd y *New York Times*. 'Gosodir milltir o drac mewn diwrnod a hynny drwy diroedd anghysbell, ymhell o ganolfannau datblygedig.'

Bob 30 eiliad codai 20 dyn ddwy o'r cledrau gyda'u gefeiliau o'r wagen y tu cefn iddynt, eu rhedeg ymlaen i 'ben y trac' ac yna, ar orchymyn, eu gollwng i'w lle ar y trawstiau a osodwyd i'w cynnal, gan adael pedair troedfedd ac wyth modfedd a hanner yn union rhyngddynt. Yna, cyn iddynt droi'n ôl am y nesaf, byddai gang arall o labrwyr wedi dechrau hoelio'r cledrau i'w lle ar y trawstiau. Dwy gledren bob hanner munud, pedair bob munud, 240 bob awr.

I gadw'r rhythm yma yn curo'n ddi-baid ar draws y cyfandir am fisoedd ar y tro, roedd angen miloedd o ddynion ychwanegol tu cefn i sicrhau'r cyflenwad angenrheidiol o gledrau a thrawstiau a hoelion. Bob dydd deuai trên ar ôl trên yn eu tro, wedi eu llwytho â'r anghenion hyn, a chant a mil o nwyddau eraill, i 'ben y trac' i ddadlwytho eu cargo. I gynnal 'pen y trac' a gwersyll y gweithwyr, yr oedd eisiau byddinoedd o beirianwyr a gofaint, seiri a chryddion. I fwydo'r dynion yr oedd eisiau byddinoedd eraill o gogyddion a phobyddion a chigyddion, gwarchodwyr i gadw'r Indiaid draw, doctoriaid i gadw'r labrwyr yn iach, cowmyn i edrych ar ôl y gyr mawr o wartheg a ddilynai'r wagen fwyd, fel bwtri symudol o gig ffres, helwyr i saethu byfflo i ychwanegu at y storfa gig, i gyd i gadw 'pen y trac' yn symud ymlaen filltir neu ragor bob dydd, yn gyflymach a chyflymach wrth i'r dynion berffeithio eu sgiliau a dod i arfer â'r gwaith. Allan ar y paith o'u blaenau roedd y gangiau'n paratoi gwely'r cledrau, yn unioni'r pantiau a'r bryniau, ac yn ôl yn Omaha a threfi eraill y Dwyrain yr oedd 7,000 arall wedi eu cyflogi gan yr Union Pacific, i weinyddu'r fenter, i edrych ar ôl yr arian, i gynllunio pontydd, i archebu'r cledrau a'r hoelion trymion, i ddod â'r nwyddau i fyny'r Mississippi i'r Missouri o bedwar ban byd ac i ofalu bod y cyfan yn cyrraedd 'pen y trac' ar yr union amser cywir, fel na fyddai rhythm y morthwylion fyth yn pallu. Erbyn diwedd y flwyddyn gwireddwyd broliant y *New York Times*. Yr oedd y labrwyr ym 'mhen y trac' wedi gosod 250 o filltiroedd o gledrau mewn llai na naw mis, mwy nag a osodwyd erioed o'r blaen mewn cyfnod tebyg unrhyw le yn y byd.

Yn ei atgofion y mae Evan yn disgrifio'r cynnwrf a deimlodd pan gafodd gip o 'ben y trac'. 'Ymhell i lawr yr afon gallwn weld rhagflaenwyr y byd newydd, cwmni mawr o ddynion yn gosod y rheilffordd a oedd i groesi America a disodli'r fintai ychen.' Nid yw'n disgrifio'n union lle y gwelodd ef, ond gellir casglu o'r adroddiadau yn y papurau newydd fod 'pen y trac' tua milltir neu lai i'r dwyrain o Fort Kearny ar yr 16eg o Awst pan oedd Evan yn mynd heibio. Erbyn mis Medi rhedai'r trenau'n rheolaidd o Omaha i Fort Kearny, un am un o'r gloch y pnawn a gyrhaeddai am 5.10 fore trannoeth ac un am saith yr hwyr a gyrhaeddai am 11.10. Un awr ar bymtheg a deng munud i wneud taith a gymerodd 25 niwrnod i Brigham Young a'r fintai arloesol ym 1847, 24 diwrnod i Thomas Jeremy ym 1855 a thua 14 diwrnod i Evan Stephens ym 1866.

Cafodd mintai Evan daith hawdd a didramgwydd, haws o lawer na nifer o finteioedd eraill y flwyddyn honno. Dioddefwyd profiadau erchyll gan y fintai o Lychlynwyr a adawodd y Missouri ddeng niwrnod ar eu holau, cynddrwg ag unrhyw beth yn hanes yr ymfudiad. Trawyd hwy gan yr hen elyn, y colera, a bu dros 100 o'r 400 farw. Ond ni ddaeth dim felly i amharu ar hapusrwydd Evan. Unwaith eto, y flwyddyn hon, anfonodd Brigham y 'bechgyn', gyrwyr ifainc y wageni 'lawr a 'nôl' o'r Dyffryn, i helpu'r ymfudwyr ar eu taith. Cyrhaeddodd y negeseuon telegraff oddi wrthynt i swyddfa'r ymfudiad yn Ninas y Llyn Halen, ac i'r papurau newydd, mor rheolaidd â churiad y morthwylion ym 'mhen y trac'. Ar yr 21ain o Awst anfonodd Rawlins, capten mintai Evan, neges o orsaf delegraff Alkali, ddeng milltir i fyny afon Platte Ogleddol. 'Popeth yn dda yn fy mintai. Teithio braf.' Yr 2il o Fedi, o orsaf Horseshoe Creek, 40 milltir i'r gorllewin o Fort Laramie: 'Popeth yn dda yn fy nghwmni. Teithio braf.' Yr 8fed o Fedi, o orsaf Fort Casper, 100 milltir ymhellach i fyny afon Platte Ogleddol: 'Fy mintai mewn cyflwr da. Teithio braf. Dim trafferth oddi wrth Indiaid.'

Caniatawyd i Evan, gyda gweddill y plant, y gwragedd a'r hen bobl, gerdded yn yr awyr glir o flaen y wageni. O'u blaenau, cadwai'r sgowtiaid olwg wyliadwrus am beryglon ar eu llwybr. Ymhell o'u holau, yng nghefn y fintai, cerddai'r lloi a'r gwartheg godro a'r ychen cloff yn y llwch. A rhyngddynt, mewn un gadwyn hir, y 65 wagen. Cofiai Evan am y blodau yn ei lwybr a'r bywyd gwyllt o'i gwmpas. Cofiai am hwyl y dawnsfeydd a drefnwyd yn yr hwyr gan y 'bechgyn'. 'Pan gwympai'r nos arnom, dewisem leoliad gwastad yn y gwersyll gan alw'r dyn â'r ffidil ymlaen i arwain y ddawns. Yna, gyda llawer o chwerthin, pwysai'r bechgyn ar i'r merched swil ymuno â hwy fel partneriaid mewn "cotillion", a chyda'r hogiau profiadol yn galw byddai'r ddawns yn fuan yn ei hanterth, a'r cyfarwyddiadau i "droelli'ch partner" neu "gerdded ymlaen" i'w clywed yn glir uwch sŵn y ffidil.' I fachgen 12 oed oedd newydd adael cartref tlawd a chefn gwlad llwm, ymddangosai'r hogiau yn ymgorfforiad o soffistigeiddrwydd a'r ffasiwn ddiweddaraf. Edmygai Evan hwy yn enbyd. 'Edrychent mor gryf a sionc a rhadlon yn eu hesgidiau mawr a'u jîns a'u crysau gwregys tyn a'r cadachau lliwgar o amgylch eu gyddfau a'u hetiau llydan.' Yn fuan, meddai, teimlai'n ddiogel a saff yn eu gofal o fewn y gorlan. 'Diflannodd yr ofn o deithio dros yr unigeddau, heb ymron yr un dyn gwyn arall yn byw o fewn mil o filltiroedd.'

Ymhen union ddeufis daethant i ddiwedd eu taith. 'O'r diwedd,' ysgrifennodd Evan, 'daethom i'r tro olaf yn y trywydd ac O! mor annisgrifiadwy oedd aruthredd yr olygfa a ddaeth i'n golwg. Yno, yn y pellter, fel gwydr ysblennydd, disgleiriai'r Llyn Halen ac, yn agosach atom, Ddinas y Llyn Halen a'i thai prydferth wedi'u gwasgaru drwy goedlannau gwyrddion o goed ffrwythau dirifedi. Dyma oedd uchafbwynt profiad gorau fy mywyd.'

Plentyn tawel, cymharol ddi-ddysg ac, i bob golwg, cymharol ddi-ddawn oedd Evan pan gyrhaeddodd Utah. Nid oedd llawer i'w wahaniaethu oddi wrth unrhyw blentyn arall yn y fintai heblaw am ei swildod a'i atal dweud. Ymgartrefodd y teulu gyda'u brawd a'u chwaer, Thomas ac Ann, yn Willard ac aeth Evan yn ôl i fugeilio defaid. Ond roedd côr da yn Willard, dan arweiniad Daniel Tovey, Cymro Cymraeg o Lynebwy a phartner Shadrach Jones yn y busnes adeiladu tai cerrig. Gwahoddwyd Evan i ymuno â'r côr ac, yn sydyn, ffrwydrodd ei ddawn gerddorol ryfeddol. 'Yr oedd fel petawn wedi cwympo dros fy mhen a'm clustiau mewn cariad,' meddai. 'Yr oedd y byd wedi ei greu o'r newydd. Cerddwn mewn rhythmau yn y caeau ac wrth ddilyn yr anifeiliaid clywn fiwsig ym mhobman.' Ymdaflodd ei hun i'w fyd newydd. Cymerodd wersi canu, cafodd afael ar lyfrau am y meistri a'u gweithiau, dysgodd chwarae'r organ ar offeryn bychan a brynwyd gan Thomas. Yn 17, pan symudodd Daniel Tovey o'r ardal, rhoddwyd i Evan y cyfrifoldeb o arwain côr bychan Willard.

Y côr mawr yng ngogledd Utah ar y pryd oedd côr Logan, a gŵr o'r enw Alexander Lewis, gynt o Ferthyr, oedd yr arweinydd. Clywodd am dalent a llwyddiant 'y bugail bychan' yn Willard a chyflogodd Evan fel organydd i'w gôr ef. Am dair blynedd bu Evan yn byw gydag Alexander, yn gosod i'r côr, yn cyfansoddi darnau ar ei gyfer ac yn ei arwain pan nad oedd Alexander yno. Dechreuodd roi gwersi canu a gwersi ar yr organ, a chynilodd ddigon i dalu am flwyddyn mewn coleg cerdd yn Boston. Daeth yn ôl i Ddinas y Llyn Halen a ffurfio ei gôr ei hun, cynhyrchu operâu a hyfforddi corau plant, cynnal cyngherddau a chyfansoddi yn ddiddiwedd. Ym 1890, ac yntau'n ddim ond 36 mlwydd oed, daeth galwad i arwain Côr Tabernacl y Mormoniaid, y fraint fwyaf i gerddor yn rhodd yr Eglwys, ac am y 26 mlynedd nesaf ef oedd y grym cerddorol mwyaf yn y wlad. Gwnaethpwyd ef yn arolygwr cerdd y Brifysgol, yna'n arolygwr cerdd holl ysgolion Utah, ac, yn y diwedd, yn arolygwr cerdd y dalaith.

Ond cofir amdano heddiw fel arweinydd Côr Mawr y Tabernacl. Cynyddodd leisiau'r côr o ychydig dros 100 i 400 a rhagor. Bu'n rhaid ymestyn y Tabernacl i gael lle iddynt i gyd. Aeth â'r côr i gystadlu i Eisteddfod Ffair Fawr y Byd yn Chicago ym 1893 a daeth yn ail i gôr o Scranton, Pennsylvania. Wedi hynny buont yn cystadlu a pherfformio mewn eisteddfodau a chyngherddau dros y cyfandir, yn Denver a Seattle a San Francisco, yn Efrog Newydd a'r Tŷ Gwyn yn Washington ac yn Ninas y Llyn Halen ei hun, yn eisteddfod 1895, yr eisteddfod fwyaf i'w chynnal yn yr Unol Daleithiau erioed, heblaw am yr un yn Ffair Fawr y Byd. Yr oedd Evan yn un o'r trefnwyr ac i gloi'r ŵyl, arweiniodd ei gôr mewn perfformiad o'r 'Hallelujah Chorus' o flaen cynulleidfa o 12,000. Gwahoddwyd Dr Joseph Parry, cerddor amlycaf y Cymry ar y pryd, i feirniadu yn nhrydedd eisteddfod genedlaethol yr Unol Daleithiau ym 1898, a cynhaliwyd eto yn Ninas y Llyn Halen, a daeth hwnnw'r holl ffordd o Gymru i gymryd rhan.

Parhaodd y profiad a gafodd ar y paith i'w ysbrydoli drwy ei oes. Yr oedd yn dipyn o fardd yn ogystal â chyfansoddwr, ac, er mawr bleser iddo, enillodd ar gystadleuaeth cyfansoddi libreto i gantawd ar y testun 'Arloeswyr Utah' yn eisteddfod 1895. Ni fedrai fod wedi cael gwell testun. 'Ym mhob un o'm cyfansoddiadau,' hoffai ddweud, 'y mae gronynnau bychain o chwerwlys.' Ychydig heddiw sy'n ei gofio. Ni fu amser yn garedig i'w gerddoriaeth. Y mae'r sentiment Fictoraidd sy'n nodweddu ei ganeuon yn anffasiynol erbyn hyn, a dim ond 17 o'i emynau sydd wedi cadw eu lle yn llyfr moliant newydd yr Eglwys. Disodlwyd hefyd yr anthem a gyfansoddodd i'w dalaith gan un â mwy o 'fynd' ynddi. Ond yn ystod yr hanner can mlynedd dros droad yr ugeinfed ganrif, Evan Stephens oedd prif gyfansoddwr ei bobl a'u harweinydd ym mhopeth cerddorol.

Y mae rheswm arall dros ei gofio. Ymfudwyr 1866 oedd y rhai olaf i gerdded yr holl ffordd o'r Missouri i'r Dyffryn, ac mae'n ddigon posibl mai Evan a'i deulu oedd y Cymry olaf i gyflawni'r gamp hon, gan iddynt groesi gydag un o finteioedd olaf y tymor. Dim ond tair mintai fawr ddaeth ar ôl Rawlins, sef minteioedd Nebeker, Scott a Lowry. Sgandinafiaid oedd y rhan fwyaf o'u haelodau ac nid oes golwg o unrhyw enwau Cymreig yn eu plith. Y flwyddyn wedyn byddai'r ymfudwyr yn teithio'r 300 milltir cyntaf yn y trên. I Evan, nid oedd cymhariaeth rhwng y ddwy ffordd o deithio. 'Pan ddaeth y rheilffordd a'r wageni Pullman cyntaf i Utah, nid oedd mwyach yn gamp i groesi'r paith. Ni châi'r rhai hynny a ddaeth yma wedyn o'r hen wlad, mewn tair wythnos, y llawenydd mawr a'r profiad digyffelyb a gawsom ni o groesi'r wlad wyllt a gogoneddus hon.'

Yr oedd maint yr ymfudiad Mormonaidd ym 1866 yn sylweddol. Croesodd 3,335 o Saint o Ewrop, mewn tair llong o Lerpwl, tair o Lundain a dwy o Hamburg, ac yn eu plith roedd 301 o Gymru. Teithiai'r rhan fwyaf o'r Cymry ar y *John Bright*, y llong gyntaf i adael, ac y mae pytiau o'u hanes wedi eu cadw.

Gadawodd Amos ac Ann Clarke a'u plant eu cartref yn Rhosllannerchrugog yn groes i ewyllys eu rhieni, ac ar fore eu hymadawiad cipiwyd eu plant a'u cuddio gan eu neiniau a'u teidiau, er mwyn eu cadw rhag gadael. Gohiriwyd ymadawiad y *John Bright* am ddiwrnod, ond ar y funud olaf daeth yr hen bobl at eu coed a dychwelwyd y plant.

Dywed David Prossor Jones o Frycheiniog fod plismyn wedi cribo'r trên yn Montreal yn chwilio am Ffeniaid. Tua phythefnos ynghynt, cynhyrfwyd Canada drwyddi pan arllwysodd 800 i 1,000 o gefnogwyr Iwerddon Rydd dros y ffin o'r Unol Daleithiau i gefnogi eu brodyr yn Iwerddon drwy ymosod ar y Prydeinwyr agosaf. Cyn diflannu yn ôl i'r Taleithiau, rhoddodd yr Americanwyr Gwyddelig gweir go iawn i 850 o filwyr Canada. Ofnai'r Canadiaid gyrch arall tebyg, gyda'r canlyniad fod pob trên a groesai afon Niagara o'r Unol Daleithiau yn cael ei archwilio'n ofalus. Ychwanegodd David Jones hefyd fod y wagen a gariai'r bagiau wedi mynd ar dân, a bod llawer o'r Cymry wedi colli eu heiddo. Yn ddiweddarach yn y daith bu'r trên mewn damwain arall a allai, yn ôl David Jones, fod wedi lladd llawer ohonynt oni bai i Dduw warchod Ei Saint.

Teithiai Edward Giles Roberts o Ddinas Mawddwy gyda'i wraig a'i ddwy ferch ym mintai William Chapman. Yr oedd ef yn ddigon cefnog i allu prynu ceffylau i dynnu ei wagen. Un noson ymosododd yr Indiaid ar y gwersyll gan saethu cawod o saethau i ganol y gorlan. Ofnai pawb am eu bywydau, ond ystryw ydoedd i'w cadw o'r ffordd tra bod gweddill y llwyth yn dwyn eu hanifeiliaid. Collwyd 90 o anifeiliaid y noson honno, gan gynnwys ceffylau Edward Roberts, a bu'n rhaid iddo ef a'i deulu gerdded gweddill y ffordd.

Ym mintai John D. Holliday yr oedd gŵr 49 mlwydd oed o'r enw John Evan Price. Teithiai gyda'i wraig, Ruth, a thri o blant.

Yr oedd hwn wedi ymuno â'r Mormoniaid 20 mlynedd ynghynt tra oedd yn gweithio mewn pwll glo yn Nyffryn Aman, ac wedi rhoi ei holl fywyd i'r Eglwys oddi ar hynny. Bu'n llafurio'n ddygn, yn pregethu a gwerthu tractiau ac yn cadw ei hun a'i deulu ar yr ychydig geiniogau a gâi gan ei wrandawyr. 'Sawl gwaith pregethais yn Llandeilo, lle drwg iawn am erlid y Saint, a thaflwyd cerrig atom a thatws a maip pydredig, a dywedwyd llawer anwiredd amdanom gan ddynion crefyddol. Sawl gwaith bu'n rhaid i mi ffoi a'r dorf ar fy ôl.' Cafodd alwad i gychwyn achos yn Llangadog, er iddo barhau i fyw yn Nyffryn Aman, ac am chwe mis dywed iddo gerdded yno ac yn ôl bob Sul, 30 milltir, trwy bob tywydd, dros y Mynydd Du. Yn y diwedd symudodd i'r ardal i fyw ond methodd â chael gwaith yno a bu bron iddo ef a'i wraig a'i blant lwgu. Buont fyw am fisoedd ar ddim llawer mwy na bara a dŵr. 'Ychydig ddyddiau wedi geni un o'r plant daliodd fy ngwraig annwyd trwm a chafodd boen yn ei choes a bu yn y gwely am fisoedd. Bu'n rhaid i mi edrych ar ôl y babi a phopeth arall yn y tŷ, y pobi a'r golchi. Euthum i Landyfân i nôl yr Henaduriad Benjamin Jones i weinyddu iddi [h.y. i'w heneinio â'r olew cysegredig] ac wrth i ni fendithio'r olew clywsom sŵn fel pe bai'r tŷ ar fin dymchwel, a chwympodd hanner ohono i lawr ar ein pennau. Cymerodd y Brawd Jones fy ngwraig yn ei freichiau a chymerais innau'r plant bychain. Dywedodd y Brawd Jones wrthyf wedyn fod y Diafol yn ceisio ein lladd.'

Druan o John Evan Price. Nid oedd dim ond anlwc a thlodi a salwch yn ei ddilyn i bob man. Gofynnai yn aml am gael ei ryddhau o'i gyfrifoldebau er mwyn iddo gael mynd i Seion, ond gwrthodwyd ei gais bob tro. Symudwyd ef i Dalgarth a bu'n pregethu yn Llangynidr, y Bwlch a Thal-y-bont ar Wysg. Un tro, roedd Mrs Powell, perchennog ei fwthyn, yn gwasgu am y rhent. 'Nid oedd gennyf geiniog. Cynigiais unrhyw beth a feddwn iddi. Gofynnodd am y mochyn. Cynigiais fy nghôt iddi yn lle'r mochyn a chymerodd hi. Felly euthum adref hebddi.' Cafodd ei drin yn galed gan swyddogion yr Eglwys. Dro ar ôl tro, addawyd ei ryddid iddo, a dro ar ôl tro, torrwyd yr addewid. Ond ni ddiffygiai ac ni surai John Evan. Yn ufudd i'w feistri, âi yn ôl at ei ddyletswyddau gan wynebu ychwaneg o dreialon.

O'r diwedd, ym 1856, caniatawyd iddo fynd i weithio i bwll

glo yn Aberdâr er mwyn codi'r arian i ymfudo. Wyth mlynedd yn ddiweddarach yr oedd ganddo £30, digon i anfon dwy o'i ferched, Ruth a Mary, 16 ac 14 oed, i America. Y flwyddyn ganlynol, aeth ef a gweddill y teulu cyn belled â Pittsburg, lle bu'n rhaid iddo aros am flwyddyn arall i godi rhagor o arian. Ond o'r diwedd, ar yr 16eg o Orffennaf, 1866, wedi 20 mlynedd o aros a dyheu, daeth yr awr i gychwyn ar gymal olaf ei daith hir, ac ar y 25ain o Fedi cerddodd i mewn i Ddinas y Llyn Halen gyda'r 350 arall yn ei fintai, a daeth Brigham Young i'w cyfarfod ac ysgwyd llaw â phob un ohonynt.

Yn y diwedd, gwobrwywyd John Evan am ei ufudd-dod a'i ffyddlondeb. Yn Utah, newidiodd ei lwc. Clywodd fod tir da i'w gael yn y gogledd ar y ffin ag Idaho yn nyffryn afon Malad. Yr oedd Brigham Young wedi teithio drwy'r ardal ym 1855 ac wedi sylwi ar lif dibynadwy'r dŵr a thyfiant bras y cnydau gwyllt yn y dyffryn ac wedi annog y Cymry i ymsefydlu yno. Erbyn i John Evan gyrraedd yr oedd cnewyllyn cymuned fechan wedi dod at ei gilydd. Galwyd y pentref yn Malad City ac ymsefydlodd llawer o deuluoedd Cymreig ynddo. Ond nid John Evan. Symudodd ef ymhellach allan i'r dyffryn gwag, gan hawlio ei 160 acer mewn darn anial o wlad wyth milltir y tu hwnt i Malad City. Ef oedd y dyn gwyn cyntaf i ymgartrefu yn yr ardal. Aeth yno gyda'i feibion yn nechrau Chwefror 1868, ac erbyn Ebrill, pan ymunodd gweddill y teulu â hwy, yr oeddent wedi adeiladu lloches gyntefig o dyweirch. Yr oedd yno ffynnon o ddŵr da a thyfai'r gwair 'hyd at fol ei geffyl' ar y gwastatir o'u cwmpas. Ddeufis yn ddiweddarach symudodd pedwar teulu arall atynt ac un o'r pethau cyntaf a wnaethpwyd oedd ffurfio cangen o'r Eglwys. Yna, yng ngwanwyn 1869, torrwyd camlas i ddod â dŵr i gaeau'r pentref. Yr hydref hwnnw sefydlwyd ysgol, gyda John Evan yn un o'r ymddiriedolwyr. Yr oedd 19 o deuluoedd yno erbyn hyn. Rhoddwyd yr enw Samaria ar y pentref gan un o uchel swyddogion yr Eglwys, oherwydd bod caredigrwydd y preswylwyr a'u haelioni i ymwelwyr yn ddihareb drwy'r dyffryn. Yna daeth melin goed a changen o'r Co-op a gofaint. Daeth gwesty a charchar a dau neu dri salŵn a siop gwneud hetiau merched. Rhedai'r briffordd o Utah i Montana drwy ganol y pentref. Cyn diwedd y ganrif yr oedd dros 800 o bobl yn byw yno.

Gadawodd mab John Evan ddisgrifiad o'i gartref yn y dyddiau

cynnar – y berllan yn dechrau cynhyrchu, y cychod gwenyn yn amlhau, nifer yr anifeiliaid yn y caeau oddi amgylch yn cynyddu'n gyflym. Bob hydref yr oedd ganddo lond seler o boteli o ffrwythau cadw – afalau a cheirios ac eirin – a photiau o fêl a llysiau o bob math wedi eu piclo, popeth yn adlewyrchu cynnydd a llwyddiant. Adeiladodd y tŷ brics cyntaf yn y pentref. Yn ddiweddarach, ef a brynodd y piano cyntaf, yr ystafell ymolchi gyntaf lle câi'r dŵr ei bwmpio o'r ffynnon i'r tap, y tyrbin cyntaf i gynhyrchu trydan, y car cyntaf yn y pentref a'r teleffon cyntaf. Ni fu John Evan byw i weld yr holl fendithion hyn a ddaeth i'w deulu, ond bu fyw'n ddigon hir i wybod ei fod wedi dod â hwy i hafan deg ar ôl oes dymhestlog.

Ym 1887 adeiladwyd camlas fawr o ddŵr o afon Malad i ddyfrhau rhagor o gaeau'r pentref, ac arwyddwyd y cytundeb i dalu am ei hadeiladu gan 23 o brif dirfeddianwyr Samaria: Richard Morse, Samuel Williams, David P. Davis, John Thomas, John Evan Price, David W. Davis, William W. Williams, Gomer Hughes, Charles Thomas, Owen Thomas, Joseph Morse, Thomas J. Davis, John E. Price yr Ieuengaf, James Griffiths, William Morse, Jeremiah Williams, William R. Thomas, Thomas S. Thomas, Samuel D. Davis, William E. Hawkins, Joseph Hawkins, Taliesin Hughes a John Davis – Cymry bob un ohonynt, heblaw'r ddau Hawkins. Yn ddiau, pentref Samaria sydd â'r hawl orau i alw ei hun yn gadarnle ysbrydol y Mormoniaid Cymreig, ond, pan gytunwyd ar leoliad y ffin rhwng Idaho ac Utah, dyfarnwyd fod Samaria yn Idaho, 13 milltir y tu allan i dalaith Utah!

Cymry oeddent a ymfalchïent yn eu tras ac a ymarferent eu hiaith. Apwyntiwyd Samuel Daniel Williams yn un o brif swyddogion yr Eglwys yn Samaria, er na fedrai siarad Saesneg. Ni fu raid i Eleanore Morris o Bencader, un o fydwragedd Dyffryn Malad, ddysgu Saesneg er iddi fyw yno am hanner canrif. Y mae digonedd o enghreifftiau tebyg. Credai John Jones Davies, a aeth allan ym 1876, fod y Gymraeg am fyw am byth ymysg y Mormoniaid. 'Yr ydym ni fel teulu yn meddwl parhau i siarad Cymraeg tra byddo ynom anadl einioes,' meddai mewn erthygl yn *Tarian y Gweithiwr* ym 1885. 'Y mae fy nau fab, Ifor a Thaliesin, yn parablu'r hen Omeraeg mor groyw heddiw ag erioed, er yn medru siarad Saesneg fel unrhyw Yankee. Ffolineb meddwl fod y Gymraeg yn marw yn America. Credaf fod mwy o berygl iddi farw yn gyntaf yng Nghymru.' Teimlodd Dr Joseph Parry, pan ddaeth i feirniadu yn Eisteddfod Dinas y Llyn Halen ym 1898, fod yr eisteddfod fel 'wythnos o Gymru yn y Rockies. Siaredir Cymraeg ar y strydoedd fel ym Merthyr ac Aberdâr.'

Ond byw mewn paradwys ffŵl yr oeddent. Yr oedd arwyddion digamsyniol drwy'r wlad fod y Gymraeg yn colli tir. Daeth Ann Williams, er enghraifft, i Samaria ym 1876 o Lan-non ger Llanelli. Cyfarfu ag Evan Jenkins yno a phan briodasant aethant i ffermio ar dir y tu allan i'r pentref. Cymraeg oedd iaith y cartref a Chymraeg oedd unig iaith y mab, Evan, pan ddechreuodd yn yr ysgol yn Samaria. Ond, oherwydd na fedrai siarad Saesneg, cafodd amser caled gan y plant eraill a phenderfynodd Ann ac Evan symud i mewn i'r pentref fel bod eu plentyn yn cael dysgu Saesneg yn gyflymach.

Yr oedd gan Anna Evans Jenkins lawer o ffrindiau Cymraeg eu hiaith yn Samaria. Cofiai ei hwyres sut y mwynhâi siarad a chwerthin gyda hwy yn Gymraeg. Hyd yn oed wedi iddynt ddod yn rhugl yn Saesneg, meddai, 'byddent yn troi'n aml i'r Gymraeg, os na fyddent am i'r plant eu deall'.

Ychydig iawn o gyfle oedd gan y Gymraeg mewn gwirionedd oherwydd ni châi gefnogaeth yr Eglwys. Byth oddi ar i John S. Davis, Thomas Jeremy a Dan Jones anfon eu llythyr i'r *Udgorn* ym 1856 yn annog y Saint Cymreig i siarad Saesneg, roedd tranc yr iaith yn Utah yn anochel. Galwyd ar y Cymry yng Nghymanfa Gyffredinol Merthyr y flwyddyn honno 'i ochelyd rhag teimladau cenedlaethol ac ymdrechu i ddysgu'r iaith Saesneg'. Gwyddai Thomas Jeremy yn union beth i'w ddisgwyl. 'Yr wyf yn llafurio dan gryn anfantais,' ysgrifennodd ar ddudalen flaen ei ddyddiadur newydd ym 1852, 'i gadw fy nyddiadur yn yr iaith Saesneg, a minnau'n Gymro. Ond gwnaf y gorau fedraf gan rag-weld y bydd fy nisgynyddion yn darllen ac ysgrifennu yn Saesneg.' 'Hiraethu wyf ym Mabilon,' medd pennill o'r cyfnod,

Hiraethu wyf ym Mabilon
Am fynd i Seion wiw,
Yn disgwyl am y newydd llon
Yn amser da fy Nuw.

Dywedai'r proffwyd Brigham Young
In English tounge so grand,
"A welcome you shall have among
The Saints in Zion's land."

Yn ei ddyddiadur cawn wylio Henry Jones, bachgen ifanc 18 mlwydd oed o Bencader, yn ceisio'i Seisnigeiddio ei hun wrth agosáu at Utah ym 1868. Prynodd y dyddiadur yn Llanelli cyn gadael am America. Am y deufis cyntaf y mae'n ymdrechu i'w gadw yn Saesneg. Ond ar y diwrnod y mae'n ymadael â Lerpwl llithra yn ôl eto i'r Gymraeg, gan ddisgrifio'r holl daith ar y llong dros yr Iwerydd ac ar y rheilffordd trwy America yn yr iaith honno. Ond yna, wrth groesi South Pass a chychwyn i lawr am y Llyn Halen, pan oedd o fewn ychydig ddyddiau i ddiwedd ei daith, y mae'n newid yn ôl eto i Saesneg, fel petai'n gwybod mai Saesneg fyddai'r iaith o hyn allan a bod yn rhaid iddo gydymffurfio. Yng ngeiriau'r emyn a ganwyd gan y fintai gyntaf wrth ymadael â Lerpwl ym 1849,

Plant ydym a anwyd i deyrnas y nefoedd.
Ni pherthyn gwlad Cymru ddim mwyach i ni.
Ar dir yr Amerig y mae'n hetifeddiaeth,
Cans yno mae'r Arglwydd yn galw ei lu.

Ni cheisiodd y Mormoniaid Cymreig, yn wahanol i'r Sgandinafiaid neu'r Almaenwyr, erioed gyhoeddi papur neu gylchgrawn Cymraeg yn Utah, a dim ond ar un neu ddau yn unig o'r cannoedd, os nad miloedd, o feddau'r Cymry yn Utah y gwelodd yr Athro Ron Dennis unrhyw eiriau Cymraeg. Ond fel y cawn weld yn y bennod olaf, y mae cwlwm neu ddau yn eu clymu i Gymru o hyd.

1867

PAN DDAETH Y RHYFEL Cartref i ben, gorfodwyd i olygyddion papurau newydd America edrych am ddeunydd newydd i lenwi eu colofnau. Ar hyd a lled America tyfodd diddordeb mawr yn nigwyddiadau'r Gorllewin Gwyllt a blagurodd cystadleuaeth ffyrnig rhwng y papurau am y storïau gorau a'r mwyaf diweddar o'r 'ffrynt' newydd hon. Ffrynt ydoedd a ddatblygai ar gyflymdra eithriadol. Yn hydref 1866, nid oedd tref North Platte, a oedd i'w lleoli ym man cyfarfod afonydd Platte Ogleddol a Platte Ddeheuol, yn bod o gwbl. Ond pan gyrhaeddodd gohebydd y *New York Times* yno yng ngwanwyn 1867, roedd dros 5,000 o bobl yn byw yn y dref a mwy na 100 o adeiladau ar eu traed, gan gynnwys gwesty cysurus. Hwn oedd terminws dros dro yr Union Pacific. Os oedd teithwyr am fynd yn eu blaenau i Denver neu Galiffornia rhaid oedd iddynt ddefnyddio'r goets fawr o hynny ymlaen.

Erbyn hyn yr oedd nifer y gweithwyr ar reilffordd yr Union Pacific wedi cynyddu i bron i 10,000 o ddynion. Peidiai'r gwaith dros fisoedd y gaeaf ac roedd llawer ohonynt wedi treulio'r misoedd hynny yn North Platte, heb waith dros dro, ond gyda phocedi'n llawn arian. Yn eu dilyn daeth ciwed beryglus i'r dref, ciwed o ddihirod y paith, pob math o gnafon a mân ladron, twyllwyr y byrddau cardiau, merched y stryd ac adar y nos o bob lliw a llun, yno i gyd gyda'r un pwrpas, sef troi cyflogau breision y labrwyr i'w pocedi eu hunain.

Ac nid yr adar brithion hyn, a'r rheilffordd a'u denodd, oedd yr unig gynnwrf ar Drywydd y Mormoniaid y gwanwyn hwnnw. Yr oedd gwrthryfel yr Indiaid yn parhau, a pharhâi'r fyddin i ruthro o un ymosodiad gwaedlyd i'r llall, yn awyddus i ddysgu gwers i'r Indiaid, ond yn cyrraedd, bob tro, ymhell ar ôl i'r olaf ohonynt ei heglu hi am y mynyddoedd. Darganfuwyd aur hefyd ar Drywydd y Mormoniaid, yn agos at South Pass, a thyfodd pentrefi o bebyll a chytiau unnos fel Miner's Delight ac Atlantic City yn yr anghyfannedd-dra hwnnw. Wrth i ragor o straeon am gymeriadau lliwgar y lleoliadau rhamantus hyn gyrraedd colofnau'r papurau yn y Dwyrain, cynyddodd y diddordeb yn y Gorllewin Gwyllt ac anfonwyd rhagor o ohebwyr allan yno ar hyd y rheilffordd newydd.

I ganol y berw hwn, yn gynnar yn y gwanwyn, daeth Cymro ifanc o Ddinbych, John Rowlands, neu Henry Stanley fel yr hoffai alw ei hun erbyn hyn. Nid oedd wedi dechrau arddel yr enw 'Morton' eto. Yn 26 oed, roedd newydd ei benodi i'w swydd gyntaf fel newyddiadurwr ar staff y *Missouri Democrat* ac yn ceisio'i orau i anghofio'i fagwraeth galed yn y wyrcws yn Llanelwy. Yn ei adroddiadau bywiog cawn awgrym pendant o'r doniau a aeth ag ef, o fewn pedair blynedd, i dywyllwch dudew yr Affrig i chwilio am Dr Livingstone ac oddi yno i enwogrwydd byd-eang. 'Y mae pob gamblwr yn yr Undeb fel pe bai wedi gwneud ei ffordd i North Platte,' ysgrifennodd. 'Yma mae pob tŷ yn salŵn a phob salŵn yn ffau gamblo. Ynddynt chwaraeant bob hapchwarae dan yr haul. Yma, am y tro cyntaf, caiff dyn ifanc fentro ar chwarae "Mexican monte", "high-low-jack", "strap", "rouge-et-noir", "three-card monte" a'r gêm Satanaidd honno, "chuck-a-luck", a cholli'r cyfan o'i bres. "Tria eto'r hen ddyn. Does dim byd fel ychydig o brofiad. Dysgu dy ffordd yn y byd wyt ti o hyd, yn de? Bydd yn ddyn."'

Tref aflonydd, fyrhoedlog, dros dro oedd North Platte, tref a ddilynodd y rheilffordd ar draws y paith. Gwersyll ydoedd i bob pwrpas, gwersyll a godai ei bac a symud ymlaen bob rhyw dri neu bedwar mis wrth i 'ben y trac' ruthro tua'r gorllewin. Dilynai'r lladron a'r puteiniaid y labrwyr a'u cyflogau breision. Yn North Platte, Julesburg, Laramie neu Benton, yr un salŵns oedd ar hyd y prif strydoedd, yr un perchnogion oedd yn eu rhedeg, yr un gamblwyr oedd wrth y byrddau, yr un merched yn dawnsio arnynt a'r un cwsmeriaid yn llifo drwy'r drysau. Hell on Wheels oedd yr enw a roddwyd ar y gwersyll.

Erbyn diwedd Mehefin yr oedd Hell on Wheels ar fin symud o North Platte i Julesburg, 85 milltir i lawr y lein, y lle a losgwyd i'r llawr gan yr Indiaid y tymor cynt. Aeth Henry Stanley yno ar ymweliad ychydig ddyddiau cyn i'r syrcas gyrraedd. 'Ar y foment, poblogaeth o ddeugain dyn ac un fenyw sydd i'r dref hon, os gellir galw pum pabell ac un tŷ bwyta ar hanner ei adeiladu yn dref. Ond erbyn yr wythnos nesaf bydd ganddynt bapur newydd o'r enw *The Frontier Index*. Mewn pythefnos bydd yma ddinas ac mi fydd y ddinas wedi ethol maer. Mewn tair wythnos bydd yma theatr. Ymhen y mis bydd y rheilffordd yn ei chysylltu â St Louis a Denver ac o fewn chwe wythnos, os yw'r cynlluniau brwdfrydig i'w coelio, bydd Julesburg yn brifddinas Colorado.'

Ddeufis yn ddiweddarach ymwelodd Stanley â'r dref am yr eilwaith. 'Rhyfeddwn at y cwmni o gwmpas y bwrdd cinio. Gwisgai pawb watshys o aur wedi eu bachu at gadwyni gwerthfawr. Yr oedd eu dillad o'r gorau a'u hesgidiau o'r *patent leather* drutaf. Credais mai cyfalafwyr mawr oeddent a synnais pan glywais mai peirianwyr a chasglwyr tocynnau a chlercod oeddent. Ar ôl bwyd, cerddais drwy'r strydoedd gan ryfeddu at dwf syfrdanol y dref ac egni ei phobl. Deuthum at neuadd ddawns wedi ei haddurno'n ysblennydd a'i goleuo'n llachar. Bron na chefais fy myddaru gan ei sŵn a'm dallu gan ei llewyrch. Yr oedd y llawr isaf yn orlawn a phawb yn siarad yn uchel a chyflym, gan ymddangos â'u bryd ar feddwi ac ofera yn unig. Y merched oedd fwyaf rhyfygus. Y maent yn eitemau drudfawr yma ac fe aiff cyfran dda o'r arian a wastreffir yn y lle hwn i'w pocedi hwy. Liw dydd, fe'u gwelir yn llithro drwy'r strydoedd cefn yn eu gwisgoedd *Black Crook* a'u *derringers* ffansi yn hongian o'u gwregys.' Ac nid addurn yn unig, meddai, oedd y pistolau bychain lliwgar yma. Gwyddai'r merched yn union sut i'w trin a gwae'r dyn a'u croesai. Yr oedd mynd mawr ar refolfyrs, a phob glaslanc yn cario un ac yn dynwared cerddediad di-hid y *bullwhackers*. Digwyddai llofruddiaethau yn aml ar strydoedd Hell on Wheels. 'Y mae dynion yma a fyddai'n mwrdro eu cyd-ddyn am bum doler,' ysgrifennodd Stanley. 'Yn wir, gwneir hynny'n aml. Nid oes diwrnod yn mynd heibio nad oes corff yn dod i'r fei rywle yn y cyffiniau.'

Lle tybed y cafodd Stanley yr addysg i sylwi a disgrifio fel yna? Ai yn y wyrcws yn Llanelwy? Y mae ganddo hefyd y reddf anhepgor honno sydd gan bob newyddiadurwr da o fod yn y lle iawn ar yr amser iawn. Ac yn bwysicach, y mae ganddo drwyn am stori. Yn gynharach ym 1867, llwyddodd i gornelu a chyf-weld Wild Bill Hickok. Nid oedd Wild Bill yn arwr nac yn enwog bryd hynny, ond gwelodd Stanley ddeunydd stori ynddo. Ei gwestiwn cyntaf iddo oedd, 'Dywedwch wrthyf, Mr Hickok, sawl dyn gwyn ydych chi wedi eu saethu?' 'Rhaid fy mod wedi saethu tipyn dros gant,' oedd yr ateb. Dechrau da i gyfweliad, er nad oedd gronyn o wirionedd yn ateb

Wild Bill. Ond fel y dywedodd y dyn papur newydd ar ddiwedd *The Man Who Shot Liberty Valance*: 'Yn y Gorllewin Gwyllt, pan mae'r chwedl yn troi'n ffaith, argraffer y chwedl.'

Yn y cyfnod hwn, ddiwedd y 1860au a dechrau'r 1870au, y crëwyd nifer o arwyr gwerin y Gorllewin Gwyllt a ddaeth ymhen amser, fel Wild Bill, yn enwog drwy'r byd. Lluniwyd hwy o ddefnydd crai digon simsan ar adegau. Ym mhentref Miner's Delight, er enghraifft, ar gyrion South Pass, ym 1867, trigai merch amddifad o'r enw Martha Jane Canary. Sugnwyd hi i mewn i fywyd llachar, didrugaredd Hell on Wheels ac yn ddiweddarach aeth i weithio fel sgowt i uned o farchoglu'r fyddin. Gorffennodd ei bywyd heb geiniog yn ei phoced, ac yn gaeth i alcohol, yn Deadwood, South Dakota. O'r bywyd blêr hwn y crëwyd Calamity Jane, yr arwres fytholwyrdd a fu'n swyno selogion y sinema fyth oddi ar hynny. Un arall a gyflwynwyd i'r byd ar yr adeg hon, wedi ei olchi a'i lanhau a'i ddiheintio'n ofalus, oedd yr hen sgowt Kit Carson. Seiliwyd rhai o'r straeon amdano ar ddigwyddiadau go iawn, ond nid bob tro, wrth gwrs, ac ni adawyd i'r ffeithiau fyth amharu ar y stori. Dangoswyd un o'i nofelau iddo unwaith. Ar y clawr roedd llun ohono'n gafael mewn merch brydferth ag un fraich, ac yn lladd hanner dwsin o Indiaid â'r llall. 'Wyt ti'n cofio'r digwyddiad yma, Kit?' gofynnodd rhywun iddo. 'Efallai iddo ddigwydd,' oedd ateb gofalus yr hen ŵr, 'but I ain't got no recollection of it.'

Crëwyd yr enwocaf o arwyr y Gorllewin Gwyllt ar ddiwrnod o haf ym 1869 a chwaraeodd y rheilffordd ran ganolog yn y stori honno hefyd. Y bore hwnnw disgynnodd gŵr o'r enw Ned Buntline oddi ar y trên yn North Platte a chrwydrodd draw at y gaer leol, Fort McPherson. Awdur nofelau antur oedd Buntline. Ysgrifennodd dros 400 ohonynt yn ystod ei yrfa – chwech ohonynt mewn wythnos – ac roedd yn y gaer i gasglu syniadau ar gyfer rhagor. Dechreuodd holi un o'r swyddogion ac, er mwyn cael gwared arno, anfonodd hwnnw ef i siarad â dyn ifanc a orweddai o dan wagen gerllaw. Honnodd hwnnw ei fod wedi ymladd Indiaid ar y paith, wedi marchogaeth i'r 'Pony Express', wedi brwydro yn y Rhyfel Cartref ac wedi lladd 4,280 o fyfflo i fwydo gweithwyr y rheilffordd, a hyn i gyd heb iddo eto gyrraedd ei 24 oed. Yn y man a'r lle, ganwyd Buffalo Bill.

Ymddangosodd yr hanesion am Wild Bill a Kit Carson a Calamity

Jane a Buffalo Bill mewn llifeiriant o nofelau rhad a gynhyrchwyd wrth eu miloedd o'r 1870au ymlaen. Ym Mhrydain adwaenid hwynt fel y 'penny dreadfuls', yn America fel 'dime novels' neu 'yellowbacks'. Eu darllenwyr oedd bechgyn a merched ifainc y ffatrïoedd a'r dinasoedd mawrion, a awchai am ychydig o ramant ac antur ac awyr iach yn eu bywydau. Gafaelodd y Gorllewin Gwyllt yn dynn yn eu dychymyg. Agorodd y rheilffordd orwelion newydd iddynt.

Ond y rheilffordd hefyd, ar yr un pryd, oedd yn dinistrio'r gorwelion hynny. Diflannodd y byfflo a gwthiwyd yr Indiaid ymhellach ac ymhellach o'u tiroedd hela traddodiadol. Yn ddiweddarach heliwyd y tyddynwyr bychain hefyd oddi ar y paith gan y 'barwniaid gwartheg' a ddefnyddiai'r trên i gludo eu hanifeiliaid i'r farchnad. Yn ddiweddarach eto, caewyd y paith agored a chodwyd ffensys weiren bigog ar draws yr hen drywyddau. Diflannodd minteioedd yr ymfudwyr hefyd, y wageni a'r ychen a'r colofnau hir yn y cymylau llwch, i gyd wedi eu disodli gan y trên. Yn eu lle, i ddiwallu anghenion pobl y dinasoedd, crëwyd byd o fythau a ffantasi, byd o ramant, wedi ei boblogi gan yr arwyr chwedlonol sy'n dal eu gafael yn ein dychymyg hyd heddiw.

Sylwodd Stanley hefyd ar y cannoedd o wageni yn ymgynnull yn North Platte i gyfarfod â'r ymfudwyr oddi ar y trenau. 'Mewn gwersylloedd ar gyrion y dref,' ysgrifennodd, 'saif 1,236 wagen, gwladfawyr ar eu ffordd i Idaho, pererinion ar eu ffordd i Montana fynyddig, y Saint Mormonaidd ar eu ffordd i Utah, i gyd yn ymfudo gyda'u gwragedd a'u plant a phopeth a feddant yn y byd. Trowyd y *prairie* yn ddinas o ganfas.' Er hynny, ychydig o Saint oedd yno o'u cymharu â'r blynyddoedd cynt. Nid anogodd Brigham Young iddynt ddod gan fod y daith yn addo bod gymaint yn haws wedi gorffen y lein ymhen blwyddyn neu ddwy. Dim ond 337 a adawodd Lerpwl, gyda 50 o Gymry yn eu mysg.

Ymunwyd â hwy gan Saint a fu'n gweithio yn y taleithiau dwyreiniol am gyfnod i ennill eu tocyn i Utah. Un ohonynt oedd Thomas John Davis o Gastell Nedd. Cyn dod i Utah yr oedd ef a'i wraig Elizabeth wedi byw yn Coaldale, Pennsylvania am 12 mlynedd, lle bu'n gweithio mewn pwll glo. Yno cawsant bedwar plentyn. Y Thomas John Davis hwn yw hen hen daid saith o arwyr modern y Gorllewin Gwyllt, nid arwyr 'penny dreadfuls' ac 'yellowbacks', ond arwyr EPs ac albyms, sêr pop chwedegau a saithdegau'r ganrif ddiwethaf. Gellid dweud iddynt hwythau hefyd greu dihangfa ramantus i bobl ifainc, rhywle i ffoi iddo o undonedd eu bywydau. Eu henw yw yr Osmonds.

Ychydig sydd yng nghofiant eu hen hen daid, Thomas John Davis, am y daith i Utah. Ar ôl cyrraedd, ymsefydlodd y teulu gyda'r Cymry yn Samaria ac adeiladodd Thomas gaban pren bychan, dwy ystafell, yn gartref iddynt i gyd. Bob gaeaf âi Thomas i Rock Springs yn Wyoming i weithio am dymor yn y pyllau glo er mwyn talu am welliannau ar y fferm. Yr oedd Elizabeth wedi gweithio yng Nghymru fel morwyn ac wedi dysgu sut i nyddu a gwau a gwneud dillad, sut i goginio a phobi ac, yn bennaf oll, sut i weithio'n ddiflino. Dywedir ei bod yn rhannu ei bara'n gyson gyda'r Indiaid a fyddai'n hela ac yn byw yn nyffryn afon Malad. Yn y caban bychan ganwyd iddynt dri mab arall. Yr hynaf ohonynt oedd y bachgen gwyn cyntaf i'w eni yn Samaria. Ond er eu gwaith caled, ni wellodd eu stad rhyw lawer. Y caban bychan pren oedd eu cartref tan ddiwedd eu hoes.

Pan fu farw'r ddau, Thomas ym 1891 ac Elizabeth ym 1903, yr oedd Samaria yn ei hanterth. Adeiladwyd ysgol newydd ym 1898, adeilad soled dau lawr wedi ei wneud o friciau. Yn fuan wedyn codwyd neuadd bentref o safon debyg. Agorodd John William Davis, mab hynaf y teulu, siop bob dim mewn partneriaeth ag Elias Morris. Elias, y mae'n siŵr, a gyfrannodd y cyfalaf a John William Davis y llafur. (Rhyfedd mor aml y mae enw Elias Morris yn codi mewn unrhyw fater yn ymwneud â'r Cymry!)

Pan fu farw ei rieni, daeth yr ail fab, Samuel, gyda'i wraig, Mary Ann, merch i deulu oedd yn hanu o Dalacharn, i fyw i'r caban. Collodd Samuel ei law yn bwydo'r injan ddyrnu un haf ond gallai gyflawni'r rhan fwyaf o dasgau'r fferm gyda'i stwmp – torri coed, llywio'r aradr, harneisio'r ceffylau a gyrru'r ychen. Gwnâi Mary Ann yr hufen iâ gorau yn y dyffryn. Agorodd barlwr i'w werthu ar y brif stryd, ac yno, ar nosweithiau o haf, deuai'r bobl ifainc, y merched yn eu ffrogiau gwynion ffasiynol gyda sash o las neu binc yn amgylchynu'r wregys, a'r bechgyn yn chwyslyd o'r diemwnt pêl-fas, i fwynhau 'ice-cream sodas' a 'sundaes' a 'sarsaparilla'. Parhaodd Samuel a Mary Ann i fyw yn yr hen gaban.

Daeth hyn i gyd i ben pan ddaeth y rheilffordd i'r dyffryn ym

1906. Bu cystadleuaeth ffyrnig rhwng Samaria a phentref cyfagos Malad City am y fraint o gael y cledrau i redeg drwy'u pentref a phan gollodd Samaria'r dydd, o'r foment honno, arafodd y bwrlwm yn y pentref a dechreuodd wywo. Ym 1925, ganwyd Olive, wyres Samuel a Mary Ann, yn yr hen gaban, yr olaf o'r teulu i'w geni yno. Yr oedd ei rhieni, Thomas a Vera, yn byw ar gyrion y pentref a daeth Vera i'r hen gartref, at ofal ei mam-yng-nghyfraith, i eni'r babi. Dyma'r drydedd genhedlaeth o'r teulu i gael ei geni yn y caban. Erbyn hyn roedd yr hen le'n flêr ac yn datgymalu a Samaria ei hun yn marw. Symudodd Thomas a Vera i Ogden, prif dref gogledd Utah, ac yno y tyfodd Olive i fyny a phriodi â gŵr o'r enw George Osmond a chael naw o blant – yr Osmonds.

Pan fu Samuel farw ym 1942, gwerthwyd yr hen gaban a bu'n wag am yn hir, yn pydru'n araf, hyd nes i Luke Waldron, athro ifanc yn yr ysgol uwchradd leol, gymryd diddordeb yn ei hanes, yn hanes y teulu a fu'n byw ynddo ac yn hanes y bobl fu'n byw yn yr ardal pan oedd Samaria ar ei mwyaf bywiog. Tynnodd yr hen gaban i ddarnau'n ofalus, gan rifo pob boncyffyn a marcio pob trawst, i alluogi ei ailgodi eto yn union fel y bu. Ugain mlynedd wedyn, pan fu farw Olive, ymddangosai fod cysylltiad y teulu â Samaria wedi dod i ben, ond dyna pryd yr aeth Luke ati i godi'r caban eto. Casglodd hen greiriau'r teulu – y piano, y peiriant gwnïo a'r stof – a dodrefnodd y ddwy ystafell fechan eto fel yr oeddent pan oedd Olive yn fychan. Daeth pobl o bobman – hyd yn oed o Japan – i'r agoriad ar y 3ydd o Fai, 2010. A'r prif wahoddedigion oedd plant Olive, sef aelodau'r grŵp – Alan, Merrill, Jay, Donny a Jimmy Osmond– a'r ddau frawd byddar, Virl a Tom. Methodd Wayne a Marie â bod yn bresennol. Eu gobaith i gyd oedd y byddai'r hen gaban yn sefyll am flynyddoedd eto fel teyrnged i Thomas John ac Elizabeth Davis o Gastell Nedd, a'u disgynyddion, ac er cof am yr hen gymuned Gymreig a fu unwaith yn ffynnu ar y llethrau hyn.

1868

PAN GYFARFU CLEDRAU'R DWYRAIN â chledrau'r gorllewin yn Utah yn nechrau Mai 1869 daeth 'Oes yr Arloeswyr' i ben. 'Edrychaf yn ôl ar fy nhaith i Utah a diolchaf i Dduw am gael y fraint o'i gwneud gyda wagen ac ychen,' ysgrifennodd un o ymfudwyr 1868. Bu bron iddo fethu'r profiad. Pe bai wedi gohirio ei daith am flwyddyn arall, byddai wedi gorfod teithio ar y trên yr holl ffordd. Wedi 1868, ni elwid yr ymfudwyr yn 'arloeswyr' ddim mwy. I deilyngu'r teitl hwnnw, rhaid oedd iddynt fod wedi croesi'r paith yn oes yr ychen a'r wagen, a 1868 oedd y flwyddyn olaf i gynnig y profiad hwnnw i'r Saint. Nid oedd angen yr un parodrwydd i fentro wedi hynny, na'r un dewrder na'r un ffydd.

Ond yr oedd un tymor eto, un tymor olaf iddynt drwytho eu hunain fel eu rhagflaenwyr yng ngwersi'r paith. Ar fwrdd y *Colorado*, y llong olaf i adael Lerpwl y flwyddyn honno, disgrifiodd Sarah Edwards o Rudbaxton, Sir Benfro, yn ei dyddiadur fel y daeth Franklin D. Richards, Llywydd y Genhadaeth Ewropeaidd, i annerch y cwmni cyn gadael. Atgoffodd hwynt fod dyletswydd arnynt, fel un o'r minteioedd olaf, i ddangos y rhinweddau hynny a fu'n cynnal pob mintai o'r cychwyn. Ni chaent le i guddio ar y trywydd, meddai. Allan ar y paith amlygid eu holl wendidau a datgelid eu holl ddiffygion. Ond y trywydd hefyd fyddai eu hathro a'u hysgol, a'r gwersi a ddysgent ar y paith fyddai hen wersi'r Saint – pwysigrwydd trefn ac ufudd-dod, sut i gydweithio'n effeithiol, sut i barchu ei gilydd, sut i aberthu cysur personol er lles y grŵp, un dros yr oll a'r oll dros yr un.

Yn nechrau'r tymor ymfudo roedd terminws yr Union Pacific yn Laramie, ymron i 400 milltir o derfyn y daith yn Ninas y Llyn Halen. Nid yr un lle yw hwn â'r enwog Fort Laramie a chwaraeodd ran mor lliwgar yn hanes cynnar y trywydd. Y mae'n gorwedd tua 100 milltir i'r de-orllewin o'r hen gaer; heddiw'n dref brifysgol barchus ond ym 1868 yn gartref Hell on Wheels. Pan gyrhaeddodd yr ymfudwyr yno yn niwedd Gorffennaf yr oedd yn lle peryglus i fod.

Bryd hynny, 'Big' Steve Long a'i ddau hanner brawd, Ace a Con

Moyer, oedd yn rheoli'r lle. Apwyntiwyd hwy yn ddirprwy farsialiaid oherwydd eu deheurwydd gyda'u pistolau a'u parodrwydd i'w defnyddio. Ond eu defnyddio i'w cyfoethogi eu hunain a wnaeth y brodyr. Anaml y byddent yn arestio drwgweithredwyr. Yr oedd yn haws ac yn llai trafferthus iddynt eu saethu'n gelain. Pan ddaeth Long, un noson, ar draws wyth dyn meddw yn ymladd tu allan i'r salŵn, lladdodd bump ohonynt er mwyn, meddai ef, 'cadw trefn'. Enw trigolion Hell on Wheels ar salŵn y brodyr oedd 'The Bucket of Blood'. Penderfynwyd yn y diwedd fod rhaid cael gwared ohonynt a phan gyhuddwyd 'Big' Steve o ladd un arall o frodorion 'Y Fwced Waed', rhuthrodd criw afreolus i mewn i'r salŵn, cipio'r tri brawd, mynd â hwy i gaban unig y tu allan i'r dref a'u crogi. Yn y ffotograff enwog a dynnwyd ar ôl y lynsio, y mae'r tri chorff yn hongian o drawstiau'r caban ac un ohonynt yn droednoeth. Cais olaf 'Big' Steve, y mae'n debyg, oedd cael diosg ei esgidiau oherwydd, meddai, 'arferai fy mam ddweud wrthyf y byddwn yn siŵr o farw ynddynt ac rwyf am ei phrofi'n anghywir'.

Y flwyddyn hon, unwaith eto, yr oedd y gwasanaeth 'lawr a 'nôl' ar waith. Yng nghanol Awst, pan gyrhaeddodd y wageni cyntaf o'r Dyffryn i gyfarfod â'r trenau a chasglu'r ymfudwyr, cyhoeddodd y *Frontier Index* bod 82 o bobl Hell on Wheels wedi ymddangos o flaen eu gwell yr wythnos honno, 'ar wahanol gyhuddiadau fel meddwdod, ymddygiad afreolus, tanio gynnau ac yn y blaen'. Cyhuddwyd mwy nag un ferch o drosedd ddifrifol 'cerdded y strydoedd wedi ei gwisgo fel dyn'. Nodwyd hefyd fod trysorydd Laramie wedi ffoi gyda holl arian y gwersyll a bod y maer wedi rhoi'r gorau i'w swydd. Codwyd gwersyll arbennig ar gyfer y Saint dair milltir y tu allan i Hell on Wheels a gwnaeth swyddogion yr Eglwys eu gorau i'w rhwystro rhag mynd yn agos at y lle. Brysiwyd i'w cael yn barod i adael. O fewn ychydig ddyddiau yr oeddent wedi eu rhannu yn bedair mintai daclus, wedi eu dosbarthu i'w wageni, wedi eu hyfforddi yn eu tasgau ar y paith ac yn barod i gychwyn. Ond profodd chwilfrydedd Zebulon Jacobs, un o'r gyrwyr o Utah, yn drech na'i ufudd-dod ac aeth i weld beth a welai yn Hell on Wheels. Y mae'n amlwg iddo gael ei syfrdanu. 'Credaf mai hwn yw'r lle mwyaf drwg o'i faint yn y byd,' oedd ei farn. 'Poblogir ef gan wehilion y cread o'r ddau ryw.' Barn un arall o'r Saint a fentrodd i'r gwersyll oedd ei 'bod hi'n hollol saff yno ond i chi gadw allan o ffordd y bwledi'. Allan ar y paith roedd temtasiynau eraill yn eu haros. Disgrifiodd Celestial Roberts, merch o dref Penfro, sut y deuai merched deniadol o'r gwersylloedd ar hyd y rheilffordd i gyfarfod â'r minteioedd i geisio dwyn eu dynion. 'Byddent yn addo bwyd da a llety cynnes ond ni themtiwyd yr un o'n bechgyn.' Cynghorodd eu capten hwy i gadw'n glir a pheidio stopio, ddydd na nos, nes iddynt roi pellter da rhyngddynt a'r gwersylloedd.

Er bod taith y minteioedd ym 1868 gryn 600 milltir yn fyrrach na'r daith o'r Missouri yn y blynyddoedd cynt, eto i gyd cymerai bron fis i'w chwblhau, digon o amser i ddyn ddysgu'r rhan fwyaf o wersi'r paith. Canai'r corn i'w deffro, fel y gwnaeth erioed, am bedwar o'r gloch y bore. Am bump disgwylid iddynt fod yn bwyta'u brecwast. Am hanner awr wedi pump gelwid y fintai gyfan i'r weddi foreol. Cyn saith yr oeddent ar y trywydd. Daeth y profedigaethau arferol i'w rhan. 'Ar y gwastatir sych, trochwyd ni o fore hyd nos mewn cymylau o lwch.' 'Un diwrnod pigwyd fi ar fy mawd gan sgorpion a phrofodd yn boenus tu hwnt ond agorodd un o'r gyrwyr y briw gyda'i gyllell boced a sugno'r gwenwyn allan a lapio baco wedi'i gnoi drosto ac ymhen ychydig ddyddiau roeddwn yn holliach eto.' 'Cwympais i'r afon a golchwyd fi i ffwrdd yn y llif a suddais ddwywaith ac achubwyd fi gan Eidalwr ifanc a bûm yn anymwybodol o wyth y nos tan ddau y bore.' 'Nid oedd un ohonom nad oedd yn ferw o chwain. Sgleiniai lluoedd ohonynt ym mhob gwnïad o'm trowsus.' 'Saethodd bachgen ifanc, tua ugain oed, ei hun ddoe. Yr oedd yn camu i fyny i'w wagen pan ddaliodd clicied ei wn yn yr harnais.' 'Wrth groesi afon Platte, boddwyd brawd ifanc o'r enw James Powell. Ef oedd unig fab ac unig gynhaliwr y weddw gloff, Sarah Powell. Torrwyd ei chalon yn lân.'

Ar fore'r pedwerydd diwrnod gwelwyd mintai o wageni gwag o'r Dyffryn yn dod i'w cyfarfod, ar eu ffordd i Laramie i gasglu mwy o ymfudwyr o'r terminws. Yr oeddent yn hwyr oherwydd iddynt ddioddef damwain ddifrifol wrth groesi'r afon Werdd rai dyddiau ynghynt. Sgubwyd rafft y fferi i ffwrdd yn y llif pan dorrodd y rhaff a'i tynnai dros yr afon, a boddwyd chwech o'r gyrwyr ifainc. Yn awr yr oeddent yn chwilio am chwech arall i gymryd eu lle, a galwodd y capten am wirfoddolwyr. Un o'r chwech a gamodd ymlaen oedd

Ben Perkins, bachgen o blwyf Llangyfelach oedd yn teithio i Utah gyda'i frawd a'i dair chwaer.

'Cynigiais fy hun fel un o'r gwirfoddolwyr,' meddai Ben yn ei hunangofiant hyfryd. 'Rhoddwyd fi yng ngofal tîm o ychen ond gan nad oeddwn erioed wedi gweithio gydag ychen o'r blaen, bu'n rhaid i mi gael help.' Yn ystod yr wythnosau nesaf dysgodd Ben wersi'r paith yn gyflym a thrylwyr. 'Ceisiwn fod ymysg y cyntaf i ddechrau harneisio yn y bore ond, fel arfer, fi fyddai'r olaf i orffen. Am yn hir, methwn adnabod fy anifeiliaid fy hun. Rhown y rhai anghywir yn y tresi a phan fyddai'r gyrwyr eraill yn methu canfod eu hanifeiliaid yn y gorlan, deuent draw ataf i a'u canfod, bron bob tro, yn fy ngwedd. Fel arfer, byddwn wedi rhoi'r anifeiliaid a ddylai fod ar y chwith ar y dde a'r rhai ddylai fod ar y dde ar y chwith, gan ennyn dirmyg y gyrwyr eraill, a'r ychen. Un bore, gyda'm chwe ychen yn daclus yn y tresi, fe'm rhwystrwyd rhag cychwyn oherwydd nad fi oedd piau un ohonynt. Byddai'r bechgyn eraill yn sibrwd ymysg ei gilydd i "gadw llygad ar y Cymro diawl yna"!

'Gan mai fi oedd y newydd-ddyfodiad byddent yn fwy na pharod i'm gorlwytho â dyletswyddau yn y gwersyll. Cyn gynted â bod fy anifeiliaid allan o'u tresi ar ddiwedd y dydd, llifai'r gorchmynion yn fynych o bob cyfeiriad. "Ben, cer i nôl dŵr." "Ben, cer i edrych am danwydd." Ar ôl wythnos cefais ddigon. Rhuais wrth un ohonynt yn fy Saesneg gorau, oherwydd medrwn siarad ychydig Saesneg erbyn hyn, "Go to hell!" Tynnodd ei gôt yn syth a gwneuthum innau'r un peth. Gofynnodd a oeddwn am sefyll wrth yr hyn a ddywedais ac esboniais, yn fy Nghymraeg a'm Saesneg bratiog, fy mod i'n golygu pob gair ohono. Cefais fwy fyth o drafferth wedi hynny a bu'n rhaid i'r "boss" fygwth "dangos i mi fy lle" yn aml.'

Yn Echo Canyon, 60 milltir o Ddinas y Llyn Halen, daeth Ben ar draws criw o Formoniaid yn gweithio ar y lein, yn lefelu a pharatoi'r gwely ar gyfer y cledrau. Gweithiai llawer o Formoniaid ar y rheilffordd yr haf hwnnw. Cyhyd â'u bod yn osgoi gwersylloedd 'Hell on Wheels', yr oedd Brigham Young yn fwy na pharod iddynt elwa drwy weithio i'r Union Pacific. Er bod y trên yn bygwth arwahanrwydd y Saint ac yn debygol o ddod â phob math o 'Fabiloniaid' i Utah, gwyddai Brigham fod ei ddyfodiad yn anochel ac nad oedd pwrpas ei wrthsefyll. Dadleuai fod manteision lu i'w hennill o'i groesawu ac, o'r cychwyn, buddsoddodd yn drwm yn y fenter. Ymysg y criw yn Echo Canyon daeth Ben ar draws llawer o'i hen ffrindiau o Gymru. 'Wedi i mi adrodd iddynt hanes fy nghamdriniaeth ar y daith, cefais drafferth i'w cadw rhag creu twrw ar fy rhan. Yr unig ffordd i'w tawelu oedd i mi addo aros gyda hwy yn eu gwersyll. Nid oedd yn hawdd darbwyllo'r "boss" i'm rhyddhau, ond pan ddeallodd mai fy mhwrpas oedd ennill digon o arian i gael fy rhieni a gweddill fy nheulu drosodd o Gymru, rhoddodd $40 a "bendith Duw" i mi ac addawodd y byddwn yn siŵr o ennill yr arian angenrheidiol ymhen dim.' Bu Ben yn gweithio ar wely'r rheilffordd yn Echo Canyon am chwe mis. Daeth ei frawd, Joseph, i weithio gydag ef, a'i frawd-yng-nghyfraith, John Evans, hefyd.

Hanai Ben o dras Formonaidd fawr ei pharch yn ne Cymru. Yr oedd yn nai i Joseph Thomas Perkins, a ddangosodd y fath ddewrder wrth helpu mintai Thomas Jeremy i groesi afon Big Blue ym 1855, ac yn ŵyr i Elizabeth Perkins, a wthiodd ei throl ym mintai Bunker ym 1856 yr holl ffordd i Ddinas y Llyn Halen a hithau'n 70 mlwydd oed. Gweithiai ei dad, William Pergrin, mewn pwll yn Nhre-boeth ger Abertawe. Pan ymunodd â'r Mormoniaid, collodd ei waith a rhoddwyd ef a'i deulu, sef ei wraig, Jane, a'i chwech o blant, gan gynnwys Ben, yn y tloty am gyfnod. Y mae cyfrifiad 1851 yn eu lleoli mewn tŷ yn Birchgrove, Abertawe. Erbyn hynny ganwyd rhagor o blant iddynt. Ym 1868, gadawodd chwech o'r rhai hŷn, gan gynnwys Ben, gyda'i gilydd am America.

Wedi'r gaeaf o waith caled ar y rheilffordd roedd gan Ben a Joseph a John Evans $900 mewn aur, digon i brynu tocynnau i weddill eu teulu, i'w mam a'u tad a'u brodyr, Hyrum a Daniel, a'u chwaer, Martha, a'u cefnder amddifad, Daniel. Ac roedd digon ar ôl i dalu am un tocyn arall. Ar ei ddiwrnod olaf yng Nghymru, wrth aros yng ngorsaf Abertawe am y trên i Lerpwl, roedd Ben wedi sylwi ar ferch ifanc yn eistedd gyferbyn ag ef. Yr oedd yn ei hadnabod yn dda. Mary Ann Williams oedd ei henw, merch 17 oed, aelod o'r un gangen o'r Eglwys ag yntau ac yn canu yn yr un côr. Aeth ati a'i gwahodd i ddod allan ato i Utah. Addawodd yr anfonai'r arian am docyn iddi pe bai'n penderfynu dod. Buont yn ysgrifennu at ei gilydd oddi ar hynny. Yng ngwanwyn 1869, derbyniodd Mary Ann yr arian am ei thocyn. Priodwyd hi a Ben yn yr hydref. Y mae ffotograff o Mary

Ann, a dynnwyd yn fuan wedi iddi gyrraedd America, wedi goroesi. Ynddo, mae hi'n ymddangos mor fregus â deilen grin, ond fel y cawn weld, yr oedd hon, fel ei gŵr, mor wydn â gwadn hen esgid.

Er mai dim ond 24 mlwydd oed oedd Ben, roedd wedi treulio 19 mlynedd o dan ddaear cyn gadael Cymru. Aeth i weithio i bwll glo pan adawodd y tloty a dyna lle bu nes iddo ymfudo. Ar ôl cyrraedd Utah, dewisodd waith yn yr awyr agored a bu'n gwarchod defaid ar fferm gydweithredol yn Cedar City am rai blynyddoedd. Ond roedd awydd am antur ynddo. Chwiliai am gyfle i ddefnyddio'r sgiliau a ddysgodd yn y pwll glo, ac ar y trywydd a'r rheilffordd, i brofi ei hun yn ei gartref newydd, ac ym 1879 daeth yr alwad. Dymunai awdurdodau'r Eglwys agor a datblygu darn o dir ar afon San Juan yng nghornel dde-ddwyreiniol y dalaith yn agos i Monument Valley, y lle rhyfeddol hwnnw a ddefnyddiwyd fel cefndir i gynifer o ffilmiau Hollywood, o *Stagecoach* i *Easy Rider*. Ond nid oedd ffordd hawdd o gyrraedd yno o'r gogledd. Byddai'n rhaid torri ffordd newydd trwy wlad anial na chroeswyd gan wageni erioed o'r blaen, 180 o'r milltiroedd garwaf a mwyaf creigiog yn y dalaith. Ac yn rhwygo ar draws eu llwybr yr oedd cwm dwfn y Colorado. Rywsut byddai'n rhaid croesi'r hafn honno hefyd. Galwyd Ben gan yr Eglwys i helpu â'r dasg beryglus hon.

Yr oedd Ben wrth ei fodd. Daeth â Mary Ann a'i bedwar plentyn gydag ef, yr hynaf yn 6 oed a'r ieuengaf yn ddim ond 4 mis, a gwahoddodd ei chwaer-yng-nghyfraith, Sarah – oedd newydd gyrraedd o Gymru – i ddod i helpu i ofalu am y plant. Galwyd ei frawd, Hyrum, hefyd, i ymuno â'r cwmni, a daeth â'i wraig, Rachel, a'i fab, George, gydag ef. Yr oedd 83 wagen yn y fintai, a thua 250 o bobl, gan gynnwys 90 o blant. Gan fod y cwmni'n bwriadu ymgartrefu yn Nyffryn San Juan wedi cyrraedd, carient eu holl eiddo yn y wageni, ynghyd â'u hoffer amaethu a'u hadau a'u planhigion. Yr oeddent hefyd yn gyrru dros 1,000 o wartheg. Gadawodd y fintai Escalante, y dreflan olaf ar eu llwybr, ar y 9fed o Dachwedd. Erbyn canol Rhagfyr, gwersyllent uwchben hafn y Colorado, yn edrych dros y dibyn at y creigiau serth a gwympai i'r afon bron filltir oddi tanynt ac yn ceisio dyfalu sut i gael y wageni i lawr. Gwaethygodd y tywydd, stormydd o eira a gwyntoedd rhewllyd. Yr oedd porthiant yr anifeiliaid yn brin a'r nentydd wedi rhewi'n gorn, ond ni feddylient am funud am droi'n ôl. Galwad a gawsant, oddi wrth Brigham Young, ac fel pob galwad debyg, ystyrient hon yn ddyletswydd nad oedd i'w hosgoi, yn fraint i'w derbyn, yn genhadaeth lawn mor gysegredig ag ymdrechion y cenhadon mewn gwledydd tramor. Yr oedd yn rhaid bod yn Nyffryn San Juan cyn y gwanwyn er mwyn paratoi'r tir a phlannu eu hadau.

Daeth Siôn Corn heibio i'r gwersyll ar fore'r Nadolig, fel y gwnaeth i bob cartref arall yn Utah, gan adael teisennau melys a theganau amrwd yn sanau'r plant. A'r noson honno, fel ar sawl noson arall, bu dawns a chân o gwmpas y tân. 'Un sy'n hoff o ddawnsio yw Ben Perkins,' ysgrifennodd un o'r cwmni. 'Pleser o'r mwyaf oedd ei wylio yn dawnsio jigs bywiog Cymreig.' 'Bendithiwyd y cwmni gan sawl cantor da hefyd,' ysgrifennodd un arall, 'yn eu mysg y brodyr Perkins a'u gwragedd a Miss Sarah Williams.'

Ond ni chaniatawyd i'r hwyl ymyrryd â'r gwaith. Daethant o hyd i hollt yn y graig yn arwain i lawr i'r lefel nesaf yn yr hafn, ond roedd yn rhy gul i ddyn wasgu ei ffordd drwyddi, heb sôn am wagen a cheffylau. Penderfynwyd felly i chwythu'r graig ac ehangu'r hollt, a chan bod gan y ddau frawd Perkins brofiad helaeth o ddefnyddio powdwr du yn eu hen alwedigaeth yng Nghymru, hwy gafodd y cyfrifoldeb o osod a thanio'r ffrwydron. Daethant i gael eu hadnabod gan y cwmni fel 'The Blasters and Blowers from Wales' a galwyd yr hafn yn 'Hole-in-the-Wall'. Chwythwyd adwy drwy hanner can troedfedd o graig, digon llydan i wageni fynd drwyddi. Oddi tani, disgynnai ychwaneg o glogwyni yn serth, droedfedd ym mhob dwy droedfedd, ar eu pen i'r afon.

Hanner ffordd i lawr roedd craig arall i'w choncro. Torrwyd sianel ddofn, lled olwyn, ar draws wyneb y graig hon, gan ddynion yn hongian ar raffau. Yna marciodd Ben res o dyllau o dan y sianel, un bob deunaw modfedd, a driliwyd hwynt, eto gan ddynion yn hongian ar raffau, i ddyfnder o ddeg modfedd yr un. I'r tyllau hyn curwyd polion o dderw ac yna gosodwyd prennau a slabiau o gerrig ar y polion, gan ffurfio silff gadarn, digon llydan i gymryd wagen. Yr oedd olwynion mewnol y wageni i ddod i lawr yn y sianel a gerfiwyd yn y graig a'r olwynion allanol ar y silff. Galwyd y darn hwn o'r trywydd yn 'Uncle Ben's Dugaway' ar ôl Ben Perkins. Tra bod y gwaith yn mynd yn ei flaen ar y graig yr oedd criw arall yn adeiladu rafft i groesi'r afon a chriw arall eto yn gweithio ar y ffordd i fyny o'r afon yr ochr draw.

Erbyn y 26ain o Ionawr, ymddangosai fod popeth yn barod. Arweiniodd Ben ei wagen at yr hollt. Gŵr o'r enw Kumen Jones oedd i'w gyrru, mab Thomas Jones o Benderyn a Sage Treharne o Langyndeyrn, aelodau o'r criw a hwyliodd gyda Dan Jones ar y *Buena Vista* ym 1849. Bu Sage yn anllythrennog am ymron i 50 mlynedd ond dysgodd ysgrifennu er mwyn anfon llythyrau at Kumen yn Nyffryn San Juan. Nid oedd gwell dyn na Kumen i arloesi'r ffordd beryglus hon. Bu'n trin ceffylau allan ar y paith drwy'i oes, yn gweithio yn y tywydd garwaf ac o dan yr amodau gwaethaf. Yn bwysicach efallai, nid oedd gwell gwedd na'i wedd ef. Rhoddwyd y ceffylau dibynadwy yn eu harnais, clowyd yr olwynion cefn gan gadwynau fel na throent, clymwyd rhaffau hirion i gefn y wagen a gafaelodd deg neu ragor o ddynion ym mhob un. Llithrodd y wagen dros y grib yn araf, drwy'r hollt yn y graig, ac i lawr 'Uncle Ben's Dugaway'. Ni chafwyd unrhyw drafferth, a dilynwyd hi cyn diwedd y dydd gan 26 o wageni eraill. Ddeuddydd wedyn, roedd yr 83 i gyd wedi croesi ac nid oes sôn bod yr un o'r wageni wedi dymchwel nac unrhyw aelod o'r fintai wedi brifo.

Ond roedd 120 o filltiroedd i fynd eto cyn cyrraedd eu cartref newydd, drwy wlad lawn mor anodd ei chroesi â'r hon a adawyd o'u holau. Cymerodd wythnos iddynt ddringo allan o'r hafn. O'u blaenau gorweddai, yng ngeiriau un o'r teithwyr, 'y tir garwaf i chi ei weld erioed, dim byd ond creigiau a thyllau, rhychau a rhiwiau'. Rhwygwyd y mynyddoedd moel gan welyau afonydd sychion. Ar adegau roedd eisiau saith neu wyth iau o anifeiliaid i symud y wageni a llithrent yn afreolus ar y creigiau llyfnion wrth geisio symud. A hyn i gyd yn nannedd gaeaf caled, pan orweddai haen o rew a lluwch o eira dros lawer o'u llwybr. Ni chyrhaeddodd y fintai ben ei thaith tan y 5ed o Ebrill, chwe mis wedi gadael Cedar City. Chwe mis i deithio 200 milltir! Dyna pa mor galed oedd hi. Heddiw, y tu allan i bentref Bluff, lle'r ymsefydlodd y rhan fwyaf o'r cwmni, y mae cofeb ac arni'r geiriau hyn: 'Y mae'r gofeb hon yn coffáu dynion, gwragedd a phlant Cenhadaeth San Juan, a ddaeth i'r lle hwn ym 1880 ar alwad eu heglwys. Gorchfygodd yr arloeswyr hyn rwystrau enbyd, gan adeiladu ffordd drwy un o'r ardaloedd gwylltaf a mwyaf creigiog yng Ngogledd America. Ni thorrwyd llwybr erioed trwy diroedd mwy diffaith, garw a digroeso. Ni ddangoswyd erioed y fath ffydd, dewrder a defosiwn.'

Ar ôl ymladd eu ffordd i Ddyffryn San Juan bu'n rhaid ymladd wedyn i wneud bywoliaeth yno, ymladd yn erbyn gwres eithafol, llifogydd cyson, pridd gwael ac ymosodiadau gan Indiaid. Ond yn y diwedd, bu'r pentref yn llwyddiant a threuliodd Hyrum Perkins weddill ei oes yno. Nid felly Ben. Yr oedd antur beryglus arall yn ei wynebu ef. Rhoddodd ef ei fryd ar ennill ei chwaer-yng-nghyfraith, Sarah Williams, fel ail wraig, er mai Methodist Calfinaidd Cymreig oedd hi pan gychwynnodd ar y daith i Ddyffryn San Juan.

Gŵr diddorol oedd ei thad, Evan Williams. Nid oedd yn Formon pan aeth i Utah, er ei fod ef a'i wraig wedi bod yn aelodau ar un adeg. Collodd ei ffydd a gadawodd yr Eglwys ond parhaodd ei wraig yn ffyddlon ac yr oedd Evan yn hapus i groesawu'r Saint i'w dŷ yng Nghwm-bach, ger Aberdâr. Yr oedd ganddo swydd bwysig yn y pwll yno, yn gyfrifol am osod a chynnal y pyst a gadwai'r to yn ei le. Yr oedd hefyd yn un o sefydlwyr y Co-op yng Nghwm-bach, y Co-op llwyddiannus cyntaf yng Nghymru. Yr oedd hefyd yn ŵr llengar ac yn un o'r dynion a fynychai orsedd hynod Myfyr Morgannwg ar y comin uwchlaw Pontypridd. Ac ym 1871 mentrodd ar antur fwyaf ei fywyd. Dilynodd John Hughes i Rwsia. John Hughes oedd sylfaenydd y diwydiant haearn yn y wlad honno, a bu Evan yn gweithio iddo yn Hughesovka, y ddinas a grëwyd gan Hughes yn yr Wcráin, ac sydd heddiw â'i henw wedi newid i Donetsk. Ond erbyn 1879 yr oedd yn ŵr gwael, yn dioddef o wendid ar ei ysgyfaint. Cynghorwyd ef i chwilio am hinsawdd sychach a phenderfynodd fynd â'r teulu allan at ei ferch, Mary Ann, yn Cedar City. Ychydig fisoedd wedi iddynt gyrraedd, gadawodd Mary Ann am Ddyffryn San Juan a mynd â Sarah gyda hi.

Profodd y treialon a'r buddugoliaethau ar y trywydd i Bluff yn drobwynt ym mywyd Sarah. Teimlai yn un â'r fintai. 'Yr oedd rhywbeth ar goll yn fy mywyd cynt ac ni wyddwn beth ydoedd. Po fwyaf yr oeddwn yn eu cwmni, y mwyaf y deuthum i gredu mai Mormoniaeth oedd yr ateb i mi. Agorwyd fy llygaid yn araf yn ystod y daith. Deuthum i gydnabod, fesul tipyn, y pethau hynny na wyddwn fod arnaf eu heisiau. Rhyfeddwn at yr undeb o fewn y criw, eu hapusrwydd, er nad oedd ganddynt lawer o gyfleusterau bywyd. A'u tystiolaeth. Cymerwn ddiddordeb mawr yn eu tystiolaethu. A gwnaeth eu hemynau argraff ddofn arnaf hefyd. Darllenais hwy drosodd a thro.' Ym Mehefin bedyddiwyd hi yn nyfroedd afon San Juan.

Ond yna dechreuodd Ben drafod priodas amlwreiciol gyda hi a sôn am ddisgwyliadau'r Eglwys a'i dyletswydd hi. Flynyddoedd yn ddiweddarach disgrifiodd Sarah ei theimladau cymysglyd i'w mab-yng-nghyfraith a chroniclodd ef hwy yn ei gofiant iddi. 'Cynghorwyd Ben i gymryd ail wraig gan un o uwch-swyddogion yr Eglwys ac ni fedrai ei anwybyddu. Poenai yn fawr am y peth. Wedi ymprydio a gweddïo am arweiniad aeth at ei wraig, Mary Ann. Gwyddai hi am gyngor yr arweinwyr a theimlai na ddylai Ben eu gwrthod, ond pan sylweddolodd fod Ben yn ystyried ei chwaer ei hun, oedd 16 mlynedd yn iau nag ef, fel ail wraig, methodd guddio ei phoen a'i gofid.'

Aeth Sarah yn ôl i Cedar City yn haf 1881. Bu'n trafod ei sefyllfa â phenaethiaid yr Eglwys yno a phwysleisient hwy bwysigrwydd amlwreiciaeth yn y ffydd. 'Ond,' meddai ei mab-yng-nghyfraith yn y cofiant, 'gwyddai Sarah y gwewyr y byddai hyn yn ei beri i'w chwaer. Yr oedd yn gyfnod tu hwnt o boenus i Sarah a Mary Ann; yn wir, i'r tri ohonynt, oherwydd ni chafodd Ben amser hawdd. Yr oedd cymaint i'w ennill a chymaint i'w golli gan y tri ac nid oedd ym meddwl yr un ohonynt frifo'r naill na'r llall. Flynyddoedd wedyn, dywedodd Sarah mai Ben, dybiai hi, a ddioddefodd fwyaf.'

Yn yr hydref, daeth Ben a Mary Ann a'r plant yn ôl i Cedar City. Yr oedd yn amser i Sarah benderfynu. Meddai'r cofiant: 'Teimlai Sarah barch mawr tuag at Ben ond ni theimlai ei bod mewn cariad ag ef.' Y mae'n arwyddocaol na chyfeiriai hi ato drwy'i hoes fel unrhyw beth ond 'Y Brawd Perkins' – byth 'Ben'. 'Er hynny, fel aelod newydd ac eiddgar o'r Eglwys, ystyriai hyn yn llai pwysig na gwneud y peth y credai hi oedd ei dyletswydd.'

Hwn oedd cyfnod anoddaf bywyd Mary Ann hefyd. Dyheai am gael ufuddhau i orchmynion yr Eglwys ond ni fedrai dderbyn ei chwaer fel ail wraig i'w gŵr. 'Tri unigolyn mewn ansicrwydd dirdynnol yn ceisio gwneud y peth iawn,' meddai'r cofiant.

Bu Sarah yn ceisio cyngor ei rhieni. 'Nid oedd neb yn fwy hoff

o Ben na hwythau, ond gwrthwynebent yr ail briodas yn ffyrnig.'
Meddai'i dad, 'Dywedais wrth fy mhlant o'r cychwyn y caent
ddewis pa ffydd a fynnent gyhyd â'u bod yn byw bywyd da, ond
byddai'n well gennyf ei chladdu na'i gweld yn wraig i amlwreiciwr.'
Ychwanegodd hyn at benbleth Sarah oherwydd bu'n ufudd i'w
rhieni erioed. Aeth at Ben a dweud na fedrai ei briodi ac aeth ef â
hi at yr esgob a'i gynghorwyr. 'Gwnaethant i mi weld mai priodi
oedd fy nyletswydd,' meddai Sarah. 'Wrth i mi ystyried eu geiriau
deuthum i ddeall bod fy mywyd wedi arwain at hyn. Dywedasant
wrthyf fod yr ysgrythur yn glir, y dylwn adael fy mam a 'nhad, y
cyfan, er mwyn yr ysgrythur. Dywedasant wrthyf am fynd adref a
meddwl dros y pethau hyn yn ddwys ac ni fyddai ansicrwydd wedi
hynny, ac felly y bu.' 'Rhwygwyd a briwiwyd hi'r hydref hwnnw,'
ysgrifennodd y mab-yng-nghyfraith. 'Nid oedd yn ei natur i frifo
neb ond eto, yn ei chalon, gwyddai fod yn rhaid iddi ufuddhau i'r
cyngor a gafodd oddi wrth yr Eglwys.' Cyn diwedd Hydref aeth gyda
Ben i'r deml i'w briodi, a'i chwaer, Naomi, oedd yr unig aelod o'r
teulu a aeth gyda hi.

Daeth Mary Ann ati un diwrnod yn fuan wedi'r seremoni a'i
tharo'n galed ar draws ei hwyneb gan adael clais a gymerodd amser
i ddiflannu. Wedi'r briodas gadawodd ei thad Cedar City fel na
fyddai'n rhaid iddo ddod wyneb yn wyneb â hi. Gwrthododd ei mam
siarad â hi. Arferai Sarah fynd draw i dŷ ei theulu yn ddyddiol ond,
yn awr, câi ei throi ymaith bob tro. Yna, bythefnos ar ôl y briodas,
aeth Ben yn ôl i Bluff a mynd â'i ddwy wraig gydag ef. Geiriau olaf
ei mam wrth Sarah wrth iddi ymadael oedd, 'Paid byth â thywyllu
fy nrws eto.'

Anodd yw dychmygu'r tensiynau yn y bwthyn bach yn Bluff. Dwy
chwaer gariadus wedi brifo'i gilydd i'r byw, dwy chwaer a fu mor agos
yn awr mor bell. Ond yn araf collodd y casineb ei fin a dechreuwyd
anghofio. Maddeuodd ei rhieni iddi a daeth llythyrau o Cedar City
yn ei gwahodd yn ôl. Adeiladodd Ben fwthyn arall i Sarah fel y câi
fod yn feistres yn ei thŷ ei hun, a phan anwyd ei baban cyntaf, ni
allai Mary Ann ei hanwybyddu mwyach a thyfodd dealltwriaeth eto
rhwng y ddwy chwaer.

Erbyn hynny, yr oedd argyfwng arall ar eu gwarthaf. Ymestynnodd
crafangau'r gyfraith i'w pentref unig gan fygwth carcharu pob

penteulu amlwreiciol. Bu'n rhaid i Ben a Sarah wahanu a ffoi, Sarah i ffermdy ar Cedar Mountain, ardal anghysbell sydd yn anial hyd heddiw, a Ben a Mary Ann i berfeddion y tir gwyllt ar Boulder Mountain, 70 milltir oddi wrthi. Pan dawelodd pethau adeiladodd Ben fwthyn arall y drws nesaf i'w fwthyn ef a Mary Ann a bu'r ddau deulu'n byw fel cymdogion am rai blynyddoedd.

Yna clywodd ditectifs y llywodraeth amdanynt a daethant i arestio Ben. Treuliodd chwe mis yn y carchar a phan ddaeth allan, yn lle ysgaru un o'i wragedd fel y mynnai'r gyfraith, neu ffoi i Fecsico fel y gwnaeth llawer o Saint na fedrent wynebu bywyd heb eu gwragedd, symudodd Ben Sarah a'i phlant o'r dalaith dros dro, i Colorado at ei frawd John, brawd nad oedd yn aelod o'r Eglwys. Yna, pan dawelodd pethau, symudodd hi'n ôl eto i Bluff. Aeth ef a Mary Ann i fyw 50 milltir ymhellach i'r mynyddoedd, i bentref bychan o'r enw Monticello. Bu Ben yn gyrru'r goets fawr a chario'r post rhwng Monticello a Bluff am gyfnod – ffordd dda o gadw mewn cysylltiad â'i ddau deulu – ond ffermio oedd ei brif gynhaliaeth. Cafodd ei ddwy wraig ddeg o blant yr un, er bod pedwar o blant Mary Ann wedi marw'n ifanc. Bu Mary Ann farw ym 1912 a symudodd Sarah i gyd-fyw â Ben. Bu ef farw ym 1926 a Sarah ym 1943.

Tybed beth fyddai tynged Ben wedi bod pe bai heb adael Cymru? Y tebygrwydd yw mai bywyd o lafur caled o dan amodau diflas a'i hwynebai. Ni chafodd erioed ddiwrnod o ysgol ac ni ddysgodd ysgrifennu na darllen. Annhebyg y byddai wedi cael dianc o'r pwll. Ond, yn America, cafodd fywyd wrth ei fodd, yn llawn antur a chyffro. Yn y ddwy stori hon amdano, hanes y ffordd a hanes ei garwriaeth, cawn bortread bywiog o Gymro cyffredin oedd yn ceisio byw'r bywyd Mormonaidd hyd orau ei allu, mewn cyfnod pan nad oedd hynny'n hawdd o gwbl. Y mae'r gwerthoedd Mormonaidd – y ddisgyblaeth, y defosiwn, yr ufudd-dod, y gwaith caled er lles y gymuned a'r ymddiriedaeth yn ei gyd-weithwyr – i gyd yn amlwg yn ei weithredoedd. Ond y mae gwerthoedd eraill wrth waith hefyd – gwerthoedd y Gorllewin Gwyllt – hunanddibyniaeth, ystyfnigrwydd, yr awydd i osod gwreiddiau mewn tir newydd a chael rhyddid i fagu teulu y tu hwnt i ymyrraeth. Fel yr ysgrifennodd John S. Davis flynyddoedd ynghynt, 'Digon fydd dweud fod y daith yn bell, y tywydd yn lled dwym, yr ychen yn ystyfnig, y dynion weithiau yn ystyfnicach, y cymwynaswr yn cael ei dalu ag angharedigrwydd, y gwas weithiau yn troi yn feistr, y forwyn yn feistres. Ond y mae'r cyfan yn iawn. Tuedda'r oll i brofi a pherffeithio'r Saint.'

Hanner ffordd drwy'r tymor ymfudo olaf hwn ar y paith, agorwyd terminws newydd i'r rheilffordd, a gwersyllfan newydd i Hell on Wheels, mewn lle o'r enw Benton, 125 milltir ymhellach i lawr y trac. Profodd hon yn waeth uffern na'r rhai cynt. Dim ond am dri mis y bu mewn bodolaeth ond yn ystod yr adeg hon cyflawnwyd dros 100 o lofruddiaethau ynddi. Tu allan i Bear City, un arall o wersylloedd y rheilffordd, gwelodd yr ymfudwyr olygfa nad anghofient fyth. Chwe chorff llipa yn hongian o bolion telegraff gyda rhaffau yn dynn am eu gyddfau. 'Hoffwn fod wedi stopio i gael clywed rhagor am beth oedd wedi digwydd,' ysgrifennodd un ymfudwr, 'ond dywedodd fy mrawd wrthyf am fynd yn fy mlaen a chadw fy ngheg ar gau. Dywedodd mai'r *vigilantes* oedd wedi bod wrthi.' Buont yn gwersylla am noson o fewn golwg i orsaf delegraff a oedd newydd gael ei losgi gan yr Indiaid. Yr oedd y telegraffydd wedi cadw mewn cysylltiad â'r gorsafoedd eraill tan y diwedd, yn tapio galwadau am help ag un llaw, wrth gadw'r Indiaid i ffwrdd â'r llall. O'r diwedd llwyddodd yr Indiaid i roi'r caban ar dân. Neges olaf y telegraffydd oedd 'Hwyl, hogie. Tybed a fydd uffern mor boeth â hyn?'

Mintai o Lychlynwyr oedd y fintai olaf un. Cawsant fordaith erchyll dros yr Iwerydd yn yr *Emerald Isle*, un o'r hen longau hwylio olaf i'r Saint ei llogi. Surodd eu cyflenwad dŵr, cwerylodd y capten â hwy, torrodd y frech goch allan a bu farw 37 ohonynt. Yn Efrog Newydd, caniatawyd i'r rhan fwyaf o'r 867 ar ei bwrdd lanio a mynd yn eu blaenau, ond cadwyd 61 mewn ysbyty heintiau ar Wards Island yn yr harbwr nes iddynt wella o'r salwch. Y 61 hyn oedd y fintai olaf i deithio o leiaf ran o'u ffordd i Utah mewn wageni. Daethant i ben eu taith ar y 24ain o Hydref, yn dawel a disylw, dim ond ychydig wythnosau cyn i gledrau'r Central Pacific gyrraedd Utah. Ac fel yna, heb i neb sylweddoli braidd, a heb unrhyw seremoni, y daeth oes yr arloeswyr i ben.

Y flwyddyn ganlynol croesawyd, gyda ffanffer o longyfarchiadau, y fintai gyntaf i deithio'r holl ffordd o Efrog Newydd ar y trên. 'Cyraeddasant yn Ddiogel' oedd pennawd y *Deseret News* ar ddydd Sadwrn, y 26ain o Fehefin. 'Cyrhaeddodd y fintai gyntaf o ymfudwyr y flwyddyn hon yn ddiogel i orsaf Ogden am bump o'r gloch neithiwr. Gadawsant Lerpwl ar yr ail o'r mis ac mewn ychydig dros dair wythnos y maent wedi cyflawni'r holl daith flinedig a gymerai unwaith y rhan orau o flwyddyn i'w chwblhau. Fe gofir yn hir am y daith hon oherwydd y mae'n agor cyfnod newydd yn ein hanes. Daw'r rhan fwyaf o'r fintai, 338 ohonynt, o Gymru, o dan arweiniad yr Henadur Elias Morris.'

Unwaith eto, fel y mae ein stori yn nesáu at ei diwedd, y mae Elias Morris yn ymddangos am ennyd o'n blaenau, ac yna'n diflannu'n ôl i'r encilion. Ef, mi dybiaf, yw *éminence grise* y Cymry yn Utah. Y mae yno, yn y cefndir, yn cynllunio, yn cynghori'r Cymry, yn cyfrannu'n hael i'w hymgyrchoedd, yn eu gwarchod yn gyson, ond yn anaml iawn yn dod i lygad y cyhoedd. Tybed ai'r cam gwag a gymerodd yn Mountain Meadows a achosodd iddo gilio i'r cysgodion fel hyn, ac osgoi pob amlygrwydd? Yn sicr, nid felly yr oedd pan ddaeth i Utah gyntaf. Ar ein taith ar hyd Trywydd y Mormoniaid, daeth fy ngwraig a minnau, un bore oer o Fedi, at Independence Rock, wrth geg South Pass yn ucheldir y Rockies. Gant a hanner o flynyddoedd ynghynt, ar yr union yr un amser o'r flwyddyn, yr oedd Elias a'i wraig yma hefyd, yn rhyfeddu, fel ninnau, at y miloedd o enwau oedd wedi eu cerfio dros bob wyneb o'r graig. Dechreuasom ddringo, yn chwilio am enwau Cymraeg o'r dyddiau cynnar a chanfod ambell Jones fan hyn ac Evans fan draw. O'r diwedd, cyraeddasom y copa, ac yno, yn y man uchaf un, uwchlaw pob enw arall, ar ben y gofrestr ryfeddol hon o holl deithwyr y trywydd, yr oedd Elias wedi cerfio'i enw. 'ELIAS & MARY MORRIS. N.WALES. SEPT 1852.' Yn sicr, nid oedd cadw i'r cysgodion yn rhan o'i natur bryd hynny. Byddai cael gwybod mwy am hanes y gŵr enigmataidd hwn o Lanfair Talhaearn yn siŵr o daflu ychwaneg o olau ar hanes y Cymry yn Utah. Cafodd fwy o ddylanwad arnynt na neb. Ond y mae'n cadw ei gyfrinachau.

Adlewyrchir ei gymeriad hynod yn amgylchiadau od ei farwolaeth, 30 mlynedd yn ddiweddarach. Yr oedd newydd fynychu cyfarfod o bwyllgor Cymdeithas Cambria i drefnu manylion olaf y rhaglen ar gyfer Eisteddfod Dinas y Llyn Halen ym 1898. Cyfarfu'r pwyllgor mewn ystafell yn siop gelfi'r Co-op yn y ddinas, un o'r nifer o adeiladau a godwyd gan gwmni Elias Morris ei hun. Ar ddiwedd y cyfarfod gadawodd yr ystafell a chroesodd i'r lifft. Agorodd ddrws y lifft a chamu i mewn – i siafft wag. Plymiodd i'w gwaelod a bu farw dridiau wedyn o'i anafiadau.

Ôl-nodyn

HEDDIW Y MAE'R TRYWYDD yn prysur ddiflannu. Yn South Pass, yn llewyrch olaf golau'r hwyrddydd, y mae'n bosibl canfod o hyd y rhychau yn ymestyn fel nadroedd arian tua'r gorllewin. Ar Prospect Hill yn Wyoming neu'r Hogsback yn Utah, ar ddolydd Murdock neu yn y Sandhills yn Nebraska, mae pantiau a phonciau i'w gweld yn y borfa yn dynodi'r miloedd o olwynion a basiodd y ffordd hon gant a hanner o flynyddoedd yn ôl. Ond dros y rhan fwyaf o'i chwrs, sgwriwyd y llwybrau'n lân. Chwythodd y gwynt holl olion yr olwynion ymaith a thyfodd y glaswellt dros y rhychau.

Er hynny, rhed y trywydd drwy'r dychymyg Mormonaidd heddiw mor glir ag erioed. Nid oes neb fel y Mormoniaid am gofio, a'r hyn yr hoffant ei gofio, yn fwy na dim arall, yw eu Harloeswyr. Heddiw, yng ngolwg yr Eglwys, ystyrir yr Arloeswyr yn nesaf peth i saint. Er mai lleiafrif bychan a lusgodd droliau i'r Dyffryn – dim ond 3,000 o'r 70,000 a aeth i Utah rhwng 1847 a 1868 – eto tyfodd y trolwyr yn symbol o'r ymfudiad cyfan. Bob haf perfformir pasiantau a dramâu a gwyliau drwy'r dalaith yn ailadrodd yr hen storïau am dreialon y paith a dewrder a ffydd y trolwyr. Anfonir pobl ifainc yr Eglwys allan i'r paith, i dynnu troliau, a choginio eu bwyd yn yr awyr agored, a chysgu dan y sêr, i'w hatgoffa o ymdrech ac aberth eu cyndeidiau. Ar gorneli strydoedd, ar waliau neuaddau, yng nghynteddau gwestai, ym mhyrth mynwentydd, gwelir lluniau a cherfluniau o'r Arloeswyr arwrol, yn y tresi, dan eu pwn, yn ymlwybro'n boenus ond yn orfoleddus tuag at Seion. Dethlir Diwrnod yr Arloeswyr ar y 24ain o Orffennaf bob blwyddyn, i gofio'r diwrnod pan gyrhaeddodd y fintai gyntaf y Dyffryn. Ymhob tref gorymdeithia'r troliau, wedi eu llwytho'n drwm, y teuluoedd blinedig rhwng y siafftiau yn ail-fyw ymdrech eu tadau, yn gymysg â bandiau pres yr ysgolion uwchradd, cowbois ar gefn ceffylau yn troelli *lariats* a lorïau wedi eu haddurno â sloganau fel 'Ysbryd ein gorffennol yw gobaith ein dyfodol' ac 'Ymlaen, ymlaen gyda'r Arloeswyr'. Rhed y trywydd drwy eu dychymyg o hyd, mor glir a pherffaith heddiw ag erioed, oherwydd nid trywydd ar fap yn croesi tirwedd ddaearyddol ydyw erbyn hyn, ond trywydd yn nwfn eu calonnau, yn croesi tirwedd eu crefydd a gorwelion eu ffydd. A dyddiaduron ac atgofion yr hen Arloeswyr yw eu mapiau a'u cwmpawd.

Hoffwn orffen y llyfr hwn yn Nyffryn Malad o fewn golwg i Samaria, hen gadarnle'r Cymry. Heddiw, er bod poblogaeth Samaria wedi llithro o dan gant a hanner ac er bod yr iaith Gymraeg wedi hen ddiflannu o'r tir, mae dylanwad y Cymry yn parhau yn y dyffryn. Symudodd llawer ohonynt o'r pentref i dref gyfagos Malad City, yr ochr draw i'r afon, ac fel yr edwinodd y naill gymuned, cryfhaodd y llall. Y mae 2,000 o drigolion yn Malad City erbyn hyn, llawer ohonynt yn ddisgynyddion i'r hen Gymry. Ymfalchïant o hyd yn eu Cymreictod ac, fel y gwelir ar wefan y dref, maent yn brolio mai hwy yw'r gymuned uchaf ei chanran o bobl o dras Gymreig yn yr holl fyd y tu allan i Gymru – uwch nag unrhyw le yn Lloegr, uwch nag unrhyw le ym Mhatagonia, uwch nag unrhyw le yn unrhyw fan. A bob blwyddyn, byddant yn dathlu hynny.

Tua diwedd Mehefin, ddechrau Gorffennaf, codir y baneri Cymreig drwy'r dref. Hwn yw penwythnos yr Ŵyl Gymreig yn nyffryn Malad, penwythnos o ddathlu Cymreictod yr ardal. Arweinir yr ymwelwyr oddi ar y draffordd i'r sgwâr canolog ar hyd coridor o Ddreigiau Cochion, heibio i'r Evans Co-op a'r Davis Drugstore, siop gelfi Thomas a Griffiths OK Tyres. Oddi ar waliau'r amgueddfa gwga'r hynafiaid i lawr arnynt: Gwen Lloyd Roberts Evans, Sarah Jane Evans, Catherine Elizabeth Owens Daniels, Daniel Moroni Daniels, William Jenkins Williams, Phoebe Ann John Thomas a degau'n rhagor. Yn y parc y mae stondinau bwyd, pice-ar-y-ma'n a bara brith, copïau o'r *Malad Valley Welsh Heritage Cookbook* ar werth, a brecwast crempog i bawb. Trefnir tripiau i'r wlad oddi cwmpas, i ymweld â rhai o hen gynefinoedd y Cymry, yn enwedig Samaria. Ar y maes cynhelir gêmau a chystadlaethau i'r plant. Ond prif weithgareddau'r ŵyl yw'r darlithoedd – yr Athro Ron Dennis ar 'Y Wasg Formonaidd yng Nghymru'r Bedwaredd Ganrif ar Bymtheg' neu 'Erledigaeth y Mormoniaid yng Nghymru'; Darris Williams, arbenigwr ar hel achau, ar 'Ymchwilio Cofrestri Eglwysig Cymreig ar y We'; darlithwyr eraill ar y derwyddon neu ar hanes y delyn neu ar yr hen chwedlau Cymreig; cyngherddau o gerddoriaeth Evan Stephens a gwersi Cymraeg i ddysgwyr. Cynhaliwyd yr Ŵyl Gymreig gyntaf yn Malad yn 2004. Tyfodd ei llwyddiant yn flynyddol oddi ar hynny ac erbyn heddiw daw tua mil o bobl i ymweld â'r dref dros gyfnod y dathlu. Gobaith y sefydlwyr yw y bydd i'r ŵyl barhau i dyfu, gan, yn eu geiriau hwy, 'gynyddu'r ymwybyddiaeth a'r balchder yn ein treftadaeth Gymreig, a chreu etifeddiaeth gyfoethog i'n plant, cyn i'r rhwymau sy'n ein clymu i'n gorffennol ddatgymalu'n llwyr'.

Ffynonellau

Rhagymadrodd

Y ddwy ffynhonnell bwysicaf o bell ffordd yw'r ddwy wefan, sef **https:// history.lds.org/overlandtravels**, sy'n cynnwys dyddiaduron ac atgofion arloeswyr Mormonaidd o bob gwlad a groesodd y paith rhwng 1847 a 1869, a **http://welshmormon.byu.edu**, sy'n croniclo hanes y teuluoedd o Gymru a aeth i Utah. Yn achos y ddwy ffynhonnell uchod, roedd y cyfeiriadau gwe a nodir yn gywir adeg yr ymchwil. Y drydedd ffynhonnell a fu'n ddefnyddiol iawn i mi oedd cylchgrawn Cymraeg y Mormoniaid. Ar y cychwyn, teitl y cylchgrawn oedd *Prophwyd y Jubili* ond yna newidiwyd y teitl ym 1849 i *Udgorn Seion*. Y mae casgliad da ohonynt yn y Llyfrgell Genedlaethol, ond nid yw'n gyflawn. Cefais gopïau o'r rhifynnau sydd yn Llyfrgell yr Eglwys yn Ninas y Llyn Halen ar CD, ond nid yw hwn yn gyflawn chwaith. Ymddengys fod degau o rifynnau wedi mynd ar goll, ond y mae'r rhai sydd wedi goroesi yn llawn gwybodaeth ddefnyddiol. Ceir peth o'u hanes yn '"Y Proffwyd" a'r "Udgorn"' gan Huw Walters (*Y Traethodydd*, cyf. 154, 1999, t. 177).

Os am ddarllen am brofiadau'r Mormoniaid yn teithio i'r Llyn Halen, y llyfr gorau yw cyfrol Wallace Stegner, *The Gathering of Zion*. Nid oedd Stegner yn Formon, ond nid oedd ganddo chwaith unrhyw ragfarn yn eu herbyn. Yr oedd hefyd yn nofelydd llwyddiannus ac y mae'r llyfr yn ddarllenadwy iawn. Y mae *Trail of Hope* gan William Slaughter a Michael Landon hefyd yn cynnig arolwg trylwyr o hanes Trywydd y Mormoniaid. Wrth gwrs, llyfrau am yr ymfudiad yn gyffredinol yw'r rhain ac nid oes ynddynt sôn am y Cymry'n benodol. Ni wn am unrhyw lyfr sy'n trafod profiadau'r Cymry ar y trywydd. Am hanes y Mormoniaid yn America yn ystod yr 20 mlynedd dan sylw, cefais *Establishing Zion: The Mormon Church in the American West (1847–1869)* gan Eugene E. Campbell, *Great Basin Kingdom* gan Leonard J. Arrington a *The Mormon Experience: A History of Latter Day Saints* gan Leonard J. Arrington a Davis Britton yn ddefnyddiol tu hwnt.

1846 a 1847

Am hanes y teulu Bennion, gweler *Bennion Family History* gan Harden Bennion. Y mae i'w gael ar y we yn **http://bennion.org/wp-content/uploads/2010/07/Bennion%20Family%20History%20Volume%20III.pdf**

Am hanes Joseph Smith, y llyfr a fu fwyaf defnyddiol i mi oedd *No Man Knows My History: The Life of Joseph Smith* gan Fawn M. Brodie, ac am hanes Brigham Young mwynheais *Brigham Young: American Moses* gan Leonard J. Arrington.

Am hanes Frémont, darllenais *Pathfinder: John Charles and the Course of American Empire* gan Tom Chaffin.

Cefais atgofion yr ymfudwyr o **http://welshmormon.byu.edu** a **https://history.lds.org/overlandtravels**

Y mae atgofion Gwenllian Williams, er enghraifft, yn **http://welshmormon.byu.edu/Resource_Info.aspx?id=2981** a hanes Martha Williams yn nyddiadur Joseph Gates (15 Awst) yn **https://history.lds.org/overlandtravels/sources/6349/gates-jacob-journals-1836-1861-vol-2**

1848

Y mae dyddiadur Charles Smith yn Llyfrgell Harold B. Lee ym Mhrifysgol Brigham Young, Provo (MSS SC 554).

Ceir ychydig o hanes Sarah yn atgofion ei brawd, Edward Jeremiah Price, yn **http://welshmormon.byu.edu/Resource_Info.aspx?id=2577**

Y mae *The Year of Decision: 1846* gan Bernard De Voto yn gyflwyniad gwych i hanes y Gorllewin cyn dyfodiad y Mormoniaid. Y llyfrau gorau am brofiadau ymfudwyr o bob math, Mormoniaid ac eraill, ar y paith yw *The Plains Across: The Overland Emigrants and Trans-Mississippi West, 1840–60* gan John D. Unruh a *The Great Platte River Road* gan Merrill J. Mattes. Hefyd, y mae penodau difyr yn *Wagons West* gan Frank McLynn a *The Oregon Trail* gan David Dary.

Fel mewn penodau cynt, cefais atgofion yr ymfudwyr Cymreig yn **http://welshmormon.byu.org** a'r rhai nad oeddent yn Gymry yn **https://history.lds.org/overlandtravels**

1849

Yr unig lyfrau ar y genhadaeth gynnar yng Nghymru, hyd y gwn i, yw *Y*

Mormoniaid yng Nghymru gan T. H. Lewis, *Ar Drywydd y Mormoniaid* gan Geraint Bowen, *Mormon Spirituality: Latter Day Saints in Wales and Zion* gan Douglas James Davies a *From Amroth to Utah* gan Roscoe Howells. Y mae pennod dda gan yr Athro Ron Dennis yn *Truth Will Prevail: The Rise of the Church of Jesus Christ of Latter Day Saints in the British Isles, 1837–1987* (golygwyd gan V. Ben Bloxham, James R. Moss a Larry C. Porter), a phennod fer gan E. M. Smith yn *Merthyr Tydfil: 1500 Years* (golygydd Huw Williams). Cefais hefyd draethawd gradd Aled Betts i Brifysgol y Drindod Dewi Sant, 'The Price of Faith: The Mormons and South West Wales Society, 1844–1863', yn ddefnyddiol. Yna, mae amrywiaeth o erthyglau fel 'The Welsh Mormons' gan yr Athro David Williams (*The Welsh Review*, rhif 7, 1948) a rhai nad ydynt lawer mwy na nodiadau, fel 'Three Carmarthenshire Mormons' gan T. H. Lewis (*Carmarthenshire Antiquary*, IV, tt. 49–51), 'Mormon Baptists at the Brechfa Branch, 1846–56' gan Lewis Evans (*Carmarthenshire Antiquary*, III, tt. 38–41) a 'William Lewis, Mormon' gan D. G. Thomas (*Gelligaer*, XI, 1976–7, tt. 10–13).

Dwy gyfrol ddefnyddiol a darllenadwy ar hanes cynnar y Mormoniaid ym Mhrydain yw *Expectations Westward* gan P. A. M. Taylor a *Mormons in Early Victorian Britain*, a gyd-olygwyd gan Richard L. Jensen a Malcolm R. Thorp.

Y gwaith gorau ar ddyddiau cynnar Dan Jones, gan gynnwys ei genhadaeth gyntaf yng Nghymru, yw cofiant anorffenedig yr Athro Ron Dennis. Y mae'r pedair pennod gyntaf i'w canfod yn **http://welshmormon.byu.edu/Resource_Info.aspx?id=5479**

Y mae llawer o ddeunyddiau eraill am fywyd a gwaith Dan Jones yn **http://welshmormon.byu.edu/Immigrant_View.aspx?id=898**

Cyhoeddodd yr Athro hanes mordaith y *Buena Vista* a'r *Hartley* a thaith boenus yr arloeswyr Cymreig cyntaf i fyny'r Mississippi ac ar draws y paith i Ddinas y Llyn Halen yn ei lyfr *The Call of Zion: The Story of the First Welsh Mormon Emigration*. Gellir darllen hwn hefyd ar-lein yn **http://archive.org/stream/TheCallOfZionTheStoryOfTheFirstWelsh MormonEmigration#page/n3/mode/2up**

Gellir darllen hanes Daniel Edward Williams, George Adams ac Edward Ashton yn eu hatgofion a'u cofiannau yn **http://welshmormon.byu.edu** Yno hefyd y mae dyddiaduron ac atgofion David D. Bowen, Isaac Nash, Elizabeth Lewis, John Parry, John Ormond ac eraill.

Fel yn y penodau cynt, a thrwy'r llyfr, gwelir atgofion yr ymfudwyr nad oeddent yn Gymry yn **https://history.lds.org/overlandtravels**

Cefais flas ar ddarllen *The World Rushed In: The California Gold Rush*

Experience gan J. S. Holliday, sy'n llawn gwybodaeth ddiddorol am ddarganfod yr aur yng Nghaliffornia ac ymfudiad y '49ers'.

Am y Madogwys a Brigham Young gweler erthygl yr Athro Ron Dennis yn **http://welshmormon.byu.edu/Resource_Info.aspx?id=167** ac *Over the Rim: The Parley P. Pratt Exploring Expedition to Southern Utah, 1849–1850* gan William B. a Donna T. Smart.

Am hanes James George Dariris Davis gweler 'Jacob Hamblin's 1858 Expedition' gan Todd M. Compton yn *Utah Historical Quarterly*, cyf. 80, rhif 1 (Gaeaf 2012) ac am hanes Llewellyn Harris gweler **http://welshmormon. byu.edu/Resource_Info.aspx?id=73#** Gweler hefyd y bennod ar 'Myth and Legend' yn *Mormon Country* gan Wallace Stegner.

1850

Cefais beth o hanes y Drysorfa Ymfudo Barhaus yn *Great Basin Kingdom* gan Leonard J. Arrington ac *Expectations Westwards* gan P. A. M. Taylor.

Darllenais lythyr Thomas Bullock am yr haid o soflieir yn *The Gathering: Mormon Pioneers on the Road to Zion* gan Maurine a Scot Proctor.

Ceir hanes Winter Quarters yn *Mormons on the Missouri: Winter Quarters, 1846–1852* gan Richard E. Bennett.

Unwaith eto, codwyd yr atgofion a'r dyfyniadau o ddyddiaduron yr ymfudwyr Cymreig o'r wefan **http://welshmormon.byu.edu** a rhai'r ymfudwyr nad oeddent yn Gymry o **http://history.lds.org/overlandtravels** Er enghraifft, y mae atgofion Ann Roberts/Griffiths i'w darllen yn **http:// welshmormon.byu.edu/Resource_Info.aspx?id=71** a dyddiadur Wilford Woodruff, awdur y disgrifiad o'r stampîd, yn **https://history.lds.org/ overlandtravels/trailExcerptMulti?lang=eng&com panyId=325&sour ceId=31967**

1851

Ceir disgrifiad da o berthynas y Saint a'r '49ers' yn y cyfnod hwn yn *Gold Rush Soujouners in Great Salt Lake City* gan Brigham D. Masden.

Fel yn y penodau cynt, cefais hanesion yr ymfudwyr Cymreig yn **welshmormon.byu.edu**. Y mae atgofion John Ormond (yr ieuengaf), er enghraifft, i'w cael yn **http://welshmormon.byu.edu/Resource_Info. aspx?id=514** a llythyr Lewis Bowen at ei fab yn **http://welshmormon.byu. edu/Resource_Info.aspx?id=7536**

Cefais yr ymchwil am ferched dibriod y *Josiah Bradlee* yn *Indefatigable*

Veteran gan yr Athro Ron Dennis (tt. 141–142) ac mae hanes Jones y Ffotograffydd yn Wallace Stegner, *The Gathering of Zion* (t. 294).

1852

Y mae llythyrau William Morgan i'w darllen yn *Udgorn Seion* (7 Awst, 1852, t. 259; 8 Ionawr, 1853, t. 32 a 27 Awst, 1853, t. 146), yn ogystal ag yn *The Call of Zion* gan yr Athro Ron Dennis.

Y mae'r Athro hefyd wedi ysgrifennu hanes William Howells yn *Supporting Saints: Life Stories of Nineteenth-century Mormons*, golygwyd gan Donald Cannon a David Whittaker. Gellir darllen y traethawd yma yn **http://welshmormon.byu.edu/Resource_Info.aspx?id=12068**

Ceir yr hanes am yr ymgais i gynhyrchu siwgr yn *Establishing Zion* (t. 141) ac yn *Great Basin Kingdom* (tt. 116–118).

Codwyd hanes tanchwa'r *Saluda* o *Explosion of the Steamboat 'Saluda'* gan William G. Hartley a Fred E. Woods.

Unwaith eto, cefais storïau'r ymfudwyr Cymreig yn **welshmormon. byu.edu** a'r ymfudwyr eraill yn **http://history.lds.org/overlandtravels** Y mae hanes Ann Rogers, er enghraifft, yn **http://welshmormon. byu.edu/Resource_Info.aspx?id=1254** a hanes Elias Morris yn **http://welshmormon.byu.edu/Resource_Info.aspx?id=95** a **http:// welshmormon.byu.edu/Resource_Info.aspx?id=7507** a **http:// welshmormon.byu.edu/Resource_Info.aspx?id=199**

I ddeall pwy yw pwy yn nheulu estynedig y Parriaid darllener 'Emigrant Stonemasons: Trelawnyd, Abergele & St. George' gan R. Fred Roberts yn *Trafodion Cymdeithas Hanes Sir Ddinbych*, cyf. 47 (1998), tt. 34–44.

1853

Dau lyfr da am hanes y Mormoniaid ar yr Iwerydd yw *Saints on the Seas: A Maritime History of Mormon Migration, 1830–1890* gan Conway B. Sonne a phenodau yn *Expectations Westwards* gan P. A. M. Taylor.

Enw'r llyfr a gyhoeddwyd gan Piercy oedd *Route From Liverpool to the Great Salt Lake Valley*.

Codwyd y paragraffau am ragoriaethau bywyd yn Utah o *Udgorn Seion* (9 Gorffennaf, 1853, t. 31–33; 23 Awst, 1851, t. 273; Hydref 1850, tt. 282–83).

Am wybodaeth bellach am y Cynllun Ymfudo £10 gweler 'Bound for Zion: The Ten and Thirteen Pound Emigrating Companies, 1853–54' gan Polly Aird yn *Utah Historical Quarterly* (Hydref 2002).

Y mae toreth o lyfrau ar amlwreiciaeth ar gael, y rhan fwyaf ohonynt yn elyniaethus iawn. Cefais *Mormon Polygamy: A History* gan Richard S. Van Wagoner yn gymharol gytbwys.

Teitl llawn llyfr John E. Davis oedd *Mormonism Unveiled or a Peep into the Principles and Practices of the Latter Day Saints.* Y mae copi ohono yn **http://welshmormon.byu.edu/Resource_Info.aspx?id=11936**

1854

Y mae gwefan **http://mormonmigration.lib.byu.edu** yn gasgliad gwych o faniffestau llongau'r Mormoniaid ac enwau'r teithwyr a hwyliodd arnynt.

Am hanes Cyflafan Grattan gweler *The First Sioux War: The Grattan Fight and Blue Water Creek, 1854–1856* gan Paul Norman Beck.

Mwynheais ddarllen am Crazy Horse a'r rhyfel yn erbyn yr Indiaid yn *Crazy Horse and Custer* gan Stephan E. Ambrose.

Am hanes y gwaith haearn yn Cedar City gweler *A Trial Furnace: Southern Utah's Iron Mission* gan Morris A. a Kathryn C. Shirts.

Fel yn y penodau cynt, casglwyd hanesion y Cymry o **http:// welshmormon.byu.edu**

1855

Ceir disgrifiad o gynaeafau trychinebus 1855 a 1856 yn *Great Basin Kingdom* (tt. 148–156).

Am hanes Brwydr Ash Hollow gweler eto *The First Sioux War: The Grattan Fight and Blue Water Creek, 1854–1856* gan Paul Norman Beck.

Y mae hanes William W. Davies i'w weld yn *And There Were Men* gan Russell Blankenship ac ysgrif dda ar Iesu Walla Walla yn *Historic Sketches: Walla Walla, Whitman, Columbia and Garfield Counties* gan Frank T. Gilbert (1882).

Gweler hanes Joseph Morris yn *Joseph Morris and the Saga of the Morrisites (Revisited)* gan C. LeRoy Anderson.

1856

Ceir sawl disgrifiad o drychinebau'r flwyddyn hon. Y mae Wallace Stegner yn *The Gathering of Zion* yn wych fel arfer. Hoffais hefyd *Devil's Gate: Brigham Young and the Great Mormon Tragedy* gan David Roberts. Y mae llawer o wybodaeth ddefnyddiol yn *Handcarts to Zion* gan Leroy ac Ann Hafen a hefyd yn *Emigrating Journals of the Willie and Martin Handcart Companies and the Hunt and Hodgett Wagon Trains* gan Lynne Slater Turner.

Gellir darllen am gysylltiad y Cymry â phentref Wales yn *Chronicles of Courage*, cyf. 6, 'Welsh Emigrants' gan Jean S. Greenwood (tt. 333–372). Mae hwn ar y we yn **http://welshmormon.byu.edu/Resource_Info.aspx?id=3535** a **http://welshmormon.byu.edu/Resource_Info.aspx?id=3536**

Ceir hanes y teulu Griffiths o Fangor gan Mathew A. Misbach, o dan y teitl *The Griffiths Story*.

Teitl atgofion Daniel W. Jones yw *Forty Years among the Indians*.

1857

Y mae pennod gyfan am ryfel Utah a phennod arall ar y diwygiad yn *Establishing Zion: The Mormon Church in the American West, 1847–1869*, gan Eugene E. Campbell.

Y llyfr a fu'n gymorth mwyaf i mi wrth geisio deall Cyflafan Mountain Meadows oedd *Massacre at Mountain Meadows* gan Ronald W. Walker, Richard E. Turley Jr a Glen M. Leonard. Mormoniaid yw'r tri awdur, ond credaf fod y llyfr yn gytbwys a theg. Cefais agwedd fwy gwrth-Formonaidd yn *Blood of the Prophets: Brigham Young and the Massacre at Mountain Meadows* gan Will Bagley. Magwyd Bagley yn Formon, ond trodd ei gefn ar y ffydd ac mae'r llyfr yn adlewyrchu hyn.

Cyhoeddwyd dyddiaduron Mary Lois Walker Morris, ail wraig Elias Morris, yn ddiweddar. Gweler *Before the Manifesto: The Life Writings of Mary Lois Walker Morris*, a olygwyd gan Melissa Lambert Milewski.

1858

Y mae'r rhan fwyaf o'r wybodaeth yn y bennod hon yn dod o'r dyddiaduron a'r cofiannau a gasglwyd yn **https://history.lds.org/overlandtravels/companies/67/john-w-berry-company-1858#description**

1859

Gweler ddyddiadur James Crane yn **http://welshmormon.byu.edu/Resource_Info.aspx?id=172** a dyddiadur ei wraig, Alice Davies, yn **http://welshmormon.byu.edu/Resource_Info.aspx?id=2841**

Gellir darllen cofiant Shadrach Jones yn **http://welshmormon.byu.**

edu/Immigrant_View.aspx?id=4620 ac ychydig am ei dai yn Willard yn 'A Heritage of Stone in Willard' gan Teddy Griffith, *Utah Historical Quarterly*, 43 (Haf 1975), tt.286–300.

Y mae hanes Taliesin Hughes yn **http://welshmormon.byu.edu/ Immigrant_View.aspx?id=641**

1860

Darllenais am y 'Pony Express' yn *Orphans Preferred* gan Christopher Corbett. Codais ddisgrifiad Mark Twain o'r 'Pony Express' o'i lyfr *Roughing It*.

Ysgrifennodd Dale Boman, un o ddisgynyddion Catherine Bennett, hanes ei hen hen hen nain. Mae hwn i'w ddarllen yn **https://archive.org/stream/ CatherineJonesBennett#page/n5/mode/2up**

Cyhoeddodd Randy Brown erthygl ar hanes marwolaeth Annie John yng nghylchgrawn Cangen Wyoming o'r OCTA (Oregon-California Trails Association) yn Chwefror 1910. Y mae hon i'w darllen yn **http://welsh mormon.byu.edu/Resource_Info.aspx?id=4189** Cyhoeddodd erthygl arall ar hanes darganfod bedd Leah Edwards. Gellir darllen hon yn **http:// welshmormon.byu.edu/Resources/pdf/7510.pdf**

Gweler hefyd hanes darganfod bedd Charlotte Dansie yn **http://wyoshpo. state.wy.us/trailsdemo/charlottedansie.htm**

Dyddiadur David John, tad Annie, yw un o'r goreuon yng nghasgliad 'welshmormon'. Gellir ei ddarllen yn **http://welshmormon.byu.edu/ Resource_Info.aspx?id=2427,   http://welshmormon.byu.edu/Re source_Info.aspx?id=4080** a **http://welshmormon.byu.edu/Resource_ Info.aspx?id=4081**

1861

Y mae disgrifiadau o'r cynllun i deithio 'lawr a 'nôl' i'r Missouri mewn tymor yn *Great Basin Kingdom* (tt. 206–211) a *Trail of Hope* (tt. 135–148). Hefyd gweler 'Mormon Immigration in the 1860s: The Story of the Church Trains' gan John K. Hulmston yn *Utah Historical Quarterly* (Gaeaf 1990, cyf. 58, rhif 1).

Y mae ychydig am hanes y Mormoniaid a'r telegraff yn *Establishing Zion* (t. 275) a *Tending the Talking Wire*, gol. William E. Unrau (t. 10).

Ceir stori Martha Hughes Cannon yn *Pioneer, Polygamist, Politician: The Life of Martha Hughes Cannon* gan Mari Graña. Sonnir am ei gyrfa wleidyddol yn *Utah Historical Quarterly* (cyf. 38, rhif 1, tt. 42–48) ac am ei pherthynas â'i gŵr yng nghyfrol 48, rhif 1, tt. 37–48. Gellir darllen y llythyrau yn *Letters from Exile: The Correspondence of Martha Hughes Cannon and Angus M. Cannon, 1886–1888* gan Constance L. Lieber a John Sillito.

1862

Gellir darllen copi o ddyddiadur William Ajax yn ei lawysgrif ei hun yn **http://contentdm.lib.byu.edu/cdm/ref/collection/MMD/id/50834/rec/1**

Cyhoeddwyd erthygl D. L. Davies ar Dewi Elfed yn *Mormons in Early Victorian Britain*, gol. Richard L. Jensen a Malcolm R. Thor (t. 118).

Yn *The Mormon Passage of George D. Watts: First British Convert, Scribe for Zion* gan Ronald G. Watt ceir llawer o hanes y siop yn Ninas y Llyn Halen. Gweler hefyd *Establishing Zion* (tt. 317–319). Cefais erthygl am yr ail siop ym mhentref Ajax ac am William Ajax yn y *Deseret Evening News* (14 Gorffennaf, 1900, t. 13).

Y mae hanesion yr ymfudwyr Cymreig eraill, pobl fel Thomas John a John Evans, i'w canfod, wrth gwrs, yn **http://welshmormon.byu.edu** Gellir darllen llythyr John Evans, er enghraifft, yn ei ddyddiadur yn **http://welshmormon.byu.edu/Resource_Info.aspx?id=4208**

1863

Y mae'r manylion am Titus Lazarus Davis yn ei gofiant yn **http://welshmormon.byu.edu/Immigrant_View.aspx?id=1275**

Y mae gan ei or-wyres erthygl dda am ei hen daid yn **http://welshmormon.byu.edu/Resource_Info.aspx?id=56** ac ysgrifennodd Thomas A. Davis, un o'i feibion, hunangofiant da hefyd yn **http://welshmormon.byu.edu/Resource_Info.aspx?id=3275**

Y mae ychydig o hanes Timothy, un arall o feibion Titus, yn **http://welshmormon.byu.edu/Resource_Info.aspx?id=4266**

Gweler hanes Benjamin Jones yn **http://welshmormon.byu.edu/Resource_Info.aspx?id=3054**

Y mae mwy o hanes Mary Jones a'i gŵr, George Harding, yn y *Dwight Harding Family Book* (tt. 119–133). Y mae copi o hwn yn **https://dcms.lds.org/delivery/DeliveryManagerServlet?dps_pid=IE98668**

Gweler hanes John Lodwick Edwards yn **http://welshmormon.byu.edu/Resource_Info.aspx?id=3209**

Y bennod gan Dickens yn *The Uncommercial Traveller* sy'n sôn am y Mormoniaid Cymreig yw 'Bound for the Great Salt Lake'.

Y mae llawer o hanes y band yn hunangofiant Thomas A. Davis **http:// welshmormon.byu.edu/Immigrant_View.aspx?id=1278** a chefais ychydig yn ychwaneg mewn ysgrif yn dwyn y teitl 'The Brass Band' yn yr *Ogden Standard Examiner*, 13 Mawrth, 1886 ac mewn erthygl goffa i arweinydd y band yn yr un papur ar 30 Mawrth, 1925.

1864

Darllenais lythyrau Hervey Johnson a thipyn am hanes y trywyddau ar afon Platte yn ystod y cyfnod hwn yn *Tending the Talking Wire*, gol. William E. Unrau.

Ceir hanes Cyflafan Kelly/Larimer yn *Narrative of my Captivity among the Sioux Indians* gan Fanny Kelly a hanes Cyflafan Plum Creek a stori Nancy Morton yn *Captive of the Cheyenne: The Story of Nancy Jane Morton and the Plum Creek Massacre* gan Russ Czaplewski.

Y mae atgofion y teithwyr ym mintai William Warren i'w darllen yn **https://history.lds.org/overlandtravels/companies/314/william-s-warren-company** a chofiant Elizabeth Edwards yn **http://welshmormon. byu.edu/Resource_Info.aspx?id=1146.** Mae cofiant Margaret Reese yn **http://welshmormon.byu.edu/Resource_Info.aspx?id=3972**

1865

Mwynheais ddarllen am adeiladu'r rheilffordd yn *Nothing Like It in the World: The Men Who Built the Railway that United America* gan Stephen E. Ambrose.

Cefais hanes George Francis Train yn *Around the World with Citizen Train* gan Foster Allen.

Y mae cofiant Albert Wesley Davis ar wefan mintai Atwood yn **https:// history.lds.org/overlandtravels/sources/4782/davis-albert-wesley-autobiography-utah-genealogical-and-historical-magazine-oct-1926-246-and-ibid-jan-1927-6-7**

Y mae'r negeseuon a anfonwyd at Brigham Young i'w gweld ar wefan pob mintai ac y mae dyddiadur Heber McBride yn **https://history.lds.org/ overlandtravels/sources/69089/mc-bride-heber-robert-autobiography-ca-1868-28-46**

1866

Daw llawer o ddeunydd y bennod hon o *The Children Sang: The Life and Music of Evan Stephens* gan Ray L. Bergman. Y mae copi o hwn ar 'welshmormon' yn **http://welshmormon.byu.edu/Resource_ Info.aspx?id=4467** Ysgrifennwyd erthygl arno gan Steve Dubé i'r *Carmarthenshire Antiquary* (cyfrol 38, 2002).

Y mae llawer mwy o ddeunyddiau o dan enw Evan Stephens yn 'welshmormon' ac o dan enw ei frawd, David Evan Stephens. Yn 'welshmormon' hefyd y mae'r deunydd am ymfudwyr eraill y flwyddyn, Amos ac Ann Clark, David Prossor Jones, Edward Giles Roberts a John Evan Price.

Cefais ychydig o hanes Dyffryn Malad yn *Idaho's Malad Valley: A History* gan Thomas J. McDevitt ac ychydig am Samaria yn *We, the People of Samaria*, a olygwyd gan Clarence Ralph Hughes.

1867

Bûm yn darllen *The Frontier Index*, papur newydd 'Hell on Wheels', yn Llyfrgell Cymdeithas Hanes Nebraska yn Lincoln, Nebraska; gwell nag unrhyw nofel am y Gorllewin Gwyllt.

Casglwyd erthyglau Stanley yn *My Early Travels and Adventures in America and Asia*.

Cofnodwyd hanes teulu Thomas John Davis yn *The Children and Ancestors of Thomas Martin Davis and Vera Ann Nicholas* gan Gymdeithas y Teulu Davis a daw llawer o'u hanes wedi iddynt gyrraedd Samaria o *We, the People of Samaria*. Cefais hanes agoriad y caban ar ei newydd wedd yn y *Deseret News* (3 Mai, 2010). Gellir gweld fideo am y caban ar **https://www. youtube.com/watch?v=rLQvvqBu1z4**

1868

Daw'r rhan fwyaf o ddeunydd y bennod hon o atgofion Ben Perkins yn **http://welshmormon.byu.edu/Resource_Info.aspx?id=4472** a chofiant ei wraig, Sarah Perkins, yn **https://archive.org/stream/TheStoryOfSarahWi lliamsPerkins#page/n101/mode/2up**

Ysgrifennwyd hanes y ffordd a adeiladwyd i Ddyffryn San Juan yn *Hole-in-the-Rock: An Epic in the Colonization of the Great American West* gan David E. Miller.

Y mae atgofion yr ymfudwyr Cymreig, fel Sarah Edwards o Rudbaxton a Celestial Roberts, i'w darllen, wrth gwrs, yn **http://welshmormon.byu.edu**

Diolchiadau

Y MAE ARNAF DDYLED drom iawn i'r Athro Ron Dennis, gynt o Brifysgol Brigham Young, Provo, Utah. Yr iaith Bortiwgaleg oedd arbenigedd yr Athro Dennis yn y brifysgol, ond yn ei oriau hamdden, hanes y Mormoniaid Cymreig ddaeth i Utah yn y bedwaredd ganrif ar bymtheg sy'n mynd â'i fryd. Dysgodd Gymraeg er mwyn deall yr hanes yn well, treuliodd fisoedd yn y Llyfrgell Genedlaethol a llu o lyfrgelloedd eraill, yng Nghymru ac America, yn darllen eu cyhoeddiadau, a chreodd gasgliad gwych o'u dyddiaduron a'u cofiannau. Rhoddodd y cyfan ar-lein, i'w ddefnyddio, yn rhad ac am ddim, gan bwy bynnag a ddymunai. Gwahoddodd hefyd ddisgynyddion y Cymry yn Utah i roi ar y wefan honno unrhyw ddyddiaduron neu gofiannau a ysgrifennwyd gan neu am eu cyndadau a groesodd y paith ac y mae cannoedd wedi gwneud hynny. Rwy'n ddiolchgar iddynt am y caniatâd a dderbyniais, trwy'r Athro Dennis, i ddyfynnu o'u gwaith. Rwy'n ddiolchgar hefyd am ei gyngor doeth a'i help trwy gydol yr amser y bûm yn ysgrifennu'r llyfr hwn, ac am ei gyfeillgarwch a'i garedigrwydd.

Er mai Cymraeg oedd iaith wreiddiol llawer o'r dyddiaduron, y maent i'w darllen ar y we yn Saesneg. Bûm mor hy â chyfieithu'r darnau a ddyfynnwyd yn y llyfr yn ôl i'r Gymraeg, a thwtio a chwtogi rhai ohonynt er mwyn symud y stori yn ei blaen. Ymddiheuraf os bu i mi wneud cam ag unrhyw un wrth wneud hynny.

Dyfynnais yn helaeth hefyd o'r dyddiaduron a'r cofiannau sydd wedi eu casglu ar wefan Llyfrgell Hanes Eglwys Iesu Grist Saint y Dyddiau Diwethaf sef **https://history.lds.org/overlandtravels/** Casgliad yw hwn o atgofion ymfudwyr o bob gwlad. Diolchaf i'r Llyfrgell am y caniatâd i'w defnyddio. Unwaith eto, cyfieithais y dyfyniadau i'r Gymraeg.

Cefais lawer o gymorth gan Dr Huw Walters. Diolch iddo am ddarllen y testun mor ofalus ac am ei gyngor doeth. A diolch i'm brawd-yng-nghyfraith, John Hywyn, am gadw llygad ar fy ngramadeg a'm sillafu ac i'm brawd, John, am ei awgrymiadau defnyddiol ac am ddarganfod bedd Shadrach Jones yn Ravenhill, Abertawe.

Diolch i ddisgynyddion y Cymry yn Utah fu mor garedig i mi, yn bennaf y ddiweddar Mrs Anna Lou Giles Jeffs. Diolch i gwmni Rondo Media am gyfrannu tuag at y costau cyhoeddi, i Elgan Griffiths am ei waith caboledig ar y mapiau ac i'r Lolfa am ymgymryd â'r dasg. Yn nwylo profiadol Lefi Gruffudd a Nia Peris bu'r profiad yn bleser. Ac yn olaf, hoffwn ddiolch i Bruce Griffiths a Dafydd Glyn Jones am eu geiriadur. Ni fyddwn wedi mentro cychwyn ar y llyfr hwn heb fod 'Bruce' wrth fy mhenelin.